KT-220-658

ro
ro
ro

ro
ro
ro

Joakim Zander, 1975 in Stockholm geboren, wuchs in Söderköping an der schwedischen Küste auf und lebte in Syrien, Israel und den USA. Er studierte Jura in Uppsala, promovierte in Maastricht und arbeitete danach für das Europäische Parlament und die Europäische Kommission in Brüssel und Helsinki. Sein Debütroman «Der Schwimmer» war ein internationaler Erfolg und monatelang auf der Spiegel-Bestsellerliste. Das Buch erscheint in 30 Ländern, eine US-Verfilmung ist geplant. Derzeit lebt Joakim Zander mit seiner Frau und seinen zwei Kindern in Lund.

«Ein atmosphärisch dichtes Debüt aus Schweden.» *3sat, Kulturzeit, Krimibuchtipps*

«Ein Pageturner, toller Stil.» *ARD-Buffet*

«Mehr davon!» *NDR.de, Buchtipps*

«Eine Gefahr für die Nachtruhe, man liest ohne Pause.» *Freundin*

«Ein höchst aktueller Thriller, der unter die Haut geht und schlaflose Nächte bereitet. Unbedingt empfehlenswert!» *SR 3, Krimitipp*

«Zander mischt die Krimiszene gehörig auf.» *culturmag.de*

«Eine der großen Thriller-Entdeckungen des Jahres.» *Die Presse*

Joakim Zander

DER SCHWIMMER

Aus dem Schwedischen von Ursel Allenstein und Nina Hoyer

Thriller

Rowohlt Taschenbuch Verlag

Die Originalausgabe erschien 2013 unter dem Titel «Simmaren» bei Wahlström & Widstrand, Stockholm.

6. Auflage Januar 2017

Veröffentlicht im Rowohlt Taschenbuch Verlag, Reinbek bei Hamburg, Juli 2016

Redaktion Annika Ernst Umschlaggestaltung Hauptmann & Kompanie Werbeagentur, Zürich, Dominic Wilhelm, nach dem Original von Wahlström & Widstrand (Gestaltung: Hummingbirds) Umschlagabbildung Love Lannér Satz Pinkuin Satz und Datentechnik, Berlin Druck und Bindung CPI books GmbH, Leck, Germany ISBN 978 3 499 26888 5

Für Liisa, Milla und Lukas

Around us, the madness of empires continues.

Jane Hirshfield

Juli 1980
Damaskus, Syrien

Jedes Mal, wenn ich dich umarme, ist es das letzte Mal. Das weiß ich seit Anbeginn. Und wenn du doch zurückkommst und ich das Kind in meine schlaflosen Arme nehme, kann ich an nichts anderes denken als daran, dass ich es zum letzten Mal halten werde.

Du siehst mich an, die Augen so klar wie der Himmel nach einem Regenschauer, und ich weiß, dass du es weißt. Dass du genauso lange davon weißt wie ich. Von meinem Verrat. Jetzt, in diesem Moment, ist er so nah, dass wir seinen stinkenden Atem wahrnehmen, seinen ungleichmäßig hämmernden Herzrhythmus.

Das Kind wimmert in der Wiege, und du stehst auf, aber ich bin vor dir da und nehme es hoch. Halte es an meine Brust. Spüre seinen Atem, sein pochendes Herz durch die dünne hellblaue Decke, die deine Mutter gestrickt hat. Sein Herz ist mein Herz. Es gibt nichts, was es rechtfertigen würde, sein eigen Fleisch und Blut zu verlassen. Es gibt keine Gründe und keine Entschuldigungen. Nur unterschiedliche Deckmäntel, die man anlegen kann. Nur variierende Qualitäten von Lügen.

Und wer, wenn nicht ich, sollte diese perfekt beherrschen.

Die Hitze ist übermächtig. Nach zwei Monaten mörderischer Dürre glüht die Stadt wie Lava. Wenn der Abend kommt, ist sie nicht mehr grau oder beige, sondern durchsichtig, ermattet, wabernd. Niemand kann hier einen klaren Gedanken fassen. Alles stinkt nach Müll. Abfall, Abgase, Knoblauch und Kreuzkümmel. Aber ich nehme nur den Geruch des Kindes wahr. Ich schließe die Augen und atme tief ein, meine Nase an seine fast haarlose Stirn gepresst. Und sie ist noch immer heiß. Viel zu heiß. Das Fieber lässt nicht nach.

Du sagst, das ginge nun schon den dritten Tag so. Ich höre, wie du in den Schubladen nach Aspirin oder irgendetwas anderem kramst. Diese Hitze. Sie macht uns wahnsinnig. Wir wissen beide, dass ich keine Medikamente hier habe, in meiner Wohnung, meinem Blendwerk. Warum sind wir überhaupt hier?

«Gib mir die Autoschlüssel», sagst du.

Bewegst deine Hand wie die Händler auf dem Basar, wenn sie um Geld bitten. Und als ich zögere: «Gib mir endlich diese verdammten Schlüssel.»

Eine Oktave höher, eine Spur verzweifelter.

«Warte doch. Wäre es nicht besser, wenn ich –», beginne ich.

Das Kind liegt vollkommen reglos an meiner Schulter, sein Atem so leicht, dass ich ihn kaum mehr spüre.

«Und wie willst du zur Botschaft kommen? Du siehst doch, dass wir etwas gegen das Fieber brauchen?»

Widerstrebend angle ich den Schlüsselbund aus der Hosentasche. Das Kind mit der anderen Hand an meiner Brust balancierend, gleitet er mir durch die Finger und landet mit einem dumpfen Klirren auf dem Marmorboden im Flur. Die Hitze dämpft sogar die Geräusche, denke ich. Verzögert sie, bremst sie aus. Wir beugen uns beide gleichzeitig hinab, um die Schlüssel aufzuheben. Für einen kurzen Moment streifen sich unsere Finger und unsere Blicke. Dann schnappst du dir den Schlüsselbund und richtest dich auf. Verschwindest in das hallende Treppenhaus. Hinterlässt nur das leise Geräusch der Tür, die sacht ins Schloss fällt.

Ich stehe mit dem Kind in der einzigen schattigen Ecke auf dem Balkon, der zur Straße hinausgeht. Die Erinnerung an eine Brise streift mich. Die Hitze erschwert das Atmen. In der Luft liegt nur der Gestank der glühenden Stadt. Was ist aus dem Jasmin geworden? Früher duftete die Stadt nach Jasmin.

Das Amulett, das du mir geschenkt hast, bevor alles nur noch Hitze, Fieber, Flucht war, brennt auf meiner Brust. Es hat deiner Großmutter gehört und deiner Mutter. Ich denke, ich werde es hierlassen, es auf die Kommode mit Intarsien aus Perlmutt und Rosenholz legen, die wir zusammen auf dem Basar gekauft haben, als sich das Band zwischen uns zu knüpfen begann. Ich denke, dass ich nicht das Recht dazu habe, das Amulett mitzunehmen. Dass es mir nicht mehr gehört. Falls es das überhaupt jemals tat.

Ich weiß alles darüber, wie man überlebt. In dieser Stadt kenne ich jede Gasse, jedes Café. Ich kenne jeden schnauzbärtigen Antiquitätenhändler mit zwielichtigen Verbindungen, kenne die tratschenden Teppichverkäufer und den Jungen, der Tee aus dem meterhohen Samowar verkauft, den er auf dem Rücken trägt. Ich habe mit dem Präsidenten in verräucherten Zimmern importierten Whisky getrunken – im Beisein der Leiter von Organisationen, die er offiziell ablehnt. Der Präsident kennt meinen Namen. Einen meiner Namen. Ich habe das Geld verwaltet. Dafür gesorgt, dass es in jene Hände gelangt, die den Interessen am meisten dienen, welche zu wahren ich geschickt wurde. Wenn ihr mich trefft, spreche ich eure Sprache besser als ihr selbst. Und gleichzeitig: Setzt mich irgendwo anders ab, im Dschungel, in der Steppe, in der Lobby des Savoy Hotels. Gebt mir eine Minute. Ich verwandle mich in eine Eidechse, einen vergilbten Grashalm, einen jungen Banker in Nadelstreifen mit etwas zu langem Haar und einer schillernden, aber privilegierten Vergangenheit. Eure Studienfreunde kenne ich vage, über Dritte. Doch an mich erinnern sie sich nie.

Ihr wisst es nicht, aber ich bin so viel besser als ihr. Ich verändere mich schneller. Passe mich geschickter an. Habe unschärfere Konturen und einen härteren Kern. Ich halte meine Bande kurz. Wenn sie stärker werden, kappe ich sie. Und jetzt? Jetzt habe ich nicht aufgepasst und sie stärker werden, sich festigen lassen. Blutsbande.

Das Spiel geht ewig weiter, aber diese Partie ist beendet. Ich presse das Kind fester an meine Brust, stampfe ungeduldig mit den Füßen auf dem Beton. Wenn die Bilder vom Tod durch meine Synapsen jagen, kneife ich die Augen zusammen und schüttle den Kopf. Rede unbewusst leise mit mir selbst.

«Nein, nein, nein ...»

Das aufgedunsene Gesicht in der offenen Kloake an der Autobahn in Richtung Flughafen. Die aufgerissenen Augen. Die Fliegen in der Hitze. Diese Fliegen.

«Nein, nein, nein ...»

Warum habe ich ihn nicht in Ruhe gelassen? Ich wusste doch schon alles. Warum habe ich Firas zu einem weiteren Treffen überredet, als die Spur bereits glühend heiß war, selbsterklärend? Aber die Sache war zu widersprüchlich, zu schwer zu glauben. Ich war gezwungen, alles noch einmal zu hören. Ein weiteres Mal in Firas' nervöse Augen zu sehen, zu prüfen, ob sich etwas in seinem Blick verbirgt. Ob sich ein Schatten über sein Gesicht legt, wenn er die Details widerwillig ein letztes Mal wiederholt. Ob seine nervösen Tics eskalieren oder gänzlich verschwinden würden. All diese Zeichen. All die feinen Nuancen. All das, was diese fast unmerkliche Grenze zwischen Wahrheit und Lüge, Leben und Tod definiert. Ich kneife die Augen zusammen und schüttle den Kopf, während mich Angst und Schuld überwältigen. Ich hätte es besser wissen müssen.

Jetzt gibt es keine Zeit zu verlieren. Das Auto wurde von einem Kontakt gemietet und parkt um die Ecke. Ein Rucksack mit Kleidung, Geld und einem neuen Pass liegt im Kofferraum. Der Fluchtweg ist aktiviert, mit unsichtbarer Tinte auf die Innenseite meiner Augenlider geschrieben. Es ist die einzige Lösung, die jetzt noch bleibt. Zu Staub zu werden und anschließend zu Luft. Ein Teil von Kreuzkümmel, Knoblauch, Abfall und Abgasen zu werden. An einem guten Tag vielleicht auch zu Jasmin.

Ich halte das Kind vor mich und sehe es an. Es erleichtert mich, dass es deine Augen hat. So ist es einfacher. Was ist das für ein Mensch, der sein eigenes Kind zurücklässt? Auch wenn es darum geht, es zu beschützen. Verrat um Verrat. Lüge um Lüge. Wie lange kann die Relativität eine menschliche Seele retten?

Die Geräusche, die von der Straße heraufdringen. Langsamer, träger in der Hitze. Der Nachhall müder Stimmen, die mich im dritten Stock kaum noch erreichen. Autos, die über den gluthei-ßen Beton kriechen, heiser, geplagt.

Und dann das Stottern eines Wagens, der nicht anspringt. Ein Schlüssel, der umgedreht wird, aber die Zündkerzen reagieren nicht. Einmal:

«Aaaaannnnnananananananan.»

Das Kind abschirmend, trete ich in die Sonne ans Balkongeländer. Es fühlt sich an, als würde ich in ein viel zu heißes Bad gleiten, der Schweiß rinnt meine Wangen hinab, meine Achselhöhlen, mein Rücken und meine Brust sind schon vollkommen nass. Ich beuge mich über das Geländer, suche den rostigen alten grünen Renault mit dem Blick. Auf der anderen Straßenseite. Gedanken schwirren mir durch den Kopf. Dass ich glücklich war, genau diese Parklücke gefunden zu haben. Dass ich dachte, er würde dort über Wochen stehen, wenn nicht Monate. Dass du am Ende vielleicht die Schlüssel finden und ihn umstellen würdest. Doch warum solltest du dich um das Auto scheren?

Sonnenreflexe blitzen von der Scheibe auf der Fahrerseite auf. Doch wenn ich blinzele, sehe ich dich. Dein schönes blondes Haar, platt und strähnig von den schlaflosen Nächten, dem Wassermangel. Vornübergebeugt, das Gesicht verzerrt von Gereiztheit, Kopfschmerz, all die Gedanken, all die Sorgen. Ich denke, dass du das Schönste bist, was ich je gesehen habe. Dass es das letzte Mal ist, dass ich dich sehe. Das Messer, das sich, Umdrehung für Umdrehung, in mein Herz hineinbohrt.

Du betätigst den Zündschlüssel erneut.

«Aaaaannnnnananananananan.»

Das ist ein Zeichen. Eines der Zeichen. Eines von Tausenden von Zeichen, die zu erkennen ich gelernt habe, um mein eigenes Überleben zu sichern. Und ich weiß, dass es zu spät ist, viel zu spät. Die Einsicht durchzuckt mich. Die Todesangst, die Hoffnungslosigkeit, die Schuld, Schuld, Schuld. Alles in dem Bruchteil von Sekunden, die ein Nerv braucht, um auf Schmerz zu reagieren.

Als die Explosion mein Trommelfell zerreißt, liege ich bereits auf dem Boden. Die Explosion ist nicht dumpf, nicht von der Hitze gedämpft. Sie ist fürchterlich, majestätisch. Sie ist eine ganze Feldschlacht, auf einen Augenblick komprimiert. Ich spüre, wie mich Tausende, winzige leichte, aber scharfkantige Partikel wie Asche bedecken. Glas und etwas, das Teilchen der Betonfassade sein könnten, Metallteilchen.

Anschließend ist es vollkommen still. Ich scheine unter einer Schicht aus Splittern zu liegen, einer Schicht aus Glas, billigem Beton, rostigem Stahl. Ich denke, dass ich wahrscheinlich blute. Ich denke, dass ich, solange ich denke, wahrscheinlich auch lebe. Ich denke, dass meine Arme hier irgendwo sein müssen, ich spüre sie unter mir, auf dem Boden des Balkons. Ich denke: Was umklammere ich hier, worauf liege ich? Es gelingt mir, mich auf die Seite zu rollen. Um mich herum knirschen Beton und Glas. Vorsichtig hebe ich den Oberkörper, stütze mich auf den Ellbogen, der den Signalen meines Rückgrats zu gehorchen scheint.

Unter mir liegt das Kind, dem ich die Hände fest auf die Ohren gepresst habe. Es blinzelt mich an, atmet schwer, fiebrig. Es hat nicht eine Glasscherbe abbekommen.

8. Dezember 2013
Uppsala, Schweden

Mahmoud Shammosh war eigentlich nicht paranoid veranlagt. Wenn ihn jemand fragen würde, er würde sich als das genaue Gegenteil beschreiben. Rational. Analytisch. Und vor allem: zielstrebig.

Dass er ein Außenseiter war, ließ er nicht als Entschuldigung gelten, und als einen Anhänger von Verschwörungstheorien sah er sich auch nicht. Die waren etwas für Teenager, Dschihadisten und Feiglinge. Mit faulen Ausreden hätte er nicht die graue Vorstadt und die Hoffnungslosigkeit hinter sich gelassen und sich eine Doktorandenstelle in Uppsala erkämpft. Er war fest davon überzeugt, dass in neun von zehn Fällen die einfachste Lösung die richtige war. Paranoia war etwas für Verlierer.

Mit einem Ruck zog er sein verrostetes Crescent aus dem Fahrradständer vor der Universitätsbibliothek Carolina Rediviva. Früher war es wohl hellblau gewesen, aber schöne Fahrräder fuhren in Uppsala nur die Erstsemester. Die Alteingesessenen wussten, dass diese gleich in der ersten Semesterwoche gestohlen wurden. Mahmouds Rad balancierte auf dem schmalen Grat zwischen perfekter Tarnung und völliger Unbrauchbarkeit.

Er trat ein paarmal kräftig in die Pedale, dann ließ er das Rad den Abhang zur Stadt hinunterrollen. Selbst nach seinen knapp sieben Jahren in Uppsala genoss er es noch, mit dem Wind im Gesicht die Drottninggatan hinunterzusausen und die Kälte an den Fingern zu spüren. Gegen seinen Willen blickte er über die Schulter. In der frühen Abenddämmerung glommen die Straßenlaternen auf der Anhöhe einsam und wehmütig. Niemand folgte ihm.

Die Weihnachtsdekoration am Empfangstresen der Juristischen Fakultät am Gamla torg glitzerte. Obwohl Sonntag war, brannten die Adventsleuchter und die Lichter am Weihnachtsbaum, aber der Flur im zweiten Stock lag im Dunkeln. Hier war alles still. Er schloss die Tür seines kleinen, vollgestopften Arbeitszimmers auf, knipste die Schreibtischlampe an und fuhr den Computer hoch.

Mit dem Rücken zum Fenster setzte er sich auf seinen Bürostuhl und nahm zwei Bücher vom Schreibtisch, eines über die Privatisierung von Staatsaufgaben, das andere über Menschenrechte. Wenn alles nach Plan lief, würde er bald selbst stolzer Verfasser einer Abhandlung sein. *The Privatization of War*, so lautete der Titel seiner Doktorarbeit. Sie war etwa zur Hälfte fertig.

Was er bisher geschrieben hatte, war eigentlich nicht neu. Aber es basierte auf mehr Recherchen vor Ort als andere Promotionen der Rechtswissenschaft, und das machte die Arbeit neuartig, fachübergreifend. Er hatte mehr als fünfzig Angestellte amerikanischer und britischer Unternehmen im Irak und in Afghanistan dafür befragt. Unternehmen, die Aufgaben übernommen hatten, die bislang von den Armeen selbst ausgeführt worden waren, angefangen von Transporten über die Versorgung und verschiedene Sicherheitsaufgaben bis hin zu reinen Kampfeinsätzen.

Anfangs hatte er noch auf eine Sensation, ein neues Abu Ghraib oder My Lai, gehofft. Der Akademiker, der die furchtbaren Gräueltaten aufdeckt. Er wusste, dass seine Herkunft dabei von Vorteil war. Aber er war auf nichts Spektakuläres gestoßen, sondern hatte nur lückenlos die Unternehmen und ihre Vorgaben erfasst und katalogisiert, was jedoch zumindest für einen Artikel im *European Journal of International Law* und einen knappen Bericht in *Dagens Nyheter* ausgereicht hatte. Woraufhin sich ein überraschendes Interview mit *CNN* in Kabul ergeben hatte. Was wiederum dazu geführt hatte, dass man ihn plötzlich zu internationalen Konferenzen und Symposien einlud. Das war keine Sensation, ließ ihn aber den süßen Vorgeschmack von Erfolg kosten.

Jedenfalls bis die E-Mail gekommen war.

Seufzend griff Mahmoud nach einem fünfzig Seiten dicken Papierstapel auf seinem Schreibtisch. Das neueste Kapitel seiner Promotion. Schon auf der ersten Seite wimmelte es von roten Kommentaren. Sein Doktorvater, dieser alte Reserveoffizier, spürte jeden Versuch auf, mit dem Material abzuschweifen. Mahmoud merkte, wie mutlos er wurde, und ließ den Stapel wieder sinken. Zuerst die E-Mail.

Der alte Rechner gab ein Brummen von sich, als würde er dagegen protestieren, an einem Sonntag den Dienst anzutreten. Die Hardware der Fakultät war alles andere als neu, aber das gehörte zum Selbstverständnis wie ein Statussymbol. Man kam schließlich nicht wegen der modernen Ausstattung an diese Fakultät, sondern wegen des Gegenteils: fünfhundert Jahre alte Traditionen.

Mahmoud betrachtete die Dunkelheit vor dem Fenster. Auch wenn sein Arbeitszimmer klein war, bot es doch die beste Aussicht von ganz Uppsala. Im Vordergrund der Fluss Fyrisån und das Haus, in dem Ingmar Bergman *Fanny und Alexander* gedreht hatte. Wie hieß es noch gleich? Akademikvarnen? Es stand hinter der Domkirche und dem Schloss, beinahe geisterhaft erleuchtet, mit all seiner makellosen akademischen Großbürgerlichkeit. Mahmoud dachte kaum noch darüber nach, welche Welten zwischen dieser Aussicht und dem Ausblick auf den winzigen Spielplatz und den porösen Beton seines Geburtsortes lagen. Endlich kam der Computer auf Touren, und Mahmoud konnte sein Mail-Programm öffnen. Nur eine neue Nachricht, ohne Betreff. Nicht weiter seltsam, schließlich hatte er seine E-Mails erst vor einer Viertelstunde in der Bibliothek abgerufen. Er wollte sie gerade in den Spam-Ordner verschieben, als er beim Lesen des Absenders stutzte. Jagare00@hotmail.com.

Sein Herz schlug schneller. Das war schon die zweite E-Mail von diesem Absender. Die erste war nach seiner Rückkehr aus Afghanistan gekommen und der Grund für die aufkommende Paranoia, gegen die er sich in den letzten Wochen gewehrt hatte.

Die Nachricht war kurz gewesen, auf Schwedisch und offenbar aus Afghanistan verschickt worden.

> Shammosh,
> ich habe vor ein paar Tagen das Interview mit dir auf CNN gesehen. Du scheinst ja furchtbar seriös geworden zu sein. Können wir uns in den nächsten Tagen in Kabul treffen? Ich habe Informationen, die für uns beide relevant sind. Sei vorsichtig, du wirst beschattet.
> Mut, Willenskraft und Ausdauer.

Dieser vertraute Ton. «Mut, Willenskraft und Ausdauer.» Bekannte Worte aus einer anderen Zeit. Diese Person kannte ihn ganz offenbar.

Und davor: «Du wirst beschattet.» Mahmoud hatte das abgetan, darüber gelacht. Das musste ein Bekannter sein. Jemand, der sich einen Scherz mit ihm erlaubte. Schon bald würde er eine neue E-Mail mit dem Text ‹LOL! Gottya!› bekommen. Seine Herkunft war ungewöhnlich in den gesellschaftlichen Kreisen, in denen er heutzutage verkehrte, und gab seinen neuen Bekannten immer wieder Anlass, ihn auf die Schippe zu nehmen. Aber es kam keine Auflösung des Rätsels. Und er begann sich in alle Richtungen umzusehen. Nur, um auf der sicheren Seite zu sein. Nur, um zu ... tja, warum nicht?

Und schon am selben Abend war er ihm aufgefallen. Ein gewöhnlicher Volvo V70. Bürokratengrau. Unter einer erloschenen Straßenlaterne vor seiner kleinen Einzimmerwohnung in Luthagen. Und im Lauf derselben Woche sah er ihn wieder, als er nach seinem wöchentlichen Basketballtraining aus der Unisporthalle kam.

Mahmoud prägte sich das Kennzeichen ein. Danach sah er den Wagen überall. Ihn überlief ein Schauer. Vielleicht war es nur ein Zufall. Vielleicht auch nicht.

Er klickte die neue E-Mail an. Vielleicht wurde die Sache jetzt als Scherz enttarnt? Er würde dem Witzbold gegenüber nie zugeben, dass er teilweise darauf hereingefallen war.

Auch dieser Text war auf Schwedisch:

> Shammosh,
> ich nehme in Brüssel Verbindung zu dir auf.
> Wir müssen uns treffen.
> Mut, Willenskraft und Ausdauer.

Mahmouds Puls raste. Woher konnte diese Person wissen, dass er diese Woche nach Brüssel musste? Eigentlich war nur sein Doktorvater darüber informiert, dass er die Einladung angenommen hatte, am Donnerstag auf einer Konferenz der International Crisis Group zu sprechen. Mahmoud spürte, dass ihm eine Gänsehaut über den Rücken lief. Womöglich war alles trotzdem nur ein Scherz? Der Volvo nur Einbildung? Aber andererseits war es in gewisser Weise auch spannend und versetzte ihm einen kleinen Adrenalinschub.

Er schüttelte den Kopf. Vielleicht sollte er einfach abwarten, ob ihn jemand in Brüssel kontaktierte. Aber eine Sache musste er noch erledigen, bevor er die Fakultät wieder verließ. Eine E-Mail schreiben, die überfällig war. Es war ein Kontakt, der schon lange darauf wartete, wiederbelebt zu werden.

Klara Walldéen war plötzlich und aus einer völlig unerwarteten Richtung gekommen. Eines Tages war sie einfach da gewesen, hatte vor seiner Wohnungstür gestanden. Damals hatte er eine schwere Zeit durchgemacht. Er hatte nicht schlafen können, sich leer und verwirrt gefühlt, erschöpft und furchtbar einsam.

«Ich habe dich bei den Vorlesungen gesehen», sagte sie. «Du bist der Einzige, der noch einsamer wirkt, als ich mich fühle. Also bin ich dir gefolgt. Bescheuert, oder?»

Dann war sie ruhig über die Schwelle getreten, hatte ihre Arme um ihn geschlungen, ihren Kopf an seine Schulter gelehnt und ihre Finger in sein halblanges Haar geschoben. Hatte ihre Einsamkeit wortlos neben seine gelegt. Und Mahmoud ließ seine Einsamkeit, wo sie war, sodass sich die ihre und die seine von selbst annäherten, bis sie miteinander verschmolzen.

Es war ein befreiendes Gefühl, dass sie sich ohne Worte verstanden. Dass sie einfach so auf seiner spartanischen Matratze oder Klaras schmalem Bett in der Studentenstadt Rackarberget liegen und einer ihrer Soul-Scheiben vom Flohmarkt lauschen konnten, die auf dem betagten Reiseschallplattenspieler knisterten.

Noch immer dachte er jeden Tag daran. Wie sie so leise geatmet hatten wie möglich, damit die zarte Hülle, die sie umschloss, keinen Riss bekam. Wie ihre Herzen im Einklang mit dem Rhythmus von Prince Phillip Mitchells «I'm So Happy» geschlagen hatten.

Trotzdem hatte er von Beginn an gewusst, dass es nicht funktionieren würde. Dass ihn etwas daran hinderte, unvereinbar war mit dem, das Klara und er erschaffen hatten. Etwas, das er jedoch für sich behielt, im tiefsten Winkel seines Herzens. Als Klara nach dem Jurastudium an der London School of Economics angenommen wurde, hatten sie sich hoch und heilig geschworen, regelmäßig zu pendeln, und gedacht, dass eine so starke Beziehung wie die ihre das aushielt. Aber insgeheim wusste Mahmoud, dass damit das Ende gekommen war. Weil der Funke, den er so lange zu ersticken versucht hatte, erneut in einer zielstrebigen Flamme auflodern würde.

Nie würde er Klaras Blick vergessen, als sie in Arlanda standen und er sich durch seinen in- und auswendig gelernten Text stammelte. Dass ihnen eine Beziehungspause vielleicht ganz gut tun würde. Sie keine Belastung für den anderen darstellen sollten. Sie es nicht als Ende, sondern als eine neue Chance ansehen sollten. Unzählige Gründe nannte er, aber nicht die Wahrheit. Klara sagte nichts, nicht ein Wort. Sah ihn nur unverwandt an. Als er fertig war oder die Worte ihn schließlich im Stich ließen, lag in ihren Augen keine Liebe, keine Zärtlichkeit mehr. Sie blickte ihn mit einer Verachtung an, die so unbarmherzig war, dass ihm die Tränen kamen. Dann nahm sie ihre Koffer und ging zum Check-in-Schalter, ohne sich noch einmal umzudrehen. Das war jetzt drei Jahre her. Seitdem hatte er nicht mehr mit ihr gesprochen.

Mahmoud beugte sich über den Rechner und öffnete eine neue Nachricht. Er hämmerte auf die Tastatur ein. Seit er nach Brüssel eingeladen worden war, hatte er nur noch daran gedacht, Kontakt zu Klara aufzunehmen. Aber er hatte es nicht geschafft. Hatte sich nicht dazu überwinden können.

«Los doch! Nun mach schon!», redete er sich laut zu.

Er brauchte eine halbe Stunde für eine E-Mail, die nur fünf Zeilen lang war. Eine weitere Viertelstunde verging damit, alle möglichen Doppeldeutigkeiten zu löschen, alle Anzeichen von Verzweiflung, alle Hinweise auf eine Geschichte, zu der er keinen Zugang mehr fand. Schließlich holte er tief Luft und klickte auf ‹senden›.

Als er zwanzig Minuten später die Fakultät verließ, fiel sein Blick als Erstes auf den grauen Volvo. Auf einem Parkplatz, unten am Fluss, im Dunkeln. Während er sein Fahrrad aufschloss, hörte er, wie der Motor angelassen wurde, sah die Vorderscheinwerfer erwachen, ein gespenstischer Lichtkegel, der das alte Metallgeländer am Fyrisån erhellte. Zum ersten Mal seit langem hatte er Angst.

8. Dezember 2013
Sankt-Anna-Schärengarten, Schweden

Die Stille danach war fast ebenso lähmend wie die beiden ohrenbetäubenden Schüsse davor. Nur das Quaken der Enten, die in die Bucht hinausstoben, und das leise Winseln des Hundes, der am Halsband zerrte, waren zu hören. Die Klippen und das Meer, alles war grau. Kahle Bäume und Sträucher. Raschelnd strich der Wind durch das blasse Schilf an der Wasserkante.

«Du hast sie verfehlt», sagte der alte Mann mit dem Fernglas.

«Von wegen», erwiderte die junge Frau neben ihm. Die Schrotflinte lag noch immer an ihrer Schulter, das Kirschholz des Kolbens lag kühl an ihrer Wange.

«Vielleicht mit der ersten Salve, aber nicht bei der zweiten. Lass Albert laufen, dann werden wir ja sehen.»

Der alte Mann beugte sich vor und löste die Leine vom Halsband des Spaniels. Der Hund stürmte laut bellend davon, durch das Schilf und über die Klippen, in die Richtung, in die der Schuss abgefeuert worden war.

«Du hast beide verfehlt, glaub mir. Du bist aus der Übung gekommen, Klara.»

Enttäuscht schüttelte er den Kopf. Der Hauch eines Lächelns zeigte sich auf ihren Lippen.

«Das sagst du jedes Mal, wenn wir hier draußen sind, Opa. Dass ich danebengeschossen habe. Dass ich es verlernt habe.» Sie ahmte seine betrübte Miene nach. «Und jedes Mal kehrt Albert wieder mit dem Sonntagsbraten im Maul zurück.»

Der Mann schüttelte den Kopf. «Ich sage nur, was ich sehe, das ist alles», brummte er und nahm eine Thermoskanne und zwei Becher aus seinem verschlissenen Rucksack. «Ein Becher Kaffee, und dann fahren wir nach Hause und wecken Oma», sagte er.

Am Ufer ertönte ein kurzes Bellen, gefolgt von wildem Wasserplatschen. Klara lächelte übers ganze Gesicht und tätschelte die Wange ihres Großvaters.

«Ich bin also aus der Übung, ja?»

Der Mann zwinkerte ihr mit seinen eisblauen Augen zu und reichte ihr den Kaffee. Mit der anderen Hand zog er einen kleinen Flachmann aus der Tasche.

«Wollen Sie ein Schlückchen, Frau Großwildjägerin? Um Ihren Triumph zu feiern.»

«Ich glaub's nicht, hast du etwa Schnaps dabei? Weißt du, wie spät es ist? Das erzähle ich aber Oma.»

Klara schüttelte ernst den Kopf, ließ ihren Großvater aber einen kleinen Schuss Selbstgebrannten in ihren Becher kippen. Doch bevor sie einen Schluck davon trinken konnte, klingelte das Smartphone tief in der Tasche ihrer Wachsjacke. Seufzend reichte sie ihrem Großvater den Becher.

«Vorm Teufel kannst du dich nicht verstecken», sagte der mit einem schwachen Lächeln.

Klara griff nach ihrem Blackberry. Sie war nicht erstaunt, den Namen ihrer Chefin Eva-Karin auf dem Display zu sehen. Eva-Karin Boman, sozialdemokratisches Urgestein und Mitglied des Europäischen Parlaments.

«O nein», stöhnte sie, bevor sie das Gespräch annahm. «Hallo, Eva-Karin», meldete sie sich und klang dabei eine Oktave höher und bedeutend gehetzter als sonst.

«Klara, Schätzchen, was für ein Glück, dass ich dich erreiche! Jetzt liegt hier wirklich alles im Argen! Glennys hat mich gerade angerufen und mich nach unserer Position zum IT-Sicherheitsbericht gefragt. Und ich habe das Dokument noch nicht einmal öffnen können, weißt du. Es gab so viel zu tun mit dem ...»

Die Stimme war einen kurzen Moment weg. Klara sah rasch auf

ihre Uhr. Kurz vor neun. Eva-Karin saß wahrscheinlich im Expresszug zum Flughafen Arlanda. Klaras Blick schweifte über die grauen, windzerklüfteten Klippen. Wie absurd es war, so weit draußen im Schärengarten mit ihrer Chefin zu sprechen. Eva-Karins Stimme kam ihr wie ein Eindringling in ihren letzten Zufluchtsort vor.

«... wenn du also bis – was wollen wir sagen? Bis heute Abend um fünf, einverstanden? – eine Zusammenfassung für mich hättest? Damit ich sie vor der Besprechung morgen noch durchgehen kann? Das schaffst du doch sicher, oder? Du bist ein Engel, Schätzchen.»

«Natürlich», sagte Klara. «Aber, vielleicht erinnerst du dich nicht mehr daran, Eva-Karin – ich bin in Schweden und fliege erst heute Nachmittag um zwei wieder zurück nach Brüssel. Ich bin mir nicht sicher, ob ich es bis um fünf Uhr schaffe ...»

«Ich weiß sehr wohl, dass du in Schweden bist, Klara», schnitt Eva-Karin ihr mit einer Stimme das Wort ab, die keinen Raum für weitere Diskussionen ließ. «Aber während des Flugs kannst du doch wohl arbeiten? Ich meine, Herrgott noch mal, du hast doch das ganze Wochenende frei gehabt, oder nicht?»

Klara ging im feuchten Moos in die Hocke und stützte den Kopf in die Hände. Es war Sonntagmorgen. Sie hatte einen freien Samstag gehabt. Ihr war, als wäre ihre Lebenslust wie weggeblasen.

«Klara? Klara? Bist du noch da?», hörte sie Eva-Karins Stimme an ihrem Ohr. Klara räusperte sich, schüttelte den Kopf. Atmete tief ein und strengte sich an, ihre Stimme munter, dynamisch und diensteifrig klingen zu lassen.

«Aber natürlich, Eva-Karin», sagte sie. «Kein Problem. Ich maile dir die Zusammenfassung bis um fünf zu.»

Eine halbe Stunde später saß Klara Walldéen wieder in ihrem Kinderzimmer, die Füße auf den glatten, blankgescheuerten

Holzdielen und umgeben von rosa Tapeten mit Blumenborte, die sie sich mit zehn Jahren von ihren Großeltern erquengelt hatte. Durch die kahlen Bäume vor dem Gaubenfenster sah sie die Ostsee schimmern, auf den Wellen schwammen Gänse. Noch vor Tagesende würde der Sturm die Küste erreicht haben, sie mussten sich beeilen. Ihr Freund aus Kindertagen, Bosse Bengtsson, der tiefer in der Bucht wohnte, würde sie mit dem Boot und dem Auto nach Norrköping bringen. Dann hieß es, den Zug nach Arlanda und den Flieger nach Brüssel zu nehmen, zurück in den Alltag.

Sie zog den fusseligen Helly-Hansen-Pulli über ihre schmalen Schultern und wählte ein helles, eng anliegendes Top und eine asymmetrisch geschnittene Strickjacke. Jeans aus japanischem Denim statt der verschlissenen Cordhosen ihrer Großmutter. Tauschte die gefütterten Gummistiefel, die sie bei der morgendlichen Jagd getragen hatte, gegen ein Paar limitierte Nike-Turnschuhe. Trug um die Augen ein bisschen kohlschwarzen Lidschatten auf. Noch ein paar Bürstenstriche durch ihre rabenschwarzen Haare, und aus dem Spiegel des kleinen weißen Schminktisches blickte ihr ein anderer Mensch entgegen. Die Fußbodenbretter knarrten, als sie sich bewegte.

Klara erhob sich vom Stuhl und öffnete die Tapetentür zu der kleinen Abseite. Vorsichtig, mit geübten Bewegungen, beugte sie sich vor und zog einen alten, ramponierten Schuhkarton heraus, dem sie einen Stapel Fotos entnahm.

Sie verteilte sie auf dem Fußboden und setzte sich im Schneidersitz davor.

«Guckst du dir wieder die alten Bilder an, Klara?»

Klara drehte sich um. Im fahlen Licht der kleinen Dachgaube wirkte ihre Großmutter beinahe durchsichtig, ihr Körper so zart und zerbrechlich. Hätte Klara es nicht mit eigenen Augen gesehen, würde sie es nicht glauben, dass sich die alte Frau immer noch in die Wipfel des knorrigen Apfelbaums schwang, um den Vögeln den letzten Apfel vor der Nase wegzuschnappen.

Die Großmutter hatte dieselben eisblauen Augen wie ihr Großvater. Sie hätten Geschwister sein können, aber darüber machte man hier draußen im Schärengarten keine Scherze. Ihr Gesicht wies ein paar Linien, aber keine Falten auf. Niemals Schminke, nur Sonne, Salzwasser und Lachen, lautete ihre Devise. Sie schien keinen Tag älter als sechzig zu sein, würde aber in ein paar Monaten fünfundsiebzig werden.

«Du weißt ja, ich will sie mir nur kurz ansehen», erwiderte Klara.

«Ich verstehe bis heute nicht, warum du sie nicht mit nach Brüssel nimmst. Warum sollen sie hierbleiben?»

Ihre Großmutter schüttelte den Kopf. Ein kummervoller Ausdruck, ein Anflug von Einsamkeit flackerte in ihren Augen auf. Für einen flüchtigen Moment schien es so, als wollte sie noch etwas sagen, besann sich dann jedoch offenbar anders.

«Ich weiß nicht», sagte Klara. «So soll es einfach sein, sie gehören hierher. Hattest du nicht etwas von Safrangebäck gesagt?»

Sie schob die Fotos zusammen und legte sie behutsam zurück in den Schuhkarton, bevor sie ihrer Großmutter die Treppe hinunterfolgte.

«Na, da isse ja! Und noch dazu in voller Montur!»

Bosse Bengtsson stand auf dem Bootssteg und wartete schon auf Klara, als sie wie unzählige Male zuvor den Pfad von seinem verfallenen Elternhaus herunterkam. Als würden ihre Füße den Weg von allein finden. Als wären ihr Kopf und ihr Nervensystem nicht beteiligt, wenn sie Wurzeln, Steinen und Pfützen auswich.

«Lass es gut sein, Bosse. Du klingst ja schon wie Opa», sagte Klara.

Unbeholfen umarmten sie sich. Bosse war ein paar Jahre älter als sie und für Klara wie ein Bruder. Sie waren wie Geschwister und dabei doch immer ein seltsames Paar gewesen. Klara klein und dünn, Klassenbeste und mit einer so großen Fußballbegabung, dass sie in Östervikings Jungenmannschaft gekickt hatte, und Bosse, der es liebte, zu angeln und – als er älter wurde – zu jagen, zu saufen und Schlägereien anzuzetteln. Während es sie immer wieder von hier wegzog, konnte er sich nicht vorstellen, jemals den Schärengarten zu verlassen. Trotzdem waren sie tagein, tagaus zusammen zur Schule gefahren. Im Sommerhalbjahr mit dem Schulboot, im Winter mit dem Luftkissenboot. So etwas ließ Vertrauen erwachsen, unerschütterlicher als alles andere.

Klara sprang an Bord und hievte die verbeulten Fender in Bosses altes Boot, dieses Arbeitspferd, während er ablegte. Als sie fertig war, leistete sie ihm in dem kleinen Ruderhaus Gesellschaft. Hinter den verdreckten Bullaugen waren die Wellen größer geworden, ihre Kämme weiß und entschlossen.

«Heut Abend gibt's Sturm», sagte Bosse.

«So heißt es zumindest», antwortete Klara.

17. Dezember 2013
Brüssel, Belgien

Der kleine Park vor George Lööws Panoramafenster im sechsten Stock des Bürogebäudes von Merchant & Taylor, dem weltgrößten PR-Büro am Square de Meeus in Brüssel, sah kahl und frostig, ja einfach grässlich aus. George Lööw hasste den Dezember. Und vor allem Weihnachten. Er konnte den Weihnachtsschmuck die ganze Rue Luxembourg entlang bis zum Europaparlament sehen, und das irritierte ihn maßlos. Da half es auch nichts, dass der Dezember irgendwann zu Ende ging, denn diese stinkfaulen Straßenarbeiter von der Stadt würden den ganzen Mist wieder bis weit in den Februar hinein hängen lassen.

In weniger als einer Woche musste er gezwungenermaßen nach Hause in die Achtzimmerwohnung in der Rådmansgatan fahren und den jährlichen Lebensbericht ablegen. In der Wohnung würde wie jedes Jahr ein nostalgischer Weihnachtsbaum im Stil von Elsa Beskow mit echten Kerzen stehen. Die geschmackvollen Weihnachtssterne wären angezündet, und der Naschtisch des Alten würde sich biegen vor Marzipan, den Karamellbonbons seiner neuen Frau Ellen und der sauteuren Schokolade, die George jedes Jahr aus Brüssel mitbrachte und die sie pflichtschuldig und ein wenig beschämt ebenfalls dorthin legten.

Die Verwandtschaft würde pappsatt auf den Svenskt-Tenn-Sofas verteilt sitzen, in den Händen die dampfenden Tassen mit hausgemachtem Glögg. Voll Pathos und in ihrer verdammten Scheinheiligkeit würden sie blasierte Blicke austauschen, wenn sie George baten, von seinem Job als «Lobbyist» zu erzählen, ein Wort, das aus ihrem Munde denselben Klang hatte wie «Exkrement» oder «Emporkömmling».

«Verdammte Arschlöcher», zischte George.

Die kleine Kaffeemaschine brummte und füllte seine Nespresso-Tasse zur Hälfte. Dies war schon sein dritter Espresso, und es war nicht einmal zehn Uhr. Er war ungewohnt nervös vor seiner morgendlichen Besprechung mit einem neuen Kunden, der sich Digital Solutions nannte. Georges Chef Richard Appleby, der amerikanische Geschäftsführer für Europa, hatte gesagt, dass sie unbedingt mit George zusammenarbeiten wollten. An und für sich war das natürlich gut. Offenbar hatte er sich einen Ruf erarbeitet. Den Ruf, in Brüssel etwas zu erreichen. Die Stimmung beeinflussen zu können.

Aber es war verdammt unangenehm, dass er nichts über seinen Kunden wusste. Es gab, zum Teufel, unzählige Firmen, die Digital Solutions hießen. Er konnte unmöglich herausfinden, was diese genau machte. Ein solches Treffen ließ sich nicht vorbereiten. Also galt es, seinen Charme spielen zu lassen und loszulegen. Solange sie das großzügig bemessene Honorar berappten, gab es keinen Grund zu Klagen. Merchant & Taylor hatten keine Skrupel. *You pay you play*, lautete das inoffizielle Motto. Chemikalien, Waffen, Tabak? Nur zu. Hatte Appleby nicht irgendwann Anfang der Neunziger sogar als Repräsentant für Nordkorea gearbeitet? Vielleicht war das auch nur ein Mythos. Wie auch immer. Jedenfalls zog George es vor zu wissen, wer sein Gegenüber war, bevor die Besprechung begann.

Er schwitzte noch immer nach seiner morgendlichen Squash-Runde im Fitnessstudio. Das hellblaue Hemd von Turnbull & Asser klebte ihm am Rücken. Ekelhaft. Hoffentlich hört das noch vor dem Meeting auf, dachte er. Kaffee war wahrscheinlich nicht unbedingt förderlich.

Mit einer Grimasse kippte er den kleinen Espresso in einem Zug hinunter. George trank seinen Kaffee wie ein Italiener. Nur ein kurzer Espresso im Stehen. Kultiviert. Stilsicher. Selbst wenn er allein im Büro war. Es war wichtig, die Haltung zu wahren. Du bist, was du darstellst.

Fünf vor zehn. Er suchte einen Stapel Papiere, einen Block und einen Stift zusammen. Die Dokumente hatten nichts mit Digital Solutions zu tun, aber das wusste der Kunde nicht. Er konnte schließlich nicht wie ein dahergelaufener Praktikant aussehen und nur mit einem Stift zu dem Treffen erscheinen.

George liebte den Konferenzraum an der Ecke im sechsten Stock, seit er bei Merchant & Taylor angefangen hatte, und er buchte ihn immer, wenn er noch frei war. Der Eckraum hatte zwei Glaswände, die ihn von der Bürolandschaft trennten, wo Georges Karriere selbst einmal begonnen hatte. Hier konnte man per Knopfdruck dafür sorgen, dass beide Scheiben im Nu milchig wurden, undurchsichtig wie dickes Eis. In den ersten Wochen in seinem Job, als George noch vor dem Computer gesessen und uninteressante Umfeldanalysen für Kunden aus der Zuckerbranche, der Automobilbranche oder der Polymerbranche erstellt und dämliche Newsletters geschrieben hatte, waren die Glaswände das Coolste gewesen, was er je gesehen hatte. Fasziniert hatte er beobachtet, wie die erfahreneren Berater in ihren handgenähten italienischen Lederschuhen über den Holzboden geschwebt und im Eiswürfel verschwunden waren. So unglaublich beeindruckend.

Mittlerweile schwebte George selbst über den Boden zum Eiswürfel. Er spürte die Blicke. Ähnliche Blicke, wie er sie selbst geworfen hatte, als er dort im Büro gesessen hatte. Nicht alle hatten eine solch steile Karriere gemacht wie er, und vielleicht sprach nicht aus allen Blicken nur ungeteilte Bewunderung. Aber die anderen wahrten die gute Miene. Winkten. Lachten. Spielten das Spiel mit.

Jedenfalls war es ein irres Glück gewesen, dass er diesen Job an Land gezogen hatte, nachdem er vor drei Jahren bei der schwedischen Anwaltskanzlei Gottlieb gekündigt hatte. Allein die Tatsache, dass er bei Gottlieb mit etwas so Scheußlichem wie Gesellschaftsrecht und Geschäftsübernahmen befasst gewesen war, hatte der Alte nur schwer akzeptieren können. War man in der Familie Lööw als Anwalt selbständig tätig, dann beschäftigte man sich mit Strafrecht. Großen Prinzipien, Recht und Unrecht. Nicht mit so schmutzigen Angelegenheiten wie Geschäftsvereinbarungen und Geld. Das war etwas für Emporkömmlinge und Arrivierte ohne «Ahnen, Sitten und Verstand», wie der Alte zu sagen pflegte. Man konnte wohl von Glück reden, dass er nicht die Umstände kannte, die Georges Kündigung begleitet hatten.

Immerhin war der Alte etwas besänftigt gewesen, als George nach seiner Zeit in der Kanzlei zu einem prestigeträchtigen Magisterstudiengang am Collège d'Europe in Brügge zugelassen worden war. Eine waschechte Eliteschule nach französischem Vorbild, von der aus man sofort nach Brüssel katapultiert wurde. Endlich würde aus dem Jungen etwas werden. Vielleicht eine Stelle im Außenministerium? Oder bei der EU-Kommission? Etwas Ordentliches jedenfalls.

George wusste, dass eine Karriere in Schweden nach seinem kurzen Intermezzo bei Gottlieb ausgeschlossen war, und mit einem frischen Examen in EU-Recht in der Tasche war Brüssel genau der richtige Ort, um nach einer neuen Anstellung zu suchen. Anwaltskanzleien hatte er von vornherein ausgeschlossen. Er hatte keine Lust, endlose Nächte mit trockenen Rechenschaftsberichten zu verbringen und damit, Festplatten nach Verträgen und mehr oder weniger unseriösen Vereinbarungen zu durchsuchen.

Wie sich herausstellte, boten die PR-Firmen da eine ganz andere Welt. Verglaste Büros. Scharfe Bräute aus aller Herren Länder in kurzen, auf die Figur geschneiderten Kostümen und hohen Absätzen. Kühlschränke mit Cola und Bier, aus denen man sich bedienen konnte. Vernünftige Espressomaschinen statt Filterkaffee.

Vom grauen schmuddeligen Brüsseler Bürgersteig in Merchant & Taylors kühles und sanft beleuchtetes Bürogebäude aus Glas und Holz zu treten, mit seinen lautlosen Aufzügen und dem auf ein allgemeines Flüstern gedämpften Geräuschpegel, war einfach himmlisch. Natürlich bezahlten sie nicht die gleichen Einstiegsgehälter wie die bedeutenden amerikanischen Kanzleien, aber das große Geld konnte man hier verdienen. Und nach einem Jahr bekam man einen Leasingwagen. Nicht irgendeine Karre, sondern einen Audi, einen BMW, vielleicht sogar einen Jaguar.

Die großen englischen und amerikanischen PR-Büros waren die Legionäre von Brüssel. Sie verkauften Image, Information und Einfluss an den Meistbietenden – unabhängig von ideologischen und moralischen Überzeugungen. Viele sahen auf die Lobbyisten herab. Aber George liebte sie von der ersten Sekunde an vorbehaltlos. Das war sein Milieu. Das waren seine Leute. Sollten der Alte und der Rest seiner Verwandtschaft doch denken, was sie wollten.

Am Eiswürfel angekommen, trat George ein und schloss die Tür hinter sich. Es störte ihn, dass sein Kunde bereits in einem der hellen Ledersessel saß. Eigentlich war die Assistentin angehalten, die Besucher an der Rezeption warten zu lassen, wenn sie zu früh kamen. Aber George überspielte seine Irritation und brachte mit einem einzigen Knopfdruck nonchalant das Glas zum Gefrieren.

«Mr. Reiper! Willkommen bei Merchant & Taylor!», sagte er zu dem etwa sechzigjährigen Mann, während er sein breites selbstsicheres Lächeln aufsetzte und ihm die Hand entgegenstreckte.

Reiper saß in einer Haltung auf dem Stuhl, die alles, was Ergonomie hieß, außer Acht ließ, wenn nicht gar bewusst boykottierte.

Überhaupt sah er aus, als führte er ein zutiefst ungesundes Leben. Er war nicht unbedingt fett, aber gewissermaßen aufgequollen und konturlos wie ein halb aufgeblasener Heliumballon. Sein Körper schien von Instantkaffee und Flugzeugmahlzeiten geformt worden zu sein. Reipers Schädel war beinahe kahl, und an den Seiten säumte das schmutzig graue Haar seinen Kopf in einem zerzausten, ungestümen Kranz. Das Gesicht war gelblich und fahl wie bei einer Person, die sich nur selten im Freien aufhielt. Von der linken Schläfe bis zum Mundwinkel hinab verlief eine wulstige weiße Narbe. Reiper trug einen zerschlissenen schwarzen Piqué-Pullover zu beigefarbenen Chino-Hosen mit Bügelfalte und am Gürtel Taschen für ein iPhone und eine Taschenlampe. Auf die blanke Glasplatte des Konferenztisches hatte er ein schmuddeliges Notizbuch und eine blaue Georgetown-Hoyas-Kappe gelegt. Seine gesamte Sitzhaltung, seine trägen Bewegungen, mit denen er das Display seines Handys bediente, die Art und Weise, wie er George ignoriert hatte, als dieser den Raum betrat – all das verlieh Mr. Reiper eine autoritäre Aura, die ebenso selbstverständlich wie rücksichtslos wirkte. George spürte, wie er eine Gänsehaut bekam, als Reaktion auf sein Unbehagen, auf dieses Gefühl, in der schwächeren Position zu sein, und er spürte intuitiv, dass er niemals erfahren würde, woher Mr. Reiper seine Narbe hatte.

«Guten Morgen, Mr. Lööw. Danke, dass Sie sich die Zeit nehmen, mich zu treffen», sagte Reiper irgendwann endlich und ergriff Georges ausgestreckte Hand.

Er hatte Georges Nachnamen beinahe perfekt ausgesprochen. Ungewöhnlich für einen Amerikaner, dachte George. Seine Stimme klang rau und ein wenig schleppend. Südstaaten?

«Hat man Ihnen Kaffee angeboten? Ich bitte um Entschuldigung, unsere Rezeptionsdame ist noch ganz neu, Sie wissen ja sicher, wie das ist.»

Reiper schüttelte nur kurz den Kopf und sah sich im Raum um.

«Ich mag Ihr Büro, Mr. Lööw, und das Detail mit dem gefrosteten Glas ist, *well*, spektakulär.»

«Ja, wir geben uns Mühe, unsere Kunden damit zu beeindrucken», antwortete George mit gespielter Bescheidenheit.

Er nahm gegenüber von Reiper Platz und arrangierte seine völlig irrelevanten Papiere penibel in einem kantigen Halbkreis um seinen Notizblock herum. «Also, womit können wir Digital Solutions behilflich sein?», fragte er dann und setzte ein weiteres Lächeln auf, von dem er meinte, dass es jeden Cent der dreihundertfünfzig Euro wert war, die es in der Stunde kostete.

Reiper lehnte sich zurück und erwiderte Georges Lächeln. Irgendetwas stimmte nicht mit diesem Lächeln, es hinkte gewissermaßen aufgrund der Narbe, was dazu führte, dass George am liebsten weggeschaut hätte. Und irgendetwas war auch an Reipers Augen merkwürdig. In dem warmen Licht der sorgfältig arrangierten Strahler im Konferenzraum sahen sie mal grün, mal braun aus. Kühl und abwartend schienen sie ihre Farbe scheinbar zufällig zu wechseln. Zusammen mit der Tatsache, dass er offenbar nie blinzelte, verliehen sie Reiper den träge ironischen und vollkommen teilnahmslosen Ausdruck eines Reptils.

«Die Lage ist wie folgt», begann Reiper und schob George ein paar zusammengeheftete A4-Seiten über den Tisch. «Ich weiß, dass ihr bei Merchant & Taylor unglaublich stolz auf eure Diskretion seid, aber ich weiß auch, dass ihr wie Kanarienvögel zwitschert, sobald der Wind in eine andere Richtung dreht. Dies hier ist natürlich eine reine Formalität.»

George nahm das Dokument und überflog es hastig. Es war eine klassische Geheimhaltungsvereinbarung zwischen ihm und Digital Solutions. Er durfte nichts von dem weitererzählen, was sie besprachen. Eigentlich durfte er anderen gegenüber nicht einmal erwähnen, dass er für Digital Solutions arbeitete, ja überhaupt

von ihrer Existenz wusste. Sollte er es dennoch tun, konnte man ihn zu Schadenersatz in relativ astronomischen Höhen verklagen, je nachdem, wie schwerwiegend sein Fehlverhalten gewesen war. Eigentlich war das auch nicht weiter ungewöhnlich. Viele Kunden legten Wert auf Diskretion und waren nicht darauf erpicht, mit einer bekanntermaßen rücksichtslosen PR-Firma wie Merchant & Taylor in Verbindung gebracht zu werden.

«Als Ort der Vereinbarung steht hier Washington D.C.», stellte George fest. «Aber wir sind in Brüssel.»

«Ja», antwortete Reiper etwas zerstreut, weil er offenbar gerade etwas auf seinem iPhone las. «Unsere Anwälte scheinen die Auffassung zu vertreten, dass es auf diese Weise einfacher ist, einen Konflikt um den Gerichtsstand zu vermeiden, falls es zu einem Rechtsstreit kommen sollte.» Er zuckte mit den Schultern und sah weiter auf sein Handy. «Aber ich bin mir sicher, dass Sie sich mit *non-closure agreements* besser auskennen als ich.»

Eine neue Schärfe in seinem Ton. In Reipers sonst so leblosem Blick flackerte etwas auf, das an Interesse erinnerte. George war unbehaglich zumute. Natürlich hatte er während seiner Zeit bei Merchant & Taylor eine Reihe ähnlicher Vereinbarungen unterzeichnet. Aber irgendetwas war merkwürdig an der Art, wie Reiper die Erklärung vorbrachte – es klang so, als spielte er eigentlich auf etwas anderes, Komplexeres an. George schüttelte den Gedanken ab. Es war unmöglich. Darüber konnte niemand etwas wissen. Reipers Bemerkung musste Zufall sein.

George zog seinen Montblanc-Füller aus der Brusttasche, unterschrieb das Abkommen mit einer schnellen Handbewegung und schob es wieder über den Tisch zu Reiper.

«So», sagte er, eilig darum bemüht, dieses Thema hinter sich zu lassen. «Dann können wir vielleicht anfangen?»

«Ausgezeichnet», antwortete Reiper abwesend. Ohne den Blick von seinem iPhone zu wenden, faltete er die Vereinbarung achtlos zusammen und steckte sie in die Innentasche seines abgewetzten Jacketts. Danach schob er das Telefon behutsam in die kleine Gürteltasche und sah George endlich an.

«Wir brauchen Hilfe bei einer Übersetzung», sagte er. «Fürs Erste.»

August 1980
North Virginia, USA

Etwas beunruhigt Susan. Das weiß ich, noch bevor sie den Mund aufmacht. Meine Intuition ist weder merkwürdig noch übernatürlich. Mit der Zeit habe ich gelernt, die Zeichen zu deuten, Nuancen, kleine Veränderungen in den Blicken, Hände, die sich bewegen wie aufgeschreckte Vögel oder sich überhaupt nicht regen. Ich weiß fast immer, was die Menschen sagen werden. Das ist eine meiner vielen tausend Überlebensstrategien. Doch als Susan schließlich spricht, höre ich sie nicht. Ich sehe nur ihr graues Kostüm, ihr blondgefärbtes Haar und ihre wässrigen Augen. Die Spuren ihrer täglichen Fahrt zur Arbeit in Form der Kaffeeflecken auf dem blankgescheuerten Revers ihrer Kostümjacke.

Sie wohnt in Beltsville, Greenbelt, Glenn Dale. Einem dieser endlosen Vororte, in denen wir alle wohnen. Sie fährt einen Ford, und alles, was sie liest, trägt einen Geheimstempel. Wie viele von uns hat sie aufgehört zu trinken. Wir trinken alle zu viel oder gar nichts. Donuts und fader Kaffee sonntags in der Methodistenkirche. Lobende Worte über den Chor, sinnloses Geplänkel über Vorschulen, Urlaubsreisen. Susan ist so gewöhnlich. Eine ganz normale All-American Woman, Mitte dreißig, mit einem Haus und einem Kredit und alle zwei Jahre einem neuen Auto. Zwei Kinder, für die sie und ihr Mann das Geld fürs College zusammenkratzen wollen. Doch all das ist Teil der Kulisse. Das Spielchen im großen Spiel: Wir finden alle, dass der Alltag zu langsam, zu vereinnahmend ist, zu unwichtig, ein zu geringer Einsatz. Es steht zu wenig auf dem Spiel.

Die Klimaanlage kühlt so stark, dass ich Gänsehaut bekomme. In meinen Ohren klingelt es nach der Explosion immer noch, und in jeder furchtbaren Nacht träume ich von weißem Licht, von leichten Atemzügen und deinem strähnigen Haar. Ich erwache verschwitzt, gehetzt, ins Laken verheddert, mein Kissen mit dem Körper beschützend.

«Sie waren beide im Auto?», fragt sie und setzt sich an die äußerste Kante des Besucherstuhls in meinem mikroskopisch kleinen Zimmer.

Ich nicke. Zwinge mich, ihr in die Augen zu sehen, weder zu zögern noch den Blick flackern zu lassen.

«Furchtbar», sagt sie. «Furchtbar. Es tut mir leid. Dieser Job, dieses Leben. Es ist ein hoher Preis.»

Sie sieht nicht so aus, als täte es ihr leid. Vielmehr wirkt sie genauso neutral wie ihr Auto, ihr Haus, ihr schlechtsitzendes Kostüm. Ich drehe mich mit dem Stuhl und sehe hinaus auf den Parkplatz und die dünnen grünen Bäume dahinter. Man sieht die Autobahn kaum. Wir sitzen eine Weile schweigend da. Sehen zu, wie der Staub im Licht der Spätsommersonne tanzt, die durch mein Fenster fällt. Aber sie ist nicht hier, um zu kondolieren. Nicht nur.

«Warum bist du in Paris aufgetaucht?», fragt sie schließlich. «Warum hast du dich nicht direkt in der Botschaft in Damaskus oder Kairo gemeldet?»

Ich zucke mit den Schultern, wende mich ihr wieder zu, sehe ihr direkt in die Augen.

«Das war doch der ursprüngliche Plan», antworte ich. «Mit der Fähre von Latakia nach Larnaca. Mit dem Flugzeug nach Athen. Dem Nachtzug nach Paris. Ich hatte Tickets vom Flughafen Charles-de-Gaulle nach Dulles, aber ich dachte, unter diesen Voraussetzungen wäre es besser, in Paris einzuchecken.»

«Nach allem, was passiert ist ... Wäre es da nicht klüger gewesen, den Plan zu ändern? Und in Damaskus einzuchecken?», fragt sie.

Ihre Stimme ist sanft und freundlich. Offiziell ist sie immer noch hier, um sich zu vergewissern, dass es mir gutgeht, und ihre Anteilnahme auszudrücken. Aber wir wissen beide, dass es nur die Oberfläche ist. Es gibt immer einen Subtext, einen zugrundeliegenden Anlass. Und hinter diesem Anlass einen weiteren.

«Ich habe das doch alles schon im Debriefing erklärt», sage ich. «Die Bombe war für mich bestimmt. Ich habe das Protokoll befolgt und bin untergetaucht, bis ich mir sicher war, dass mich auf dem Parkplatz der Botschaft kein Heckenschütze erwischt.»

Sie lehnt sich zurück. Trommelt vorsichtig mit ihrem Ehering gegen die Lehne des Stahlrohrstuhls.

Klick, klick, klick.

Nur dieses Geräusch, und das Rauschen der Klimaanlage.

«Du überschätzt die Syrer und ihre Alliierten», erwidert sie. «Zu mehr als einer Autobombe in Damaskus sind die nicht imstande.»

«Mag sein», entgegne ich. «Aber ich wollte wie gesagt sichergehen.»

Susan nickt, lässt sich überzeugen. Hier gibt es nichts, was nicht dem Protokoll folgt. Und es gibt keine Spuren. Sie fixiert mich mit dem Blick.

«Wir kriegen sie», sagt sie gedehnt. «Das weißt du. Damaskus, Kairo, Beirut ... Alle Büros im Nahen Osten haben jetzt ein Auge darauf. Es wird seine Zeit dauern, aber wir finden die Schuldigen, das weißt du.»

Ich nicke. Denke an die Rache, die bisher nur ein zarter Keim ist.

Sie beugt sich vor. Ein anderer Blick, ein anderer Ton, als sie weiterspricht: «Und die Information, die du von deinem Kontakt bekommen hast? Dieser Firas, der Einblick in die Bestellungen der syrischen Luftwaffe hatte?», fragt sie. «Die Waffenlieferungen an die Syrer. Diese Information hast du nur im Bericht an mich erwähnt? Nicht im Debriefing? Nirgendwo sonst?»

Ich schüttle den Kopf. «Nur in dem Bericht an dich», antworte ich.

«Natürlich ist das allem Anschein nach eine Sackgasse. Ein absichtlich platzierter Hinweis. Aber wir wollen keine Unruhe verursachen.»

«Ich werde die Konsequenzen tragen. Es bleibt in deinem Bericht.»

Sie lehnt sich für einen Moment zurück. Folgt meinem Blick zum Fenster hinaus. Dann steht sie auf.

«Alles in Ordnung mit dir?», fragt sie.

Eine Tonart, die konstant ist, unabhängig von der Größe der Opfer, über die sie spricht.

«Mit mir ist alles in Ordnung.»

«Nimm dir für den Rest der Woche frei. Geh schwimmen. Mach dir einen Drink.»

Ich sehe, wie sie mit der Handfläche auf den Kunststofftürrahmen klopft, ehe sie mein Zimmer verlässt. Vielleicht soll das eine Aufmunterung sein. Eine Sympathiebekundung. Sie weiß, dass ich schwimme. Es gibt nichts, was sie nicht über mich wissen.

Das Wasser im öffentlichen Schwimmbad ist zu warm, aber ich ziehe es trotzdem dem Pool in Langley vor. Wenn ich mit jedem vierten Schwimmzug auftauche, um Luft zu holen, höre ich das Kreischen irgendeiner Schulklasse wie Radarwellen zwischen den nach Chlor riechenden Kachelwänden widerhallen. Bahn um Bahn. Ich hätte einmal ein guter Schwimmer werden können. Die Olympischen Spiele waren eine reale Möglichkeit, ein erreichbares Ziel. Doch wie sich herausstellte, führte mich meine Motivation nur zur University of Michigan und nicht weiter. Ich bereue das nicht. Es gibt nichts, was ich bereue. Wenn wir alles unter dem Aspekt der Reue beurteilen würden, könnten wir nicht überleben. Und das Überleben ist am Ende das einzig Wichtige.

Ich weiß, dass so vieles eine Lüge ist. Doch die Wirklichkeit ist zerbrechlich. Ohne die Lüge droht sie einzustürzen. Die Lügen sind die Pfeiler, die die Brücke stützen, damit ihr vom einen Ufer zum anderen gelangt. Es gibt keine Wahrheit.

Trotzdem habe ich den Bericht angefordert, ehe ich das Büro verließ. Ich wusste, dass er einer Sicherheitsstufe unterlag, die mir den Zugang verwehren würde. Und ich wusste, dass er, wenn ich ihn würde sehen dürfen, wenn ich ihn mit eigenen Augen würde lesen dürfen, mit Sicherheit eine Lüge wäre. Doch mein Antrag wurde abgelehnt. Es war eine Erleichterung. Wenn sie mich anlügen, möchte ich es gar nicht wissen.

Jetzt sitze ich also hier in dieser tristen, schmutzigen Umkleidekabine, und meine Beine zittern nach Stunden im Becken. Und die paralysierende Schuld fließt wie Gleichstrom durch mich hindurch. Die Bewegung im Schwimmbad hält sie auf Abstand. Die Wiederholung und Gewohnheit hält sie auf Abstand. Im Wasser fühle ich mich für eine Weile sicher. Sobald ich heraussteige, höre ich das Geräusch eines startenden Motors, sehe ein sehr kleines Kind unter Glasscherben und Betonstückchen.

Später trinke ich vor dem Fernseher Rusty Nail. Mein Wohnzimmer ist kalt. In der Ecke stehen ein paar gestapelte Umzugskartons. Sie enthalten nichts von Wert. Ich sitze auf meinem neuen Sofa und sehe die Wiederholung eines Baseballmatches, das mich nicht interessiert. Die Wohnung – ein moderner Schuhkarton neben anderen, mit einer Garage und in angenehmem Abstand zum beruhigenden Summen der Autobahn – riecht schwach nach Farbe und Klimaanlage. Meine Armmuskeln brennen. Ich bin zehn Kilometer geschwommen. Doppelt so viel wie normalerweise.

Das Baseballspiel endet, als ich mir den dritten Drink einschenke, und ich schalte zu Johnny Carson, merke aber sofort, dass ich es nicht ertrage, mir Richard Pryors Ronald-Reagan-Witze anzuhören. Sie interessieren mich genauso wenig. Alles ist zu banal, geht zu langsam.

Seit ich wieder hierher zurückgekehrt bin, geht mir alles zu langsam. Ich bin ein Mann für das Feld. Strategien, Analysen, das ewige Politisieren in Langley, im Pentagon, all das ist so zäh. Gebt mir einen anderen Pass, eine andere Sprache, ein anderes Leben. Setzt mich ab in Damaskus, in Beirut, in Kairo. Ich weiß, wie man Kontakte knüpft, wie man sie bei einem Glas süßen Tee, Whisky und Zigarren unterhält. Ich bereite ein Taboulé zu, das meine Gäste an ihre Kindheit in Aleppo erinnert. Auch wenn die Definition fließend ist, habe ich doch den besten libanesischen Wein auf meinem Balkon.

Und dort, auf einem Balkon im wehmütigen Sonnenuntergang, mit Jasminduft in der Luft und dem Stimmengewirr der Diplomaten, Gangster und Politiker im Hintergrund, das von meinem Esstisch nach draußen dringt, tausche ich die Informationen, die uns dem Überleben näher bringen. Dort leite ich eine Transaktion in die Wege, die dazu führt, dass am Ende ein anderer stirbt als ich. Wir spielen immer remis. Unser Ideal ist der Status quo.

Inzwischen wollen sie, dass wir mit Therapeuten sprechen, wenn wir zurückkehren. Als ob das Debriefing nicht ausreichen würde. Bereits am ersten Tag, wenn die Haut noch sonnenverbrannt glänzt, zwischen Telefonen, Kopierern und Faxgeräten. Wenn die Körper noch immer leiden unter Jetlag und Klimaveränderung. Wenn in den Gehirnen die Stimmen noch immer Arabisch, Russisch, Portugiesisch sprechen. Also sitzen wir die obligatorischen Stunden ab. Reden über die Umstellung nach Monaten, Jahren in einem anderen Land, einer anderen Kultur, weit entfernt von der

Autobahn zur Arbeit, von Kentucky Fried Chicken auf dem Heimweg und der tödlichen Tristesse eines normalen Lebens.

Aber von dem, über das wir reden sollen, sagen wir natürlich nichts. Wie sollten wir über das sprechen können, was wir tun? Was soll ich sagen? Dass ich in Damaskus wie ein arabischer Geschäftsmann gelebt und Waffen gekauft habe, banale Geheimnisse, die einen Hauch von Einfluss vorgaukeln, finanziert vom Geld der Steuerzahler, in Erwartung von etwas, das womöglich den unendlichen Preis wert ist, den wir zu zahlen bereit sind? Dass ich, als ich die Witterung aufnahm, wie ein Kaninchen im Scheinwerferlicht erstarrte und alles verlor?

Soll ich all das erzählen? Was ich mir nicht einmal selbst eingestehe? Wenn ich anfange, davon zu erzählen, werde ich nie wieder aufhören. Wenn ich anfange zu denken, sterbe ich.

Alles, was ich weiß, ist, wie man überlebt, also lache ich und sehe auf die Uhr. Wenn die obligatorische Zeit vorüber ist, stehe ich auf, ziehe das anonyme dunkelblaue Jackett an und fahre auf die Autobahn, hierher zurück, zu dem anonymen Schuhkarton, der alles andere ist als ein Zuhause. Und ich harre der Dinge und hoffe, dass meine Quarantäne am Ende aufgehoben wird. Dass eine Mappe mit einer anderen Identität, mit Flugtickets und einer Kontonummer auf meinem Schreibtisch landet, damit ich weitermachen, von vorn anfangen kann. Alles, wofür ich lebe, ist die nächste Bewegung, die nächste Partie.

Der Bahnhof unter dem Flughafen Brüssel-Zaventem schien sich im ständigen Umbau zu befinden. Alles war ein einziges Durcheinander von orangefarbenen Hütchen, Absperrbändern und Baugerüsten.

Mahmoud tat sein Bestes, um sich durch die dichte Menschenmenge zu zwängen, damit er den nächsten Zug nach Brüssel erreichte. Es wimmelte von Lobbyisten und Fußvolk im Dienste der europäischen Integration, das Handy am Ohr, die fast unberührte aktuelle *Financial Times* sichtbar im Seitenfach des Samsonite-Koffers. Daneben schwarz gekleidete orthodoxe Juden, die auf den Zug nach Amsterdam warteten. Und Familien mit Kindern in Urlaubskleidung, die viel zu große Koffer in Richtung des Charterflugs nach Phuket schleppten. Der Schaffner blies in seine Pfeife, und Mahmoud schob sich vorwärts, damit der Zug nicht ohne ihn fuhr. Im selben Moment spürte er, wie der Rucksack von seiner Schulter rutschte und auf dem Bahnsteig landete. Er blieb stehen, konnte ihn aber nirgends entdecken. Gereizt beugte er sich vor und suchte den Boden ab. Die Menschenmenge schob ihn seitlich auf den Zug zu. Jemand tippte ihm auf die Schulter.

«*Is this yours?*» Eine junge blonde Frau in seinem Alter mit Pferdeschwanz, legerer Kleidung und schmalen grünen Augen hielt den Rucksack vor ihm hoch.

«*Yes, it is. Thanks a lot!*»

Er griff danach und schaffte es nicht nur in den Zug, sondern ergatterte auch noch einen Fensterplatz. Seufzend ließ er sich auf den zerschlissenen Kunststoffsitz sinken.

Während sich der alte rostige Zug ächzend und quietschend vom Flugplatz entfernte, studierte Mahmoud das Programm des morgigen Tages. Die Teilnehmerliste war beeindruckend. Europaparlamentarier, Nato-Offiziere, ein Botschafter, Journalisten von großen internationalen Zeitungen. Plötzlich wurde er nervös. Warum hatte er sich nicht schon früher vorbereitet? Er schloss die Augen, um sich zu konzentrieren. Nach weniger als einer Minute forderte die lange Nacht ihren Tribut, und er fiel in einen tiefen, abrupten Schlaf, der einen nur auf Reisen überkam.

«Es sind nicht einmal fünf Minuten zu Fuß, Mr. Shammosh», sagte der gepflegte Portier des Hotel Bristol in einem leicht gestelzten Ton, der ihn bedeutend älter klingen ließ, als der etwa Zwanzigjährige aussah.

«Perfekt», sagte Mahmoud, faltete den Stadtplan zusammen und steckte ihn in seinen verschlissenen Armeerucksack. Ein kleiner stilisierter Fallschirm zierte die Decklasche.

Wie der Portier erhob das Hotel Bristol Anspruch auf eine Geschichtsträchtigkeit, die es im Grunde nicht hatte. Mit den roten Läufern, den Mahagoni- und Ledermöbeln wurde hier der halbherzige Versuch unternommen, mit English-Gentlemen-Accessoires darüber hinwegzutäuschen, dass es zu einer internationalen Hotelkette gehörte.

«Übrigens hat jemand eine Nachricht für Sie hinterlassen, Mr. Shammosh», ergänzte der altkluge Portier und schob einen dicken, sorgfältig verschlossenen Umschlag über den Tresen.

Mahmouds Zimmer war erwartungsgemäß klein, außerdem sandfarben und so geleckt wie das Film-Set für eine Seifenoper. Kein noch so halbherziger Anschein britischer Nobilität mehr, nur die austauschbare typische Eintönigkeit aller Hotelketten.

Mahmoud zog die Gardinen so weit wie möglich auf. Das Fenster ging auf einen kleinen schmutzigen Lichthof hinaus. Ein paar Schneeflocken wirbelten dort draußen einsam herum.

Mahmoud warf den Rucksack aufs Bett und setzte sich mit dem braunen wattierten Umschlag in der Hand auf den durchgesessenen Sessel am Fenster. Auf der Rückseite stand mit schwarzem Filzstift sein Name in Druckbuchstaben.

Mit zitternden Fingern riss er den Umschlag auf, hielt kurz inne und sah den willkürlich umherwirbelnden Schneeflocken vor dem Fenster zu. Dann holte er tief einatmend den Inhalt heraus.

Ein klobiges Handy, ein Ladegerät und ein sorgfältig gefalteter Zettel fielen in seinen Schoß. Mahmoud griff nach dem Telefon. Es war ein billiges Samsung, ein Handy, das man für vierzig Euro mitsamt einer Prepaidkarte an jeder Tankstelle kaufen konnte. Er legte den Akku ein. Das Gerät gab ein Brummen von sich, als es aus dem Schlaf erwachte. Das Telefonbuch war leer. Keine Nachrichten.

Mit einem weiteren tiefen Atemzug faltete Mahmoud den Zettel auf. Er enthielt ein weiteres gefaltetes Papier, das zu Boden flatterte und auf dem Teppich landete. Auf dem Zettel stand eine kurze Nachricht auf Schwedisch:

> Mahmoud,
> ich habe Informationen und weiß nicht, wie ich damit umgehen soll. Ich brauche deine Hilfe. Ich glaube, es geht um Dinge, die deine Forschung betreffen. Wir müssen uns morgen nach deinem Termin sehen. Schalte zwischen 13.00 und 13.30 das Handy ein und sei marschbereit. In der übrigen Zeit schalte es aus und nimm den Akku heraus. Ich werde mich bei dir melden.
> Mut, Willenskraft und Ausdauer.

Mahmoud faltete die Nachricht zusammen und schielte auf das Handy. «Marschbereit». «Mut, Willenskraft und Ausdauer». Worte aus einer anderen Zeit, einem anderen Leben. Jemand wusste etwas über ihn, das er schon fast vergessen hatte.

Langsam und gedankenverloren beugte er sich vor, hob das Blatt auf, das auf den Fußboden gefallen war, und faltete auch das auf. Als er sah, was darauf abgebildet war, zuckte er instinktiv zurück.

Es zeigte eine verschwommene grobkörnige Fotografie. Eine digitale Bilddatei, ausgedruckt auf einem gewöhnlichen Drucker älteren Datums. Aber das Motiv war klar erkennbar.

Das Foto schien mit einer Taschenkamera oder einem Smartphone aufgenommen worden zu sein und zog sich fast über die ganze DIN-A4-Seite. Im Vordergrund lag ein Mann. Er war mit einem Gurt auf einer Bahre festgeschnallt. Die Kleidung, die er trug, war so zerfetzt, dass sie kaum noch seinen Körper bedeckte. Seine Haut darunter sah verwundet und fleckig aus. Über die Arme, den Hals und die Brust verlief eine Spur kleiner runder Brandwunden, jemand hatte ihn mit glimmenden Zigaretten aufs übelste zugerichtet. Doch das war bei weitem nicht das Schlimmste.

Das Schlimmste waren seine Augen. Einen Moment war Mahmoud starr vor Schreck, als er erkannte, dass die Augenhöhlen des Mannes leer wirkten, weil sie leer waren. Er zwang sich, das Blatt dichter vor sich zu halten, um die Aufnahme besser erkennen zu können. Die Augenhöhlen waren finstere Löcher, an den Rändern geronnenes Blut und Schmutz. Ein Anfall von Übelkeit überkam Mahmoud, als ihm klarwurde, dass man die Augen aus dem Gesicht des Mannes gerissen oder geätzt hatte. Ob er tot war oder noch lebte, war unmöglich festzustellen.

Mahmoud starrte wie gelähmt auf das Foto, bis er keine Kraft mehr hatte, es länger zu betrachten, und es umgedreht auf seinen Schoß legte. Es war ein Bild aus der Hölle. Der klinische Raum im unbarmherzigen Blitzlicht. Die Bahre mit dem Zurrgurt. Das Blut. Die Folter.

Mahmoud hatte zur Genüge Leid, Gefangenschaft und sogar Folter gesehen. In den insgesamt drei Monaten, die er in den letzten drei Jahren im Irak und in Afghanistan verbracht hatte, war er mit mehr Elend konfrontiert worden als die meisten anderen Menschen. Aber das hier ... Das war schlimmer als Abu Ghraib.

«Du lieber Gott», flüsterte Mahmoud vor sich hin, obwohl sein Gott viel komplizierter war.

19. Dezember 2013
Brüssel, Belgien

Sie roch den Duft seines Aftershaves – weich, erdig, intensiv –, noch bevor sie spürte, wie er vorsichtig ihren Ellenbogen umfasste. Ihr Körper reagierte mit wohliger Schwäche, ihr Kopf war so leicht, als wäre er mit Kohlensäure gefüllt. Sie dachte nicht mehr an die morgendliche Besprechung, zu der sie unterwegs war, alles entfiel ihr, und bereitwillig ließ sie sich aus dem Korridor und in den Gang vor einem Parlaments-Ausschusssaal führen. Der Teppich dämpfte das Stimmengewirr aus dem Flur und der Pressebar.

«Ich habe dich vermisst», raunte Cyril Cuvelliez auf Englisch und presste seine Lippen auf ihre.

Sein Amerikanisch mit dem leichten französischen Akzent. Seine weichen, fordernden Lippen. Seine selbstsichere Art, sich einfach zu nehmen, was er wollte.

«Ich wusste gar nicht, dass du diese Woche hier bist», murmelte Klara an seinen Lippen.

Sie merkte, wie alles in ihr sofort und ungehemmt zum Leben erwachte.

«Es war auch nicht geplant.»

Er sagte noch etwas, aber sie hörte nur das Rauschen in ihren Ohren. Das Blut pochte in ihren Adern, es war pure körperliche Anziehungskraft. Mit einem Lächeln löste er sich von ihr.

«Als ob ich eine Entschuldigung bräuchte, um dich wiederzusehen», fügte er hinzu.

«Du hättest mir eine SMS schreiben können, aber ich bin froh, dass du da bist», sagte Klara, reckte sich wieder seinen Lippen entgegen und kniff die Augen zusammen, fest entschlossen auszublenden, wie verführerisch vereinfachend seine Worte waren. Gleichzeitig knöpften ihre Finger sein anthrazitfarbenes Jackett auf. Sie schob ihre Hände darunter. Spürte, wie ihn unter dem dünnen hellblauen Hemd eine Gänsehaut überkam. Er seufzte genussvoll. Sie liebte dieses Seufzen, wenn sie ihn berührte.

«Ich war ein bisschen unter Zeitdruck», murmelte Cyril, «aber jetzt bin ich ja da.»

«Wie lange? Können wir uns sehen?»

Klara inhalierte seinen Geruch, als ob sie ihn dadurch würde festhalten können.

«Nur bis morgen. Und heute Abend muss ich zu einem ausgiebigen Dinner, fürchte ich.»

Sein Atem an ihrer Wange, seine Bartstoppeln, seine trockenen warmen Hände. Sie konnte sich nicht dagegen wehren. Nicht gegen ihn, und nicht gegen die Enttäuschung, die sie darüber empfand, dass sie ihn diesmal nicht öfter sehen konnte. Sie nickte.

«Och, nicht einmal ein Lunchdate?», fragte sie, an seinem Ohrläppchen knabbernd.

«Du bist schrecklich», seufzte er. «Auf eine wundervolle Art, natürlich. Wie sollte ich da nein sagen? Heute?»

Klara nickte und spürte, wie etwas in ihrem Inneren anschwoll.

«Ich habe bis um dreizehn Uhr eine Besprechung. Um halb zwei bei mir?»

Cyril fischte sein Smartphone aus der Tasche und überprüfte seinen Terminkalender.

«Ich verschiebe die Stabbesprechung auf vier. Das Dinner beginnt nicht vor acht.»

Klara reckte sich erneut und küsste ihn, bevor sie ihn von sich schob.

«Jetzt geh schon, wir sehen uns in ein paar Stunden.»

Er lächelte. «Ich kann's kaum erwarten.»

Sie nickte, gegen ihren Willen aufgekratzt, aber auch traurig. Wie immer am Ende ihrer kurzen Begegnungen.

«Du gehst am besten vor, damit wir nicht zusammen den Flur betreten.»

Er nickte, erwiderte ihren Kuss, schloss den Knopf an seinem Jackett und rückte seinen Schlips gerade.

«Wir sehen uns später», sagte er.

Und mit diesen Worten tauchte er wieder in das Alltagsgetümmel des Europaparlaments ein, ohne sich noch einmal umzudrehen.

Klara blieb an die Wand gelehnt stehen, noch immer mit Cyrils Geschmack auf ihren Lippen. Zögernd öffnete sie die Augen. Ihr Herzschlag wollte sich nicht beruhigen. Sie versuchte tief durchzuatmen und ihre körperliche Reaktion zu verdrängen. Blinzelte ein paarmal, fuhr sich durch die Haare. Wie konnte das nur passieren?

Wie hatte Cyril ihre Schutzmauern, ihre Überwachungskameras und Alarmanlagen, ihre Schlösser und ihren Stacheldraht, ja, alles überwinden können, was sie aufgeboten hatte, um sich genau davor zu schützen? Beziehungsweise nicht davor. Denn dies, was auch immer es war, war herrlich. Nein, vor dem, was danach kam. Das Unerklärliche. Das Verlassenwerden. Die Leere. Der abgrundtiefe Gegensatz zu dem, was in ihr aufgekeimt war.

Warum jetzt? Warum war sie nicht in der Lage, ihn auf Distanz zu halten? Sie sah gut aus, das wusste sie. Aber sie hungerte nicht nach Aufmerksamkeit, im Gegenteil. Im Europaparlament wimmelte es nur so von jungen intelligenten Männern, und sie vermutete, den Großteil von ihnen problemlos becircen zu können, zumindest für eine Weile.

Und es war auch nicht so, dass sie das nicht schon ausprobiert hätte. Im Laufe des ersten halben Jahres im EU-Parlament war sie allmählich zum Leben erwacht.

Nachdem Mahmoud sie verlassen hatte, war das Jahr in London

völlig anders verlaufen, als sie es sich ausgemalt hatte. Die Stadt, von der sie seit ihrer Reise nach dem Abitur immer geträumt hatte – um im 100 Club in der Oxford Street zu Soulmusik zu tanzen, um in Camden Sechziger-Jahre-Klamotten und auf dem Spitalfields Market zerkratzte 7-Zoll-Singles zu kaufen und wegen der Cafés in der Old Compton Street, die bis in die frühen Morgenstunden geöffnet hatten, den Nachtbussen und den unbeholfenen Knutschversuchen mit magersüchtigen jungen Männern mit langem Pony in kleinen schimmeligen Wohnungen in Brixton oder Islington. Aber London war für sie zu einem regnerischen und einsamen Gefängnis geworden. Die ersten Monate dort waren nur noch eine verschwommene Erinnerung. Sie wusste keine Einzelheiten mehr. Erinnerte sich bloß noch an das Gefühl von Herbst in dem heruntergekommenen Studentenzimmer, ein paar Viertel von The Strand entfernt. An die Kälte, die durch die dünnen Wände und die schlecht isolierten Fenster gedrungen war und gegen die auch die Wärmflasche nichts ausrichten konnte. An die endlosen Stunden in der Bibliothek in der Portugal Street, wo sie mit ihrer Kurslektüre und ihrer inneren Leere Zuflucht gesucht hatte.

Am schlimmsten war das Schuldgefühl gewesen. Das Gefühl, sich selbst etwas vorgemacht zu haben. War sie nun doch dort, wo sie immer hatte sein wollen, dort, wo es sie all die Jahre hingezogen hatte – für einen prestigeträchtigen Aufbaustudiengang in ihrer Lieblingsstadt. Aber zum ersten Mal in ihrem Leben wusste sie nicht, wie es weitergehen sollte.

Doch dann hatte sie Gabriella wiedergetroffen. Klara würde den Augenblick nie vergessen, wie sie Anfang Dezember durch ihr vereistes Fenster gesehen hatte und plötzlich Gabriella mit Schneeflocken in ihren roten Haaren aus dem Taxi gesprungen war. Wie sie nonchalant bezahlt hatte, mit der Weltgewandtheit einer Person, die schon die aufwärtsstrebenden Stufen einer Anwaltskanzlei erklommen hatte. Wie sie aufgesehen und Klara durch den Schnee entdeckt hatte, in dem erleuchteten Zimmer im zweiten Stock. Klara hatte sogar auf diese Entfernung die Stärke in ihrem Blick erkannt, die Wärme und die unbändige Willenskraft.

Zu Beginn ihres Jurastudiums war Klara überhaupt nicht für Freundschaften empfänglich gewesen. Aber dann hatte sie im zweiten Semester Mahmoud kennengelernt, und das war mehr, als sie sich jemals erhofft hatte. Sie hatte ihn vom ersten Tag an Moody genannt. Weil er so aussah: temperamentvoll, leicht zerstreut, als ob er über etwas nachgrübelte, und als würde er unter seinem kontrollierten Äußeren ein explosives Temperament verbergen.

In ihrer Kindheit auf Aspöja hatte Klara nie eine beste Freundin gehabt. Aber als sie nach der Hälfte des Jurastudiums in derselben Studiengruppe wie Gabriella landete, empfand sie die Begegnung mit ihr beinahe als eine genauso eindeutige Offenbarung wie die Begegnung mit Moody. Sie konnte es nicht fassen, dass es noch jemanden gab, der wie sie auf Northern Soul und Vintage-Klamotten stand. Moody amüsierte sich immer darüber. Und Klara dachte, dass es nur gut für sie und ihn sein konnte, wenn sie sich außerhalb ihrer engen Zweisamkeit Kontakte suchte.

Doch später dann, in den finstersten Tagen jenes trostlosen Herbstes in London, kam Klara manchmal der Gedanke, ob all das Schreckliche zwischen ihr und Mahmoud nur geschehen war, weil sie Gabriella in ihr Leben gelassen hatte. Wenn sie sich weiter nur an Moody gehalten und einfach keinen anderen in ihre Nähe gelassen hätte, wäre es vielleicht anders ausgegangen.

Aber an jenem Abend in London, als Klara Gabriella durchs Fenster sah, so voller Kraft und Entschlossenheit, wusste sie plötzlich, wie verrückt solche Gedanken waren. Manchmal gibt es keine Erklärung, manchmal stirbt man einfach – und Gabriella war gekommen, um ihr das Leben zu retten.

Und es war ihr gelungen. London wurde nie zu dem Erlebnis, von dem Klara geträumt hatte, aber wenn sie auch nicht die Lust zurückgewann, so doch immerhin ihren Lebensmut. Sie bestand ihre Klausuren, schrieb ihre Examensarbeit und dann Bewerbungen. Als Eva-Karin Boman, die bekannte, respektierte Politikerin mit internationalen Ambitionen sich meldete und sie zu einem Vorstellungsgespräch einlud, kehrte sogar wieder die Lust zurück. Es war unglaublich spannend, sich im Umfeld der großen Politik, von wichtigen Entscheidungen, Geld und Macht zu bewegen.

Das erste halbe Jahr bei Eva-Karin war phantastisch gewesen, und Klara hatte ihrer Chefin die Eigenheiten und die Anforderungen, die diese an sie stellte, nachgesehen. Und plötzlich schien es überall aufregende Männer mit breiten Schultern, akzeptablem Musikgeschmack und passablen Frisuren zu geben. Männer, die sie vor nur einem Monat nicht beachtet hätte. Es war aufregend, großartig und manchmal sogar richtig heiß.

Aber das, was gerade mit Cyril geschah, war anders. Obwohl es auch wie ein Spiel begonnen hatte, merkte sie, dass sie dabei war, die Kontrolle zu verlieren, sie vielleicht sogar schon verloren hatte. Klara seufzte auf und glättete ihre Kleidung. Ohne etwas dagegen tun zu können, tauchte Mahmouds Bild in ihrem Kopf auf. Vielleicht lag es an der E-Mail, die er vor ein paar Tagen an sie geschickt hatte und auf die ihr immer noch keine Antwort eingefallen war. Sie schüttelte den Kopf.

«Moody, Moody», flüsterte sie. «Was soll das werden?»

19. Dezember 2013
Brüssel, Belgien

«Haben Sie in der Frage noch etwas hinzuzufügen, Mr. Shammosh? Ich beziehe mich vor allem auf den letzten Teil von Professor Lefarques Ausführungen, also auf die Auswirkungen von kontinuierlichen Zuwiderhandlungen und die Radikalisierung der Widerstandskämpfer im Irak und in Afghanistan.»

Sir Benjamin Batton, der ehemalige Botschafter, war Moderator Extraordinaire auf der Konferenz der International Crisis Group zum Thema «Privatunternehmen in Kriegsgebieten». Er lehnte sich mit freundlich-wachsamem Blick über den Tisch.

Mahmoud sah von seinem Notizblock auf und erwiderte den Blick gelassen. Ein Lächeln umspielte seine Lippen. Hier war er in seinem Element. Er konnte sich kaum noch an die nahezu lähmende Nervosität erinnern, die er verspürt hatte, als er heute Morgen vor dem fünfzigköpfigen Publikum aus Entscheidungsträgern und Journalisten von unterschiedlichem Rang Platz genommen hatte. «Auf jeden Fall», sagte er mit einem Nicken. «Ich glaube, man kann zweifelsfrei festhalten, dass derartig makabre Vorgänge, wie sie in Abu Ghraib stattfanden, zu einer Radikalisierung führen. Im Klartext ...»

Er musste noch nicht einmal darüber nachdenken, was er sagen wollte. Die Worte strömten wie von selbst aus seinem Mund, ruhig und sicher. So wie es bei den seltenen Gelegenheiten in Uppsala gewesen war, wenn er eine Vorlesung zu einem Thema, das ihn wirklich interessierte, hatte halten dürfen.

Er sah, wie sich ihm die Köpfe im Publikum mit frisch entfachtem Interesse zuwandten, nicht länger gegähnt wurde und die Augen ihn wieder hellwach anblickten, sah Stifte, die über Notizblöcke flogen, um seine Meinung auf Papier zu bannen. Dies und was er sich selbst sagen hörte, erfüllte ihn mit Stolz und gab ihm Kraft. Ja, seine Professionalität und sein Vermögen, den Erwartungen an ihn gerecht zu werden, rührten ihn beinahe – Mahmoud Shammosh, *academic superstar.*

Als Sir Benjamin mit der gelassenen Eleganz des routinierten Moderators eine von Mahmouds Kunstpausen ausnutzte, um vorzuschlagen, die Diskussion bei einem kalten Lunchimbiss im Foyer fortzusetzen, war Mahmoud gekränkt. Natürlich hatte er bemerkt, dass sich in die zuvor so bewundernden Blicke allmählich eine gewisse Starre schlich, trotzdem – das war seine Zeit im Rampenlicht. Na ja, er würde beim Lunch weitersprechen können. Was für ein Egokick! Die Wissenschaft in allen Ehren, aber Auftritte wie dieser waren die eigentliche Belohnung.

Noch während er sich erhob, nahm er das Handy und den Akku aus dem Rucksack. Im selben Augenblick, als er das Telefon einschaltete, brummte es. Zwei verpasste Anrufe. Von einer fremden Nummer. Anspannung erfasste ihn. In dem Moment klingelte das Handy, und sein Herz machte einen Salto.

So schnell wie möglich entschuldigte er sich und steuerte auf eine Seitentür zu, die zu den Toiletten zu führen schien. Während er die Tür öffnete, nahm er das Gespräch an. Seine Nerven lagen blank. Das entsetzliche Foto flimmerte vor seinen Augen auf.

«Mahmoud Shammosh», flüsterte er in den Hörer.

«Mit welchen Worten war der Brief an dich unterschrieben?»

Die Stimme klang in Mahmouds Ohren dumpf und dunkel, als ob sie gefiltert würde.

Mit einem Mal fühlte sich sein Mund trocken an.

«Mut, Willenskraft und Ausdauer», sagte er, während er die Herrentoilette betrat.

Ein Pissoir und eine Kabine. Leer.

«Wo bist du jetzt?»

«Bei der International Crisis Group in der Avenue Louise. Wer sind Sie?»

«Verlass so schnell du kannst das Gebäude. Nimm die Metro von Louise nach Arts-loi. Steig dort in die Metro zum Gare Centrale um. Lauf im Bahnhof umher, bis du deine Verfolger abgeschüttelt hast. Fahr ein paar Haltestellen zurück und steig in den Zug zum Gare du Midi. Und pass immer auf, ja?»

Mahmoud erstarrte.

«Wir kennen uns aus Karlsborg, oder? Haben Sie sich deshalb mit mir in Verbindung gesetzt?»

«Leg den Akku erst wieder ein, wenn du im Gare du Midi bist, und ruf diese Nummer an, dann gebe ich dir neue Anweisungen.»

Mahmoud tat sein Bestes, um die Stimme wiederzuerkennen, aber sie bot ihm keinerlei Anhaltspunkte, nichts, das ihn weiterbrachte.

«Gut», erwiderte er. «Aber worum geht es? Was wollen Sie mir erzählen? Oder soll das nur ein Scherz sein?»

Sollte er wirklich tun, was der Mann sagte – aufgrund so spärlicher Informationen?

«Das ist kein Scherz. Folge meinen Anweisungen, ich brauche deine Hilfe. Was hast du schon zu verlieren?»

«Sicher. Ich kann hier aber frühestens in einer Stunde weg», erwiderte Mahmoud.

«Okay. Nimm den Akku wieder aus dem Handy und verliere kein Wort über diese Angelegenheit. Ich meine es ernst. Du wirst mit allergrößter Wahrscheinlichkeit verfolgt, das ist kein Scherz.»

Damit war das Gespräch beendet. Mahmoud musterte sich im Spiegel über dem Waschbecken. Was war das für ein Gefühl in seiner Brust? Zweifel? Nervosität?

Gespannte Erwartung, entschied er. Denn: Was hatte er schon zu verlieren?

Der kahlgeschorene Mann, der im Foyer von Merchant & Taylor auf George wartete, war höchstens fünf Jahre älter als er und so durchtrainiert, wie George es mit seinen Squashspielen und halbherzigen Trainingseinheiten im Fitnessstudio schwerlich erreichen würde. Trotz des anonymen Anzugs, mit weißem Hemd, aber ohne Krawatte, sah er aus, als wäre er eher fürs Wasser oder für extreme Höhen geschaffen als für Rezeptionen, Korridore und Büros. Er war glatt und glänzend, teflonbeschichtet für Höchstgeschwindigkeiten – wie Matt Damon in den Bourne-Filmen, dachte George neidisch. Unglaublich, wie dieser Kerl trainieren musste.

«Mr. Brown?», fragte George und streckte seine Hand aus.

«Ganz genau. Sie können mich Josh nennen», antwortete der Mann und entblößte seine kreideweißen amerikanischen Zähne zu einem hastigen Grinsen.

«Und ich bin George.» Der Händedruck war fest. Sie schüttelten einander den Bruchteil einer Sekunde zu lang die Hände. Zwei Männer, die ihr Potenzial maßen. George ließ zuerst los und schob seinen Gast sanft in Richtung der Aufzüge.

«Reiper hat Ihnen die Situation erklärt?», sagte Josh eher feststellend als fragend.

George drückte den Fahrstuhlknopf. «Ihr habt Papiere, die übersetzt werden müssen. Dafür bezahlt ihr aus irgendeinem Grund den doppelten Tarif, und ich soll anschließend sofort vergessen, was darin steht.»

Joshs Lächeln war dem von Reiper nicht unähnlich. Herablassend, als besäße er ein Wissen, das ihn unersetzlich machte. Er schüttelte beinahe unmerklich den Kopf.

«Über die Bezahlung weiß ich nichts. Dafür ist Reiper zuständig.

Meine Aufgabe besteht darin, dafür zu sorgen, dass die Dokumente den Raum nicht verlassen. Das richtet sich nicht gegen Sie persönlich, aber die Angelegenheit ist ein wenig heikel. So könnte man es vielleicht ausdrücken.»

Sie verließen den Aufzug. Georges handgenähte Schuhe klapperten über den Parkettboden, der aus einem schönen und mit größter Wahrscheinlichkeit vom Aussterben bedrohten Holz war. Joshs Gummisohlen waren dagegen nahezu lautlos.

«Ich muss Sie bitten, die Tür abzuschließen», sagte Josh, sobald sie den Raum betreten hatten.

«In Ordnung», erwiderte George und kam der Bitte ein wenig zögernd nach.

Josh holte etwas, das wie ein älteres Modell eines schwarzen iPods aussah, aus der marineblauen Computertasche, die er über der Schulter getragen hatte. Den Blick konzentriert auf das Display gerichtet, drehte er eine schnelle Runde durch den Raum. Er schien mit dem Ergebnis zufrieden zu sein, denn er legte den Apparat zurück und nahm auf einem Ledersessel Platz.

George beobachtete ihn verwundert und überlegte, ob er den anderen fragen sollte, was zum Teufel er da tat, aber er fühlte sich schon rein körperlich unterlegen und wollte nicht noch ratloser erscheinen. Also setzte er sich stattdessen ruhig auf seine Seite des Schreibtischs und überließ Josh die Initiative.

«Hier», sagte Josh und zog einen kleinen schwarzen Laptop und einen grünen Hefter aus der Tasche. «Das Dokument in der Mappe soll übersetzt werden. Sie tippen die Übersetzung in diesen Computer, nirgendwohin sonst. Es muss keine wörtliche Übersetzung sein, wir brauchen nur die groben Zusammenhänge. Wenn wir Fragen haben, kommen wir wieder auf Sie zurück. Ist es in Ordnung, wenn ich mir einen Kaffee nehme?»

Zur Verdeutlichung zeigte er auf die Maschine neben dem kleinen Kühlschrank.

George nickte, nahm den Hefter vom Tisch und öffnete ihn. Die Seiten des Dokuments waren offenbar anonymisiert worden. Alle Hinweise auf Namen waren mit einem Filzstift geschwärzt. Ganz oben rechts auf den ersten Seiten hatte sich außerdem jemand, vielleicht Josh selbst, bemüht, eine quadratische Fläche zu übermalen. George blätterte die Mappe hastig durch.

Das erste Dokument war vom Schwedischen Nachrichtendienst erstellt worden und enthielt eine knappe Personenbeschreibung.

George starrte einen Moment in die Luft. Die Säpo. Sicherheitspolizei. Das übermalte Quadrat rechts oben war vermutlich ein Geheimstempel. Es war ein schwindelerregendes Gefühl, ein so vertrauliches Dokument vor sich zu haben. Alles klar, hier ging es um Spionage.

Eine andere Erklärung gab es nicht. Derjenige, der dieses Dokument an Reiper und seine Kumpane weitergegeben hatte, machte sich der Spionage schuldig. Unfassbar. George wollte gar nicht erst daran denken, welcher Straftaten er sich bereits schuldig machte, indem er diese Papiere auch nur in der Hand hielt. Gleichzeitig war es ein prickelndes Gefühl. Der Gedanke, den großen Fragen nahe zu sein. Den richtig großen Geheimnissen.

Das erste Dokument war die erstaunlich detaillierte Beschreibung eines vermutlich arabischen Kerls aus einem schrecklich deprimierenden Hochhaus in Tensta. Ein Bild von dem Haus war beigefügt. George hatte nie begriffen, wie Menschen so wohnen konnten. Es sah aus wie ein grässlicher Sowjetplattenbau.

Die Person, um die es ging, war der älteste von drei Brüdern. Der Vater war alleinerziehend und Anfang der achtziger Jahre aus dem Libanon nach Schweden geflohen, nachdem die Mutter offenbar bei einem israelischen Bombenangriff ums Leben gekommen war.

Es machte den Anschein, als hätte der Verfasser des Berichts den Lehrer des jungen Mannes und vielleicht sogar seine Freunde interviewt und das Ergebnis in ein staubtrockenes Behördenschwedisch übersetzt. «Studienleistungen im Elitebereich.» – «Besitzt den Angaben zufolge starke Antriebskraft sowie den Willen, sich aus der gegenwärtigen Lebenssituation zu befreien.» – «Überdurchschnittlich hohe Motivation.» – «Ausgezeichnete Sprachkenntnisse. Spricht und schreibt fließend Schwedisch, Arabisch und Englisch.» – «Politisch interessiert, aber nicht aktiv.»

Ein längerer Abschnitt behandelte die Religion des Betreffenden: «Säkularisierter Moslem ohne enge Verbindungen zu radikalen Elementen oder der örtlichen Moschee», lautete die Schlussfolgerung.

Unter der Überschrift «Freizeit und soziales Leben» schien der Verfasser besonderen Wert auf die Darstellung gelegt zu haben, dass die Freunde der besagten Person vor allem aus dem Bereich des Sports kamen. Laufen und Basketball, so schien es.

Die Mannschaftskameraden wurden allerdings lediglich als «Bekannte» bezeichnet und die beschriebene Person als «introvertiert, aber paradoxerweise dennoch mit ausgeprägten Führungseigenschaften ausgestattet». Der Bericht wurde mit dem Absatz «Beurteilung des Gesprächs» abgeschlossen, in welchem die Person als «überdurchschnittlich geeignet» für «besondere Aufgaben» eingestuft wurde. George hatte keine Ahnung, was damit gemeint war. Aber seine Aufgabe bestand schließlich darin, diesen Mist zu übersetzen, nicht, ihn zu verstehen.

Das andere Dokument war länger, über dreißig Seiten, und, wenn die Datumsangabe korrekt war, erst wenige Tage alt. Die erste Seite des Berichts trug die Überschrift «Veranlassung zur gesonderten Überwachung». Der Text war kurz: «Glaubwürdige Informationen von ausländischen Geheimdiensten lassen darauf schließen, dass das Objekt Kontakt zu subversiven Elementen im Irak und/oder in Afghanistan hat, siehe Dossier SÄK-R-0005849».

Auf den folgenden Seiten wurde die derzeitige Lebenssituation des jungen Mannes zusammengefasst. Jurastudium. Ehemaliger Sprecher der Außenpolitischen Vereinigung. Doktorand an der Juristischen Fakultät. Welche Seminare er hielt. Bilder von einem Haus, in dem seine Wohnungsfenster mit rotem Stift eingekreist waren. Zweimal wöchentlich Basketball im Sportverein der Universität. Eine längere Beziehung zu einer Klara Walldéen, die vor einigen Jahren beendet worden war. Dieser Name war nicht geschwärzt.

George stand von seinem Stuhl auf und ging zur Kaffeemaschine. Er legte eine schwarze Kapsel ein und drückte auf den grünen Knopf.

«Klara Walldéen», murmelte er leise vor sich hin.

«Wie bitte?», fragte Josh von seinem Sessel mit Blick auf den Park und sah von seinem Handy auf. George beobachtete, wie die Regentropfen auf die Fensterscheibe trafen und hinabrannen. Die Kälte des gestrigen Tages hatte nachgelassen, und jetzt schien ein ziemliches Unwetter heranzuziehen. Das Zimmer war im Nu dunkel geworden, als würde es bereits dämmern.

«Klara Walldéen», sagte George erneut.

Er wusste sofort, wer sie war, denn er kannte die meisten Schweden in Brüssel. Und Klara hatte er ganz besonders im Blick. Nicht weil sie besonders wichtig für ihn gewesen wäre. Boman, ihre Abgeordnete, war ein alter Sozidrachen, der sich vor allem mit Fragen der Außenpolitik beschäftigte. Nichts, was George normalerweise interessierte. Nein, auf Klara hatte er aus rein persönlichen Gründen ein Auge geworfen. Sie war nämlich unter den Top 5 der schärfsten Referentinnen im Parlament.

«Sie arbeitet im Europaparlament», fügte er hinzu.

«Ganz genau», antwortete Josh gelassen. «Reiper möchte, dass Sie sie im Auge behalten. Es gibt Anzeichen dafür, dass sie Umgang mit dem Terroristen hat, den wir fassen wollen.»

Der Terrorist. Das Wort hallte geradezu im Raum nach.

«Im Auge behalten? Wie genau meinen Sie das?»

George war mulmig zumute. Der Terrorist. Der Nachrichtendienst. «Im Auge behalten». Das beinahe euphorische Gefühl, ein streng vertrauliches Dokument in den Händen zu haben, wich dem Unbehagen, dass er allmählich den Boden unter den Füßen verlor.

«Keine großen Aktionen. Beobachten Sie sie erst einmal in den sozialen Netzwerken. Solche Dinge. Wir würden das gern selbst übernehmen, aber unser Schwedisch ist nicht gut genug, wie Sie vielleicht schon bemerkt haben.»

George setzte sich wieder und fuhr mit seiner Arbeit fort. Die übrigen Dokumente waren «Observationsberichte». Kurze Beschreibungen dessen, womit sich die Person im Laufe des Tages beschäftigte. Verdammt, dachte George, irgendein armer Teufel hat sich der ziemlich öden Aufgabe annehmen müssen, den ganzen Tag vor einem Haus herumzuhängen.

Einige Dinge störten ihn an dem Bericht. Zum einen enthielt er exakte Beschreibungen und sogar Fotografien des Inneren der Wohnung und des Büros des Observierten. Es hatte etwas Unheimliches, die Intimsphäre Verletzendes an sich, dass die Säpo, oder wer auch immer dahintersteckte, in den Privaträumen dieser Person gewesen war.

Außerdem gab es Auszüge aus den E-Mails des Observierten. Zwei Nachrichten von einer merkwürdigen Hotmail-Adresse, von jemandem geschickt, der die Person im Irak und in Brüssel treffen wollte. Und eine kurze Nachricht war von der E-Mail-Adresse der Person an Klara Walldéen gegangen. Letztere war vor einigen Tagen verschickt und markiert worden, vermutlich von Reiper oder Josh. George, normalerweise kein Mann hehrer Prinzipien, war unangenehm berührt. Aber er war nur ein Rädchen in der Maschinerie.

«Ich rechne damit, dass die Übersetzung fast den ganzen Nachmittag in Anspruch nehmen wird», sagte er zu Josh und öffnete ein neues Dokument im Textverarbeitungsprogramm.

«Dann fangen Sie mal lieber gleich damit an», antwortete Josh und lehnte sich mit einem süffisanten Grinsen im Sessel zurück.

19. Dezember 2013
Brüssel, Belgien

Mahmoud verbrachte eine Stunde im Brüsseler Metro-Netz. Stieg mehrfach in andere Züge und verschiedene Richtungen um, so wie man ihn gebeten hatte. Am Gare du Midi fuhr er die Rolltreppe zu einem verlassenen Bahnsteig hinauf. Die tief hängende Wolkendecke über dem Süden von Brüssel erweckte den Anschein, als hätte die Dämmerung bereits eingesetzt. Sprühregen fegte über den rissigen Beton. Die rostigen Schienen und die abblätternden Graffiti auf dem kleinen Wartehäuschen stellten die einzigen Farbkleckse dar.

Halb hinter einem Pfeiler verborgen, setzte er den Akku in das Handy ein. Von hier aus konnte er beobachten, wer die Treppe heraufkam. Er spürte seinen Puls schneller schlagen und wie seine Kehle sich zusammenschnürte. Der Bahnsteig, der Regen, alles wurde zunehmend wirklicher. Es war irgendwie aufregend. Ein Spiel.

Mahmoud suchte ein weiteres Mal mit dem Blick den Bahnsteig ab, obwohl er wusste, dass er leer war, und rief im Handy die einzige abgespeicherte Nummer auf. Mit dem ersten Klingeln wurde abgehoben.

«Nimm ein Taxi zum Gare du Nord», sagte die dumpfe Stimme. «Steig dort in ein anderes um und fahr aus der Stadt hinaus zum Königlichen Museum für Zentralafrika in Tervuren. Du dürftest in einer Stunde dort sein. In Ordnung?»

«In Ordnung», antwortete Mahmoud.

«Lass dir Zeit, wenn du angekommen bist. Schau dir die Ausstellung an. Am Ende des Raumes mit den Giraffen liegt ein Notausgang. Um zehn vor sieben verlässt du durch ihn das Gebäude und gehst in den Park. Die Tür wird unverschlossen und die Alarmanlage ausgeschaltet sein. Umrunde den Teich vor dem Museum auf der rechten Seite. Jenseits der Hecke, dem Museum gegenüber, steht eine Statue, du wirst sie sehen. Rechts davon, am Waldrand, gibt es im Schutz einiger Büsche eine Bank. Ich werde um sieben Uhr dort sein. Verspäte dich nicht.»

Januar 1985
Stockholm, Schweden

Der Schnee erstickt alle Geräusche. Wenn ich die Augen schließe, bin ich nicht mehr in einer Stadt. Das Knirschen unter meinen Gummisohlen, der Wind, der mir ins Gesicht peitscht. Ich befinde mich auf einer Eisfläche. Allein auf einem gefrorenen See, wo Himmel und Schnee verschmelzen und zu einer einzigen Masse werden. Wenn ich es mir erlauben würde, etwas zu vermissen, dann würde ich die Winter in Michigan vermissen.

Die Straßen hier sind breit, Erinnerungen an eine andere Zeit. Eine Zeit der Armeen und Paraden, Schlachten und wehenden Fahnen. Die Schlichtheit dieses Gedankens macht mich traurig. Die Stadt ist schön und feierlich wie ein Begräbnis. Die Autos haben ihre Scheinwerfer eingeschaltet, selbst jetzt, in den verwirrend kurzen Stunden zwischen Morgengrauen und Abenddämmerung. Ich bin zu leicht angezogen, trotz meiner hellblauen Daunenjacke, die ich seit dem College kaum getragen habe.

In der amerikanischen Botschaft erwartet man mich. Meine neuen Papiere liegen bereit. Niemand hier weiß, wer ich bin. Niemand weiß, wohin ich unterwegs bin. Doch sie haben ihre Anweisungen und würden sich hüten, Fragen zu stellen. Ich schließe meine Tasche in den Tresor des Militärattachés ein und lehne seine höfliche Einladung zum Abendessen ab. Ich kenne sein Interesse, seine Neugier. Jedes Geheimnis birgt ein weiteres Geheimnis. Jede Lüge eine größere Lüge.

Ehe ich beschließe, ihn zu fragen, zögere ich eine Sekunde. Es ist ein Risiko, das einzugehen ich bereit bin. Vielleicht ist es meine einzige Chance.

«Ich bräuchte die Hilfe eines einheimischen Angestellten»,

erkläre ich. «Jemanden, der Schwedisch spricht und weiß, wie das schwedische System funktioniert.»

«Aber natürlich, kein Problem», erwidert er und scheint aufrichtig froh darüber zu sein, einen Beitrag leisten zu können.

Er ist ein in jeder Hinsicht netter Mann. Ein Mann für irische Pubs und Geschichten über den Krieg.

«Aber wir haben natürlich niemanden, der dem erforderlichen Sicherheitsprofil entspricht.»

«Das tut nichts zur Sache», entgegne ich. «Es ist rein privat. Ich brauche lediglich Hilfe dabei, eine Bekannte zu finden, von der ich glaube, dass sie derzeit wieder in Schweden ist.»

«Ich verstehe. Ich denke, in der Presseabteilung gibt es einige schwedische Mitarbeiter für die Recherche. Ich werde meine Sekretärin beauftragen, dafür zu sorgen, dass Sie jede Hilfe bekommen, die Sie brauchen.»

Ich folge der Route, die ich in meinem Zimmer auf der Karte festgelegt und mir eingeprägt habe. Folge anderen Touristen durch die verschlungenen Gassen, bis ich mir sicher bin, dass ich meine Beschatter schon in der U-Bahn abgehängt habe. Es heißt, hier in Stockholm sei das leicht. Helsinki sei schwieriger. Vielleicht ist es so.

Ich habe noch eine Stunde, also nehme ich vor dem Schloss ein Taxi und bitte darum, nach Djurgården gefahren zu werden. Der Taxifahrer versteht nicht, was ich meine, und ich zeige es ihm auf der Karte. Das versetzt mich in Stress. Nun wird er sich an den amerikanischen Fahrgast erinnern. Eine Spur. Ich hinterlasse keine Spuren. Aber jetzt ist es zu spät. Ich sage ihm, dass ich an der Brücke aussteigen möchte. Sein Englisch ist so schlecht, dass ich ihm den Ort erneut auf der Karte zeigen muss. Er sieht arabisch aus, aber ich kann nicht einfach die Sprache wechseln. Dann wird die Spur geradezu aufdringlich. Obwohl ich meine Beschatter für einen Moment abgehängt habe.

Auf der Toilette im Tierpark Skansen tausche ich meine hellblaue Daunenjacke gegen einen beigefarbenen Mantel. Nehme meine rote Mütze ab. Ziehe vorsichtig die hellgelbe Mappe aus dem Aktenkoffer und stecke sie in den dunkelblauen Nylonrucksack. Den Aktenkoffer hinterlasse ich leer und ohne Fingerabdrücke unter dem Papierkorb einer Toilettenkabine. Dann setze ich meinen Weg fort, verlasse den Tierpark und gehe zur Fähre. Es wird bereits dunkel.

Um Viertel nach drei besteige ich die Fähre. Er steht einsam achtern. Wie vereinbart. Getönte Sonnenbrille und ein beigefarbener Wintermantel mit einer kleinen Nelke im Knopfloch. Er trägt einen Schnauzbart, der sich mit dem seines Führers messen kann. Ein Gesicht, das einer langen Karriere in Bagdads Regierungsgebäuden würdig ist. Ich stelle mich neben ihn und blicke in den Schaum rund um die Schiffsschrauben hinab. Der übriggebliebene Weihnachtsschmuck glitzert wehmütig über dem Vergnügungspark, von dem wir uns langsam entfernen. Wir haben vielleicht zehn Minuten Zeit.

«*Assalamu alaikum*», sage ich.

«*Wa alaikum assalam*», antwortet er reflexartig. Aber er ist erstaunt. «Sie sprechen Arabisch?»

«Ja», antworte ich.

«Was wollen Sie übermitteln? Es muss etwas Wichtiges sein, wenn die Amerikaner ihre Vertreter den ganzen Weg bis hierher nach Stockholm schicken.»

«Satellitenbilder von vorgestern. Die iranische Flotte geht in Stellung, um Ihren Schiffsverkehr im Persischen Golf zu blockieren. Artillerieverbände rücken aus, um Bagdad anzugreifen.»

Ich sehe mich um und übergebe meinem irakischen Kontakt die

Mappe. Er nickt und steckt sie unbesehen in seine Aktentasche. Obwohl wir im Windschutz hinter der Brücke der Fähre stehen, ist die Kälte beißend.

«Ist das alles?»

Die Enttäuschung steht ihm deutlich ins Gesicht geschrieben. Keine Neuigkeiten für ihn.

Ich schüttele den Kopf. «Noch etwas. Wir haben fünf Firmen gefunden, die bereit sind, das zu verkaufen, was Sie haben möchten. Sie wollen sich in zwei Wochen in Zürich treffen. Die Details finden Sie in der Mappe. Ich brauche hoffentlich nicht zu erklären, wie vertraulich das ist?»

Ein Funkeln blitzt in seinen Augen. Das war es, worauf er gehofft hat.

«Die Chemikalien?» Er versucht, es sich nicht anmerken zu lassen, aber jetzt ist er interessiert.

«Noch besser.»

Er nickt. Die fernen Lichter des Vergnügungsparks spiegeln sich in seiner Sonnenbrille. Unter meinen Füßen spüre ich die Vibrationen des Motors.

«Wir sind Ihnen zu Dank verpflichtet», sagt er schließlich.

Ich nicke. «Danken Sie nicht mir. Ich bin nur der Bote. Und natürlich erwartet meine politische Führung ein Entgegenkommen, wenn alles vorüber ist. Das müssen Sie dann in Zürich diskutieren.»

Wir schweigen. Lassen das Dröhnen des Motors die Pausen ausfüllen. Falls er friert, zeigt er das mit keiner Miene hinter seiner Brille, seinem Schnauzbart. Sein weinroter Seidenschal ist perfekt gebunden und in den Kragen seines Kamelhaarmantels gesteckt.

«Was das andere betrifft», beginnt er.

Sein Blick schweift suchend über den Södra Kajen, die große rot-weiße Fähre, die Stadt, die sich dahinter erhebt und weiter ins

Land hinein erstreckt. Schneeatome, von der Kälte komprimiert und hart wie Salzkörner, wirbeln schwerelos zwischen uns umher. Ich sage nichts. Lasse ihm die Zeit, die er braucht. Jetzt herrscht eine elektrische Spannung in mir, die mich knistern, den Schnee bei der ersten Berührung schmelzen lässt. Die Wurzeln der Rache sind elektrisch.

«Niemand weiß etwas», fährt er fort. «Nicht wir. Nicht die Syrer. Niemand. Nichts.»

Er sieht mich von der Seite an und nimmt die Sonnenbrille ab. Seine Augen wirken warm, unerwartet verletzlich.

«Es war Ihre Familie?», fragt er.

Ich sage nichts, halte jedoch seinem Blick stand. Er weiß es ohnehin. Alle Fragen sind rhetorisch. Aber ich muss seine Augen sehen. Ich muss geradewegs durch seine Augen hindurchsehen.

«Es tut mir leid», sagt er. «Wirklich. Umso mehr, weil Sie uns eine so große Hilfe waren. Ich wünschte, ich könnte eine vollständigere Antwort geben.»

Jetzt nicke ich. Falls er lügt, ist er ein Meister.

«Aber Sie wissen, dass es nichts zu bedeuten hat, dass ich keine Informationen habe? Ihnen ist klar, dass unsere Systeme organischer sind als Ihre? Sie verstehen schon. Weniger Dokumente. Kürzere, wie soll ich sagen, Entscheidungswege? Es kommt nur selten vor, dass solche Informationen den innersten Kreis des Geheimdienstes verlassen.»

Ich nicke erneut. Ich weiß alles über die organischen Strukturen. Über die kurzen Entscheidungswege.

«Jemand gibt ein Signal, ein Zweiter leitet es an einen Dritten weiter. Es sind viele Glieder.»

«Aber es gibt Gerüchte», sage ich. «Immer.»

«Natürlich», bestätigt er.

Ein Nicken. Ein leicht betrübtes Lächeln.

«Aber man sollte nichts auf die Gerüchte geben, habe ich recht?», fragt er.

«Nur wenn sie das Einzige sind, was man hat», sage ich.

Er erwidert nichts. Sein Blick ist eindringlich, direkt, scheinbar unverstellt. So steht er einige Sekunden lang da. Die kleinen Schneekörner in seinem Schnauzbart, seinen Augenbrauen, festgefroren.

«Manchmal ist es besser, einfach weiterzugehen», sagt er schließlich. «Es Gott zu überlassen. *Inshallah*. So Gott will.»

Wir verabschieden uns, ehe die Fähre anlegt. Ich gehe davon, voller Zweifel, lasse das Versprechen des Todes zurück.

Ich bemühe mich nicht um Ablenkungsmanöver, als ich am Strandvägen entlang zur Botschaft zurücklaufe. Jetzt dürfen sie mich gern verfolgen. Die einheimische Mitarbeiterin, Louise, erwartet mich an ihrem Tisch in dem kleinen Raum, den sie mit einer anderen schwedischen Mitarbeiterin teilt. Wir scheinen die Letzten im Gebäude zu sein.

«Sie sind spät», sagt sie und streicht sich das lange blonde Haar aus dem Gesicht.

Sie geht auf die dreißig zu und ist nicht hübsch, aber ihr Ernst hat etwas Anziehendes. Sie spricht ein amerikanisches Englisch mit einem singenden Akzent, den ich allzu gut kenne.

«Ich muss meine Kinder abholen.»

«Es tut mir leid», sage ich und meine es so.

Gestresst legt sie einige wenige Papiere vor mir auf den Tisch.

«Das ist die Frau, die Sie suchen», erklärt sie. «Dies ist ihr Totenschein. Sie arbeitete in der Tat als Diplomatin beim Außenministerium und ist offenbar im Jahr 1980 bei einer Explosion in Damaskus ums Leben gekommen.»

Ich nicke stumm und fingere an den Dokumenten herum, die in einer mir unverständlichen Sprache erstellt wurden.

«Ich habe mehrere Artikel darüber in schwedischen Zeitungen gefunden. Der Fall scheint hier für viel Aufsehen gesorgt zu haben. Ich erinnere mich sogar selbst daran. Es geschieht nicht so oft, dass schwedische Diplomaten im Ausland ums Leben kommen. Ein paar Artikel habe ich kopiert. Es scheint ein Unglück gewesen zu sein. Eine Autobombe, die vermutlich für jemand anderen bestimmt gewesen war. Sie haben das falsche Auto erwischt.»

Ich setze mich auf den hellen Holzstuhl neben ihrem Schreibtisch. Meine Beine wollen mir plötzlich nicht mehr gehorchen.

«Sie hatte eine Tochter», sage ich und höre selbst, wie mein Tonfall klingt, leer, unmusikalisch.

Louise nickt.

«Das stimmt», sagt sie. «Sie hatte eine wenige Monate alte Tochter, die überlebte. Das ist eine komische Geschichte. Wirklich komisch. In allen Medienberichten ist zu lesen, dass sie zusammen mit ihrer Mutter im Auto umkam, aber wenn man etwas genauer recherchiert ...»

Sie streicht sich eine Strähne aus der Stirn und wirft einen ungeduldigen Blick auf die kleine Uhr an ihrem schmalen Handgelenk.

«Wenn man genauer recherchiert, findet man sie im Register. Klara Walldéen. Ich habe eine Freundin beim Außenministerium, die das schnell überprüft hat.»

Sie blättert hastig in ihren Unterlagen.

«Aber merkwürdigerweise gibt es keine Dokumente darüber. Den Gerüchten zufolge, wenn man ihnen denn glauben will, wurde sie am Tag der Bombenexplosion in eine Decke gehüllt in der schwedischen Botschaft in Damaskus gefunden. Natürlich wurde der Vorfall verschwiegen. Nach der Bombe und all dem. Man befürchtete wohl, dass ihr etwas zustoßen könnte.»

Es durchzuckt mich wie ein Stromschlag.

«Wo ist sie?», frage ich.

«Sie wohnt bei ihren Großeltern im Schärengarten von Östergötland. Lassen Sie mich nachsehen ... Doch, hier ist es. Auf einer kleinen Insel namens Aspöja.»

19. Dezember 2013

Brüssel, Belgien

Klara atmete tief ein und drehte ihr Gesicht zur Wand, um den Impuls zu unterdrücken, die Nase in Cyrils Hals zu vergraben, der dösend dicht neben ihr im Bett lag. Obwohl sie nackt waren und sie seinen Körper von Kopf bis Fuß mit Mund und Händen erforscht hatte, wäre ihr so ein Verhalten verwirrend intim und zu zärtlich vorgekommen.

Ihre Beziehung war nicht von Zärtlichkeit geprägt, aber zweifellos von Leidenschaft. Wenn Cyril in ihrer Nähe war, knisterte es nahezu um sie herum von einer überwältigenden sexuellen Spannung, die ihr nicht vertraut war, die aber, wie sie vermutete, ohne es weiter ergründen zu wollen, von seiner Unnahbarkeit herrührte. Wie oft war sie in den letzten Monaten im Morgengrauen in ihrem Schlafzimmer aufgewacht, nur um Cyril aufbrechen zu sehen? Wie oft war sie vom Knarren der Treppe wach geworden? Wie oft hatten sie ihre ohnehin schon viel zu seltenen Treffen absagen müssen, weil Cyril an Bord eines Flugzeugs, in einer Sitzung, bei einem Abendessen festsaß?

Kaum zwanzig gemeinsame Nächte waren ihnen bisher vergönnt gewesen, eher fünfzehn. Wie die meisten Parlamentarier hielt Cyril sich unter der Woche nur ein paar Tage in Brüssel auf. Die übrige Zeit reiste er umher oder war zu Hause, um die Kontakte zu seinen Wählern in seinem Pariser Wahlkreis zu pflegen.

Als sie vor ein paar Monaten begonnen hatten, sich zu treffen, hatte Klara das Arrangement ausgezeichnet gepasst, mehr hatte sie nicht gewollt. Cyril war aufregend, außerdem intelligent. Und die Spannung zwischen ihnen war überwältigend, ließ sie sich mal schwach und labil fühlen, mal dominant und überlegen. Und sie stellte fest, dass es auch ihn beeinflusste. Daran, wie sein Griff um ihre Arme, an ihrem Hals fester wurde, wie er ihr mit den Fingern in die Haare fuhr, sie auf die Matratze drückte und von hinten in sie eindrang. Sie spürte noch immer seinen Geschmack auf ihren Lippen, in ihrem Mund. Es war Leidenschaft und herrliche, brennende Lust. Aber sie verband keine Zärtlichkeit, keine echte Intimität. Was erstaunlich befreiend gewesen war, da sie keine Ansprüche an den anderen stellten. Nur der Moment zählte.

Deshalb war sie auch so überrascht, als Cyril sich jetzt plötzlich zu ihr umdrehte und sie einen endlosen Augenblick mit seinem düsteren, leicht ironischen Blick ansah, ohne etwas zu sagen. Sie erwiderte ihn zögernd, mit einem Mal verlegen, und stumm.

«Warum hast du überhaupt keine Bilder von deiner Familie hier?», fragte er. «Ich bin in den letzten Monaten wöchentlich mehrmals bei dir gewesen, und trotzdem weiß ich nichts über dich. Na gut, so manches weiß ich trotzdem.»

Er zog sich die Decke über die Hüften, als ob er sich plötzlich für seine Nacktheit schämen würde.

«Wir unterhalten uns ja über das Parlament, die Welt, übers Essen. Aber ich weiß so gut wie nichts über dich persönlich. Deine Familie. Dein Zuhause. Und mir ist mit einem Mal aufgefallen, dass du auch gar keine Familienfotos herumstehen hast. Alle, die im Ausland wohnen, haben Bilder von ihrer Familie, aber du nicht. Warum?»

Seine Stimme, sein sanfter französischer Akzent, sein amerikanisches Vokabular. Sie wandte den Blick ab, legte sich auf den Rücken, sah zur Decke hoch und konzentrierte sich auf ihre Atmung.

Plötzlich spürte sie, dass sie noch nicht bereit war, den unausgesprochenen Pakt, den Kompromiss zu brechen. Gleichzeitig wollte sie nichts lieber, als ihm ihre Geschichte zu erzählen und die seine zu hören. Aber sie brauchte Zeit, um sich an den Gedanken zu gewöhnen. Das ging nicht einfach so, ohne Vorwarnung. Deshalb seufzte Klara nur und zuckte mit den Schultern.

«Ich weiß nicht. Irgendwie habe ich nicht daran gedacht. Ich kann mit Bildern nicht so viel anfangen.»

Sie schwang die Füße auf den kühlen Holzfußboden, setzte sich auf und drehte Cyril den nackten Rücken zu.

«So ein Quatsch! Alle brauchen Familienfotos», sagte er.

Konnte er nicht noch ein bisschen warten, ihr noch ein bisschen Zeit geben? Damit sie Luft holen und mit ihm Schritt halten konnte?

«Kannst du mir denn nichts von dir erzählen? Hast du Geschwister? Was machen deine Eltern? Was auch immer.»

Sie drehte sich zu ihm um. Erlaubte sich, ihn mit einem Hauch von Gereiztheit anzusehen.

«Ich habe keine Geschwister», sagte sie und schlüpfte in ihren schwarzen BH, fuhr sich durch ihre knapp schulterlangen Haare und strich sie hinter die Ohren.

«Ich bin Einzelkind.»

Sie nahm ihr Handy vom Nachttisch und sah nach, wie spät es war.

«Jetzt komm schon, ich habe in einer halben Stunde eine Besprechung. Wir müssen uns beeilen.»

Sie lächelte Cyril schief und nicht besonders überzeugend an und deutete auf die schmale Treppe, die in den Wohnbereich ihrer kleinen Dachgeschosswohnung hinunterführte.

«Es ist dir unangenehm!», stellte er fest und hob demonstrativ die Arme, als ob er sie endlich dazu gebracht hätte, etwas zuzugeben, das sie lange abgestritten hatte. Die Befriedigung, die aus seiner Geste sprach, vergrößerte nur ihren Unwillen, dieses Gespräch fortzusetzen.

«Was denn?»

Musste er wirklich darauf bestehen?

«Glaubst du etwa, es wäre mir unangenehm, über meine Familie zu sprechen? Ja, natürlich ist es mir unangenehm, über meine Familie zu sprechen. Reicht das?»

Sie nagelte ihn mit dem Blick aus ihren hellblauen Augen fest. Gab keinen Zoll nach, spürte, wie wütend sie wurde.

Cyril hob abwehrend die Hände und stand auf. «Schon gut, schon gut, wenn du nicht darüber reden willst», brummte er und streifte seine Boxershorts über. «Ich wollte nur Interesse zeigen.»

Kurze Zeit später warteten sie im Wohnzimmer auf das Taxi, bereit, in ihr gewohntes Leben zurückzukehren.

«Entschuldige», sagte Klara. «Ich wollte nicht überreagieren. Dass du nach meiner Familie fragst, ist wohl ganz normal.»

Sie streckte die Hand aus und berührte die seine. Cyril schien immer noch verletzt zu sein, gekränkt. Vielleicht waren seine Geliebten normalerweise fügsamer.

«Mach dir keine Gedanken», sagte er und fuhr sich durchs Haar. «Ich verstehe. Ich will nicht, dass du dich unwohl fühlst.»

«Meine Familie ...», begann sie.

Cyril wandte sich ihr zu, aufmerksam, interessiert.

«... meine Familie ist leicht zu beschreiben. Sie besteht aus meinen Großeltern, sie sind mein Ein und Alles im Leben. Basta. Und aus Gabriella, meiner besten Freundin. Ich hatte Männer, kürzere Beziehungen. Und eine längere, von der ich manchmal in dunklen Nächten, wenn ich nicht einschlafen kann, wünschte, sie hätte noch eine Weile gehalten. Ist das ehrlich genug für dich?»

«Warum hat sie nicht länger gehalten, wenn du es doch gewollt hast? Ich kann mir nicht vorstellen, dass er dich verlassen hat.»

«Das», wehrte Klara ab, «können wir uns für ein anderes Mal aufheben. Aber es war keine glückliche Zeit. Und ich war im Aufbruch, zuerst nach London und dann hierher. Und danach hat es wohl keinen Platz mehr für diese Beziehung gegeben, und das ist vielleicht auch ganz gut so.»

«Und deine Eltern?», hakte Cyril behutsam nach, als ob er es nicht riskieren wollte, sie zu unterbrechen.

«Ich habe keine Eltern. Sie haben sich getrennt. Meine Mutter starb, als ich zwei Monate alt war. Ich habe Fotos von ihr in einer Abseite bei meinen Großeltern, aber keinerlei Erinnerung an sie. Überhaupt keine.»

Sie sah ihm unverwandt in die Augen. Ihr trauriger Hintergrund. Ihre Einsamkeit und Verletzlichkeit. Über nichts wollte sie weniger sprechen als darüber. Die mitleidigen Blicke, die feuchten Augen, mit denen die Leute unausweichlich auf die Geschichte des elternlosen Mädchens aus dem Schärengarten reagierten. Das verfluchte *Verständnis* und das *Mitgefühl.*

All das, was dazu führte, dass sie sich anderen unterlegen fühlte, und sie in den Augen der anderen zu jemandem machte, der sie nicht war.

Aber Cyril nickte nur still und strich ihr eine Haarsträhne aus der Stirn.

«Es tut mir leid, das wusste ich nicht», sagte er.

Er fasste nach Klaras Hand. Sie zog sie nicht weg, erwiderte seine Liebkosung aber auch nicht.

«Meinen Vater habe ich nie kennengelernt. Ich weiß nichts über ihn, nur, dass er Amerikaner war und meine Mutter ihm begegnete, als sie in Damaskus gearbeitet hat. Sie war Diplomatin. Vielleicht war er auch Diplomat, vielleicht Geschäftsmann. Wer weiß? Meine Mutter hat mit meinen Großeltern nie darüber gesprochen. Und dann ist sie in Damaskus durch eine Autobombe ums Leben gekommen.»

19. Dezember 2013
Brüssel, Belgien

Das Unwetter wurde schlimmer, als das Taxi Mahmoud durch das EU-Viertel zum Königlichen Museum für Zentralafrika in Tervuren, nördlich von Brüssel, fuhr. Der Wind trieb stoßweise Schneeregenschauer vor sich her, die sich über den alten Mercedes ergossen. Es war erst halb sechs, trotzdem war es schon dunkel, fast finster. Unheilverkündend. Mahmoud lehnte sich vor, um die Türme der grauen Bürogebäude zu betrachten, in denen sich die europäische Macht konzentrierte. Sie schienen sich endlos in die Höhe, in die Dunkelheit zu schrauben. Das Taxi schlängelte sich vorwärts. Rue Belliard, die Nord-Süd-Ader des EU-Viertels, schien sich in einem andauernden Verkehrschaos zu befinden. Mindestens ein Fahrstreifen war gesperrt, und der Taxifahrer grummelte und fluchte auf Französisch. Etwas von Huren und Politikern und was beide miteinander gemein hatten, sofern Mahmouds Schulfranzösisch ihn nicht völlig im Stich ließ.

Er sah sich nach allen Seiten um, schaute durch die gewölbte Heckscheibe des Taxis. In den gläsernen Fassaden blitzten die Scheinwerfer auf. Bei diesem Wetter und dieser Dunkelheit war es unmöglich festzustellen, ob ihn ein Auto verfolgte. Aber er konnte es sich nur schwer vorstellen. Seine Manöver in der Metro waren so irrational gewesen, dass selbst eine größere Beschattertruppe ihn aus den Augen verloren hätte. Und danach noch der Umstieg ins Taxi. Er sollte sicher sein. Wäre nicht der Volvo in Uppsala gewesen, hätte er sich auch nur schwer vorstellen können, überhaupt beschattet zu werden. Jetzt war es durchaus denkbar.

Hinter ihnen, auf der Rue Belliard, ertönten plötzlich Sirenen. Blaulicht wurde von den blanken Betonfassaden und Glasfenstern reflektiert und erhellte das dämmrige Wageninnere. Aus dem Augenwinkel sah Mahmoud, dass sich Polizeimotorräder in rasender Geschwindigkeit dem gesperrten Fahrstreifen näherten. Ein Polizeiauto und ein Konvoi schwarzer Mercedeswagen wesentlich jüngeren Datums als der, in dem Mahmoud saß, folgten ihnen. Eine Flagge der EU und eine afghanische flatterten vom Unwetter geplagt auf der Kühlerhaube eines der Fahrzeuge. Vielleicht hing das mit der großen Afghanistankonferenz im Frühjahr zusammen? Mit dem Marshallplan, der vorbereitet wurde und den afghanischen Bergen Frieden bringen sollte. Vielleicht war es aber auch nur ein einsamer Botschafter auf dem Weg zum Flughafen.

Mahmoud hatte bereits die Hoffnung aufgeben wollen, jemals das EU-Viertel hinter sich zu lassen, als sie endlich Brüssel verließen und eine schnurgerade, von Laubwald gesäumte Straße entlangrauschten. Es schien, als würden sie sich allmählich ihrem Ziel nähern. Sein Herzschlag beschleunigte sich, sein Mund wurde trocken. Plötzlich bereute er, dass er niemandem erzählt hatte, wohin er fuhr. Vielleicht hätte er sich bei Klara melden sollen, bevor er sich auf diese Sache einließ? Aber wie hätte das geklungen, wo sie noch nicht einmal auf seine Mail geantwortet hatte: «Hallo, Klara, ich scheine verfolgt zu werden und soll jemanden treffen, der mir in Tervuren heikle Informationen geben will. Paranoide Schizophrenie? Ja, jetzt wo du es sagst.» Das war viel zu abgedreht. Und er hatte sein Wort gegeben, niemandem davon zu erzählen. Er war auf sich gestellt, das musste er wohl oder übel einsehen. Und ruhig atmen.

Vom Kreisverkehr, wo das Taxi Mahmoud hatte aussteigen lassen, waren es weniger als fünf Minuten bis zum Museum. Es war kurz vor sechs. Der Parkplatz neben dem Museum hatte sich in eine Jauchegrube verwandelt, und Mahmoud ging auf Zehenspitzen, um nicht schmutzig zu werden. Als er die Ecke des Gebäudes umrundete, erahnte er ein großes Parkgelände mit Kieswegen, sorgfältig gestutzten Büschen und grauen Rasenflächen. Es war schlecht beleuchtet, trotzdem blieb er stehen, um sich einzuprägen, wo er in einer Stunde hinkommen sollte. Der große Teich vor der Eingangstreppe war leicht zu erkennen. Rechts davon, also. Mehr konnte er in der Abenddämmerung nicht sehen. Er musste einfach seiner Intuition vertrauen, und der Wegbeschreibung.

Eine halbe Stunde später konstatierte er, wie seltsam es war, dass ein Land mit einer solch kontroversen Kolonialgeschichte nicht bestrebt war, ein interessanteres Museum zu errichten. Das Beste war noch das Gebäude. Die Ausstellung bestand vor allem aus flohzerfressenen Giraffen, öden Vitrinen mit kleinen Tieren und ein paar pflichtschuldig drapierten Speeren und Schildern aus Zentralafrika, wie sie jedes betagte naturhistorische Museum besaß. Aber im Grunde war er ja auch nicht hier, um mehr über Belgiens Kolonialgeschichte zu erfahren.

Es war jetzt kurz vor sieben, und eine Lautsprecherstimme erinnerte ihn daran, dass das Museum in zehn Minuten schließen würde. Gemächlich schlenderte Mahmoud zurück in den Raum, in dem sich die Tür befinden sollte. Er war völlig allein zwischen den verstaubten Vitrinen. Der furchterregende Schatten der riesigen Giraffe fiel schräg über die Wand auf den Boden. Mahmoud wappnete sich, jetzt war es so weit. Energisch drückte er die Klinke des Notausgangs herunter.

Als die Tür aufging, musste Mahmoud sich dagegenstemmen, damit der Wind sie ihm nicht aus der Hand riss. Es hatte aufgehört zu regnen, und angesichts der Atemwolke, die aus seinem Mund kam, war es offenbar in der Stunde, die er im Museum verbracht hatte, deutlich kälter geworden. Fröstelnd stieg er die kleine Stahltreppe zu dem matschigen Kiesweg hinunter. Der Teich war schwach erhellt, aber der dahinterliegende Park war in der Dunkelheit kaum zu erkennen. Sicherheitshalber beschloss Mahmoud, sich auf der rechten Seite des Teichs im Schatten zu halten. Er verfluchte sich selbst dafür, nur ein Paar Schuhe mit nach Brüssel genommen zu haben. Seine Strümpfe waren längst von dem eiskalten Regenwasser durchnässt. Trockene Füße waren das A und O, das würde jeder Soldat sofort bestätigen. Aber Mahmoud hatte gedacht, dass seine Tage als Soldat vorüber wären.

Seiner Armbanduhr zufolge war es 18.53 Uhr. Noch sieben Minuten bis zur verabredeten Zeit. Im Schutz der Schatten zwängte er sich durch die kahle Hecke auf der anderen Teichseite. Lauschend blieb er stehen. Im Park herrschte bis auf das entfernte Brausen des Verkehrs absolute Stille. Vermutlich war es der Berufsverkehr. Viele EU-Angestellte und Diplomaten wohnten in Tervuren. Von seiner Position aus hatte er das gesamte Museumsgelände im Blick. Nichts rührte sich. Er wurde nicht verfolgt.

Als er sich umdrehte, dauerte es nicht lange, bis er die Skulptur aus Bronze entdeckte, die ihm die Stimme beschrieben hatte. Sie spiegelte sich schwach auf der Oberfläche des Teichs. Er ging nach rechts und überquerte eine kleine feuchte Rasenfläche. Vor sich sah er einen Wald oder zumindest etwas, das wie ein Wald aussah. Er ging darauf zu. Und dort, von ein paar immergrünen Büschen verborgen, erkannte er die Umrisse einer Parkbank.

Er hielt inne. Auf der Bank saß jemand.

George trat am Donnerstagabend um Punkt sieben durch die Türen des Comme chez Soi. Das war Teil seines neuen Lebens, seit er in Brüssel war. Er war immer pünktlich. Früher hatte er das etwas lockerer genommen, aber damit war es nun vorbei.

Vergebens bemühte er sich, ein Lächeln zu unterdrücken. Nachdem George seine Übersetzungsaufgabe abgeschlossen hatte, war Appleby bei ihm im Büro vorbeigekommen und hatte vorgeschlagen, sein jährliches Personalgespräch bei einem Abendessen in dem Zwei-Sterne-Restaurant zu führen. Das war echt der Hammer, und genau diese Dinge liebte George an seinem Leben. Dafür würde er jede noch so unbegreifliche Aufgabe oder zähe Übersetzung in Kauf nehmen.

Kaum hatte er seinen Fuß über die Schwelle des Restaurants gesetzt, wurde er von einem Kellner empfangen.

«Monsieur Lööw? Monsieur Appleby erwartet Sie im Obergeschoss», sagte er auf Französisch.

«*Merci*», antwortete George und folgte dem Mann durch das Restaurant. Farbige Fenster. Eine gedämpfte, aber dennoch lebhafte Geräuschkulisse. Krawatten und Geld. Hockerchen, auf denen die Damen ihre Handtaschen abstellen konnten. George spürte, wie seine Laune immer besser wurde. Eine edle Atmosphäre und Kellner, die über seine Ankunft informiert waren. Dazu ein Glas Champagner und vielleicht eine kleine, feine Line Kokain auf der Toilette, und er wäre in absoluter Topform.

Als sie die schmalen Treppenstufen hinaufgestiegen waren, öffnete der Kellner eine hohe Spiegeltür zu einem Séparée.

Appleby saß allein an einem Tisch, der für zwei Personen gedeckt war. Er war damit beschäftigt, etwas in sein Blackberry zu tippen, winkte George jedoch ungeduldig herein. Die Wände des Raums waren mit hellem Holz verkleidet, die Fenster säumten schwere Gardinen, und an der Wand hinter Appleby hing ein belangloses Stillleben in Öl. Neben einem der Fenster standen zwei Ledersessel. Vermutlich trank man hier seinen Cognac. Das Restaurant war nicht unbedingt Georges Stil. Zu bieder und altmodisch. George mochte weiße Wände, Stahl und Glas. Wie im *Wallpaper Magazine.* Aber stilvoll war es hier zweifellos. Und so verdammt teuer.

«Komm herein, setz dich, um Himmels willen! Wie geht es dir, *old boy*?» Appleby verwendete gern den Ausdruck *old boy.* Vermutlich kam er sich dadurch britisch vor. Ein Amerikaner in Brüssel zu sein, war wohl nicht immer leicht.

«Danke. Ausgezeichnet, wie sollte es anders sein!», antwortete George.

«*Garçon!* Wir nehmen eine Flasche Champagner des Hauses.» Appleby wischte mit einer dramatischen Geste über das Display, um die Nachricht zu versenden, und legte das Handy neben seinen Teller auf den Tisch.

Garçon, dachte George. Nur ein Amerikaner kommt heutzutage noch auf die Idee, so nach dem Kellner zu rufen.

«Na, George, wie findest du das Comme chez Soi? Bist du schon einmal hier gewesen?»

«Ja, sogar schon einige Male.»

«Ausgezeichnet!», fiel Appleby ihm ins Wort.

Er schien bereits das Interesse an seiner eigenen Frage verloren zu haben und wedelte stattdessen mit der Speisekarte.

«Weißt du schon, was du essen willst? Ich habe meine Favoriten schon gewählt.»

George öffnete die Speisekarte. Colchester-Austern. Seezunge mit Hummermedaillons. George musste sich zusammennehmen, um sich die Begeisterung nicht allzu sehr anmerken zu lassen.

«Na dann. Jetzt müssen wir uns nur noch darauf einigen, wer für diese kleine Sitzung aufkommt», meinte er mit einem breiten Lächeln.

Applebys weiße Zähne funkelten in dem gedämpften Licht. Es stimmt, was die Sekretärinnen sagen, dachte George. Er sieht aus wie ein Hai. Groß, glatt und geschmeidig. Kohlschwarze, kleine boshafte Augen. George erwiderte das Lächeln ein wenig nervös. Dieser Irre hatte doch wohl nicht gedacht, George würde das Essen bezahlen, zu dem er selbst bestellt worden war? Zumal Applebys Gehalt vermutlich um ein Zehnfaches höher war als Georges im Grunde recht großzügige Entlohnung.

«Tabak oder Cognac?», fragte Appleby und zog eine Euromünze aus der Tasche. «Albert ist Philip Morris, Zahl ist Hennessy.»

Beide Konzerne waren Kunden von Merchant & Taylor. Appleby warf die Münze in die Luft. König Albert lag mit dem Gesicht nach oben.

«Ausgezeichnet! Philip Morris übernimmt die Rechnung.» Mit einer blasierten Miene steckte er die Münze wieder ein.

«Es ist wohl am besten, wenn wir ihnen auch die Zeit berechnen. Das Essen dauert bestimmt seine drei Stunden. Sorge dafür, das morgen auf ihr Konto zu setzen. Ich werde es im Lauf der Woche abzeichnen.»

George wurde ganz schwindelig. Es war nicht ungewöhnlich, dass man einem Kunden dann und wann ein Mittagessen in Rechnung stellte. Aber dass einem Kunden ein Vierhundert-Euro-Menü verbucht wurde, hatte George noch nie erlebt. Hinzu kamen dreihundertfünfzig Euro Stundenlohn für George und vielleicht fünfhundert für Appleby. Fast fünfundzwanzigtausend schwedische Kronen für einen Abend, mit dem Philip Morris rein gar nichts zu tun hatte. So ging es bei der Elite zu. Kein langes Zögern. Lasst die Schweine blechen, sie haben das Geld.

Das Gespräch verlief gut. Appleby erkundigte sich nach Georges großen Klienten und ihren Konten. Nach einer Weile kamen sie auf den Bürotratsch und die Gerüchte zu sprechen. Es war angenehm. Entspannt.

Dennoch hatte George leise Bedenken. Ein Abendessen bei Comme chez Soi war zu üppig, selbst für Merchant & Taylor. Irgendetwas lag in der Luft. Eine Vorahnung von etwas Düsterem, das sich auch in Applebys Augen spiegelte. Das Funkeln einer Finsternis, eines dunklen Ozeans. Dazu seine ungeduldigen Bewegungen, die andeuteten, dass dieses Abendessen nur ein erstes Aufwärmen war, ein Anlaufnehmen. George kippte den letzten Rest des Champagners und lächelte Appleby selbstsicher an. Schieß los, dachte er. Ich bin bereit.

Sie schienen einander gleichzeitig entdeckt zu haben, da der Mann sich erhob und ein paar Schritte auf ihn zuging. Weniger als zwanzig Meter trennten sie noch. Der Mann hob die Hand, um Mahmoud zu bedeuten, dass er stehen bleiben solle. Mahmoud gehorchte.

«Komm langsam mit ausgestreckten Armen hierher», sagte der Mann ruhig auf Schwedisch.

Es dauerte nur einen Augenblick, bis Mahmoud die Stimme erkannte. Sie war tiefer, rauer, als er sie in Erinnerung hatte. Er hielt kurz inne, von widerstreitenden Gefühlen jäh übermannt.

«Lindman?», fragte er.

«Shammosh», antwortete der andere. «Schön, dass du gekommen bist.»

Einen Moment standen sie sich wortlos gegenüber. Trotz der Dunkelheit konnte Mahmoud sehen, dass die Zeit nicht sanft mit Lindman umgesprungen war. Natürlich war er gealtert, zehn Jahre waren seither vergangen, aber das war es nicht allein. Er war auch breiter, kräftiger. Von Anabolika aufgepumpt. Sein Hals war tätowiert, seine Wangenknochen stachen hervor. Die blonden Haare trimmte er offenbar immer noch auf die drei Millimeter, wie es in der Fallschirmjägerausbildung üblich war. Sein Gesicht war von Falten durchzogen und wirkte müde. Seine Kleidung – weit geschnittene Jeans und eine M60-Uniformjacke – war verschlissen und knittrig, als ob er in ihr geschlafen hätte.

«Es ist lange her», sagte Mahmoud.

Seine Stimme klang leiser und unsicherer, als er erwartet hatte. «Woher wusstest du, dass ich in Brüssel sein würde?»

Lindman zuckte die Schultern. «Ich habe deinen Namen gegoogelt, und es gab einen Treffer für dein Seminar. Dann habe ich die Crisis Group, oder wie die heißt, angerufen und gefragt, in welchem Hotel du absteigen würdest. So einfach war das.»

Sein Blick verirrte sich auf der Suche nach etwas Unbestimmtem über Mahmouds Schulter in den Park.

«Und du bist dir ganz sicher, dass dir niemand gefolgt ist?»

«Ich habe getan, was du mir gesagt hast, und mehr als das», erwiderte Mahmoud mit einem kurzen Lächeln, das jedoch gleich wieder verschwand. Lindmans Auftreten machte ihn nervös. Wie die ganze Situation.

Lindman entgegnete nichts, er schien hochkonzentriert zu horchen, aber es waren nur der Wind und der Verkehr zu hören.

«Die Dinge sind in der letzten Zeit etwas schiefgelaufen, könnte man sagen», erklärte er schließlich.

«Aha?», fragte Mahmoud abwartend.

Lindman schüttelte beinahe unmerklich den Kopf, seine Hände bewegten sich unruhig. «Ich weiß nicht, wie viel Zeit uns bleibt.»

Erneut dieser rastlose Blick, der flackernd über den Park schweifte, in die Dunkelheit hinein. Ein tiefer Atemzug, so als ob er sich einen Ruck geben müsste.

«Also, was damals geschehen ist, das ist lange her. Wir waren noch jung», setzte er an.

«So jung auch wieder nicht», fiel Mahmoud ihm ins Wort.

Ein Feuer flammte in ihm auf, eine Hitzewelle stieg in ihm hoch. Eine Welle nie vergessener, ungehinderter Wut. Es bedurfte einer bewussten Kraftanstrengung, um sie zurückzudrängen, sie nicht überschwappen zu lassen.

«Scheißegal», sagte Mahmoud. «Warum, um Himmels willen, lockst du mich hier heraus? Und was soll die ganze Geheimniskrämerei?»

Endlich wich der rastlose Ausdruck aus Lindmans Blick. Er sah

Mahmoud an, als sähe er ihn zum ersten Mal, als wäre er sich seiner Gegenwart bis jetzt nicht bewusst gewesen. Etwas Eifriges, Gieriges trat in seinen Blick. Er spielte wieder mit seinen Händen.

«Also, Folgendes», begann er, räusperte sich und starrte Mahmoud unverwandt an. «Ich habe Sachen gesehen, die du dir nicht vorstellen kannst. Habe sie hautnah miterlebt.» Er zögerte, schüttelte den Kopf, kratzte sich die Wange. «Richtig kranke Sachen, verstehst du? Und ich habe Informationen. Verdammt heikle Dinge sind das. Was ich gesehen habe, das würdest du nicht glauben, ehrlich.»

«Wie das Bild, das du für mich im Hotel hinterlegt hast?»

«Ach ja, genau, das Bild. Das Foto. Dann hast du es ja auch gesehen, nicht wahr? Oder? Solche beschissenen Sachen eben.»

Lindman ging auf und ab, trat von einem Fuß auf den anderen. Mal war sein Blick wieder rastlos, mal eindringlich. Seine Kiefer mahlten. Er war auf Speed, völlig überdreht, wie Mahmoud jetzt klarwurde.

«Also, ich habe dort gearbeitet, in Afghanistan. Nach der Offiziershochschule und dem ganzen Scheiß. Zusammen mit den Amerikanern, meine ich. Du glaubst nicht, was ich da gesehen habe! Und ich habe noch mehr Beweise.»

Mahmoud spürte, wie die Anspannung von ihm abfiel und der Enttäuschung wich. Wie dämlich er gewesen war, weil er nicht kapiert hatte, dass die ganze Geschichte nicht ernst zu nehmen war! Die E-Mails hatten eine Reihe von Hirngespinsten in ihm ausgelöst. Und dass er sich verfolgt gefühlt hatte – wie lächerlich. Dieser Volvo in Uppsala gehörte bestimmt einem Nachbarn, der wie er an der Universität arbeitete. Ein Zufall. Die einfachste, offensichtlichste Lösung. Wie konnte es auch anders sein.

Zugleich verspürte er so etwas wie Mitleid mit Lindman, der

einst der König von Karlsborg gewesen war. Der Kursbeste. Und jetzt nur noch ein amphetaminstrotzendes Anabolikawrack.

«Was für Beweise? Wovon redest du?», fragte Mahmoud lustlos.

«Ich bin von Kabul nach Paris geflogen, weißt du. Nachdem ich ihr verfluchtes Schatzkästchen mit der Dokumentation gehoben habe, du verstehst?»

Lindman wandte den Blick von ihm ab und spähte erneut in die Dunkelheit.

«Nein, ich verstehe verdammt noch mal gar nichts», entgegnete Mahmoud.

Lindman drehte sich wieder ihm zu. Sein Blick abermals starr und eindringlich.

«Egal. Ich habe massenweise Fotos. Videoaufnahmen. Sachen wie auf dem Bild. Folter, Mord, alles. Einen ganzen verfluchten Rechner voll davon. So viel du dir nur vorstellen kannst.»

«Wo? Wo hast du diese Informationen, Lindman?»

«Sicher verwahrt in Paris.»

Er zog eine Brieftasche aus seiner Jacke. Wedelte sinnlos damit vor Mahmouds Nase herum.

«Darauf kannst du Gift nehmen», brummte er. «Dass sie sicher verwahrt sind.»

«Gut», sagte Mahmoud. «Lass uns also feststellen, dass du ein riesiges Ding am Laufen hast. In Ordnung. Wozu brauchst du mich dann?»

Lindman beugte sich vor. Mahmoud roch seinen strengen Atem. Hörte den Wind in den Bäumen heulen, den Lärm von der Autobahn.

«*Cash*», sagte er. «Ich gebe das Zeug nicht raus, ohne angemessen dafür bezahlt zu werden. Das ist meine Rente, kapierst du? Du hilfst mir, an Bares zu kommen. Du weißt doch, mit wem man da reden muss, oder? Wer zahlt? Das regelst du. Erst *Cash*, dann die Aufnahmen.»

«*Cash?*», fragte Mahmoud. «*Cash?* Du glaubst, dass ich dich dafür bezahle? Spinnst du?»

Lindman schüttelte den Kopf. «Nein, nein!», sagte er, lauter jetzt. Ungeduldig. Ruhelos. Er holte tief Luft, um seine Beherrschung zurückzugewinnen, bevor er fortfuhr. «Du doch nicht, Mensch, aber du könntest einen Kontakt herstellen. Zur Boulevardpresse, zum *Aftonbladet*, zu wem auch immer. Du hast dir einen Namen gemacht, bist so ein verfluchter Professor. Mit dir reden sie. Fünf Mille will ich haben, nicht eine Öre weniger. Das kannst du ihnen ausrichten. Und dann wäre da noch was. Ein kleines Problem.»

Plötzlich erstarrte er. Sein Blick schweifte wieder über den Park. Mahmoud spürte es auch. Sein siebter Sinn, den er in seiner Fallschirmjägerausbildung zu nutzen gelernt hatte, erwachte.

Sie waren nicht länger allein.

19. Dezember 2013
Brüssel, Belgien

Das Essen war beendet, und George und Appleby waren in die Sessel am Fenster umgezogen. In ihren Gläsern glitzerte Calvados. George fühlte sich ganz aufgekratzt nach diesem Abend. Vielleicht hatte er sich auch nur eingebildet, dass über diesem Treffen eine dunkle Wolke hing?

«Ich will ehrlich zu dir sein, George. Ich glaube, du hast das Zeug dazu, nach ganz oben zu kommen. Wie lange bist du jetzt bei Merchant & Taylor? Drei Jahre?»

«Ja, drei Jahre und ein paar Monate», antwortete George. «Die Zeit verging wahnsinnig schnell.»

«In der Tat! Du hast eine Blitzkarriere gemacht. Ich glaube nicht, dass ich nach drei Jahren schon ein eigenes Büro hatte.» Appleby schnitt eine Grimasse. «Du hast mindestens zwanzig Prozent mehr fakturierte Stunden als irgendjemand sonst in deiner Generation. Die Kunden mögen dich. Ich mag dich.»

Er verstummte und schien nachzudenken. George wollte ihn dabei nicht unterbrechen. Das hier war gut. Appleby lehnte sich im Ledersessel zurück und hielt sein Glas gegen den Schein der Kerzen auf dem Esstisch, als wollte er seinen Inhalt analysieren.

«In unserer Branche geht es immer darum, Kohle zu machen, George», fuhr er fort. «Kohle zu machen und dabei gleichzeitig Probleme zu vermeiden. So ist es wohl überall, aber unsere Branche ist trotzdem besonders. Lobbyismus. Die Leute begreifen nicht, was wir eigentlich tun. Welches Gewicht das hat. Es gibt immer ignorante Idioten, die uns attackieren. Sie nennen uns Legionäre und glauben, wir wären vollkommen unmoralisch. In jeder beschissenen Umfrage geben die Leute an, dass sie uns nicht leiden können. Dass sie uns nicht über den Weg trauen!»

Appleby machte eine hilflose Geste mit den Händen. Als wäre es ihm vollkommen unverständlich, wie irgendjemand ihm nicht über den Weg trauen könnte.

«Die Politiker behaupten auch, sie könnten uns nicht leiden. Dass unser Einfluss so weit wie möglich reduziert werden sollte. Aber in Wahrheit würde kein Einziger von ihnen ohne unser Geflüster in seinen Ohren auch nur eine Woche überleben. Wo wären sie heute, wenn wir ihnen nicht die Kontakte vermitteln und ihre Wähler mobilisieren würden? Wir sind das Öl in ihrem Getriebe. Wir schmieren ihnen Tag für Tag die Zahnrädchen. Dafür müssen sie es hinnehmen, dass wir die Maschine mitunter, wenn es niemand sieht, ein wenig an die Bedürfnisse unserer Kunden anpassen. Aber das ist ein geringer Preis für den Beitrag, den wir leisten.»

Appleby nahm einen kleinen Schluck aus seinem Glas. George hätte wahnsinnig gern eine Zigarette geraucht, doch natürlich konnte er jetzt nicht einfach aufstehen und hinausgehen.

«Aber was wir tun, kann man nicht immer im Hellen tun», fuhr Appleby fort. «Manche unserer Kunden fühlen sich im Schatten wohler, und einige unserer Methoden passen auch besser dorthin, und das ist nicht weiter verwunderlich. Nur ein Teil des Spiels. Aber manchmal brauchen wir Schutz und jemanden, der uns auf die Sprünge hilft.»

Er verstummte und starrte geradewegs in die Luft. George überlegte plötzlich, ob Appleby betrunken war. Bisher hatte er nicht so gewirkt.

«Ich bin mir nicht sicher, ob ich verstehe ...», begann George versuchsweise und führte sein Glas an die Lippen.

Appleby wandte sich wieder ihm zu. «Nicht? Nun, das kann ich dir nicht verübeln. Worüber wir hier sprechen, liegt *above your paygrade*. Und ich werde nicht ins Detail gehen. Eines Tages wirst du mehr verstehen. Ob du willst oder nicht – wenn du in dieser Branche bleiben möchtest, wirst du gezwungen sein, hinter die Kulissen zu blicken. Was ich sagen wollte: Wir haben das, was man Beschützer nennen könnte, in unterschiedlichen Positionen der Gesellschaft. Wir kraulen uns gegenseitig den Rücken. Und manchmal werden wir einberufen, um unsere Schulden bei diesen sogenannten Beschützern zu begleichen. Das ist ehrlich gesagt nicht immer nett. Aber es ist notwendig.»

Jetzt sah Appleby George direkt in die Augen. Er hatte auf keinen Fall einen im Tee. Ganz im Gegenteil, er war vollkommen nüchtern. George wurde nervös. Verdammt, genau das hatte er vorhin geahnt. Man wird nie umsonst eingeladen. Nie.

«Aber es lohnt sich, seine Schulden abzubezahlen. Hat dein Ministerpräsident darüber nicht sogar ein Buch geschrieben? Irgendwann in den Neunzigern? Wer in der Schuld eines anderen steht, ist niemals frei oder so etwas?»

Appleby lächelte vorsichtig.

«Ähm, ja, das stimmt», erwiderte George. «Ich glaube nicht, dass es ins Englische übersetzt wurde. Und es war nicht mein Ministerpräsident, wenn du verstehst, was ich meine.»

«Ach ja, natürlich», sagte Appleby und grinste noch breiter. «Im Unterschied zu allen deinen Landsleuten bist du ja kein Sozialdemokrat. Wie auch immer, zurzeit sind wir jedenfalls nicht frei. Merchant & Taylor hat eine Schuld zu begleichen. Um ehrlich zu sein, sogar mehrere. Wir haben unseren Kredit voll ausgeschöpft, und jetzt ist es an der Zeit, ihn zurückzuzahlen. An und für sich ist es ein guter Kredit. Für die wenigen Dinge, um die sie uns bitten, bieten sie uns ein Vielfaches. Und das gilt nicht nur für Merchant & Taylor, sondern auch für die Personen, die diese Dienste erledigen. Verstehst du, was ich damit meine?»

George bekam erneut eine Gänsehaut. Er hatte das Gefühl, kurz davorzustehen, in etwas Großes eingeweiht zu werden. Einen Geheimbund, eine Bruderschaft.

«Ich weiß nicht», sagte er zögerlich. «Spielst du auf etwas Bestimmtes an?»

Appleby antwortete nicht gleich, sondern blickte stattdessen auf seine enorme Armbanduhr.

«Nicht alle Kunden sind das, was sie vorgeben, George», sagte er schließlich. «Denk immer daran. Mache es dir leicht. Grüble nicht zu viel. Arbeite so weiter, wie du angefangen hast. Tu, worum man dich bittet. Stelle deine Arbeit angemessen in Rechnung. Dann wird alles für uns viel einfacher. Und denk daran, dass Merchant & Taylor diejenigen, die geholfen haben, die Schulden zu begleichen, nicht vergisst. Du bist schon weit gekommen. Jetzt ist es Zeit für den nächsten Schritt, und dabei geht es nicht nur darum, ein geschickter Lobbyist zu sein. Es geht um Hingabe. Um Loyalität. Gegenüber der Firma. Gegenüber unseren Kunden. Wer das unter Beweis gestellt hat, steigt hoch hinauf. Richtig hoch. Aber denk auch daran, dass ein Mangel an Loyalität – *well*, lass uns sagen, dass man ihn nicht unbedingt schätzt. Oder besser gesagt, gar nicht.»

Appleby schaute George unverwandt an, und etwas funkelte in seinen Haiaugen auf. George wusste nicht, was er sagen sollte, und nahm einen Schluck Calvados. Er schmeckte schal, vergoren. George verabscheute Calvados. Digital Solutions, dachte er. Ich wusste, dass dieser widerliche Reiper irgendwie suspekt ist.

«Es ist schon spät. Ich glaube, es ist an der Zeit aufzubrechen. Nicht einmal ich kann Philip Morris die ganze Nacht in Rechnung stellen.»

Appleby rekelte sich und lachte trocken, ehe er aufstand. George folgte seinem Beispiel. Gemeinsam gingen sie die Treppe hinab und traten auf die Straße. George geriet auf dem Bürgersteig kurz ins Wanken, in der Kälte spürte er, dass er doch ziemlich viel getrunken hatte. Das erste Taxi kam, und Appleby sprang auf den Rücksitz. Ehe er die Tür hinter sich zuzog, drehte er sich noch einmal zu George um.

«Mach dir keine Sorgen, George», sagte er. «Betrachte es als Abenteuer. Alle, die in der Firma etwas geworden sind, waren schon einmal in deiner Situation. Man muss einfach die Zähne zusammenbeißen. Und nicht zu viel nachdenken, okay?»

«Ja, vermutlich. Ich bin mir immer noch nicht hundert Prozent sicher, worum es eigentlich geht.»

«Scheiß drauf. Das ist genau der Punkt. Stell deine üblichen Rechnungen und denk nicht darüber nach. Du hast das Zeug dazu, das weiß ich. Wir sehen uns morgen.»

Mit diesen Worten zog Appleby die Wagentür zu. Das Taxi rollte langsam unter den bunten Weihnachtslichtern davon, die über die kleine Straße gespannt waren. George steckte sich eine Zigarette an und zog den Mantel enger um sich. Einige Schneeflocken landeten auf seinen Schultern.

«Verfluchter Dezember», brummelte er und fühlte sich angesichts des Tütchens Kokain in seiner Tasche erleichtert. Vielleicht sollte er noch kurz im Place Lux vorbeischauen? Der Abend war noch jung.

Es lag etwas in der Luft, etwas, das mit dem Geräusch im Park zusammenhing. Mahmoud duckte sich unwillkürlich, drehte sich um und spähte über die Rasenflächen. Aber in dieser Dunkelheit etwas erkennen zu wollen war aussichtslos. Eine Schneeflocke landete auf seiner Wange. Der Wind war abgeflaut, aber es war erneut kälter geworden. Er horchte konzentriert. Schärfte seine Sinne, konnte aber nur das Rascheln des Windes in den Zweigen und das entlegene Rauschen des Verkehrs hören. Und trotzdem. Etwas stimmte nicht.

Als Mahmoud sich wieder umdrehte, sah er für den Bruchteil einer Sekunde einen roten Punkt wie ein Insekt über Lindmans Wange tanzen. Das reichte. Er wusste sofort, was das war.

«Feuer, duck dich!», schrie er und warf sich auf den Bauch, ohne seinen Blick von Lindman abzuwenden. Er spürte die Feuchtigkeit der Grasnarbe unter seinen Fingern, die Kälte an seiner Wange. Als er aufsah, bekam er gerade noch mit, wie Lindmans Kopf nach hinten sackte und er mit einer halben Umdrehung in einer absurden Ballettbewegung vom Boden abhob. Wie eine Monsterballerina in einem Animationsfilm. Die Pirouette endete damit, dass Lindman auf der Parkbank landete und in sich zusammensank wie eine Marionette, der man jäh die Schnüre gekappt hatte.

Mahmouds Herz raste, aber sein Instinkt oder seine alte Professionalität übernahmen für ihn. Intuitiv hatte er erfasst, woher der Schuss gekommen war und wo sich der Schütze verbergen musste. Auf Knien und Ellenbogen robbte er um das Schussfeld herum zu Lindmans jetzt vollkommen leblosem Körper. In der Ferne hörte er aus dem Park flüsternde Stimmen und Schritte im feuchten Gras. Mahmouds Hand stieß gegen etwas Flaches, Biegsames neben der Bank – Lindmans Brieftasche. Reflexartig steckte er sie ein. Seine Hände tasteten Lindmans Beine ab, über die Uniformjacke und den Arm hinauf. Die Zeit stand still. Er zog an Lindmans Arm, zerrte daran, um ihn auf den Boden zu ziehen. Mühte sich ab, um ihn irgendwie in Deckung zu bringen, auch wenn er wusste, dass es sinnlos war.

Bevor es ihm gelang, sah er erneut den Laserpointer über Lindmans zerfetztes Gesicht tanzen. Dann ging ein Ruck durch Lindman, sein Kopf wurde zur Seite geschleudert. Etwas Warmes, Feuchtes spritzte auf Mahmouds Wangen. Augenblicklich ließ er Lindmans Arm los und warf sich in kontrollierter Hast in das Gestrüpp, das an das kleine Wäldchen grenzte.

Blut, war sein einziger Gedanke. Ich habe sein Blut in meinem Gesicht.

Doch auch diesmal hatte er keinen Schuss gehört. Da sah er wieder den roten Punkt, er wanderte über den Baumstamm vor ihm. Wie in Zeitlupe beobachtete Mahmoud, wie die Rinde lautlos pulverisiert wurde und sich die Kugel gnadenlos in den Baum bohrte. Sie schießen auf mich, dachte er zuerst erstaunt, dann entgeistert. Sie schießen mit einem schallgedämpften Gewehr auf mich. Gebückt und so schnell er konnte, lief er in das Wäldchen. Der Boden war weich und eben. Zwischen den kahlen Bäumen sah er Laternen an einer Straße glitzern, die nach Tervuren zurückzuführen schien. Auf dem Kragen seines dunkelgrauen Mantels waren Spritzer von Lindmans Blut.

Als er im Taxi saß, das ihn wieder nach Brüssel brachte, konnte er kaum noch sagen, wie er sich aus dem Park gerettet hatte. Er erinnerte sich nur noch vage daran, dass er Schritte hinter sich gehört hatte. Knackende Zweige und amerikanische Stimmen. An seinen kalten Atem und das Blut.

Bruchstückhaft kam ihm wieder in den Sinn, wie er die Straße erreicht, sie überquert hatte und querfeldein durch Gärten von Einfamilienhäusern und kleine Straßen entlanggerannt war, bis er das historische Zentrum von Tervuren erreicht hatte. Wie er das Taxi gefunden hatte, wusste er nicht mehr. Alles, was er bis zu diesem Moment getan hatte, war automatisch passiert. Überleben – das war das einzig Wichtige.

Mahmoud lehnte sich in die Polster zurück und schloss die Augen. Bleierne Müdigkeit erfasste ihn. Vor seinem inneren Auge sah er immer wieder den roten Punkt über Lindmans unrasiertes Gesicht tanzen und es zerfetzen. Wie hatten sie ihn bis zum Museum verfolgen können? Offenbar war er trotz allem nicht vorsichtig genug gewesen. Er selbst hatte sie zu Lindman geführt. Und er war für seinen Tod verantwortlich.

Mahmoud registrierte erst, dass im Taxi das Radio lief, als der stete Strom der Top-Ten-Musik verebbte und einer dunklen, ernsten Männerstimme wich. Die Nachrichten. Mahmoud sah auf die Uhr. 20.51 Uhr. Als Erstes dachte er, dass schon zwei Stunden seit seinem Treffen mit Lindman vergangen waren. Fast zwei Stunden, seit sein Leben auf den Kopf gestellt worden war. Hatte er sich so lange auf den Hinterhöfen in Tervuren versteckt? Dann fragte er sich, wieso die Nachrichten schon neun Minuten vor der vollen Stunde anfingen, und spitzte die Ohren. Schnappte Worte auf, die er aus dem schnellen Wortschwall in belgischem Französisch heraushören konnte. Da waren sie wieder: *Assassiner. Tervuren. Extrêmement dangereux.*

Worte, die nur eines bedeuten konnten: Wegen des Mordes an Lindman wurde nach ihm gefahndet. Er hatte das Gefühl, das Taxi würde um ihn herum schrumpfen, als senkte sich die Decke herab. Er sah den erschrockenen Blick des arabischstämmigen Taxifahrers im Rückspiegel, der panikartig versuchte, den Sender zu wechseln. Und er erinnerte sich an alles, was er in Karlsborg gelernt hatte, auch an die wichtigste Maxime: «Sei kreativ, nicht reaktiv.»

Bevor der Taxifahrer begriffen hatte, was vor sich gegangen war, saß Mahmoud neben ihm auf dem Beifahrersitz und drückte dem Mann eine Kugelschreibermine gegen die pochende Halsschlagader. Mahmoud verspürte eine seltsame Ruhe, er war wie betäubt, ferngesteuert.

«Keinen Laut, verstanden? Ich schwöre, ich schneide dir sonst die Kehle durch!», zischte Mahmoud in gedämpftem Arabisch.

Dem Taxifahrer brach der Schweiß aus. In seinen Augen stand die blanke Panik. Ich habe ihn, dachte Mahmoud nur, ich habe ihn da, wo ich ihn haben will.

«Fahren Sie ganz ruhig Richtung Brüssel», befahl ihm Mahmoud. «Und kommen Sie ja nicht auf dumme Ideen.»

Der Blick des Fahrers flackerte zwischen Mahmouds Gesicht und der Straße hin und her. Er nickte kaum merklich.

Sekunden bevor der regennasse Asphalt das Blaulicht reflektierte, bemerkte Mahmoud, dass sich der Verkehrsfluss verändert hatte. Eine Straßensperre, was sonst? Das Taxi bremste ab und reihte sich in die immer langsamer dahinkriechende Schlange ein, die sich gebildet hatte. Planänderung. Kreativ, nicht reaktiv.

«Hören Sie mir jetzt genau zu», sagte Mahmoud ruhig zu dem Taxifahrer. «Ich trage eine Bombe an meinem Brustkorb. Nach bester Dschihad-Manier.» Er packte das Kinn des Taxifahrers und zwang den Mann, ihn anzusehen. «Und ich würde nicht zögern, mich selbst in die Luft zu sprengen und die Schweine da vorn mitzunehmen. *Allahu akbar*.»

Der Taxifahrer atmete kaum. Sein Puls pochte gegen den Stift, den Mahmoud mit zunehmender Härte gegen seinen Hals presste. Eine Träne rann dem Fahrer die Wange hinunter.

«Sie können sich retten», fuhr Mahmoud fort. «Auf meine Aufforderung hin öffnen Sie die Tür und laufen, so schnell Sie können, davon. Ganz gleich, ob jemand Ihnen folgt. Wenn weniger als dreihundert Meter zwischen uns liegen, werden Sie mit mir und den Heiden in alle Winde verstreut, kapiert?»

Der Taxifahrer nickte schluchzend. «Ja, ja», stammelte er. «Bitte, ich habe Familie und bin Muslim!»

«Ganz ruhig, tun Sie einfach nur, was ich sage. Lösen Sie den Sicherheitsgurt.»

Der Mann gehorchte eifrig. Ein Klick und das Geräusch des Gurtes, der in die Halterung gezogen wurde, waren zu hören. Mahmoud beugte sich vor, er hielt Ausschau nach dem Blaulicht. Spürte die Gegenwart von Polizisten, von Taschenlampen und Schusswaffen. Drei Polizeiwagen, soweit er sehen konnte. Vielleicht zehn Autos im Stau zwischen ihnen und dem Taxi auf der Durchgangsstraße. Jetzt noch nicht. Das Timing musste perfekt sein.

«Sehen Sie die kleine Straße dort drüben?», fragte er. Er zeigte auf eine schummrige Straße, die zwischen den kleinen grauen Reihenhäusern verschwand. «Dort sind Sie sicher. Wenn ich bis drei gezählt habe, springen Sie aus dem Wagen und rennen schneller als jemals zuvor in Ihrem Leben, ja?»

Der Blick des Taxifahrers folgte Mahmouds Geste, er nickte und drehte sich wieder zu ihm um. In seinem Blick lag Dankbarkeit, als wäre Mahmoud wirklich im Begriff, sein Leben zu retten. Jetzt waren nur noch fünf Wagen zwischen ihnen und der Straßensperre. «Bereit?», fragte Mahmoud.

Er verspürte einen bitteren Blutgeschmack im Mund. Der Stress war mit einem Mal real, greifbar, beinahe überwältigend.

«Ja! Ja! Ich bin bereit!», schrie der Mann.

«Gut. Eins. Zwei. Drei.»

Mahmoud hatte kaum die letzte Zahl ausgesprochen, als der

Taxifahrer schon die Tür aufriss und aus dem Wagen sprang. Auf den ersten Schritten strauchelte er, und für einen Moment dachte Mahmoud, dass er stürzen würde, doch dann fand er das Gleichgewicht wieder und stürmte davon. Quer über die Straße, zwischen den Autos hindurch, geradewegs auf die kleine Straße zu, die in das Einfamilienhausgebiet führte.

Es dauerte einen Augenblick, bis die Polizisten in zwanzig Metern Entfernung begriffen hatten, was da passierte. Ein Araber, der schnell wie der Blitz davonlief. Es herrschte ein kurzes Durcheinander und Verblüffung, dann wurden Befehle gebrüllt, Taschenlampen geschwenkt, Füße setzten sich in Bewegung. Mahmoud wartete nicht länger. So vorsichtig er konnte, öffnete er die Beifahrertür und ging rasch in die entgegengesetzte Richtung. Hinter sich hörte er laute Stimmen, schweres Fußgetrappel, das sich entfernte. Geduckt tauchte er hinter eine Hecke und bog schließlich hinter der Absperrung in eine kleine Straße ein.

Zur Polizei zu gehen schien keine besonders gute Idee mehr zu sein.

Am Ende haben sie mich also hierhergeschickt. In das schöne, stur schreckliche Afghanistan. Wo die Zeit stillstand, wo sie noch immer stillsteht.

«Sie kennen die Region», sagen meine neuen Chefs.

Die nicht im Feld groß geworden sind, sondern in Korridoren und Konferenzräumen.

«Sie sprechen ja die Sprache», sagen sie, in Gedanken bereits woanders, bei der nächsten Sitzung, der nächsten einschmeichelnden Konversation.

Ich habe keine Lust zu erklären, dass ich Arabisch spreche, nicht Persisch, nicht Paschtu. In meinen Händen halte ich bereits die Flugtickets, eine neue Identität, das Versprechen von Vergessen, das Versprechen von Zukunft.

Wir fahren von Pakistan aus über die Grenze, mit unseren Turbanen und Kalaschnikows, in einem rostigen Toyota Pick-up, sehen wir aus wie die lokalen Gangster. All diese Wege, Gruben, Kies und Sand. Auf einem Markt außerhalb von Dschalalabad kaufe ich ein englisches Bajonett mit der eingeprägten Jahreszahl 1842.

Die Berge hier sind Grabsteine all der Reichen, die glaubten, sie könnten sie sich aneignen. Erst die Engländer. Jetzt die Russen. Sie ziehen sich zurück, verwirrt, gedemütigt. Was ist nur mit diesen Bergen? Ich schicke meinen Vorgesetzten Berichte über die Mudschaheddin. Wie unbezwingbar sie sind, wie unbändig. Aber auch, wie unmöglich man sie koordinieren und kontrollieren kann. Eines Tages werden wir dem, was wir selbst geschaffen haben, von Angesicht zu Angesicht gegenüberstehen. Die Schichten werden sich nach und nach abschälen. Der Fanatismus wird in Washington bislang nicht beachtet. Religion hat im Schmelztiegel keine Bedeutung. Aber eines Tages, nach der Ideologie, kommt die Religion. Unsere Freunde von einst werden am Ende unsere Feinde sein.

Mein Verbrechen ist endlich gesühnt, vielleicht auch einfach nur in Vergessenheit geraten. Fünf Jahre in Langley, ehe ich auch nur als Kurier tätig sein durfte. Endlose Tage mit Büroarbeit, dem Haus an der Autobahn. Schwimmbad und Fernsehen. Die endlose unüberwindbare Tristesse des gewöhnlichen Lebens. Das ist die Strafe dafür, dass ich die Bande habe wachsen lassen. Die Strafe dafür, dass ich für einen Augenblick das Ziel aus den Augen verloren hatte. Als wäre ich nicht schon genug gestraft.

Ich habe geglaubt, er würde irgendwann verschwinden. Der Gedanke an das, was ich zurückgelassen habe, nicht ein, sondern sogar zwei Mal. Ich habe mir eingeredet, das Grübeln würde nachlassen, als ich Annie kennenlernte und wir schließlich heirateten, nach vorsichtigen Jahren der Annäherung mit Restaurantbesuchen und Kino, Abenden auf dem Sofa und zuletzt auch Wochenendausflügen zu ihren Eltern in Connecticut. Doch all das war Blendwerk. Kitt und Garnitur. Farbige Glaslampen und Spiegel.

Zuletzt stand Susan in der Tür. In ihrem ordentlich gebügelten dunkelblauen Kostüm, mit ihren müden Augen und ihrem wirren, schlecht gefärbten Haar. Ich hatte es schon erwartet. Wie mein Herz in diesem Moment raste. Wie meine Hände zitterten, als ich die graue Mappe mit ihren feierlichen Geheimstempeln öffnete. Wie der Raum zu existieren aufhörte und ich die Wirklichkeit in ihren Fugen knacken hörte, während ich Seite für Seite Indizien und Gerüchte las, aufregende, falsch buchstabierte Feldberichte aus Amman und Kairo, Beirut, Paris, London. Wie ich die Augen schloss, ehe ich die Seite aufschlug, deren glattes Fotopapier meine Finger schon gestreift hatten. Wie ich sie langsam aufschlug. Und deinem Mörder direkt in die Augen sah.

Annie schaute mich nur an, als ich von meinem neuen Auftrag erzählte, dabei darauf bedacht, die Details und meine Begeisterung zu verschleiern, meinen freigesetzten Hunger nach Flucht und Rache. Ich wusste, dass sie nicht weinen würde, so war sie nicht. Sie sagte gar nichts, sondern stand auf und räumte die Reste unseres traurigen McDonald's-Essens auf, ihre Füße schwebten lautlos über den dicken Teppich unseres Wohnzimmers.

Und ich, ich wollte nichts anderes als das Adrenalin in den Adern spüren, wenn ich mich Beirut in einem tieffliegenden Black Hawk nähern würde. Wollte nichts lieber, als jeden Morgen von Gewalt, Heckenschützen und Explosionen geweckt zu werden, anstatt diese endlose Schleife weiterzuleben, tiefer in die Leere, in die Reue hinein. Nichts wollte ich lieber als auf die gesammelte Information warten, die das Fenster öffnet, den kleinen Spalt im Zeitgefüge. Dollar um Dollar. Drohung um Drohung. Schmeichelei um Schmeichelei, Versprechen um Versprechen, Drink um Drink. Das Kennzeichen des Autos, wo es in der Nacht parkt, wann es das nächste Mal losfährt und wohin und wer der Fahrer ist.

Und dann Kalkulationen und Überschläge. Risikominimierung und Sprengkraftberechnungen. Die geduldige, emsige Arbeit, die nur auf eines hinausläuft: Bombe um Bombe. Auge um Auge. Ein sinnloses Opfern von Bauern.

Um uns herum nur Berge. Ich träume von Bergen und offenen schneebedeckten Feldern. Eisflächen in bleichem Sonnenschein. Winter, die nie enden wollen. Ich trinke Tee mit einheimischen Kriegern, die sich «Schüler» nennen, Taliban. Der Dolmetscher erzählt, sie hätten in den islamischen Schulen in Pakistan studiert und seien tief religiös. Wahhabiten wie in Saudi-Arabien.

Aber dies sind keine Intellektuellen, sondern Rebellen. Ihr Glaube ist einfach und von klaren Regeln bestimmt. Es gibt keine

Autorität neben Allah. Keine Schrift neben dem Koran. Und vor allem: keine Religion neben dem Islam. Sie tolerieren mich, weil ich ihnen Waffen und Munition gebe, um die sowjetischen Besatzer zu bekämpfen. Im Krieg scheinen Kompromisse erlaubt zu sein. Ihre Gesichter sind Masken aus gegerbtem Leder, ihre Kaftane seit tausend Jahren unverändert, und sie sind im Begriff, die größte Armee der Welt mit Handfeuerwaffen oder Panzerfäusten zu besiegen.

Und dann? Wenn die Russen abgezogen, die Bilder von Lenin verbrannt und nur die Toten übrig sind? Sollen diese zeitlosen Männer ein Land in Allahs Namen errichten? Sollen wir es ihnen erlauben, Musik, Theater, Literatur, ja sogar archäologische Stätten zu verbieten? So wie sie es ankündigen? Ziehen wir das der Gottlosigkeit des Kommunismus vor? In welche Hände legen wir das Schicksal dieser Welt?

Es ist ein erhabenes Erlebnis, die eigene Rache abzuwägen. Es ist nur wenigen vergönnt. All die Kränkungen, die hingenommen werden, ohne dass jemand zur Verantwortung gezogen wird. So vieles, das wir alle zu akzeptieren gezwungen sind. Und dennoch erinnere ich mich an so weniges. Nur die fieberhafte Intensität des Vortags ist mir in Erinnerung geblieben, neben meinen Anweisungen an den Techniker, einen halbtauben alten Veteranen von irgendeinem Eliteverband, der mit seinem Können und seinem Zauberkasten einzig und allein hierfür eingeflogen worden war. Ich erinnere mich an sein Murren und seine Bastelei mit Kabeln und grauer Sprengmasse in einem ausgebombten Haus in irgendeinem verlassenen Vorort. Wie wir uns die Hand schüttelten und wie ich dann auf einem Dach lag, in der erbarmungslosen Sonne, das Fernglas so fest an meine Augen gepresst, dass ich noch zwei Wochen später blaue Flecke davon hatte.

Ich erinnere mich an ein Gesicht, das ich durch das Fernglas gesehen habe. Ein Gesicht wie jedes andere. Augen. Anonyme Züge, die ich mir von der letzten Seite in Susans Bericht eingeprägt habe. Ich erinnere mich an den Widerstand des Knopfs auf meinem Fernzünder. Erinnere mich, wie glatt er sich unter meinen verschwitzten Fingern anfühlte, in der sengenden Hitze.

Von der eigentlichen Explosion weiß ich nichts mehr. Meine Erinnerungen setzen erst danach wieder ein. Rauch und Sirenen, entfernte Schreie. Alles so unpersönlich, so gewöhnlich für Beirut. Ich erinnere mich, dass ich die Augen schloss und dachte, dass es vorbei ist. Dass ich alles getan habe, was ich tun konnte. Ich erinnere mich an Leere. Stein auf Stein. Schuld auf Schuld.

Meine nächste Erinnerung ist deutlicher. Drei schlaflose Nächte später hörte ich Annies knisternde, stratosphärische Stimme über das streng verschlüsselte Satellitentelefon unserer kleinen, einem Fort ähnlichen Botschaft in Beirut.

«Es ist noch früh, wir sollten uns nicht zu große Hoffnungen machen», sagte sie.

Aber in ihrem Ton lag so viel Hoffnung, dass ich gezwungen war, mich zu setzen und das Gesicht in den Händen zu vergraben.

«Bist du noch da?», fragte sie, ihre Stimme gefiltert von Sternenstaub, metallisch, statisch.

«Ich bin hier», antwortete ich.

«Ein Kind. Ein kleines Leben. Ist das nicht phantastisch?»

Draußen hörte ich, wie der Abend mit Granatexplosionen eingeleitet wurde, der Himmel war erhellt von Leuchtraketen und Suchscheinwerfern.

«Hier bebt die Erde», sagte ich.

«Hier auch, Baby, hier auch.»

Und dann, wenn auch nur für einen kurzen Moment, ließ es mich los. Für eine Sekunde hörte ich auf, mich selbst zu bestrafen. Für deinen Tod, für meinen Verrat, für meine Rache. Nicht weil ich es verdient hätte, sondern weil das ungeborene Kind zwei Elternteile verdiente. Es war unmöglich, das Unerhörte zu begreifen – eine zweite Chance, ein zweites Kind. Vielleicht würde ich es schaffen. Vielleicht würde ich einen Kompromiss mit mir selbst eingehen können. Nur noch Beirut, und dann nie wieder außerhalb Ringstraßen Washingtons. Das Haus, den Kredit, alle zwei Jahre neue Autos, das hatten wir bereits. Fehlten nur noch das Kind und ich.

Zwei Wochen später kehrte ich aus Beirut zurück nach Hause, an einem Abend Ende August, als der Duft des frischgeschnittenen Grases vom Fußballplatz der örtlichen Schule die Luft erfüllte und sich das Ticken der Rasensprenger mit dem einschläfernden Surren der Autobahn mischte. Ich sah Annie, wie sie einsam auf der Treppe unseres Bungalows saß, unseres Vororttraums, wie der Makler mit den gebleichten Zähnen und den traurig provinziellen Wallstreet-Träumen es genannt hatte. Ich sah Annies Augen in der Dämmerung. Und ich wusste es. So, wie ich es immer weiß.

«Sag nichts», bat ich und umarmte sie auf diese furchtbar unbeholfene Weise, weil ich zu etwas anderem nicht imstande war.

«Das Kind», sagte Annie. «Ich habe versucht, dich zu erreichen.»

«Pssst, sag nichts. Ich weiß. Ich weiß.»

Ich umarmte sie auf der Treppe, bis die Dunkelheit allumfassend war und die Rasensprenger verstummt waren. Bis das Autobahnbrummen zu einem Flüstern geworden war.

Später, am Küchentisch, als Annie schließlich in unserem Bett in dem Zimmer zum Garten lag, war ich wieder da angekommen, wo ich aufgehört hatte. Keine Trauer. Nichts außer der Sehnsucht, fort, hinaus, weiter. Nichts außer der Einsicht, dass die Lüge falsch sein muss, der wahre Feind jedoch die Wahrheit ist.

Sie wecken mich in der Dämmerung, und wir sitzen wieder im Toyota, noch ehe ich mir den Schlaf aus den Augen gerieben habe, ehe die Träume von Bergen durch den Anblick wirklicher Berge ersetzt werden. Wir fahren schweigend durch orangefarbene Täler, durch Kies und Sand, ein früher Winter ohne Schnee. Dieser Krieg ist vorbei. Politik ist das Einzige, was Davids Sieg über Goliath noch verzögert. Ein kleiner Sieg in der ewigen Jagd nach dem Status quo. Meine Zeit hier nähert sich dem Ende, und ich habe darum gebeten, von jemandem abgelöst zu werden, der Persisch spricht, Paschtu. Doch meine Wünsche sind nur ein Flüstern im Wind. Niemand wird sich mehr daran erinnern, welche Sprache in Afghanistan gesprochen wird, wenn der rote Drache endlich in die Flucht geschlagen wurde. Wir haben unser Ziel erreicht.

Vielleicht werde ich in Washington für meine unschätzbare Arbeit im Feld belohnt. Die Zukunft macht mir genauso viel Angst wie die Vergangenheit. Ein Schreibtischjob, während ich darauf warte, dass alles wieder von vorn beginnt. Einsame Abende im Bungalow mit dem fast lautlosen Tritt von Annies Füßen auf dem dicken Teppich. Höfliche Telefonate, die mit Tränen enden. Erklärungen, die ich nicht habe. Gedanken daran, dass ich zwei Familien verloren habe, zwei Kinder. Gedanken an Rauch und Sirenen. Die Tristesse und die anschließende Müdigkeit. Das eintönige Warten auf die nächste Möglichkeit des Vergessens, das Verschwinden in einer Gegenwart, die keinen Kontext hat.

Vor dem Autofenster löst ein Berg den nächsten ab, ein Kiesweg den anderen. Wir bewegen uns vorwärts und stehen doch auf der Stelle.

19. Dezember 2013
Brüssel, Belgien

George kämpfte sich unter Ellenbogeneinsatz zum Tresen des Ralph's durch, die American-Express-Karte parat. Routiniert tauchte er durch eine Gruppe rotwangiger, blauäugiger Praktikanten hindurch und kam an der Theke wieder zum Vorschein. Dort versuchte gerade ein Ire, der weder die Kunst des Krawattenbindens noch die französische Sprache beherrschte, mit dem Barkeeper Kontakt aufzunehmen.

Das Ralph's war nicht viel größer als ein geräumiges Wohnzimmer, aber mit seiner perfekten Mischung aus knackigen Praktikantinnen, jungen Leuten aus den verschiedenen Institutionen der EU, Lobbyisten und Anwälten, war diese Bar schon seit ein paar Jahren der wichtigste Ort im Parlamentsviertel, um zu sehen und gesehen zu werden. Ganz nach Georges Geschmack. Die perfekte Möglichkeit, um Netzwerken und Feiern zu verbinden und dabei mit jungen Italienerinnen zu flirten, die einem bewundernde Blicke zuwarfen und unter ihren Kostümjacken tiefe Ausschnitte offenbarten.

Nach nicht einmal einer Minute hielt George, sehr zum augenscheinlichen Ärger des Iren, zwei Gläser Champagner in der Hand. Eisgekühlt und bezahlt. Er bedachte den Iren mit einem Schulterzucken und wurde von einer tiefen Zufriedenheit erfüllt. Er war doch wirklich der König in diesen Kreisen. Der König.

Er reckte sich ein wenig, um den Stehtisch zu finden, den er gerade verlassen hatte. Gut, sie stand noch da. Mette? So hieß sie doch? Aus Kopenhagen. Praktikantin bei der dänischen EU-Kommission. Perfekt. Ein guter Kontakt und eine verdammt scharfe Braut. Manchmal war dieser Job einfach zu toll. *Business and pleasure.* Ihre Visitenkarte hatte er schon, fehlte also nur noch das Vergnügen.

Anstrengend war lediglich, dass sie teuflisch schwer zu verstehen war. Ihr Dänisch mischte sich mit der Geräuschkulisse aus mindestens zehn anderen Sprachen plus Justin Timberlakes Gesang, ehe es Georges Ohr erreichte. Das war mehr, als er bewältigen konnte. Aber ins Englische zu wechseln, war völlig ausgeschlossen. Hier in Brüssel musste man gezwungenermaßen so tun, als würde man sich in den nordischen Sprachen verständigen können. Zumal sie sein Schwedisch völlig problemlos zu verstehen schien.

Na ja, bald würde er sowieso mit ihr von hier verduften. Vorschlagen, dass sie sich unterwegs Sushi mitnahmen. Zu Hause eine Flasche Champagner öffnen. Und anschließend würden eventuelle Sprachverwirrungen kaum noch eine Rolle spielen. Das war der Vorteil daran, nur einen Steinwurf entfernt vom Place du Luxembourg zu wohnen.

Er hatte den Raum halb durchquert, als er spürte, wie das Handy in seiner Innentasche vibrierte. Er nahm die Champagnergläser in die eine Hand und angelte das Telefon mit der anderen heraus. Welcher Idiot rief an einem Donnerstag um diese Zeit an? «Digital Solutions» blinkte auf dem Display auf. Verdammter Mist. Die gute Laune, die er am Tresen verspürt hatte, verflog. Nach dem Abendessen mit Appleby machte ihn allein der Gedanke an Digital Solutions nervös. Das Telefon hörte auf zu blinken, noch ehe er den Anruf annehmen konnte. Für einen Moment erwog er, darauf zu pfeifen. Dann aber sah er Applebys Haiaugen vor sich. Er schauderte, während er ein Glas auf dem Stehtisch vor Mette abstellte.

«Tut mir leid», sagte er. Er hielt das Handy hoch und deutete auf die Tür. «Die Pflicht ruft.»

Mette lächelte und antwortete irgendetwas völlig Unverständliches, das George als Ausdruck ihres Verständnisses interpretierte. Er bedeutete ihr mit Gesten, dass er zurückkommen würde, und bahnte sich einen Weg durch die wohlgekleidete Menge, um zur

Tür und auf den Platz davor zu gelangen.

Draußen war es dunkel, bitterkalt und ausnahmsweise fast menschenleer. Das einzige Zeichen von Leben, das George erkennen konnte, war die Taxischlange vor der Sportbar Fat Boy's auf der anderen Seite des Platzes sowie einige verfrorene Seelen, die in viel zu dünnen Mänteln von Bar zu Bar hasteten. Linker Hand ruhte das Europaparlament wie ein schlafender Koloss. Seine Nähe war beinahe physisch spürbar, und George hatte das Gefühl, seinen Atem hören zu können.

Er stellte sein Glas auf einen der leeren Stehtische im Freien. Ein eiskalter Nieselregen ließ ihn frösteln. Er knöpfte seinen Mantel zu, steckte sich eine Marlboro an und nahm einen tiefen Zug. Noch ehe er Reipers Nummer gewählt hatte, klingelte das Telefon erneut. George steckte den Kopfhörerknopf ins Ohr und sah gleichzeitig auf die Uhr, um anschließend zu notieren, was er Digital Solutions für das Gespräch berechnen konnte. Es war 19.55 Uhr.

«Mr. Reiper», meldete George sich. «Womit kann ich Ihnen heute Abend behilflich sein?»

«Guten Abend, Mr. Lööw», entgegnete Reiper mit seiner tonlosen rauen Stimme. «Entschuldigen Sie die Störung. Ich nehme an, dass Sie nicht mehr im Büro sind?»

«Nein, das stimmt. Ich habe es gerade verlassen. Aber wie ich schon am Montag gesagt habe, sind wir bei Merchant & Taylor immer im Dienst. Was also kann ich für Sie tun?»

George nahm einen Schluck Champagner und neigte den Kopf, um einen Blick durch die Glastür des Ralph's werfen zu können. In der schummrigen Beleuchtung konnte er jedoch nicht erkennen, ob Mette noch dort wartete, wo er sie zurückgelassen hatte.

«Wie schön. Also, Mr. Lööw, es tut mir wirklich leid, Ihren Abend zu stören, aber es wäre wirklich gut, wenn wir uns treffen könnten. Jetzt, meine ich.»

George war unbehaglich zumute, er drückte das Gaspedal seines Audis durch, obwohl er an der nächsten Ampel fünfzig Meter weiter eine Vollbremsung würde hinlegen müssen. Normalerweise beruhigte es ihn, in seinen Ledersitz versunken Swedish House Mafia zu hören, aber in diesem Moment funktionierte es nicht. Überhaupt nicht.

Er stellte die Musik aus. Konnte das Wummern des Basses nicht ertragen. Als wäre der einsetzende Champagnerrausch bereits in Kopfschmerz übergegangen. Er drückte zwei Paracetamol aus der Packung in seiner rechten Hosentasche und schluckte sie ohne Wasser.

Eigentlich liebte er es, abends als *Consigliere* einberufen zu werden. Das Gefühl, unentbehrlich zu sein. Wahnsinn, er hatte es Mette, oder wie sie nun hieß, genau angesehen. Die Bewunderung. Die Lüsternheit, als er ihr sagte, dass er gehen musste, um einen Kunden zu treffen. Mit so einer Nummer konnte man leicht jemanden abschleppen. Sehr leicht.

Und wenn es ein normaler Kunde gewesen wäre, hätte ihm das auch keine Probleme bereitet. Er hätte Mette einfach auf dem Rückweg angerufen. Eine weitere Flasche Bollinger am Kiosk gekauft. Ihr das Auto gezeigt. Freie Bahn gehabt. Doch mit Digital Solutions war es anders. Irgendetwas war mit diesem Reiper. Diesem Josh. Etwas, bei dem sich ihm der Magen umdrehte. Und dann auch noch diese geheimen Dokumente. Und Applebys Einladung am heutigen Abend. Zum ersten Mal seit langem hatte George das Gefühl, keinen festen Boden mehr unter den Füßen zu haben.

Eine Viertelstunde später bog George auf die Avenue Molière im Stadtteil Ixelles. Hierher kam er nicht oft. Natürlich war er schon einmal im bürgerlichen Caudron zum Brunch gewesen und hatte verkatert im amerikanischen Diner am Place Brugmann um die Ecke gegessen, aber meistens hielt er sich an das EU-Viertel oder die Innenstadt.

Trotzdem war es hier eigentlich nicht übel. Auf der Avenue Molière lagen viele Botschaften, und die Straße war standesgemäß mit ihren Maisons de Maître aus der Epoche der Art Nouveau und den schattigen Bäumen, die sie säumten. Irgendwo hatte er gelesen, dass die hiesigen Immobilienpreise die höchsten von ganz Brüssel waren.

Das Navigationsgerät piepste und erklärte, dass George bei der Hausnummer 222 angekommen war, jener Adresse, die Reiper ihm genannt hatte. Er parkte den Audi mitten vor dem Eingang einer ziemlich prächtigen dreistöckigen Villa. Wie viele Art-Nouveau-Häuser jagte der Anblick George einen Schauer über den Rücken. Die gewächsartige Fassade hatte etwas Gotisches an sich mit ihren weichen Ecken und den runden Fenstern. Die bogenförmigen Ornamente und das feine Eisendekor rankten das Gebäude empor und umschlangen es. Die Vorderseite des Hauses wurde von einem enormen Erker dominiert, und die bleieingefassten Fenster mussten fast zwei Meter hoch sein. Schwere geschlossene Gardinen machten es unmöglich, einen Blick hineinzuwerfen.

George schüttelte den Kopf und spürte, wie sein Mut noch mehr sank. Dieses Haus passte perfekt zu Reiper. Es vermittelte dasselbe intensive Unbehagen wie sein Bewohner. Er stieg aus dem Auto, das sich automatisch mit einem beruhigenden Piepsen verriegelte, und ging die vier Treppenstufen zum Eingang hinauf. Auf einem großen Messingschild neben der Tür stand «Digital Solutions». Es sah nagelneu aus, als wäre es gestern erst angebracht worden.

George drückte die Klingel und war erstaunt, als statt eines dumpfen Gongs ein modernes Klingeln ertönte. Schräg über der Tür war eine Kamera montiert. Sie bewegte sich ruckartig, als würde sie jemand von drinnen mit dem Joystick lenken.

«George. Herzlich willkommen.»

Die Tür wurde von Josh geöffnet, der eine schwarze Cargo-Hose und einen Kapuzenpullover mit dem Aufdruck NAVY auf der Brust trug. Er wirkte erhitzt, sein Gesicht war rot, er strotzte vor Endorphinen, als wäre er gerade vom Laufen zurückgekommen.

«Äh, danke», antwortete George.

«Immer herein. Reiper erwartet Sie in seinem Büro.»

Josh warf einen Blick durch die Tür auf Georges Auto.

«Schicker Wagen. Geleast? Bei Merchant & Taylor kümmert man sich ja wirklich gut um Sie.»

Er wartete Georges Reaktion gar nicht ab, sondern drehte sich um und ging vor ihm durch die Eingangshalle.

George nickte nur und lief hinterher. Er fühlte sich unwohl. Diese Situation hatte er nicht unter Kontrolle. In keiner Weise.

Josh öffnete eine imposante Eichentür, die in einen Raum führte, der an eine Bibliothek in einem englischen Landsitz erinnerte. Der rote Teppich war abgewetzt, und dort, wo die Wand nicht mit maßgeschreinerten Bücherregalen bedeckt war, offenbarte sich eine dunkle Holzverkleidung. Die großen Terrassentüren führten vermutlich in den Garten auf der Rückseite des Hauses, aber es war zu dunkel, um etwas zu erkennen. Der Raum war fast unmöbliert, doch es gab eine neue Sitzecke, die aussah, als wäre sie von IKEA, und einen enormen Tisch in der Mitte des Raums, auf dem eine beeindruckende Sammlung von Rechnern, Bildschirmen und anderer Elektronik stand. Reiper erhob sich hinter einem schwarzen Laptop.

«Mr. Lööw! Willkommen bei Digital Solutions. Bitte entschuldigen Sie vielmals.» Er machte eine unbestimmte Armbewegung, die wohl Bedauern ausdrücken sollte.

Auch er trug eine schwarze Hose, ähnlich der von Josh. Dazu ein schwarzes T-Shirt. Sein schmutzig grauer Haarkranz klebte an seinem Schädel.

«Wir sind noch nicht weit gekommen, und Einrichtung gehört nicht gerade zu meinen Stärken.»

George nickte und sah sich um. «Wie viele Menschen arbeiten eigentlich für Digital Solutions?», fragte er.

«Tja, das lässt sich nicht so exakt sagen. Manche arbeiten auf Vertragsbasis, sozusagen als Freiberufler.»

«Und wie viele Leute hat die Firma derzeit in Brüssel?»

George spürte, wie seine Irritation zunahm. Seine Kopfschmerzen. Diese verdammte Geheimniskrämerei.

«Momentan sind wir wohl so fünf bis sechs Mitarbeiter hier. Einige sind auf Reisen. An andere Projekte gebunden und so weiter. Aber lassen Sie uns doch auf dem Sofa Platz nehmen. Ich möchte ein paar Dinge mit Ihnen besprechen.»

Wie auf ein Signal hin stand Josh vom Tisch auf, klappte seinen Laptop zusammen und verließ den Raum. Reiper und George nahmen einander gegenüber auf den beiden harten cremefarbenen Sofas Platz. Zwischen ihnen stand ein alter abgenutzter Couchtisch.

«Zunächst einmal: Vielen Dank für Ihre Übersetzung», sagte Reiper. «Schnell und gut gearbeitet.»

George zuckte mit den Schultern und versuchte trotz der Kopfschmerzen zu lächeln. Konnten diese dämlichen Tabletten nicht endlich wirken? Reiper rekelte sich und verschränkte die Hände hinter dem Kopf, sein Blick verlor sich in der Dunkelheit und dem Schneeregen vor dem Fenster.

«Natürlich überflüssig. Aber das haben Sie sicher selbst begriffen?»

George schüttelte unbewusst den Kopf und blinzelte. Was zum Teufel sagte Reiper da?

«Wie bitte? Was war überflüssig?»

«Das spielt keine Rolle.» Reiper wedelte abwehrend mit der Hand. «Sie sind nicht dumm. Im Gegenteil. Kein Genie vielleicht, aber definitiv über dem Durchschnitt. Sie haben verstanden, dass die Papiere streng vertraulich sind und dass es strafbar ist, sich damit zu beschäftigen. Trotzdem hat Sie das nicht abgehalten. Das finde ich interessant.»

«Ich ...», begann George erneut. Doch dann verstummte er. Sein Puls raste. Er hatte das Gefühl, einen glitschigen Fels hinabzuschlittern. Als kämpften seine Füße um festen Halt und rutschten doch immer weiter abwärts.

Reiper stand unerwartet behände auf, ging zu dem großen Tisch, nahm einen dünnen gelben Ordner, öffnete ihn und blätterte zerstreut darin. Nach einigen Sekunden wandte er sich George zu und sah ihn mit leerem Blick an. In dem schlecht beleuchteten Raum sahen seine Augen gelb aus. Von innen heraus leuchtend, wie bei einer Katze.

«Wenn wir unsere Zusammenarbeit fortsetzen, muss ich mir Ihrer Loyalität sicher sein. Zu hundert Prozent. Also habe ich sozusagen eine Sicherheitsmaßnahme ergriffen.»

Er ging zu der Sitzgruppe zurück und legte die gelbe Mappe behutsam vor George auf den Tisch.

19. Dezember 2013
Brüssel, Belgien

Das Vibrieren des Handys in Klaras Manteltasche ließ sie aufschrecken. Die Woche war angefüllt gewesen mit Berichterstattungen, Fraktionssitzungen, endlosen Stunden in sauerstoffarmen Konferenzräumen, zwischen Tür und Angel heruntergeschlungenen Mittagsimbissen und langen Abenden vor dem Computer. Der einzige Lichtblick waren die Stunden mit Cyril in ihrer Wohnung gewesen. Ihr Körper kribbelte immer noch.

Sie hatten sich nicht zum ersten Mal tagsüber ein paar Stunden abgezweigt und waren in zwei verschiedenen Taxis zu ihr gefahren, um Sex zu haben. Da gab es nicht viel zu debattieren, so war es eben. Und zu Beginn war es auch nur darum gegangen – um das Verbotene. Sich aus ihrem hochtourigen Leben wegzuschleichen und ihn dazu zu bewegen, dasselbe zu tun. Ein bisschen schäbig, ein bisschen anrüchig, aber ungefährlich. Ein Spiel, bei dem niemand zu Schaden kam. Und es war sinnvoll, vorsichtig zu sein. Der Klatsch im Europaparlament folgte umgehend und war vernichtend. Eine schwedische Referentin und ein französischer Parlamentarier, darüber lästerte man auf den Afterwork-Partys nur zu gern.

Sie angelte das Telefon aus der Tasche. Ihr Herz raste. Vielleicht war sein Abendessen ja schon zu Ende? Vielleicht war er bereits auf dem Sprung zu ihr? Aber ihre Hoffnungen erstarben, als sie auf das Handydisplay sah. Jörgen Apelbom. Verdammt, den hatte sie ganz vergessen!

«Entschuldige, Jörgen», meldete sie sich mit so liebreizender Stimme, wie sie nur konnte. Sie klemmte das Telefon zwischen Ohr und Schulter, während sie in ihrer Handtasche nach dem Haustürschlüssel suchte.

«Es tut mir furchtbar leid. Ich hatte so viel um die Ohren ...»

«Ja, ja, schon gut, du hattest viel zu tun, bla, bla», unterbrach Jörgen sie. «Wie üblich. Am Dienstag hast du auch schon abgesagt.»

Er plauderte weiter, versuchte, seine Verletztheit mit Ironie zu überspielen, aber es gelang ihm nur leidlich. Klara ahnte, wie enttäuscht er tatsächlich war. Meine Güte, wie anstrengend.

Klar, sie hatte sich von Jörgen dazu überreden lassen, nach der Arbeit gemeinsam einen Drink in der Pressebar zu nehmen und sich über irgendeinen Bericht über Anonymität im Internet auszutauschen, für den die Piratenpartei offensichtlich Feuer und Flamme war. Da er ihr immer half, wenn im EU-Parlament eine Frage zum Thema Internet oder Datenschutz erörtert wurde, schuldete sie ihm die Verabredung. Er wollte die sozialdemokratischen Delegierten bestimmt davon überzeugen, in dieser Frage wie die Piratenpartei abzustimmen. So funktionierte das eben – eine Hand wusch die andere. Sofern es möglich war, half man sich.

Aber in der letzten Zeit hatte Jörgen ihr damit in den Ohren gelegen, sich häufiger zu treffen, jede Woche statt nur einmal im Monat. Außerdem hatten sich die Treffen schleichend immer mehr Richtung Abend verschoben und waren immer informeller geworden. Klara hatte das vage Gefühl, dass Jörgens Interesse vielleicht nicht nur professioneller Natur war. Und jetzt dieses aufgesetzte Märtyrergehabe.

«Ja, und was soll ich deiner Meinung nach jetzt sagen?»

Sie war überrascht über den gereizten Unterton in ihrer Stimme, als sie seufzend die Haustür öffnete und im schmalen Treppenhaus stand.

«Mal ehrlich, Jörgen, ich hab's vergessen. Das ist blöd, aber das kommt vor. Es ist schon halb zehn, warum hast du nicht früher angerufen, wenn es so wichtig ist?»

Das Treppenhaus war finster. Sie streckte sich nach dem Lichtschalter, aber es tat sich nichts, die Glühbirne musste kaputtgegangen sein. Ein Windstoß ließ die Tür hinter ihr zufallen. Und plötzlich hatte sie das Gefühl, dass irgendetwas nicht stimmte.

«Ich war in einer Sitzung», erklärte Jörgen.

Eine Sitzung World of Warcraft, dachte Klara bei sich, sagte aber nichts. Die Treppenstufen knarrten unter ihren Schritten, als sie sich im Dunkeln in den dritten Stock hinauftastete.

«Ich mach dir einen Vorschlag», fuhr er fort. «Weil du zweimal hintereinander abgesagt hast, darfst du mich nächste Woche zum Abendessen einladen.»

Irgendwo über sich hörte sie eine Tür quietschen. Ein Schloss klickte, als sie wieder geschlossen wurde. Der Holzboden knarrte wie ein Echo ihrer Schritte. Klara blieb auf dem Treppenabsatz zwischen dem ersten und dem zweiten Stock stehen. Die Schritte kamen von weiter oben. Das Knarren. Aber dort oben wohnte niemand außer ihr. Ihr Kopf arbeitete langsam, sie war vollkommen unvorbereitet auf dergleichen. Die Tür, die geschlossen worden war. Es konnte sich nur um ihre eigene handeln.

Sie legte die Hand an die Wand und eilte im Dunkeln die Treppen wieder hinunter, erreichte stolpernd den nächsten Absatz. Hatte plötzlich einen bitteren Geschmack im Mund. Ihre Schläfen pochten. Sie nahm zwei Stufen auf einmal, dennoch dauerte es eine Ewigkeit, bis sie unten ankam. Sie knickte um, als sie einen Fuß auf die gesprungenen Mosaikfliesen im Erdgeschoss setzte. Egal. Stolperte zur Haustür, nestelte an dem uralten Schließmechanismus. Hinter ihr war jetzt alles still, kein Laut war zu hören. Aus irgendeinem Grund machte ihr das noch mehr Angst. Sie riss die Tür auf und taumelte hinaus in den Regen.

Draußen fand sie sich in einer stinknormalen Welt wieder. Die Straßenlaternen vor dem Park leuchteten, gestylte junge Leute gingen zu einer Bar oder einem späten Abendessen, Licht fiel von der kleinen spanischen Tapasbar neben ihrem Hauseingang auf die Straße. Sie lief zum Fenster und verspürte ein Gefühl von Geborgenheit, das von den halb geleerten Weingläsern, den Schälchen mit luftgetrocknetem Schinken, Tortillas und Oliven dort drinnen ausging. Den gelösten Schlipsknoten und dem glitzernden Ohrschmuck. Sie ließ sich von dem gelben warmen Lichtschein, der aus dem Fenster drang, einhüllen. Zögernd drehte sie sich zu ihrer Haustür um.

«Klara? Klara? Bist du noch da? Was treibst du denn?»

Jörgens Stimme, die aus dem Handy drang, schien von weit her zu kommen. Sie presste das Telefon dichter ans Ohr.

«Entschuldige, es ...»

Da sah sie, wie ihre Haustür aufging.

«Ich rufe dich später zurück, ja?», flüsterte sie atemlos und beendete das Gespräch.

Erneut drehte sie sich zu dem Fenster der Bar um und gab vor, das Menü zu studieren. Schlug dabei den Mantelkragen hoch, sodass ihr Profil nicht zu sehen war. Schielte zur Tür.

Eine junge Frau, vielleicht ein paar Jahre älter als sie, mit blondem Pferdeschwanz und dunkler Joggingkleidung, trat auf die Straße. Die Streifen an ihren Leggins und ihrem Oberteil reflektierten das Scheinwerferlicht der vorbeifahrenden Autos. Die Haltung der Frau war gerade und aufrecht, auf dem Rücken trug sie einen Rucksack. Sie beugte sich vor und machte ein paar Dehnübungen. Dann richtete sie sich auf und lief gemächlich an Klara vorbei, scheinbar ohne sie zu bemerken. Zurück ließ sie nur den intensiven künstlichen Zimtgeruch von amerikanischem Kaugummi.

Klara wartete, bis die Frau um die Ecke gebogen war und ihre eigene Atmung sich wieder beruhigt hatte. Dann griff sie erneut nach dem Telefon und wählte nach kurzem Zögern Cyrils Nummer.

Er meldete sich nach dem sechsten Klingeln. Sprach im Flüsterton, in dem ein Hauch von Gereiztheit mitschwang.

«Klara, das passt gerade furchtbar schlecht.»

«Entschuldige, aber es ist etwas passiert. Ich wollte nur kurz etwas mit dir abklären.»

Sie spürte seine Ungeduld durch den Hörer.

«Ja, was denn? Worum geht es?»

«Kann ich heute bei dir übernachten?»

«Was?»

Sie konnte die Falte auf seiner Stirn geradezu vor sich sehen, spürte, wie lästig er dieses Anliegen fand.

«Was ist denn passiert?»

Klara atmete tief ein. Sie kam sich dumm und kindisch vor, war aber auch von Cyrils Reaktion irritiert. Hätte er sich die Frage nicht sparen können? Einfach «na klar, komm nur» sagen können?

«Ich glaube, bei mir ist eingebrochen worden.»

Cyril sagte etwas auf Französisch zu jemandem. Gläser klirrten.

«Eingebrochen? Hast du die Polizei verständigt?»

«Schon gut, vergiss, dass ich gefragt habe. Ich kümmere mich allein darum.»

Sie hörte ihn einen Seufzer unterdrücken.

«Nein, nein, selbstverständlich kannst du bei mir schlafen. Nimm ein Taxi zu meiner Wohnung, ja? Wir warten gerade auf das Dessert. Gib mir eine halbe Stunde, in Ordnung?»

Klara schloss die Augen.

«Ich weiß noch nicht einmal, wo du wohnst.»

George schluckte und beugte sich vor, um die gelbe Mappe zu öffnen. Irgendwie wusste er bereits, was darin lag. Es war unmöglich, aber er wusste es dennoch.

Schon als er das Logo der Anwaltskanzlei Gottlieb auf der ersten Seite sah, begriff er, dass alles vorbei war. Langsam zog er das Dokument heraus. Und plötzlich schien der Raum um ihn herum zu beben und zu dröhnen.

In der Hand hielt er die Geheimhaltungsvereinbarung zwischen ihm und Mikael Persson, dem Partner der Kanzlei. Dieses Dokument existierte nur in zwei Ausfertigungen. Die eine befand sich in Georges Bankfach in Stockholm, die andere hatte er Persson in seinem Büro am Norrmalmstorg in den Tresor einschließen sehen. George überflog das Dokument mit zusammengekniffenen Augen. Eigentlich wollte er es gar nicht sehen. Noch weniger wollte er sich eingestehen, dass er in einem mangelhaft möblierten Zimmer in Brüssel saß, bei einem Mann, der aussah wie Gene Hackmans böser Zwilling und im Besitz genau dieser Vereinbarung war. Doch obwohl er nicht daran zweifelte, dass sie echt war, wollte er sie trotzdem prüfen. Natürlich.

Die Übereinkunft war kurz und knapp und verdeutlichte, dass weder George noch Persson auch nur ein Sterbenswörtchen über ihre Beziehungen zu dem Investmentfonds Oaktree Mutual äußern durften. Schon die Erwähnung der Existenz der Vereinbarung stellte einen Verstoß dar. Eine Klausel, die es im Grunde wohl erschwerte, sich überhaupt darauf zu beziehen. Doch an dem Tag, als er das Papier unterschrieben hatte, war George noch nicht in der Position gewesen, die es ihm erlaubt hätte, Änderungen vorzuschlagen.

An sich war die Vereinbarung nicht heikel. Aber die Einsicht, dass Reiper Zugang dazu gehabt und sie sogar kopiert hatte, war schwindelerregend.

George wollte nicht weiter in der Mappe blättern. Er wusste, was er dort finden würde. Und trotzdem konnte er sich nicht zurückhalten.

Und genau wie er befürchtet hatte, enthielt sie außerdem etwa fünfunddreißig Seiten E-Mail-Korrespondenz und Kontoauszüge. In ihrer Gesamtheit bewiesen sie zweifelsfrei, dass George bezahlt worden war, um Interna über eine große Konzernfusion, bei der er Persson assistiert hatte, an Oaktree Mutual weiterzugeben.

Oaktree hatte zu den Investoren gehört, die die Zusammenlegung finanziert hatten. Gleichzeitig hatte der Fonds jedoch – mit Hilfe von Strohmännern – mit Aktien beider Unternehmen gehandelt. Dank der Informationen von George war es unmöglich gewesen, mit diesen Anlagen zu scheitern. Sie spielten Hochrisikopoker mit gezinkten Karten. George wollte lieber nicht daran denken, wie viel Geld sie mit seiner Hilfe verdient hatten. Die Aufwandsentschädigung, mit der man ihn bedachte, war im Vergleich dazu lächerlich, aber dennoch sehr viel Geld für einen gerade examinierten Juristen mit teuren Lebensgewohnheiten gewesen.

Aber George hatte nie einen realen Teil davon zu sehen bekommen, ehe Persson misstrauisch wurde. Er war ein alter Hase im Finanzbereich und erkannte schnell, dass Oaktree Mutual ein doppeltes Spiel trieb. Das störte ihn nicht, solange sie dabei keine Informationen weiterverwendeten, die von ihm kamen. Wie Persson letztlich hatte herausfinden können, wer das Leck war, wusste George jedoch nicht. Insgesamt waren bei Gottlieb zehn assistierende Juristen und drei Partner in das Geschäft involviert gewesen. Vielleicht hatte Persson die gesamte E-Mail-Korrespondenz überprüft, vielleicht hatte er auch intuitiv gespürt, dass es George war.

Wie auch immer, jedenfalls war George eines Tages in Perssons Büro bestellt worden, wo dieser ihn mit einer Grabesmiene erwartete. Und vor ihm auf dem Tisch hatte fast genau dieselbe Mappe gelegen, die George nun erneut in den Händen hielt.

Persson hatte ihm trocken erklärt, dass schwerwiegender Insiderhandel mit bis zu vier Jahren Haft bestraft wurde. Und mit Geldstrafen. Seine Anwaltskarriere und jede Möglichkeit auf eine Anstellung in der schwedischen Wirtschaft waren damit gleich null. An die Reaktion seines Alten wollte er gar nicht erst denken. Er war ruiniert, mit nur siebenundzwanzig Jahren.

George hatte Persson gedankt, als dieser ihm nahelegte, mit sofortiger Wirkung zu kündigen und nie wieder ein Wort über das Ganze zu verlieren. Persson behauptete, dass er eigentlich zur Polizei hatte gehen wollen. Angeblich hätte er gern gesehen, wie George vor dem Stockholmer Amtsgericht an den Pranger gestellt wurde. Aber der Schaden für Gottlieb wäre zu groß gewesen, wenn sich herausgestellt hätte, dass die Kanzlei in irgendeiner Weise in den Insiderhandel verwickelt gewesen war. Eine Anwaltsfirma von Gottliebs Kaliber konnte es sich nicht leisten, in dieser Ecke des Rings zu landen. Cäsars Frau muss über jeden Verdacht erhaben sein, wie Persson gesagt hatte.

George hatte unterschrieben, seine Abfindung quittiert und seinem Glück gedankt. Und bis vor wenigen Minuten hatte er die Scham und die fürchterliche Angst, die er an jenem Tag gespürt hatte, nahezu erfolgreich verdrängt.

«Es tut mir sehr leid, George, aber wie gesagt, ich brauche Ihre Hilfe wirklich, und ich kann es mir nicht leisten, an Ihrer Motivation zu zweifeln.»

George zuckte zusammen. Er hatte nicht bemerkt, dass Reiper sich von hinten an das Sofa herangeschlichen hatte.

Er wandte sich um.

Besonders teilnahmsvoll wirkte Reiper nicht gerade. Er schien eher der Meinung zu sein, dass es schön war, alle Formalitäten geklärt zu haben.

«Wie ...?» George brachte nur ein Krächzen zustande. Plötzlich fiel ihm das Atmen schwer, und er lockerte seine leuchtend gelbe Ralph-Lauren-Krawatte. «Wie um alles in der Welt sind Sie an all diese Informationen gekommen?»

Reiper wedelte nur abwehrend mit seinen groben Händen. «Das ist unwichtig. Wir haben da unsere Methoden, wie Sie inzwischen vielleicht bemerkt haben. Aber lassen Sie uns das Augenmerk jetzt lieber auf Ihre künftige Rolle richten.»

Er sah auf die Uhr.

«Sie müssen entschuldigen, aber ich habe eine anstrengende Nacht vor mir, wir müssen also ein bisschen auf die Tube drücken.»

George brachte nicht mehr als ein Nicken zustande. Plötzlich hatte er Halsschmerzen und musste sich mit der Hand den kalten Schweiß von der Stirn wischen. Er hatte das Gefühl, sein Immunsystem würde kollabieren.

«Hier», sagte Reiper und warf George einen USB-Stick zu. «Auf diesem kleinen Ding ist ein nützliches Programm gespeichert. Es gibt uns die Möglichkeit, genau nachverfolgen zu können, was auf dem Computer passiert, auf dem man es installiert. Und ich möchte, dass Sie sich Zutritt zum Europaparlament verschaffen und dafür sorgen, dass es auf Klara Walldéens Rechner installiert wird.»

«Aber wie?» Das war alles, was George hervorbrachte.

«Da werden Sie sicher einen Weg finden. Wie Ihnen inzwischen bestimmt aufgefallen ist, verfügen wir über ziemlich beeindruckende Ressourcen, aber wir sind nie besser als unsere Agenten vor Ort. Jetzt sind Sie unser Agent im Europaparlament. In Ihrer

Eigenschaft als Lobbyist haben Sie dort ja Zutritt, wann immer Sie wollen. Sie schwirren da doch auf den Fluren herum, als würde Ihnen das Ganze gehören.»

Hatte Appleby bei dem Essen etwa darauf angespielt? George konnte sich nicht vorstellen, dass die Chefs von Merchant & Taylor in ihrer Jugend umhergeschlichen waren und Einbrüche begangen hatten.

«Und hier», fügte Reiper hinzu und stellte ein paar runde Plastikzylinder auf den Tisch. Sie sahen aus wie die Verschlüsse von PET-Flaschen. «Mikrophone. Sie sollen in Klaras Büro unter dem Tisch befestigt werden. Das muss morgen in aller Frühe geschehen. Wir sind uns ziemlich sicher, dass sich ihr Laptop noch dort befindet. Und machen Sie sich wegen der Technik keine Sorgen. *Piece of cake.*»

George schloss die Augen und lehnte sich auf dem Sofa zurück.

«Sorry, George, noch dürfen Sie nicht schlafen. Josh möchte Ihnen vor Ihrem morgigen Einsatz ein paar technische Details erklären.»

George konnte sich nicht erinnern, wie er nach Hause gekommen war, nur dass er sich irgendwann um kurz nach halb eins in seinem Audi mit laufendem Motor vor seiner eigenen Haustür wiederfand. Er war vollkommen erschöpft. In der Tasche spürte er den USB-Stick. Wenn er nicht da gewesen wäre, hätte dieser Abend genauso gut ein böser Traum sein können.

20. Dezember 2013
Brüssel, Belgien

Mahmoud lag hellwach in seinem Hotelbett. Er war so erschöpft, dass er nicht schlafen konnte. Außerdem arbeitete sein Kopf auf Hochtouren und ließ ihm keine Gelegenheit, sich zu erholen. Seitdem er spätabends in das Billighotel nahe dem Boulevard Anspach eingecheckt hatte, hatte er nicht einen Moment die Augen zugemacht. Er sah auf seine Uhr. Die grünen Leuchtziffern zeigten kurz nach halb fünf.

Als er gerade in einem weiteren sinnlosen Versuch einzuschlafen den Kopf aufs Kopfkissen gelegt hatte, hörte er es. Das knirschende Geräusch von Gummisohlen auf dem Asphalt, ein Auto, das langsam im Leerlauf vorfuhr. Das Knirschen endete unter seinem Fenster, gefolgt von einem leisen, fast geräuschlosen Öffnen und Schließen der Autotüren.

Zu leise. Mahmoud richtete sich auf und konzentrierte sich nur noch darauf zu horchen. Durch das einfach verglaste Fenster drang nahezu jedes Straßengeräusch ins Zimmer – obwohl er sich im dritten Stock befand. Was er hörte, klang nach Stiefeln und flüsternden, abgehackten Stimmen. Nach Goretex und Maschinengewehren. Erinnerungen an eine vergangene Zeit. Einsatzvorbereitungen.

Rasch schlüpfte Mahmoud in seine Kleider und zog vorsichtig die Gardine beiseite, um auf die erleuchtete Seitenstraße zu spähen. Er hatte fast damit gerechnet, auf Polizeiwagen und Absperrungen zu schauen, aber auf der Straße stand nur ein schwarzer Kastenwagen. Flüchtig sah er gerade noch drei schwarz gekleidete Personen um die Hausecke zum Hoteleingang traben. Eine vierte Person stand an der Stoßstange des Wagens und schien etwas am Fuß der Straßenlaterne zu montieren. Mahmoud sah nur ihren

Rücken. Doch plötzlich erlosch die Laterne, und die Seitenstraße lag im Dunkeln. Ein grünes Licht blinkte eine Sekunde lang auf Kopfhöhe des Mannes.

Ein Nachtsichtgerät, schoss es Mahmoud durch den Kopf, und er zog blitzschnell die Gardine wieder zu. Der Mann musste die Straßenlaterne ausgeschaltet haben, um Mahmouds Fenster mit einem Nachtsichtgerät beobachten zu können. Das war ganz sicher nicht die Polizei.

Als er ein Ohr an die dünne Tür zum Flur legte, meinte er, weiter unten im Gebäude Schritte auf der Treppe zu hören. Schnelle, leise Schritte auf dem Teppichboden. Aber nicht einmal diese Profis konnten vermeiden, dass die Treppenstufen knarrten und quietschten, als wären sie lebendig. Mahmoud erkannte, dass ihm nicht viel Zeit blieb. Er biss die Zähne so fest zusammen, dass seine Kiefernmuskeln schmerzten. Der plötzliche Stress floss wie Quecksilber durch seine Adern. In fünf Minuten würde er wahrscheinlich tot sein. Er konnte hier nicht untätig herumsitzen und auf seine Mörder warten.

Schnell stopfte er seine wenigen Besitztümer in den Rucksack, setzte ihn auf und öffnete leise die Tür zum Flur. Niemand war zu sehen, aber er hörte, wie sich zielbewusste schleichende Schritte näherten. Sie schienen ein Stockwerk tiefer zu sein.

Schräg gegenüber von Mahmouds Zimmer lag die Nottreppe. Die anderen Treppen befanden sich am Ende des Korridors. Er entschied sich, es darauf ankommen zu lassen. Drei rasche Schritte, dann öffnete er die Tür, und der Geruch von feuchtem Putz schlug ihm entgegen.

Die Wendeltreppe war frei, alles war still und dunkel. Er nahm an, dass seine Verfolger einen Wachposten am Empfang oder sogar an der Tür zur Feuertreppe platziert hatten, und entschloss sich daher, nach oben zu steigen. Als er sich in der pechschwarzen

Dunkelheit die erste Treppenflucht hochtastete, ahnte er Schritte auf dem Flur hinter sich. Es klang nach mehreren Personen. Er hörte, wie sie sich näherten, sie konnten kaum zehn Meter von ihm entfernt sein.

Mit zwei Schritten auf einmal erklomm er so geschmeidig wie möglich die ersten beiden Stufen. Er fluchte unterdrückt, als er über einen Absatz stolperte und sich die Knie aufschürfte. Um ihn herum war alles kohlrabenschwarz. Aber das Licht anzuschalten, wagte er nicht.

Durch die Wände hörte er jemanden unter ihm gegen eine Tür treten, seine Zimmertür, wie er annahm. Zersplitterndes Holz. Gedämpfte Stimmen, die abgehackt Befehle zischten. Trotz der Kälte spürte er, wie ihm der Schweiß ausbrach. Er kletterte weiter aufwärts. Auf halbem Weg zum sechsten und obersten Stock hörte er, wie unter ihm eine Tür aufging. Ein paar Stockwerke tiefer wurde ein schmaler Streifen Licht sichtbar, und ein Schatten fiel ins Treppenhaus. Jemand schien im Türrahmen zur Nottreppe zu stehen.

Inzwischen war Mahmoud ganz oben angelangt, und unter ihm befanden sich ein paar Menschen, die fest entschlossen schienen, ihn umzubringen. Der einzige Weg führte durch die Tür vor ihm auf den Flur in den sechsten Stock. Öffnete er sie, würden die Killer das Licht vom Flur sehen und wissen, wo er war. Er ging in die Hocke und versuchte, weder zu atmen noch sich zu rühren. Nichts zu tun, das ihn gefährden könnte.

Nach einer Weile tastete er auf der Suche nach einer Türklinke vorsichtig die Wand ab. Seine Hände stießen gegen einen viereckigen glatten Kasten. Mahmoud versuchte trotz der Dunkelheit zu erkennen, was das war. Ein Handfeuermelder. In seinem Inneren vernahm er eine Stimme aus einer anderen Zeit: «Wenn die Umstände gegen dich sind, ist das Chaos dein Freund.»

Chaos. Mahmoud suchte in der Hosentasche nach seinem Zimmerschlüssel. Chaos. Er richtete sich so leise wie möglich auf. Holte tief Luft, hob den Arm und drosch mit dem Schlüssel auf das Glasgehäuse ein.

Im Treppenhaus explodierte ein ohrenbetäubender, veralteter Feueralarm. Die Lautstärke versetzte ihm einen Schock, sodass er die Hände auf die Ohren presste.

Ein paar Sekunden vergingen, dann flammte das Licht auf, und das ganze Treppenhaus wurde in den grellen Schein der Leuchtstoffröhren getaucht. Der Schatten unter ihm setzte sich in Bewegung, lief die Stufen hoch. Sie kommen hinter mir her, dachte Mahmoud. Das war's jetzt, das war's jetzt. Der Alarm schrillte um ihn herum, in ihm. Drohte, ihn wahnsinnig zu machen.

Er drückte die Türklinke herunter, stieß sie auf und war mit einem Satz auf dem Flur im sechsten Stock.

«He is up here! Let's go!», hörte er unter sich eine dunkle Stimme rufen.

Mahmoud sah sich verzweifelt um. Ein Mann öffnete mit vom Schlaf zerzausten Haaren eine Zimmertür und sagte etwas, das im Lärm unterging. Am Ende des Korridors erspähte Mahmoud eine Treppe, die weiter aufwärts führte. Wohin, wusste er nicht, rannte aber dorthin. Als er davorstand, sah er, dass sie nur aus wenigen Treppenstufen bestand und zu einer Tür führte, die durch ein Vorhängeschloss gesichert war. Daneben hing ein großer Feuerlöscher. Mahmoud nahm ihn und ließ ihn mit ganzer Kraft auf den Bügel hinabsausen. Er verfehlte das Schloss, und der Feuerlöscher fiel zu Boden. Mit bebenden Händen hob er ihn wieder auf.

Beim zweiten Anlauf traf er den Bügel, der in hohem Bogen davonflog. Das Vorhängeschloss fiel auf den Teppich. Als Mahmoud die Türklinke herunterdrückte, sah er aus dem Augenwinkel, wie hinter ihm die Tür zur Nottreppe aufging. Seine Verfolger hatten ihn fast eingeholt. Panik. Gewaltsam schob er die Tür auf. Die Eiseskälte, die ihm entgegenschlug, raubte ihm beinahe den Atem. Die jähe Erlösung von dem Feueralarm war betäubend.

Vor ihm lag eine heruntergekommene Dachterrasse, so groß wie ein halber Tennisplatz. Er befand sich an einer Ecke des Hotelgebäudes, sechs Stock über dem Erdboden. Die beiden Seiten der Terrasse, die zur Straße hinuntergingen, waren mit einem rostigen stellenweise zerfetzten Maschendraht abgesperrt. Von unten hörte er in der Ferne Sirenengeräusch. Die Feuerwehr war schon unterwegs. Er würde sein Chaos bekommen.

Links von ihm waren ein paar Steigeisen an der Fassade befestigt wie eine behelfsmäßige Leiter. Ihm blieb kaum eine Wahl, er konnte nur weiterklettern. Irgendwie gelang es ihm, sich auf das schräge Dach des Hotels hochzuhangeln. Die Dachziegel unter ihm schienen sich zu bewegen, aber es blieb ihm keine Zeit, darüber nachzudenken, wie weit oben er sich befand.

Er war froh, dass das Dach nicht noch stärker abfiel. An den Dachfirst geklammert, bewegte er sich seitwärts. Wo der First ihn hinführte, wusste er nicht. Doch ein paar Meter weiter konnte er im Mondschein eine viereckige schwarze Metallluke sehen. Vielleicht die Lüftung einer Klimaanlage oder ein Zugang zu einem Speicher. Mahmoud steuerte darauf zu. Unter sich auf der Terrasse hörte er seine Verfolger durch die Tür treten.

«*So, what's the status*? Die Feuerwehr ist da. Was ist das für ein verfluchtes Theater?», hörte er jemanden auf Englisch sagen.

Es klang, als ob jemand zum anderen Ende der Terrasse lief. Dann eine atemlose Stimme und ein Fluch unten am Maschendraht.

«Hier ist niemand. Vielleicht ist er gesprungen», teilte die Stimme seinen Kollegen nach einer kurzen Pause mit.

«Er muss hochgeklettert sein.»

Mahmoud hörte, wie jemand die Steigeisen zum Dach erklomm. Im selben Moment erreichte er die Luke.

Wenn er sie aufbekäme, könnte er sich vielleicht dahinter verstecken. Vorsichtig ließ er sich ein Stück hinab, im aufbrausenden Wind und der Kälte schwankend, bis er den Deckel der Luke unter seinen Füßen fühlte. Umständlich drehte er sich um und ging in die Hocke. Seine Hände waren steif und rutschten an dem glatten Metallrahmen ab. Das Adrenalin. Sein Herz, das ein Loch in seine Brust hämmerte.

Beim dritten Versuch bekam er die Ränder zu fassen und zerrte an der Luke. Gerade als er spürte, dass sie nachgab, hörte er, wie sich jemand über die Dachkante schwang.

«*Locked on target!*», sagte eine ruhige Stimme hinter ihm.

20. Dezember 2013
Brüssel, Belgien

Klara erwachte von dem Piepton, den ihr Handy von sich gab. Sie rieb sich die Augen und streckte die Hand aus, um die SMS zu lesen. Eva-Karin.

«Halb neun im Büro, ja?»

So knapp wie üblich. Um ausführlichere Nachrichten zu versenden, war die Tastatur des Handys zu klein für Eva-Karins Finger, was sie natürlich nie zugegeben hätte.

Klara fuhr sich mit den Händen über das Gesicht, um die letzte Müdigkeit wegzuwischen. Das Display zeigte an, dass es kurz nach sieben Uhr war. Dunkel erinnerte sie sich daran, dass Cyril schon früher versucht hatte, sie zu wecken. Dass sie sich noch einmal umgedreht hatte und wieder eingeschlafen war. Er hatte einen frühen Zug zurück nach Paris genommen. Hatte irgendetwas von Sitzungen, Wahlkreis, was auch immer gesagt.

Eva-Karin wollte ihr vor dem Wochenende bestimmt ein paar Instruktionen geben. Ihr Flug nach Schweden ging schon mittags. Aber sie hatte bestimmt auch noch vor, einen Abstecher zum Parlament zu machen, um ihren Namen auf der Spesenliste anzukreuzen. Die Parlamentarier erhielten nämlich Zulagen für die Tage, die sie in Brüssel arbeiteten. Deshalb nahmen viele lieber einen frühen Flug am Freitag, statt am Vorabend abzureisen, um die Zulagen für einen weiteren Tag einzustreichen.

Als ob euer Gehalt nicht schon hoch genug wäre, ihr Schmarotzer, dachte Klara.

«Gut», antwortete sie und setzte sich im Bett auf.

Sie schaltete die Nachttischlampe ein und sah sich um. Das Schlafzimmer war hell und sauber. Keine Kleidungsstücke auf dem Boden. In einer Zimmerecke ein durchsichtiger runder Plastikstuhl von Kartell, daneben eine Garderobe an der Wand neben der Tür, ein abstrakter Druck in Blau und Rot, signiert und nummeriert. Ein Fenster Richtung Straße mit schweren weißen Gardinen, die den Raum, wenn auch nicht gemütlich, so doch hotelähnlich machten. In seiner Neutralität war der Raum typisch für die obere Mittelklasse. Ein unantastbar geschmackvolles Übernachtungsdomizil.

Klara wusste nicht, wie lange sie am gestrigen Abend noch vor der Tapasbar gestanden hatte. Hinlänglich lange, um sicherzugehen, dass der Pferdeschwanz nicht mehr wiederkam. Schließlich hatte sie allen Mut zusammengenommen und war mit energischen Schritten zurück zu ihrem Hauseingang gegangen. Ihre Sinne waren hellwach gewesen, als sie die knarrende Treppe hochgeschlichen und vor ihrer dünnen Tür im obersten Stock stehen geblieben war. Sie hatte tief Luft geholt, den Schlüssel umgedreht und die Tür weit aufgestoßen.

In ihrer Wohnung war es dunkel und still gewesen, als sie über die Schwelle getreten war und das Licht im Wohnzimmer eingeschaltet hatte. Was sie erwartet hatte, wusste sie nicht. Dass die Wohnung auf den Kopf gestellt worden war? Die Polster aufgeschlitzt und der Fernseher zertrümmert? Doch alles sah aus wie immer. Die Kissen auf dem Sofa waren so arrangiert wie eh und je, die letzte Ausgabe des *New Yorkers* lag aufgeschlagen da, die Rezension von John le Carrés neuem Buch hatte sie noch am Morgen gelesen. Sie war die Treppe zu ihrer Mansarde hochgegangen. Die Bettwäsche war zerwühlt, ihr rosafarbener Agent-Provocateur-Slip lag zusammengeknüllt am Fußende des Bettes, wo er gelandet war, nachdem Cyril ihn ihr acht Stunden zuvor heruntergerissen hatte. Alles war genau so, wie sie es verlassen hatte. Vielleicht hatte sie sich das alles ja nur eingebildet? Vielleicht waren die Geräusche, die sie gehört hatte, aus einer ganz anderen Richtung gekommen? Vielleicht war die Frau, die aus der Haustür gekommen war, nur eine ihr unbekannte Nachbarin gewesen?

Auf der Toilette in Cyrils klinisch sauberem Badezimmer massierte Klara sich mit den Fingerspitzen die Schläfen. Ein vager Anflug von Kopfweh hatte sich bemerkbar gemacht, als sie aus dem Bett gestiegen war. Wenn sie nicht umgehend ein paar Tabletten nahm, würde sie bald mit dem ganzen Ausmaß konfrontiert werden, das wusste sie. Sie öffnete Cyrils verspiegelten Badezimmerschrank.

Auf dem obersten Regalboden lag eine Schachtel Paracetamol. Klara griff danach und spülte zwei Tabletten hinunter. Sie wollte gerade den Badezimmerschrank schließen, als sie etwas bemerkte, das sie zusammenzucken ließ. Zwei Zahnbürsten.

Eine blaue.

Und eine rosafarbene.

Gegen ihren Willen griff sie nach der rosafarbenen und hielt sie ins Licht. Sie schien benutzt worden zu sein. Als Klara sie zurücklegen wollte, sah sie eine weitere Zahnbürste. Eine kleinere, ebenfalls rosa, mit Schneewittchen auf dem Griff.

Mit wachsender Beklemmung ging Klara in die Wohnküche. Eine weiße Miele-Küche mit Kücheninsel, zimmerhohe Fenster, die sich vom Boden bis zur Decke erstreckten, mit Blick auf die kahlen Bäume am Square Ambiorix. Eine weiße teure Chaiselongue im Wohnbereich, ein an die Wand montierter Fernseher. Ein Esstisch aus Eiche mit sechs Kartell-Stühlen, dieselben wie im Schlafzimmer. An der Wand ein gerahmtes Plakat von einer Duchamp-Ausstellung im New Yorker MoMA. Auch hier war alles klinisch rein und vollkommen unpersönlich. Trotzdem fehlte etwas. Cyrils gestrige Worte hallten in Klaras Kopf wider. «Alle, die im Ausland leben, haben Familienfotos.»

Klara ging zurück ins Schlafzimmer. Vor dem Bett blieb sie stehen. Ein Nachttisch auf jeder Seite. Zwei moderne Leselampen mit zylinderförmigen Schirmen aus weiß lackiertem Metall. Sie ging zu Cyrils Bettseite. Auf seinem Kopfkissen war immer noch der Abdruck von seinem Kopf zu sehen. Als sie sich darüberbeugte, nahm sie Cyrils Geruch wahr. Sie schloss die Augen und zog zögernd die Nachttischschublade auf. Öffnete die Augen langsam wieder.

Ein umgedrehter Fotorahmen lag darin. Klara überfiel eine bleierne Schwere, als hätten ihre Beine keine Kraft mehr, um sie aufrecht zu halten. Vorsichtig ließ sie sich auf die Bettkante sinken und drehte den Rahmen um.

Mahmoud drehte sich in die Richtung, aus der die Stimme gekommen war. Der Oberkörper eines Mannes in schwarzer Kleidung, sein Gesicht unter einer Maske, ragte über die Schmalseite des Daches. An seiner Schulter hing ein kompaktes kleines Maschinengewehr. Er wirkte kompetent, als wäre er nur dafür gemacht, andere Menschen ins Visier zu nehmen. Es war vorbei.

Irgendwie war er beinahe erleichtert. Mahmoud ließ die Luke los und richtete sich vorsichtig auf. Er stand mit den Fersen auf dem Deckel der Luke, schief, unsicher auf dem abschüssigen Ziegeldach. Ringsum leuchteten die Lichter der Stadt in der winterlichen Dunkelheit. Er schloss die Augen.

«*Hold your fire*», erwiderte jemand mit tiefer Stimme von der Terrasse aus. «Das Risiko ist zu groß. *We need him alive.*»

Mahmoud nahm die Stimmen wie hinter einer dicken Mauer wahr – gedämpftes, monotones Gemurmel. Er wagte es nicht, die Augen zu öffnen.

«*Control says abort!* Wiederhole: Der Befehl lautet Abbruch und Rückzug», meldete sich erneut die Stimme von der Terrasse.

«Wir müssen hier weg, bevor die Feuerwehr kommt. Bei Zimmer 504 soll es eine Feuerleiter geben. Wir müssen jetzt abhauen, das ist wichtiger als das Objekt. *Let's go!*»

Zaghaft schielte Mahmoud zur Seite, zu dem Mann hinüber, der ihn ins Visier nahm. Er war nicht weit von ihm entfernt, zehn Meter. Langsam senkte der Mann seine Waffe, ohne Mahmoud aus den Augen zu lassen.

«*You're a dead man walking*», sagte er.

Dann verschwand er wieder hinter dem Hausgiebel.

Mahmouds Uhr zeigte kurz vor acht, als er durch die Dachluke erneut Stimmen von der Terrasse wahrnahm. Die Feuerwehr und die Polizei schienen immer noch das Hotel zu durchkämmen. Irgendwie war es ihm gelungen, sich durch die Luke in das unausgebaute Dachgeschoss des Hotels zu zwängen. Dort hatte er stundenlang reglos auf der unverkleideten Dämmschicht gehockt, geduldig darauf wartend, dass sie wieder verschwanden.

Jetzt aber war der Stress einem Gefühl von Rastlosigkeit gewichen. Er musste von hier weg. Musste wieder Kontrolle über die Situation gewinnen.

Mahmoud kroch eine Viertelstunde auf dem Holzboden des Dachgeschosses umher, bis er endlich eine Öffnung fand. Zu seiner unbeschreiblichen Erleichterung war sie unverschlossen. Mit einem kurzen, knarrenden Ruck bekam er die Luke auf und konnte sich in den Flur hinunterlassen, den er vor ein paar Stunden außer sich vor Angst entlanggerannt war. Eine Feuerleiter bei Zimmer 504 hatten sie gesagt. Das Zimmer lag am anderen Ende des Flurs. Vorsichtig legte er seine feuchte Handfläche auf die Tür, die sich wie von selbst öffnete, als er sie berührte. Die Amerikaner schienen das Schloss vollständig pulverisiert zu haben. Das Zimmer war leer und nahezu identisch mit seinem, der einzige Unterschied bestand darin, dass der Ausblick zur Gasse hinausging. Mahmoud trat ans Fenster und lugte vorsichtig zwischen den Gardinen hindurch. Tatsächlich, an der Fassade saß eine rostige Feuerleiter.

Leise öffnete Mahmoud das Fenster und schaute nach unten. Zu seinem Entsetzen sah er an der Hauswand einen schwarz gekleideten Mann auf dem Boden hocken. Er trug eine Maske über dem Kopf, zu seinen Füßen lag eine schwarze Nylontasche. Die Amerikaner waren also noch immer da.

Schnell schloss Mahmoud das Fenster wieder. Der Mann hatte ihn nicht gesehen, er schien damit beschäftigt gewesen zu sein, etwas auf seinem Handy zu lesen.

Mahmoud verließ das Zimmer und hielt schräg über den Flur auf die Nottreppe zu. Mit angehaltenem Atem schob er die Tür auf, aber das Treppenhaus war leer, kein Mucks zu hören. Hier schien niemand Wache zu halten.

Mit leisen Schritten ging er ins Erdgeschoss hinunter. Dort gab es zwei Türen, von denen eine zum Empfang zu führen schien. Mahmoud wagte es nicht, sie auszuprobieren, der Empfang wurde garantiert überwacht.

Also wandte er sich der anderen Tür zu, die noch dazu unverschlossen war. Bingo. Eine Treppe, die in die feuchte Dunkelheit hinabführte. Mahmoud drückte auf einen beleuchteten Lichtschalter, und die Kellertreppe und der Raum darunter wurden ins Licht getaucht. Die Stufen endeten in einem Flur, von dem links und rechts Türen abgingen, Kellerräume vermutlich. Mahmoud drückte die Klinke der ersten Tür herunter. Verschlossen. Die zweite ebenfalls.

Aber dann sah er zur Decke. Hoch oben, am Ende des Flurs, gab es ein Fenster, das auf Höhe der Straße liegen musste. Mahmoud lief dorthin und zog an den Fensterhaken. Es war nicht durch ein Schloss gesichert und ließ sich nach innen hochklappen. Er stellte sich auf die Zehenspitzen, um hinauszusehen.

Eine Straße. Ein paar Mülltonnen. Keine Amerikaner, sofern er es überblicken konnte. Vielleicht war das seine einzige Chance. Er stellte einen Fuß auf das Scharnier der Tür, die dem Fenster am nächsten war, suchte mit den Händen Halt am Fensterrahmen und zog sich hoch. Die Öffnung war gerade groß genug, dass er sich mit Kopf und Schultern hindurchschieben konnte. Zuerst zwängte er den Rucksack durch die Öffnung, dann kletterte er selbst hinterher. Es ging einfacher, als er gedacht hatte, sodass er sich plötzlich bäuchlings auf der Straße wiederfand.

Ohne aufzustehen, sah er sich verstohlen um. Bislang schien ihn niemand bemerkt zu haben. Er richtete sich auf, hockte im Schutz der Mülltonnen und versuchte sich schwer atmend ein Bild von der Lage zu machen. Niemand schien seine Flucht bemerkt zu haben. Er klopfte sich den Staub von der Kleidung, stand auf und ging ruhig zum Ende der Gasse. Als er die Straße erreicht hatte, blieb er stehen. Vorsichtig spähte er um die Ecke zum Hoteleingang. Nichts. Die Amerikaner hielten sich verborgen. Doch wenn sie die Feuerleiter überwachten, überwachten sie bestimmt auch den Eingang, egal, ob er sie nun sah oder nicht. Er wusste, dass er nur einen Häuserblock vom Boulevard Anspach entfernt war, und dahinter lag das Touristenviertel. Wenn es ihm gelang, dort hinzukommen, könnte er zwischen den Touristen und Einkaufslustigen untertauchen. Sein Überleben hing von einem fünfminütigen Sprint ab.

Er warf sich den Rucksack über, schnallte ihn sorgsam fest und versuchte sich zu sammeln. All seine Sinne waren geschärft. Er atmete tief durch und lief, so schnell er konnte, auf die Straße und entfernte sich rasch vom Hoteleingang. Nach etwa fünfzig Metern bog er links zum Boulevard Anspach ab.

Weit hinter sich vernahm er Stimmen. Flüche auf Englisch. Schnelle Schritte. Befehle. Mahmoud rannte schneller, als er es jemals getan hatte. Ohne sich umzudrehen, erreichte er den Boulevard. Er überquerte die Straße und ahnte mehr, als dass er es sah, wie die Autos abbremsten. Hupen und gereizte Rufe. Sich umzudrehen, wagte er nicht, er lief und lief. Fort vom Hotel, fort vom Boulevard Anspach. Nach einem weiteren minutenlangen Spurt über Kopfsteinpflaster erreichte er den glitzernden Grand Place, Brüssels flämisches Herz. Er blieb keuchend stehen und lehnte sich an eine Hausmauer.

Gerade wurde der Weihnachtsmarkt geöffnet, und der auffrischende Wind trug den Duft von Glühwein und Weihnachtsplätzchen zu ihm herüber. Vor dem Rathaus stand ein gigantischer Weihnachtsbaum, dessen Kugeln leise in der frostigen Brise klirrten. Erschöpft und gehetzt blickte Mahmoud über seine Schulter. Offenbar wurde er nicht mehr verfolgt.

Ein paar kleine hageähnliche Schneeflocken trafen seine Wangen, und er legte den Kopf in den Nacken, schloss die Augen und atmete tief durch. Er hatte überlebt. Als er die Augen wieder öffnete, ließ er den Blick über die Fassaden schweifen, die mit ihrem überbordenden Dekor aus Blattgold und Ornamentik beinahe absurd wirkten.

Wie lange würde das noch so weitergehen?

Es ist so schön. Die sanften Berge glänzen matt wie Rohseide in der Nachmittagssonne. Der Nebel, der über den Gipfeln liegt, der Himmel so hoch und hell, dass er fast weiß erscheint. Stumm singe ich ein Lied, dessen Namen ich nicht kenne, von einer Band, die vielleicht Dire Straits heißt. Ich weiß nichts über Musik, sie interessiert mich genauso wenig wie Fiktion. Aber diese Zeilen haben etwas Besonderes: *These mist covered mountains are a home now for me.* Dazu dieser warme tröstliche Gitarrenklang.

Hier riecht es nach nichts. Diese Landschaft ist von Düften bereinigt. Nur hin und wieder steigt der Dieselgestank vom leckenden Motor des Landcruisers auf. Oder der Duft von süßem schwarzen Tee, wenn wir unterwegs anhalten, um etwas zu essen. Die Mahlzeiten sind einfach: Brot, Joghurt, Nüsse, mitunter auch Lamm. Nahrung für Bauern und Soldaten. Kriegsrationen, obwohl wir an den Ständen am Wegrand auch Tomaten, Feigen und Granatäpfel sehen. Bisher war alles so leicht für sie. Bereiten sie sich schon auf das vor, was möglicherweise folgt?

Ich habe Schmerzen im ganzen Körper, akut spüre ich alles, was die altersschwache Federung des Wagens nicht mehr auszugleichen vermag, jedes Loch, jede Furche, jeden Stein. Wie viele Kilometer haben wir in diesem Auto schon zurückgelegt? Wie viele Kilometer bin ich schon in solchen Autos gefahren, auf ähnlichen Wegen, Maultierpfaden, Traktorspuren?

Es ist eine andere Zeit. Wir schmieden unsere immer kurzsichtigeren Allianzen jetzt hier draußen. Auf dem Feld. Dem wirklichen Feld, nicht dem metaphorischen. Teetasse um Teetasse bauen wir Vertrauen auf, nur um unsere Versprechen zu brechen, noch bevor sich der Teegeschmack von unseren Zungen verflüchtigt hat. Wir tarnen uns nicht länger. Nicht auf dieselbe Weise. Die Parameter wurden verändert. Es ist kein Nullsummenspiel mehr. Es geht nicht mehr allein darum, nicht zu verlieren. Wer hätte vor diesem unglaublichen Tag, an dem sie über die Mauer kletterten, gedacht, dass ein Sieg überhaupt möglich wäre? Gleichzeitig hat sich nichts verändert. Für mich geht es bei allem noch immer ums Überleben.

«Ich bin diese Scheißkarre so was von leid», sagt mein Kollege zu niemand Bestimmtem, aber abgesehen vom Dolmetscher bin ich der Einzige, der Englisch spricht.

So fängt er immer an. Versucht, einen Rahmen zu schaffen, an dem man sich orientieren kann. Das ist nichts Neues für mich. Ich kenne diese Sorte Männer.

«Was sagst du?», frage ich.

Obwohl ich es genau gehört habe. Ich schiele in seine Richtung. Er sitzt neben mir auf dem Rücksitz, in das abgewetzte Polster versunken, so zusammengekrümmt, dass es ihm schon heute Abend Rückenprobleme bescheren wird. Sein schütteres Haar, seine beginnende Glatze. Die breite, schlecht verheilte Narbe, die wie ein Stacheldraht vom Haaransatz hinunter bis zu seiner gelblich verfärbten linken Wange verläuft. Die Narbe, die sein Gesicht verzieht und strafft, die sein seltenes Lächeln asymmetrisch und unergründlich macht.

Eigentlich weiß ich nichts über ihn, außer dass er seinen mitgebrachten Jim Beam trank, bis die Flasche gestern geleert war und er zu einem terpentinartigen Gesöff übergehen musste, das er routiniert am Rand eines Marktes in Mosul kaufte. Es fehle ihm, im Fernsehen das *college football* zu verfolgen, sagt er.

Ich trinke nichts Starkes mehr, nur noch den schwarzen Tee. Wir trinken alle zu viel oder gar nichts. Mir fehlt die Monotonie des Schwimmens. Die Bahnen im Becken, der Duft des Chlors, der

Widerhall von den Kacheln. Mir fehlt es, wie die Muskeln sich vor Anstrengung anspannen, wie sie schmerzen.

«Ich habe gesagt, dass ich diese Scheißkarre so was von leid bin. Wir pumpen verdammt noch mal Unmengen Geld in diesen Krieg, aber niemand sorgt für anständige Autos. Typischer Pentagon-Bullshit, oder?»

Ich zucke die Achseln. Mich interessiert das Genörgel und Geschwätz nicht, das so typisch für Männer von seinem Schlag ist. Wir haben nicht darüber gesprochen, aber er ist ganz eindeutig ein ehemaliger Militär. Er hat nicht die verschlagene, tödliche Intelligenz eines *Navy Seals*, also war er vermutlich bei den *Special Forces*. Seine Perspektive ist abgestumpft, zielgerichtet, rücksichtslos. Er weiß nichts über den Nahen Osten, nichts über die Bedeutung des Teetrinkens, einfach nichts, abgesehen davon, wie man am schnellsten von A nach B gelangt. Ein Mann für Quadrate und gerade Linien, nicht geschaffen für die Inkonsequenz, die Frustration und die Geduld in diesem Dämmerland.

In der alten Welt – die vor weniger als einem Jahr unterging und an die wir uns kaum mehr erinnern – gehörte er zu denen, die nach mir kamen, die auf der Grundlage von Informationen handelten, die ich bereitstellte. In der alten Welt gehörten wir unterschiedlichen Arbeitsschritten an. Jetzt arbeiten wir Seite an Seite.

«Der Dolmetscher meint, dass wir in einer halben Stunde da sind», sage ich.

Ich lehne mich zurück und schließe die Augen. Lasse mich vom Rhythmus, dem holperigen Weg und den Erschütterungen in den Schlaf wiegen.

Es ist fast dunkel, als wir in die nächste Stadt hineinfahren. Sie sehen alle gleich aus. Grau, überall Steine, Kies, Wäsche, Ziegen. In der Dämmerung könnte es dieselbe Stadt sein, aus der wir kommen, dieselbe Stadt, in die wir morgen fahren. Ein paar Kinder rennen neben dem Auto her und rufen etwas, das ich weder höre noch verstehe. Wir sind auf Versprechungen und Waffen spezialisierte Handelsreisende und werden überall in diesem Land wie Helden begrüßt. Die Erwartungen sind hoch, und wir tun nichts, um sie zu dämpfen. Unsere Aufgabe besteht darin, die Leute zu begeistern.

«Sind wir da?», frage ich den Fahrer auf Arabisch.

Er nickt und biegt langsam auf eine Fläche ein, die man mit viel gutem Willen als staubigen Marktplatz bezeichnen könnte. Schmutzige Männer in Kaftanen und mit Turbanen versammeln sich vor einem der kleinen Steinhäuser um einen bunt gemischten Waffenberg. Sie verscheuchen die Kinder.

Mein Kollege schläft, ich rüttele ihn an der Schulter. Er ist sofort wach, als wäre er nie eingeschlafen.

«Wir sind da», sage ich.

«Was für ein elendes Kaff», erwidert er.

Wir springen aus dem Auto und werden von den Männern empfangen, wechseln Höflichkeitsfloskeln. Mein Kollege lächelt ironisch, als er sich verbeugt, spricht die Grußformeln jedoch perfekt aus. Er hat ein Gehör für Sprachen, aber nicht die Geduld. Die Beschatter würden ihn innerhalb von Sekunden enttarnen. Nuancen interessieren ihn nicht.

Im Haus, das kaum mehr als eine Hütte ist – Lehmboden, ein Kaminfeuer –, trinken wir die tausendste Tasse Tee, und ich lüge über die Absichten meines Landes. Meinen Kollegen interessiert das nicht, er will zum nächsten Teil übergehen. Er bittet um etwas Stärkeres, und unsere Gastgeber zaubern eine Flasche hervor, die anscheinend Whisky enthält, eine Marke, die ich noch nie gesehen habe. Sie sind im Siegestaumel. Ihre Blicke strahlen Unsterblichkeit aus. Genau jetzt, in diesem Augenblick, haben sie das erreicht, wofür sie seit tausend Jahren kämpfen. Sie kontrollieren die Grenzen ihres eigenen, erfundenen Landes. Vor einigen Tagen haben sie Mosul eingenommen, und sie können gar nicht aufhören, von ihrer Heldentat zu berichten, von der historischen Relevanz. Ich gratuliere ihnen wieder und wieder und erkläre, wie sehr ihr Mut uns beeindruckt. Ich verspreche Waffen. Unterstützung aus der Luft.

«Unterstützung aus der Luft?», fragen sie wie immer, offenbar ist die kurdische Formulierung nicht ganz eindeutig.

«Wir bomben Saddam den Arsch weg, wenn er sich hierherwagt», sagt mein Kollege, der es leid ist, dass ich immer dasselbe erkläre. «Übersetz das», befiehlt er in Richtung des Dolmetschers, der ihm gehorcht.

Unsere Gastgeber lachen, klopfen einander auf den Rücken und schenken noch mehr von dem dubiosen Whisky in die schmutzigen Teegläser ein.

Am Ende sind sie mit meinen Zusicherungen zufrieden. Sie wollen sich mit eigenen Augen der amerikanischen Unterstützung vergewissern, also führen wir sie hinaus zum Landcruiser.

«Granatwerfer», erklärt der Kollege. «Drei Stück. Damit blast ihr jeden Panzer weg.»

Die ehemaligen Bauern, jetzt Partisanen, Soldaten, Freiheitskämpfer, Legenden, beugen sich andächtig vor und nehmen die Waffen heraus. Lassen sie herumgehen.

«Um die Ausbildung kümmern wir uns später», sagt mein Kollege.

«Nicht nötig», entgegnen die Freiheitskämpfer, Legenden. «Wir können mit Waffen umgehen.»

Mein Kollege entwindet ihnen mit einem entschiedenen Griff die Granatwerfer und legt sie wieder in die Kiste.

«Um die Ausbildung kümmern wir uns später.»

«Dürfen wir die Munition sehen?», fragen die Soldaten.

Der Kollege öffnet die zweite Kiste und zeigt ihnen die Granaten. Zwanzig Stück, kaum genug für den morgigen Ausbildungstag.

«Ist das alles?», fragen die Partisanen.

«Das ist alles, was wir heute haben», antwortet er. «Aber wie ich schon sagte, im Laufe der Woche liefern wir mehr.»

Sie murren.

«Und was ist, wenn die Iraker vor euch kommen?»

«Dann bomben wir ihnen die Ärsche weg», sagt mein Kollege und wendet sich dem Dolmetscher zu. «Übersetz das.»

Die Bauern lachen, schütteln die Köpfe.

In der letzten Kiste befindet sich zusätzliche Munition für ihre russischen Waffen. Sie sind enttäuscht. Sie hatten sich mehr erhofft. Die Glut in ihren Augen leuchtet weniger intensiv. Aber sie leuchtet.

Die Partisanen-Bauern tuscheln miteinander. Das Waffentraining ist absolviert. Das späte Nachtmahl verspeist. Der Tee wurde gegen Flaschen getauscht, die denen meines Kollegen ähneln. Die Männer sind erregt, eifrig. Ich sehe, wie die Bewegungen meines Kollegen langsamer werden, seine Gesichtsmuskulatur schlaffer. Seit wir hier sind, hat er ununterbrochen getrunken.

Der Dolmetscher zuckt mit den Schultern. «Anscheinend wollen sie euch irgendetwas zeigen. Ich weiß nicht, was.»

Schließlich sind sie sich einig, sie nehmen uns an der Hand. Betrunken. Die Enttäuschung über die Granatwerfer ist offenbar vorübergehend verflogen. Wieder sind sie Soldaten, Freiheitskämpfer. Sie führen uns durch die Stadt. Über mondbeschienenen Schotter und Fels, durch Dunkel und Silber, bis zu einer weiteren Ansammlung kleiner, niedriger Hütten. Ziegengestank. Vielleicht dienen diese Häuser als Vorratskammern oder Ställe. Vor einem dieser Gebäude steht eine bärtige Legende, ein Partisan. Ein russisches Maschinengewehr hängt von seiner Schulter herab, in seinem Mundwinkel eine kaum noch glimmende Zigarette.

Er lässt sie in den Schotter fallen, tritt sie aus, öffnet die schiefe Holztür, um uns hineinzulassen. Die Taschenlampenkegel der Männer hüpfen und wackeln dort in der Dunkelheit, das erschwert die Sicht. Der Gestank ist unerträglich. Nach Tier und etwas anderem, Bittererem. Schließlich richten sich die Lichter auf einen Haufen Säcke in einer Ecke, so weit von der Tür entfernt wie möglich. Drei der Männer gehen auf die Säcke zu und treten dagegen, zerren an ihnen, schreien sie an.

Die Säcke bewegen und krümmen sich, jammern. Die Männer packen sie, entleeren ihren Inhalt auf den schmutzigen Betonboden. Es sind zwei schreckerfüllte Jungen, kaum erwachsen, mit übel zugerichteten Gesichtern, zerfetzten, ausgebeulten Uniformen. Zwei panische irakische Jungen.

Die Legenden lachen und bespucken die Jungen. Beschimpfen sie auf Arabisch. Der Dolmetscher wendet sich zu uns, zuckt mit den Schultern.

«Sie sagen, dass die Gefangenen sich weigern, irgendetwas preiszugeben. Sie behaupten, sie wären nur Infanteristen.»

Ich schüttele den Kopf. «Weil sie nur Infanteristen sind. Was sollten sie schon preisgeben?»

Im Augenwinkel sehe ich meinen Kollegen aus der Tür verschwinden. Am Toyota hole ich ihn ein. Er schraubt an irgendetwas herum, die Motorhaube steht offen. Starthilfekabel hängen um seinen Hals.

«Was zum Teufel machst du da?»

Er antwortet nicht. Packt den Motor mit beiden Händen, bis er die Batterie zu fassen bekommt, und hebt sie heraus. Stellt sie in den Schotter.

«Hau dadrauf», lallt er.

«Warum?», frage ich. Obwohl ich es weiß.

«Sei kein Trottel», sagt er.

Er sieht mir in die Augen. Ein neuer Glanz. Ein Anflug von reinem Sadismus. Er fuchtelt mit den Starthilfekabeln.

«220 Volt direkt in den Schwanz, das wird die Zungen unserer irakischen Freunde schon lockern.»

Ich spüre, wie mein Mund trocken wird und mein Kopf dröhnt. «Wie verdammt besoffen bist du eigentlich?», frage ich. «Das sind doch nur ein paar kleine Infanteristen, die beim Rückzug von Mosul den Anschluss verloren haben.»

«Wenn du nicht mithelfen willst, kannst du ja hier beim Auto warten», sagt er und streckt sich erneut nach der Batterie.

Die Panik, die mich beschleicht. Die Kontrolle, die mich verlässt, tropfenweise wie leckendes Öl. Ich sehe seinen verschwommenen Blick. Es gibt kein Argument, das greifen würde.

Ich ziehe die Glock aus dem Holster. Spüre ihre Schwere in meiner Hand. Klagerufe aus den Ställen. Laute Stimmen. Schläge. Wo steckt der verfluchte Dolmetscher? Und wo ist der Fahrer?

«Ich gebe dir noch eine Chance, diese beschissene Batterie wieder zurückzulegen», sage ich.

Er dreht den Kopf in meine Richtung. Schüttelt ihn. Spuckt mir vor die Füße.

«Du bist ja eine richtig miese Fotze», sagte er. «Genau wie deine kleine Hure in Damaskus.»

Ich treffe ihn mit dem Pistolenlauf direkt über dem Nasenbein. Höre das Krachen von Knochen und Knorpel. Sehe, wie das Blut auf den Schotter pulsiert. Noch bevor er mit den Händen sein zerschlagenes Gesicht bedecken kann, sitze ich auf seiner Brust.

«Was sagst du da?», frage ich. «Was weißt du über Damaskus?»

Der Geschmack von Metall und Endorphinen in meinem Mund.

Ich presse die Glock gegen sein linkes Auge, zwinge seinen Hinterkopf auf den kiesigen, blutbesudelten Boden.

«Man hat deine kleine Hure kaltgemacht», zischt er. «Hat sie in Stücke gesprengt ...»

«Halt die Fresse!», schreie ich.

Presse die Pistole fester gegen sein Auge. Dann werde ich von hinten hochgezogen und weggezerrt. Hände umklammern die meinen. Die Glock wird mir entwunden. Ich sehe, wie die Bauern sich über meinen Kollegen beugen, wie sie auch ihn hochhieven. Ihn aufrecht halten, von mir wegdrehen.

Er spuckt Blut, schnieft und schüttelt sich. Zischt erneut: «Die Bombe galt dir. Das weißt du auch, du alte Schwuchtel.»

Am frühen Morgen fahren wir aus der Stadt hinaus. Es nieselt. Wir lassen drei Granatwerfer, etwa zwanzig Granaten, die keinem Panzer etwas anhaben können, ein paar runde Kalaschnikow-Patronen und zwei gefolterte junge Iraker hinter uns. Wir lassen den gestrigen Tag hinter uns. Das Blut im Schotter. Gesagtes und Ungesagtes. Es gibt nie eine andere Alternative, als weiterzumachen.

Ich drehe mich um. Auf dem Rücksitz schläft der Kollege bereits. Ein provisorischer Verband und der Alkoholgestank sind alles, was an den gestrigen Tag erinnert. Doch mein Kopf will nicht zur Ruhe kommen. Ich denke an die Gerüchte und das Gerede. Das, was der Iraker auf der Fähre in Stockholm nicht erzählen wollte. Das, was ich nicht von ihm hören wollte.

Ich denke an die weit aufgerissenen Augen des Kindes und wie ich es allein zurückließ. Dass sich nichts jemals wiedergutmachen lässt. Ich denke an die Hausdächer von Beirut. An die Hitze und den Widerstand des Abzugs. Ich denke an all das, worauf wir uns verlassen müssen, damit die Welt nicht untergeht. Die wechselnden Allianzen. Ich denke an die Skizzen des Untergangs, die ich ihm an diesem eisig kalten Abend übergab, während sich die Weihnachtsdekoration im Wasser spiegelte und in seiner Sonnenbrille. Ein Teil der Übereinkunft, die nun auf den Kopf gestellt wurde.

Ich denke daran, dass die Bauern, die wir gerade verlassen haben, exekutiert werden, sobald Saddam Hussein Richtung Norden zieht. Dass wir nie tun, was wir sagen. Nie halten, was wir versprechen. Wir am Ende immer die opfern, von denen wir uns einreden, wir würden sie retten.

Wie zum Teufel hatten sie ihn erneut aufgespürt? Diese Frage kreiste unentwegt in Mahmouds Kopf, seit er, immer noch zittrig nach der nächtlichen Nahtoderfahrung, in die U-Bahn geflohen war. Wie konnte das sein? Konnten sie ihm schon seit gestern gefolgt sein? Zum Zentralafrika-Museum und danach zum Hotel? Wenn sie ihn verfolgt hatten, mussten sie unsichtbar gewesen sein. Und soweit er wusste, kursierte sein Bild auch nicht in den belgischen Medien. Er war nicht ins Internet gegangen, hatte nicht telefoniert. Das konnte doch nicht sein!

In einem Kiosk am Gare de Bruxelles-Centrale kaufte Mahmoud sich eine Cola und eine steinharte Pizzapirogge, die mit einem undefinierbaren klebrigen Zeug gefüllt war, und ging zum Bahnsteig hinunter. Dieser ständige Stress und dieser Verfolgungswahn. Es kam ihm vor, als stünde er auf einer Bühne und alle würden ihn ansehen. Als warteten sie nur auf eine Gelegenheit, um zuzuschlagen.

Er konnte so nicht weitermachen. Außer sich versteckt zu halten, hatte er kein Ziel, keine Richtung. Er war vollkommen passiv, reaktiv statt aktiv.

Viel antriebsloser als jetzt konnte er kaum sein. Etwas musste sich ändern. Er setzte sich auf eine Bank und wartete auf den nächsten Zug, seine Beine zuckten und zitterten vor Nervosität. Neben sich hörte er einen Mann im Anzug auf Englisch darüber fluchen, dass er keinen Handyempfang hatte.

Mahmoud erstarrte. Er konnte nicht begreifen, dass er nicht schon eher darauf gekommen war.

Mit neuer Energie warf er die Reste seiner kümmerlichen Mahlzeit in den nächsten Mülleimer, lief die Treppen hoch und zurück durch den nach Urin stinkenden Tunnel, durch den er gerade erst gekommen war. Dann folgte er den rostigen Schildern zu den Toiletten im Keller des Hauptbahnhofs.

Er gab der gestrengen Frau an der Tür dreißig Cent. Die Münzen klirrten auf dem alten Porzellanteller auf ihrem Klapptisch. In der Herrentoilette waren die Kabinen leer und erstaunlich sauber. Er entschied sich für die erste, verschloss die Tür hinter sich, klappte den Toilettendeckel herunter und leerte den Inhalt des Rucksacks darauf aus. Pass, Brieftasche, die Handys und Akkus, die PowerPoint-Präsentation und das Vortragsprogramm. Unterhosen und Strümpfe. Ein Hemd und ein T-Shirt. Die Taschenbuchausgabe von Philippe Sands' *Torture Team*, über der er im Flugzeug eingeschlafen war. Und Lindmans Brieftasche. Er ging sie rasch durch. Eine American-Express-Karte, eine Visa- Karte, noch nicht einmal die goldene. Zweihundert Euro in Zwanzig-Euro-Scheinen. Ein Führerschein und die Quittung von einer Gepäckstation in Paris. Mahmoud stutzte. Nahm die Quittung erneut in die Hand, drehte sie um. Lindman hatte gesagt, dass er etwas in Paris versteckt hätte. Gab es einen besseren Ort dafür als die Schließfächer? Es war vielleicht einen Versuch wert. Mahmoud steckte die Quittung in seine Brieftasche und durchwühlte weiter sein Eigentum, ohne genau zu wissen, wonach er suchte. Was auch immer es war, es schien sich nicht unter seinen Sachen zu befinden. Er tastete die Taschen seines Rucksacks und seiner Kleidung ab. Nichts. Zuletzt stülpte er den Nylonrucksack um.

Und dort, ganz unten in der linken Ecke, war etwas mit schwarzem Klebeband befestigt.

Aufgeregt riss er das Klebeband ab und hielt das Objekt ins kalte Licht der Neonröhren. Es sah aus wie eine Hightech-Zündholzschachtel, umschlossen von Hartplastik. Er drehte und wendete sie. Das konnte alles Mögliche sein, aber für Mahmoud gab es keinen Zweifel – es war ein GPS-Sender. So hatten sie ihn also gefunden!

Und was noch schlimmer war: So hatten sie auch Lindman gefunden. Noch immer mit dem Sender in der Hand, musste sich Mahmoud auf den Kachelboden setzen. Er hatte die Amerikaner geradewegs zu Lindman geführt. Wie viele Manöver er auch vollführt hatte, um sie abzuschütteln, es hatte nichts genützt. Der Gedanke verursachte ihm Übelkeit. Lindmans Tod war seine Schuld, sein Fehler. Wie hatte er so naiv sein können? Er hatte die ganze Sache nicht ernst genug genommen. Obwohl es Anzeichen dafür gegeben hatte, dass er beschattet wurde, hatte er sich die Konsequenzen nicht klar bewusst gemacht. Doch in diesem Moment konnte er es sich nicht erlauben, seiner Angst und dem Zorn freien Lauf zu lassen.

Mühsam rappelte er sich wieder auf und raffte seine Sachen zusammen. Die beiden Handys warf er mitsamt den Akkus in den kleinen Abfalleimer. Das Risiko einzugehen, dass sie geortet wurden, war zu groß. Einen Moment erwog er, den Sender ebenfalls hineinzuschmeißen, überlegte es sich dann aber anders und steckte ihn in die Hosentasche. Die restlichen Sachen stopfte er wieder in den Rucksack zurück und verließ die Toilette.

Auf dem Weg durch den Hauptbahnhof dachte er darüber nach, wie es ihnen wohl gelungen war, den Sender in seinem Rucksack zu verstecken. Er hatte ihn weder am Flughafen eingecheckt noch aus den Augen gelassen. Abgesehen von dem Moment, als er ihm auf dem Bahnhof im Flughafen von der Schulter gerutscht war. Die hübsche junge Frau mit den grünen Augen. Konnte das sein? Warum nicht? Warum sollte eine attraktive Frau keine Verbrecherin sein? Er schüttelte den Kopf. Was für ein armseliger Idiot er gewesen war!

Mahmoud folgte den Hinweisschildern zur Bushaltestelle und

sprang rasch durch die aufklappenden Türen des ersten Busses, der angefahren kam. Nachdem er sich auf einen freien Platz nahe der hinteren Tür gesetzt hatte, befestigte er den Sender mit Hilfe des Klebebands unter dem Sitz. Als er sich vergewissert hatte, dass er auch wirklich fest saß, sprang er im letzten Moment, bevor sich die Türen schlossen, wieder aus dem Bus. Wohin er fuhr, wusste Mahmoud nicht, aber der Sender würde seine Verfolger zumindest eine Weile auf Trab halten.

Und was ihn selbst betraf, so war es an der Zeit, wieder die Initiative zu ergreifen.

20. Dezember 2013
Brüssel, Belgien

Niemand konnte ohne besondere Einladung das Europaparlament betreten, es sei denn, er besaß eine spezielle Karte – einen *badge*, wie man in Brüssel sagte. Alle EU-Beamten besaßen einen, genau wie gewisse Lobbyisten permanent gültige Karten hatten. Georges Lobbyisten-Badge erlaubte ihm den Zutritt zum Parlament werktags zwischen acht Uhr morgens und achtzehn Uhr abends.

Um zwei Minuten vor acht stand er an der obligatorischen Sicherheitskontrolle und wartete, bis seine Tasche durchleuchtet worden war. Er war blass. Der kalte Schweiß stand ihm auf der Stirn. Unter den Augen hatte er so dunkle Ringe wie der Verlierer eines Boxkampfs. Und genau so fühlte er sich auch. Seit er in der Nacht von Reiper zurückgekehrt war, hatte er kein Auge zugetan. Hellwach hatte er auf dem Rücken im Bett gelegen und die Situation wieder und wieder gedreht und gewendet, ohne einen Ausweg zu finden. Wenn er Reipers Auftrag verweigerte, würde es für ihn das Aus bedeuten. Er würde von Merchant & Taylor gefeuert werden. Und käme ins Gefängnis.

Es gab ganz einfach keine Alternative.

Andererseits würde er sich gleich mehrfach strafbar machen, wenn er tat, worum Reiper ihn bat. Und Reiper würde noch mehr gegen ihn in der Hand haben. Wirklich kein verlockender Gedanke. Wo sollte das alles hinführen? Er musste den Tatsachen ins Auge sehen: Digital Solutions, wer auch immer dahintersteckte, hatte die Macht über ihn.

Gegen halb sechs hatte er den Versuch zu schlafen aufgegeben und war aus dem Bett gestiegen, um zu duschen und sich anzuziehen. Wahrscheinlich war die einzige Chance, um seinen Auftrag auszuführen, ein Einbruch in Klaras Büro, ehe sie dort eintraf.

Josh hatte ihm irgendeinen elektronischen Spezialdietrich gegeben, der angeblich auch die verschlossenen Türen im Parlament im Handumdrehen öffnete, ohne das Schloss zu zerstören.

«You can't go wrong, buddy. It's a catwalk», hatte er gesagt und George zu einem High Five gezwungen, während er sein blitzweißes Sportlerlächeln aufsetzte, das ebenso aufmunternd wie höhnisch wirkte.

Natürlich hatte George wie alle anderen Jungen früher davon geträumt, Spion zu werden. In verschlossene Büros einzubrechen, um an geheime Informationen zu kommen und gleichzeitig den scharfen Bräuten zu imponieren. Geheime Übergaben in düsteren Parks. Beschatten und beschattet werden. Aber diese Sache hier erschien ihm einfach nur abscheulich. Als wäre er ein kleiner Einbrecher. So plump. So armselig. Und noch dazu hatte er eine Heidenangst. Was sollte er tun, wenn Klara schon dort war? Wenn sie ihn in ihrem Büro ertappte? Oder noch schlimmer, auf welche Ideen würde Reiper kommen, wenn er versagte?

Normalerweise waren die Referenten nicht vor halb neun im Büro. Besprechungen und Telefonate wurden im Parlament üblicherweise erst ab neun geführt. Wenn er seinen Auftrag in Klaras Büro bis zwanzig nach acht erledigt hatte, sollte er auf der sicheren Seite sein. Hoffte er. Er spürte, wie er unter den Achseln schwitzte. Ekelhaft.

Bevor er von zu Hause aufgebrochen war, hatte er einen Grundriss auf der Homepage des Parlaments studiert, um genau zu wissen, wo die Büros von Klara und Boman lagen. Aus Erfahrung wusste er, dass alle Büros vom Flur aus erreichbar, aber auch durch Zwischentüren miteinander verbunden waren.

Er hob seine Tasche vom Band und ging auf die Aufzüge zu, um zur kleinen Domäne der schwedischen Sozialdemokraten im fünfzehnten Stock hinaufzufahren.

Genau wie George gehofft hatte, war der Korridor leer. Er hörte nur seine eigenen gedämpften Schritte auf dem hellblauen Teppich. Klaras und Bomans Büroräume lagen am anderen Ende des Gangs.

Während er sich umsah, steckte er die Hand in die Tasche und zog das elektrische Werkzeug heraus, das Josh ihm gegeben hatte. Es sah aus wie ein kleiner Rasierapparat. Mit einem einfachen Handgriff befestigte er ein langes, schmales Metallstück am Gerät und drückte hastig auf den Einschaltknopf. Es surrte, genau wie heute Nacht, als Josh es ihm gezeigt hatte.

Georges Hände zitterten, das Hemd klebte an seinem Rücken. Er warf erneut einen Blick über die Schulter und holte ein Tütchen Kokain aus der Tasche. Nur eine kleine, feine Line. Um das durchzustehen.

Ziemlich abgewrackt, schon morgens damit anzufangen, aber dies war ein Notfall. Nichts lief nach Plan. Wären nicht Reiper und all dieser ganze Mist, würde er nie morgens eine Line durchziehen. Niemals. Aber unter diesen Umständen? Dies war wirklich ein Notfall. Er schüttete ein wenig von dem kreideweißen Pulver auf seine Platinum Card. Machte sich nicht die Mühe, eine gerade Linie zu formen, sondern hielt sich nur das linke Nasenloch zu und zog mit dem anderen das Pulver ein. Seine Synapsen reagierten sofort. Der Körper erwachte zu neuem Leben. Er sah klarer. War zielgerichteter, konzentrierter. Er schloss die Augen und schüttelte den Kopf, ehe er sich die Nasenlöcher mit Daumen und Zeigefinger säuberte. Irgendwie würde er diese Scheiße schon hinkriegen. Also los!

George sah auf die Uhr. Sieben Minuten nach acht. Nach seinen Berechnungen hatte er noch dreizehn Minuten Zeit. Er musste sich ranhalten. Rasch holte er das dünne, längliche Metallstück mit dem kleinen Haken am Ende hervor. Ohne zu zögern, schob er es in das Schloss von Klaras Bürotür, um einen Teil des Kolbens zu fixieren und den Dietrich direkt daneben einzuführen. Dann drückte er erneut den Einschaltknopf und zog den Dietrich über die kleinen Zacken im Schloss.

Es dauerte nicht einmal zwanzig Sekunden, schon hatte er sein erstes Schloss geknackt. Das Herz raste in seiner Brust. Er holte tief Luft und öffnete die Tür zu Klaras Büro. Dann schlüpfte er hinein und verriegelte die Tür von innen. Würde nun jemand die Tür aufsperren, hätte er genug Zeit, um durch die Verbindungstür in Bomans Büro zu flüchten. Klaras Arbeitszimmer unterschied sich nicht von denen der anderen Referenten in Brüssel. Seit er in der Stadt war, hatte George einige davon gesehen. Streng genommen war dieses Büro besser als die meisten, weil es so weit oben lag und noch dazu an einer Ecke. Die Aussicht war phantastisch. Aber er hatte jetzt wirklich keine Zeit, um sie zu bewundern.

Klaras kleiner aluminiumfarbener Laptop stand mitten auf dem Schreibtisch. Bingo. Er befand sich noch im Standby-Modus, und George öffnete den Bildschirm, um ihn zum Leben zu erwecken. Noch zehn Minuten. Als der Computer wieder lief, steckte George den USB-Stick in den Zugang und klickte auf das Symbol, das auf dem Bildschirm auftauchte. Er zog das Icon des Programms von dem Stick und legte es auf dem Desktop des Computers ab. Alles andere erledigte das Programm von selbst. Josh hatte es ihm letzte Nacht bestimmt zehnmal hintereinander vorgeführt. Der Vorgang würde eine knappe Minute dauern. Währenddessen befestigte George die kleine Plastikkapsel so weit hinten wie möglich unter dem Schreibtisch. Sie war oben mit einer Art Klebeband versehen und blieb problemlos haften. George wiederholte dieses Manöver in Bomans Büro und ging wieder zurück, um zu sehen, ob sich das Programm bei Klara installiert hatte.

Als er sich gerade vor den Computer gesetzt hatte, um den Stick wieder herauszuziehen, hörte er einen Schlüssel im Schloss. Wie zur Hölle war das möglich? Die Referenten waren doch nie so früh hier. Er riss den USB-Stick aus der Buchse und klappte hastig den Deckel des Laptops zu, um ihn wieder in den Ruhezustand zu versetzen. Mit langen Schritten hastete er in Bomans Büro. In dem Moment, als er die Tür zuschob, sah er, wie sich die Tür von Klaras Büro öffnete, und er nahm einen dezenten Parfümduft wahr. Seine Beine zitterten. Durch die dünne Wand hindurch hörte er, wie Klara in dem anderen Raum hin und her ging. Ihr Telefon klingelte.

«Hallo, Eva-Karin», hörte er sie sagen. «Ja, ich bin jetzt hier. Klar kann ich dir das ausdrucken. Okay, dann sehen wir uns gleich.»

So ein Mist, Boman war auch schon auf dem Weg hierher! George wollte lautlos zur Tür schleichen, wagte es jedoch nicht. Wie angewurzelt blieb er an der Wand stehen und versuchte, wieder die Kontrolle über seinen Körper zu erlangen. Schließlich riss er sich zusammen. Leise glitt er zur Tür und öffnete vorsichtig das Schloss. Es ertönte ein Klicken, das George wie ein hallender Schuss vorkam. Doch er hatte keine Zeit zu verlieren. Zum Glück war hier alles neu, und die Scharniere quietschten nicht. Er schob die Tür gerade so weit auf, dass er sich hinauszwängen konnte. Es gab keine Möglichkeit, sie wieder abzuschließen. Sie mussten ganz einfach annehmen, dass die Putzkolonne es in der Nacht vergessen hatte. George hastete den Gang hinunter. Die ganze Zeit über erwartete er, dass hinter ihm Klaras Tür geöffnet würde. Aber das geschah nicht. Endlich stand er vor den Aufzügen und drückte wie ein Besessener auf die Knöpfe. Schließlich ertönte am hinteren Fahrstuhl ein «Pling», und die Türen glitten auf. In seinem Eifer, endlich in den Aufzug zu gelangen, rannte George direkt in Eva-Karin Boman hinein.

«*Sorry, I am so sorry*», murmelte er in panischem Englisch und mit abgewandtem Gesicht. Eva-Karin schien ihn hingegen gar nicht zu beachten.

Drei Minuten später saß George auf der Treppe neben dem Haupteingang, den Kopf zwischen den Knien, und versuchte, wieder normal zu atmen. Wie der letzte Penner, dachte er. Was mache ich hier eigentlich? Was zum Henker mache ich nur? Seine linke Hand kramte in der Hosentasche nach dem Kokaintütchen. Wenn er sich nach diesem Morgen keine Line verdient hatte, wann dann?

20. Dezember 2013
Stockholm, Schweden

Gabriella Seichelman eilte durch die Empfangshalle des Stockholmer Verwaltungsgerichts im Tegeluddsvägen. Ihr Blick wanderte zu den Anzeigetafeln, die angaben, in welchem Raum die mündliche Verhandlung stattfinden sollte. Bis zu deren Beginn blieben ihr noch fünfundzwanzig Minuten, und gestern hatte sie ihren Klienten Joseph Mbila bis sechs Uhr abends dafür gerüstet. Es sollte alles glattgehen.

Aber normalerweise kam sie nicht so spät, wenn sie vor Gericht sprechen sollte, sondern sorgte dafür, mindestens eine halbe Stunde vor Verhandlungsbeginn mit einer Tasse Tee in einem freien Besprechungszimmer Zeit für sich zu haben. Das hatte sie sich zur Gewohnheit gemacht und hielt sich nahezu abergläubisch daran. Meistens kannte sie die Akten mehr oder weniger auswendig, wenn es schließlich zur mündlichen Verhandlung kam. Aber diese halbe Stunde vorher brauchte sie, um sich zu sammeln. So ließ sie den Alltag hinter sich und schöpfte neue Kraft.

Gabriella war eine Meisterin darin, Dinge auszublenden. Sie wusste, dass sie noch härter arbeitete als die anderen Workaholics der prestigeträchtigen Anwaltskanzlei Lindblad und Wiman. Niemand widmete sich den Klienten hingebungsvoller als sie, niemand schlug sich länger die Nächte um die Ohren, niemand war vor ihr im Büro. Viele neidvolle Blicke waren ihr zugeworfen worden, als sie rascher als sämtliche älteren Kollegen in die Anwaltskammer aufgenommen worden war. Sie erklomm die Karriereleiter in rasantem Tempo.

Und allmählich hasste sie es. Allmählich, anfangs fast unmerklich, war sie zu einer der Tussis geworden, die Klara und sie während ihres Jurastudiums immer verachtet hatten – eine Karrieristin. Eine Streberin, die nichts anderes mehr kannte als die Arbeit. Wann hatte sie zuletzt Urlaub gemacht, war ausgegangen und hatte die ganze Nacht gefeiert oder mit einem Typen geknutscht? Wann hatte sie zuletzt etwas anderes als diese nagende Angst verspürt, nicht genügend die Akten studiert, ihr Plädoyer nicht scharfsichtig genug formuliert, nicht ausreichend Zeit für die Rettung eines Klienten aufgebracht zu haben? Wann hatte sie zuletzt eine der Platten angehört, die ihr einst alles bedeutet hatten und jetzt im hintersten Winkel ihres Kleiderschranks ihr Dasein fristeten, unter Papierbergen begraben, die mit jedem Tag wuchsen?

In letzter Zeit hatte sie es immer stärker verspürt: das Gefühl, von Wänden eingeschlossen zu werden, ein Gefühl der Leere, das hinter den Papierstapeln lauerte, die sie turmhoch umgaben. Die unendliche Sinnlosigkeit von all dem.

Diese Einsicht hatte sie zu Tode erschreckt, sodass sie sich Hals über Kopf in die nächste Achtzig-Stunden-Woche stürzte, das nächste Ziel, den nächsten Klienten anvisierend. Sie redete sich ein, dass es nötig sei. Dass ihre Klienten sie brauchten. Dass alles gemächlicher zugehen würde, sowie sie erst einmal Teilhaberin der Kanzlei wäre.

Hinter dem verglasten Empfangstresen standen ein roter Weihnachtsstern und ein elektrischer Kerzenleuchter. Am Dienstag war Heiligabend. Herrgott, den ganzen Herbst hatte sie nur bei Gerichtsverhandlungen, in Polizeipräsidien und Behörden zugebracht. Und in ihrem Büro, vor allem in ihrem Büro. Als sie den Empfangstresen beinahe erreicht hatte, hörte sie eine Stimme hinter sich.

«Gabriella Seichelman?»

Sie blieb stehen, wollte sich etwas zu hastig umdrehen und glitt auf dem grauen Steinboden aus. Jemand streckte eine Hand aus, um sie zu stützen.

«Hoppla, Sie sind ganz schön flink, das muss man Ihnen lassen», sagte die Stimme.

Gabriella wandte sich um und lächelte gezwungen. Gegen ihren Willen errötete sie. Die Stimme gehörte einem Mann in den Fünfzigern. Mit grauen kurzgeschnittenen Haaren unter einer schwarzen Mütze, verschlissenen, etwas zu weit hochgezogenen Jeans, einem Dressman-Hemd und einer abgetragenen kurzen Lederjacke. Zweifellos ein Polizist in Zivil. Wenn Gabriella ein Gespür für etwas hatte, dann dafür.

Bevor sie etwas sagen konnte, hielt er ihr seine Dienstmarke hin.

«Mein Name ist Anton Bronzelius, ich komme von der Säpo», sagte er.

«Aha?», antwortete Gabriella und verspürte einen Anflug von Stress. Sie hatte keine Zeit für so etwas, nicht die geringste.

«Haben Sie einen Moment?», fragte er. «Oder besser gesagt, ich weiß, dass Sie noch ...» Er warf einen Blick auf die Plastikuhr an seinem Handgelenk. «Ich weiß, dass Sie bis zur Verhandlung noch zwanzig Minuten Zeit haben. Und ich habe mir erlaubt, ein Besprechungszimmer für uns zu reservieren.»

Gabriella sah auf die Uhr ihres Smartphones. Noch knapp zwanzig Minuten bis zum Beginn der Verhandlung. Natürlich, Joseph war gut vorbereitet, er erwartete sie frühestens in einer Viertelstunde. Ihre Beine unter dem Tisch zitterten, sie spielte mit dem Telefon. Mist, so sollte es auf keinen Fall sein.

Bronzelius vergeudete immerhin keine Zeit. Kaum hatten sie das Zimmer betreten, hatte er zwei Boulevardzeitungen auf den weiß gestrichenen Tisch gepfeffert. Die Räume hier waren alle weiß. Gabriella hatte das Gefühl, mehr Zeit in solchen Räumen als in ihrer ebenfalls weiß gestrichenen Wohnung in der Vasastan verbracht zu haben.

Die Schlagzeilen waren nahezu identisch. Verschiedene Versionen von SCHWEDE IN BRÜSSEL WEGEN MORDES GEJAGT. *Expressen* hatte sie um das Wort TERRORIST ergänzt. *Aftonbladet* setzte auf ELITESOLDAT. Was sind das doch für Schwachköpfe beim *Aftonbladet*, dachte Gabriella. Ein gejagter Elitesoldat verkaufte sich natürlich besser als eine weitere öde Terroristen-Story.

«Haben Sie davon gehört?», begann Bronzelius.

«Ja, ich lese schließlich Zeitung, das ließ sich also nicht vermeiden», erwiderte Gabriella. «Aber das ist auch schon alles. Ich habe die Schlagzeilen heute Morgen im Internet gelesen, mehr nicht.»

Bronzelius nickte still. Dieser Mann hatte etwas an sich, etwas Aufrichtiges. Ein selbstsicheres Auftreten, wie es Polizisten an sich hatten. Gabriella beruhigte sich wieder.

«Was ich jetzt sage, bleibt unter uns. Es unterliegt der höchsten Geheimhaltungsstufe. Sie sind Anwältin. Sie wissen, was das heißt.»

«Ja, was das bedeutet, ist mir bekannt.»

Sie lächelte schwach. Bronzelius wirkte ernst.

«Bei dem Terroristen – beziehungsweise dem Elitesoldaten, je nachdem, welche Zeitung Sie lesen – handelt es sich um Mahmoud Shammosh.»

20. Dezember 2013
Brüssel, Belgien

In ihrem Arbeitszimmer im fünfzehnten Stock des EU-Gebäudes klappte Klara die Rückenlehne ihres Schreibtischstuhls zurück und vollführte eine halbe Umdrehung, sodass sie in der sagenhaften Aussicht über Brüssel versinken konnte. Um den summenden Rechner vergessen zu können, die Notizen von der Besprechung mit Eva-Karin. Es war ein eiskalter Morgen, und der Himmel draußen war hellblau. Weiß und reglos hing der Rauch über den Schornsteinen der Häuser. Die Sonne strahlte so intensiv, dass Klara den Blick wieder abwandte. Sie ertrug die gleißenden Reflexionen der EU-Gebäude nicht, deren Konturen mit einem Mal so scharf hervortraten, dass ihr die Augen schmerzten.

Heute war ein Tag, an dem es ihr so vorkam, als geschähe alles zum ersten Mal. Als hätte sich die Erde um ein paar Grad auf ihrer Achse verschoben und das Universum sich ausgedehnt oder zusammengezogen. Als steckte sie im Körper einer anderen, mit Erfahrungswerten, an die sie keine Erinnerungen hatte. Vielleicht ging es einem als Teenager ähnlich? Sie schloss die Augen und strich sich so etwas wie eine Träne aus dem Augenwinkel.

Nachdem sie den Bilderrahmen umgedreht hatte, hatte sie reglos dagesessen und geradeaus, an Cyrils schneeweiße Wand, gestarrt. Hatte tief Luft geholt. Daran gedacht, was ihr Großvater immer zu sagen pflegte: «Uns von der rauen Küste wirft so leicht nichts um.»

Uns wirft so leicht nichts um.

Langsam hatte sie den Blick gesenkt und sich das Schwarzweißfoto genauer angesehen.

Sie sahen gut aus, alle drei. Das kleine Mädchen war etwa drei Jahre alt. Sie wirkte glücklich, wie sie so auf Cyrils nackten Schultern saß. Ihre langen dicken Haare fielen über seine zerzausten Locken. Ihre großen dunklen Augen sahen direkt in die Kamera. Cyril hatte den Kopf nach hinten gedreht, um sie auf die Wange zu küssen. Neben ihm, die langen glatten Arme wie selbstverständlich um seine Taille geschlungen, stand eine Frau, die so makellos sommerlich frisch und erholt aussah, dass Klara tief einatmen musste. Mit ihren zarten Sommersprossen, ihrer niedlichen kleinen Nase, den salzwassergebleichten Haaren, ihrem lässigen Hemdblusenkleid und ihren unverkennbar sonnengebräunten Beinen hätte sie ein Model sein können. Vielleicht war sie es auch. Hinter ihnen erstreckte sich der Strand, dahinter Wellen und Meer. Es war ein Bild vollkommenen Familienglücks.

Wie lange hatte sie so mit der Aufnahme dagesessen und versucht, den Impuls zu bezwingen, es an die Wand zu schmettern, sodass der Rahmen zerbrechen und die Glassplitter über das Parkett stieben würden? Zuletzt hatte sie das Bild einfach wieder ruhig in die Schublade zurückgelegt, wo sie es gefunden hatte, war aufgestanden und hatte sich angezogen. Hatte ihr Telefon in die Tasche gesteckt und war zur Arbeit gegangen.

Uns von der rauen Küste wirft so leicht nichts um.

Als ihr Schreibtischtelefon klingelte, wollte sie erst nicht rangehen. Sie hatte jetzt keine Lust zu reden, hatte nicht die Kraft, sich für Eva-Karin zu verstellen, entschied sich aber nach dem siebten Klingeln, dass alles andere besser war als das, was sie im Moment fühlte.

«Ja?», meldete sie sich.

«Ein Mr. Moody für Sie, Mademoiselle Walldéen», sagte eine Empfangsdame auf Französisch am Ende der Leitung.

Klara blieb für einen Moment die Luft weg. Sie hatte das Gefühl, als müsste sie sich anstrengen, tiefer zu atmen, um ihr Blut mit Sauerstoff zu versorgen.

«Klara, bist du dran?», fragte jemand.

Seine Stimme klang schriller als früher. Gepresst. Klara versuchte zu atmen, aber es schien ihr nicht möglich.

«Moody», flüsterte sie.

Dann sagte sie nichts mehr. Erst nachdem ein paar Sekunden verstrichen waren, brach Klara das Schweigen.

«Es ist lange her.»

Sie hörte ihn in der Leitung atmen. Schnell. Hektisch. Gehetzt. Auch wenn es so lange her war, hörte sie ihm an, dass etwas vorgefallen war.

«Ich muss dich sehen», sagte Mahmoud.

Seine Stimme. So angespannt, als vibrierte sie vor Elektrizität. Klara spürte, wie ihr schlechtes Gewissen sich bemerkbar machte. Sie hatte nicht auf seine E-Mail geantwortet. Nicht, weil sie nicht gewollt hätte, sondern weil sie nicht gewusst hatte, was sie erwidern sollte.

«Jetzt?», fragte sie. «Sollen wir uns jetzt treffen? Bist du in Brüssel?»

«Kannst du das Büro verlassen?»

«Was ist los, Moody? Ist etwas passiert?»

«Ich kann es dir jetzt nicht sagen. Nicht hier. Können wir uns sehen?»

Klara dachte nach. Dies schien ein alles entscheidender Moment zu sein.

«Ja, kein Problem», sagte sie schließlich. «Wo?»

Frühjahr 1994
CIA-Hauptquartier in Langley, Virginia, USA

Wir sind alle verdächtig. Mehr noch. Schuldig, bis das Gegenteil bewiesen ist. Wie Schatten bewegen wir uns über die Korridore. Schatten, die Schatten von Schatten sind. Wer es wagt, wechselt vielsagende Blicke über Berge von geschredderten Papieren, über brummende Computer hinweg. Die Gespräche an den Wasserspendern sind gedämpft, intensiv, geprägt von Ungläubigkeit und einem vorsichtigen Herantasten. Diejenigen, gegen die bereits ermittelt wird, tragen den Stress mit sich herum wie ein bimmelndes Glöckchen. In der Kantine sitzen sie allein vor ihren Tabletts und grübeln über ihre Rentenersparnisse, das Schulgeld für die Kinder, das sich mit jedem Verhör weiter verflüchtigt, mit jedem mehr oder weniger direkt ausgesprochenen Verdacht. Niemand redet darüber. Alle reden darüber.

Erst vor wenigen Wochen haben sie Aldrich Ames verhaftet. Jeanne Vertefeuille und ihre beharrliche Task Force, bestehend aus alten Tanten und Rentnern, sind ihm auf die Schliche gekommen. Ein Maulwurf in Langley. Unser eigener Kim Philby. Ist es schlimmer, sein Land für Geld zu verraten als für eine Ideologie? Die vorherrschende Meinung an den Wasserspendern: Ja.

Und jetzt wimmelt es im ganzen Haus von FBI-Agenten. Unkomplizierte Polizisten in dunklen Anzügen. Sie könnten genauso gut unsere Uniformen tragen, derzeit sind es Chino-Hosen und Hemden. Sie wissen nichts über uns, nichts über unsere Arbeit. Es ist eine Farce. Bei denen, die eine Lüge nicht von der Wahrheit trennen können, schlagen die Lügendetektoren nicht an. Für uns, die das eine nicht vom anderen unterscheiden können, sind sie irrelevant.

Ich wundere mich nicht, als ich Schritte auf dem Teppich vor meinem Büro höre, und ich sehe kaum auf, als sie meine Tür öffnen, ohne vorher anzuklopfen. Ihre Taktik ist durchschaubar, uralt, so vertraut wie ein Paar abgelaufene Schuhe. In der Tür steht ein müder Mann in meinem Alter, der dringend zum Friseur müsste und noch dazu zehn Kilo abnehmen, um den Herzinfarkt zu vermeiden, dessen Keuchen er bestimmt ohnehin schon in seiner Brust vernimmt. Neben ihm ein Frischling mit hohen Wangenknochen in einem neuen Anzug, der vor lauter Testosteron fast aus den Nähten platzt.

«Wenn Sie es gleich erzählen, machen Sie es uns allen leichter», sagt das Greenhorn und fixiert mich mit seinen Absolventenaugen. «Das meiste wissen wir ohnehin schon, Sie müssen also nur die Lücken ausfüllen.»

Der Ältere nimmt auf einem der durchgesessenen Stahlrohrstühle Platz und richtet seinen Blick auf die geräuschisolierenden Platten an der Decke. Das ist der älteste Trick aus dem Lehrbuch. Schleudern Sie Ihrem Gegenüber einen Vorwurf an den Kopf, bringen Sie ihn aus der Fassung, sehen Sie, wie er reagiert. Das funktioniert bei den Junkies in der Bronx ebenso wie auf der Wallstreet, wo der verschwitzte Börsenmakler wegen seines Insiderdeals schnell kalte Füße bekommt.

Aber hier funktioniert es nicht. Nicht in Langley. Nicht bei denen, die diese Methode erfunden haben und die so viel besser im Lügen sind als darin, die Wahrheit zu erzählen. Nicht bei denen, die ausnahmsweise einmal nichts zu verbergen haben.

Vierzehn Stunden später sitze ich mit Elektroden am ganzen Körper vor einem müden Techniker, der wirkt, als wäre ihm die Aussichtslosigkeit dieses Unterfangens durchaus bewusst. Es ist das reinste Rätselraten. Wir spielen unsere Rollen, so gut es geht.

Wir handeln die Formalitäten ab, die Kontrollfragen. Wo ich wohne, wo ich stationiert war, die Scheidung und den Alkohol.

«Ist das die erste interne Ermittlung gegen Sie?», fragt er zuletzt und schielt zu den Reglern vor ihm.

«Nein», antworte ich. «1980 und 1981 wurde auch gegen mich ermittelt. Ich war für einige Monate suspendiert, dann haben sie mich wieder an die Arbeit gelassen, mich aber bis 1985 hier in Langley festgehalten.»

«Wissen Sie, in welcher Sache damals ermittelt wurde?»

«Ja, es ging um Umstände in meinem Privatleben, die dazu führten, dass ich eine Operation gefährdete, als ich undercover im Ausland war.»

«Was für Umstände waren das?»

Er sieht auf und betrachtet mich mit seinen grauen Hundeaugen.

«Ich weiß nicht, ob Sie die Clearance haben, das zu erfahren», sage ich.

«Davon können Sie ausgehen.»

«Es tut mir leid, ich will weder Ihnen noch mir Probleme bereiten, aber ich gehe nicht einfach von etwas aus. Meine Vorgesetzten müssen die Geheimhaltung aufheben, und wenn Sie kein Dokument vorweisen, das Sie dazu befugt, werde ich nicht mehr dazu sagen.»

Ich muss mich anstrengen, um freundlich zu klingen. Er ist nur ein Instrument, ein Lautsprecher für die Fragen, die sie ihm aufgeschrieben haben.

«Zu welchem Ergebnis führte die Ermittlung?»

«Ich durfte meinen Dienst wieder aufnehmen. Ich vermute, die Begründung steht irgendwo in meiner Akte. Ich habe sie nie gesehen.»

Er gibt sich damit zufrieden und befragt mich weiter zu Namen und Daten. Freunden und Kollegen. Ich antworte ihm, so gut ich kann.

«15. Januar 1985. Stockholm», sagt er schließlich.

«Ja», antworte ich. «Wenn Sie das sagen.»

«Sie wohnten im Hotel Lord Nelson, und Ihr Flug ging am Nachmittag über London nach Washington.»

Er sieht in seine Papiere.

«Um 16.15 Uhr. Um 8.30 Uhr mieteten Sie an diesem Tag unter falschem Namen einen Wagen und gaben ihn um 14.30 Uhr am Flughafen ab. Erinnern Sie sich?»

«Ich erinnere mich an Stockholm. Es war kalt», sage ich.

«Ungefähr sechs Stunden im Auto», fährt er fort. «Wo waren Sie?»

Ich sehe auf meine Uhr. «Das ist fast genau zehn Jahre her», sage ich. «Ich hatte noch ein paar Stunden, also habe ich ein Auto gemietet. Wohin ich gefahren bin? In nördliche Richtung an der Küste entlang, wenn ich mich richtig erinnere. Ich hatte einen Auftrag erfüllt und brauchte ein bisschen Zeit für mich.»

«Sie haben Ihre Beschatter abgehängt», sagt der Mann und schielt erneut auf seine Regler.

«Eine alte Gewohnheit. Die hänge ich sogar ab, wenn ich nur eine Packung McNuggets kaufen fahre.»

Für eine Sekunde spielt ein Lächeln um seine Lippen. Zehn Routinefragen später sind wir fertig. Wir schütteln uns die Hände und wissen beide, dass die Ermittlung damit eingestellt ist.

Später sitze ich in meinem Büro. Eine blasse Frühlingssonne fällt durch die zarten Laubbäume. Von draußen dringt das Rauschen der Autobahn herein.

Ich schließe die Augen und denke an Stockholm zurück. Ich erinnere mich an das Achterdeck auf der Fähre beim Vergnügungspark. An die Versprechen und den Tod. An die Lücken und wie wir sie füllen. Ich erinnere mich an jedes Wort, das die freundliche gestresste Frau in der Botschaft sagte. An den Volvo und wie ich meine Schatten abhängte, dass ich das Auto auf einen dritten oder vierten Namen anmietete und nach Norden fuhr, dass ich glaubte, es würde niemals hell werden. Ich erinnere mich, dass es schneite und der Wagen lautlos, ja traumgleich durch den Schnee voranglitt. Und dass ich zuletzt in einer kleinen Küstenstadt hielt, die Arkösund hieß.

Ich weiß noch, dass ich aus dem Auto stieg, an dem verrammelten Dorfladen und den eingeschneiten gelben Holzvillen aus der Jahrhundertwende vorbeiging. Ich erinnere mich an die Stille, in der nur das Knarzen meiner Schritte zu hören war. Daran, wie ich auf der Brücke stand, auf das Eis hinausblinzelte und meine Augen gegen den Schnee abschirmte. Wie ich den Namen meiner Tochter sagte und die Tränen meine Wangen hinunterrannen. Ich erinnere mich, dass ich ihr so nahe war, wie es irgend ging. Und dass ich auf das Eis, das Meer, in den Wind hinausflüsterte: «Ich komme wieder.»

Ich erinnere mich, dass ich es ernst meinte.

Der Schnee hatte meine Fußstapfen bereits verwischt, als ich mich umdrehte, um zum Auto zurückzugehen, und ich fühlte mich, als hätte man mich von oben auf die Brücke abgeseilt, als fehlten meinem Dasein jeder Zusammenhang, jeder Kontext, jede Kausalität.

Später am Abend, auf dem Weg nach Hause, halte ich beim Schwimmbad an, doch ich habe mein Handtuch vergessen. Ich steige trotzdem ins Becken. Es ist leer, bis auf zwei ältere Männer, die zielstrebig durch das chlorgrüne Wasser kraulen. Danach setze ich mich auf die kalten Kacheln und lehne den Rücken an die Wand. Draußen sehe ich schemenhaft große Flocken, die auf den feuchten Boden fallen. Wenn ich die Augen schließe, gehe ich über eine Eisfläche, die von tiefem Schnee bedeckt ist, so weiß, dass er mich blendet. Der Wind ist beißend. Hinter mir reißen meine Schritte tiefe Gräben auf, und sosehr ich es auch versuche, ich kann es nicht verhindern.

20. Dezember 2013
Brüssel, Belgien

«Gute Arbeit, *soldier*», sagte Reiper. «Sie haben Ihren Auftrag glanzvoll erledigt!»

Den einen Arm um seine Schulter gelegt, schob Reiper George in Richtung des englischen Wohnzimmers, das er vor nicht einmal zwölf Stunden verlassen hatte.

Soldier. Dieser herablassende Ton. George war doch kein Soldat. Er war ein General oder zumindest ein Adjutant, ein Ratgeber der Generäle. Die Wirkung des morgendlichen Kokainkonsums hatte bereits nachgelassen. Wäre das nicht der Fall gewesen, hätte er Reiper die Meinung gegeigt und ihn und sein dämliches Digital Solutions zur Hölle gewünscht. Ein Ort, mit dem diese Leute vermutlich sehr vertraut waren. Doch in der jetzigen Situation fühlte er sich nur noch ausgelaugt. Erschöpft vom Schlafmangel und dem anschließenden Adrenalinrausch. Zu Tode geängstigt von Reiper und seiner Bande und den Kontakten und Ressourcen, über die diese anscheinend verfügten. Also sagte er nichts, sondern nickte nur.

«Um Himmels willen, nun setzen Sie sich doch, George», sagte Reiper. «Sie waren ja heute Morgen schon groß im Einsatz. Kaffee?»

George hätte sich am liebsten gerekelt. Sich die Augen gerieben. Sich die Schuhe und das Jackett ausgezogen und sich aufs Sofa verkrochen und geschlafen. Das war es, was er eigentlich wollte. Oder noch besser: aufstehen, Reiper die Hand geben und sich bedanken. Sich in den Audi setzen, den Sound von Avicii auf angenehme Lautstärke drehen und nach Hause fahren in seine helle, reine, saubere und geschmackvolle Wohnung. Duschen, um die letzten Reste und Erinnerungen von Digital Solutions abzuwaschen, und anschließend zwischen die Laken seines teuren Bettes schlüpfen.

«Kaffee? Gern», sagte er stattdessen.

«Also», begann Reiper schließlich. «Debriefing. Die Technik scheint zu funktionieren, soweit wir das von hier aus sehen können. Ausgezeichnet. Jetzt erzählen Sie doch, wie Sie vorgegangen sind.»

«Eigentlich gab es keine außergewöhnlichen Vorkommnisse. Ich habe alles so gemacht, wie Josh es mir erklärt hat. Aber Klara kam früher als erwartet, also wurde es zeitlich etwas eng.»

Er schauderte bei der Erinnerung daran, wie er in Bomans Büro geflohen war.

«Okay», sagte Reiper. Er runzelte die Stirn. Die Narbe glühte auf seiner Wange, die Reptilaugen starrten George wie blind an. «Hat sie Sie gesehen?»

«Nein», antwortete George. «Ich habe mich in Bomans Büro geschlichen. Keine Chance, dass sie mich gesehen hat. Sie hat gerade telefoniert, und ich bin hinausgeschlüpft, ohne dass sie es mitbekommen hat. Da bin ich mir sicher.»

Es erschien ihm wichtig, ja entscheidend, Reiper zu erklären, dass er unentdeckt entkommen war und den Auftrag einwandfrei ausgeführt hatte. Er wollte nicht einmal daran denken, wie die Strafe ausfallen würde, wenn er versagt hätte. Reiper entgegnete nichts, sondern schien Georges Worte abzuwägen. George nippte an dem Pulverkaffee, der einfach schrecklich schmeckte. Als er die Tasse gerade auf den kleinen Sofatisch stellen wollte, ging die Tür auf, und eine hübsche Frau in Georges Alter, die Haare zu einem hoch sitzenden blonden Pferdeschwanz gebunden, trat ins Zimmer. Reiper wandte sich ihr zu.

«Kirsten», sagte er. «Irgendwelche Neuigkeiten?»

«Ich glaube, wir haben Kontakt», antwortete die Kleine.

«Mail?», fragte Reiper.

«Telefon. Wir nehmen an, dass es Shammosh ist, aber wir hören nur Klara. Sie redet gerade mit ihm.»

Reiper drehte sich zu George um. «Auf die Beine mit Ihnen, wir brauchen Sie wieder.»

Er machte sich auf in Richtung Tür und bedeutete George mit einer ungeduldigen Geste, dass er ihm folgen solle. Sie gingen in den Flur und von dort in ein kleines Zimmer, das neben der Küche lag. Vielleicht war es früher die Kammer für die Bediensteten gewesen, denn es war nicht größer als ein besserer Schrank. Hinten im Raum, unter einem kleinen Fenster zum Garten, stand ein Schreibtisch mit zwei Bildschirmen und einem Laptop. Dort saß Josh und hatte Kopfhörer im Ohr. Er gab George einen Wink, sich zu setzen, und reichte ihm ein weiteres Paar Kopfhörer. Auf dem einen Bildschirm lief eine Tonkurve.

«Scheißen Sie auf die Details», erklärte Josh. «Konzentrieren Sie sich nur darauf, wo Shammosh ist und ob sie sich treffen werden. Um den Rest kümmern wir uns später.»

George nickte.

Dreißig Sekunden später hörte er ein Klicken, als Klara auflegte. Er zog den einen Kopfhörer vom Ohr und drehte sich zu Reiper um. «Also, ich höre ja nur sie, nicht den anderen. Aber sie redet mit diesem Shammosh, das ist eindeutig. Und sie ist unterwegs, um ihn zu treffen.»

Ein paar Minuten später entledigte sich George des Kopfhörers und kratzte sich am Kopf, nachdem er das Gespräch zwischen Klara und Mahmoud nun zum dritten Mal belauscht hatte.

«Nein, leider erfahren wir nichts. Sie fragt, wo sie sich treffen wollen, und er antwortet. Aber sie wiederholt den Treffpunkt nicht. Ich höre doch nur, was sie sagt. Nicht ihn.»

Josh nickte. Jetzt befanden sie sich allein im Zimmer. Reiper und die junge Frau waren sofort verschwunden, nachdem George seine erste Rohübersetzung des Gesprächs geliefert hatte.

«Sie können sich gern eine Weile hinlegen, wenn Sie möchten», sagte Josh. «Reiper wird Sie informieren, sobald er Sie wieder braucht.»

«Also kann ich nach Hause fahren?», fragte George.

Er spürte, wie die Hoffnung in ihm aufkeimte. Wenn er nur in seine Wohnung könnte. Eine Dusche nehmen. Schlafen. Vielleicht wäre dieser ganze Irrsinn vorbei, wenn er wieder aufwachte.

«Jetzt reißen Sie sich aber zusammen, Sie fahren nirgendwohin. Sie können sich im Salon aufs Sofa legen.»

Josh wandte sich wieder seinem Computer zu und schüttelte unmerklich den Kopf.

20. Dezember 2013
Brüssel, Belgien

Sie wusste nicht mehr, wie lange sie vor dem Schloss gewartet hatte – zehn Minuten? Zwanzig? Endlich sah sie Mahmoud auf der anderen Straßenseite, kaum zu erkennen neben dem hohen Torpfeiler am Parkeingang. Er rührte sich nicht. Klara spürte, wie ihr Herz einen Sprung machte. Als ihm offenbar aufgegangen war, dass sie ihn gesehen hatte, hob er die rechte Hand und gab ihr zu verstehen, zu ihm zu kommen. Dann drehte er sich gleichgültig um und ging in den Park.

Nachdem Klara das Telefongespräch mit Mahmoud beendet hatte, hatte sie einen Moment vollkommen reglos dagesessen. Boman war für heute schon nach Hause geflogen, im Büro hielt sie also nichts mehr. Nichts, was nicht aufgeschoben werden konnte. Sie fühlte sich nach ihrer morgendlichen Entdeckung bei Cyril noch immer wie betäubt und aus dem Gleichgewicht geworfen. Mahmoud zu treffen erschien ihr plötzlich wie eine Selbstverständlichkeit.

Er hatte sie gebeten, das Parlament durch eine Hintertür zu verlassen. Die einzige, die sie kannte, führte durchs Parkhaus, die hatte sie also genommen. Und dann die Metro zum Gare du Nord und ein Taxi zum Schloss. Sie hatte getan, worum er sie gebeten hatte. Fraglos, ohne nachzudenken. Sie musste sowieso dringend raus, weg. Und seine Stimme hatte so schutzlos, so einsam und angespannt geklungen. Klara sah sich ein letztes Mal um, bevor sie Mahmoud in den Park folgte.

Als sie vor dem Schloss gestanden hatte, hatte sie sich furchtbar verletzlich gefühlt. Aber zumindest war sie allein. Mahmouds Paranoia war unbegründet. Vielleicht hatte er sie deshalb hier treffen wollen? Um sich dessen sicher zu sein.

Sie sah ihn erneut, als sie den Park betrat. Er saß auf einer Bank am Kiesweg und wartete auf sie. Er sah müde aus, älter. Seine Haare schienen kürzer als früher. Zwar nicht so kurz wie damals, als sie sich kennengelernt hatten und er ein fertig ausgebildeter Fallschirmjäger mit regimentskonformer Drei-Millimeter-Frisur gewesen war. Aber trotzdem entschieden kürzer als die üppigen Locken, an die sie sich aus der letzten Zeit in Uppsala erinnerte.

Es kostete sie ihre ganze Kraft, ihn anzusehen, als er aufstand. Wie viel Zeit hatte sie doch damit verbracht, nicht mehr an seine Augen zu denken. Und jetzt sah sie diese Augen wieder unmittelbar vor sich. Trotz der tiefen schwarzen Ränder waren es noch immer dieselben. Sein Blick war so unergründlich und willensstark, dass man ihn für arrogant hätte halten können. Gleichzeitig spiegelte er eine ironische Intelligenz und eine Wärme wider, gegen die sie sich nach all den Jahren noch immer wappnen musste.

Er war unrasiert, und sein dunkler Mantel hatte am Kragen und an der linken Seite getrocknete rotbraune Flecke. Er sah furchtbar aus. Und noch genauso attraktiv wie früher.

«Moody, um Himmels willen, was ist passiert?», fragte sie und blieb vor ihm stehen.

Er hob eine Hand, signalisierte ihr, leiser zu sprechen.

«Entschuldige, aber du musst mir mal eben deine Handtasche geben, ja?»

Klara sah ihn fragend an. «Was? Warum denn?»

«Sei so gut. Ich würde dich nicht darum bitten, wenn ich keinen Grund dafür hätte.»

Widerstrebend reichte sie ihm ihre dunkelblaue Marc-Jacobs-Tasche.

«Entschuldige», sagte er noch einmal und schüttete den Inhalt der Tasche auf die verwitterte Parkbank.

«Was machst du da?», fragte Klara beunruhigt nach.

Er schien sie nicht zu hören.

«Du hast das Handy ausgestellt, wie ich dich gebeten hatte?», vergewisserte er sich, während er schnell und methodisch die Fächer ihrer Tasche durchging. Ihr Make-up, ihre Brieftasche, ihre Tampons. Nichts blieb unangetastet.

«Ja, aber willst du mir nicht erzählen, was das soll?»

Er sah auf und legte ihre Besitztümer zurück in die Tasche. «Ich weiß, dass es verrückt wirkt, aber die letzten Stunden waren ziemlich heftig. Streck die Arme aus.»

Unschlüssig musterte Klara ihn. In seinem Blick stand etwas Flehendes, Verzweifeltes. So hatte sie ihn noch nie zuvor gesehen. Das veranlasste sie dazu, nicht weiter zu protestieren. Er richtete sich auf und kam auf sie zu, kam ihr ganz nahe. Sie roch seinen Duft. Entweder er benutzte immer noch dasselbe Aftershave, oder er roch von Natur aus so, nach Moschus und Jasmin. Aber schwächer, als sie es in Erinnerung hatte, fast nicht wahrzunehmen unter dem Geruch von Erde, Schweiß und Blut. Seine Hände schlüpften in die Taschen ihres Dufflecoats, flink und effizient. Dann unter ihren Mantel, in ihre Hosentaschen, glitten über die Taille hinab. Zuletzt tasteten sie die Säume ihrer Kleidung ab und strichen über ihre gesamte Körperlänge. Als er fertig war, trat er einen Schritt zurück und wandte den Blick ab.

«Entschuldige», sagte er erneut. «Glaub mir, so habe ich mir unser Wiedersehen nicht vorgestellt.»

Er setzte sich auf die Parkbank und fuhr sich übers Gesicht. Klara ließ sich behutsam neben ihn sinken. Zögernd legte sie den Arm um seine Schultern. Es war so ungewohnt. Und zugleich so selbstverständlich.

«Nachdem du ja schon deine Leibesvisitation hattest, darf ich dich vielleicht umarmen?»

Er blickte sie an, erwiderte ihr schiefes Lächeln.

«Du musst denken, ich wäre verrückt geworden.»

Klara zuckte die Schultern. «Ehrlich, Moody, ich weiß nicht, was ich glauben soll. Ich habe deine Mail gelesen, in der du geschrieben hast, dass du nach Brüssel kommen würdest.» Sie räusperte sich. Ließ den Blick über den Park schweifen. «Und ich wusste nicht, was ich antworten sollte. Das war nicht leicht für mich. Du weißt schon, das, was zwischen uns war. Dass du Schluss gemacht hast – ich habe so lange gebraucht, um zu akzeptieren, dass ich keine Erklärung dafür bekommen würde. Dass du mich einfach nicht mehr geliebt hast. Das zu begreifen, war so schwer, verstehst du? Ehrlich gesagt, wusste ich noch nicht einmal, ob ich dich wiedersehen wollte.»

Sie wandte sich ihm wieder zu. Er sah zu Boden. Eines seiner Beine bebte, zuckte. Er stand unter Stress.

«Und jetzt dieses Treffen. Was geht hier vor?»

Urplötzlich stand Mahmoud auf.

«Wir können hier nicht bleiben. Komm mit, wir müssen uns bewegen.»

Sie gingen tiefer in den Park hinein, unter kahlen Bäumen entlang, über gefrorene Kieswege mit starrem, trockenem Winterlaub. Die Sonne war fahl und kalt, als ob sie noch weiter als sonst entfernt wäre.

Klara schwieg, während Mahmoud sich räusperte und Mut fasste. Und schließlich erzählte er. Von seinem Forschungsprojekt und seinen Reisen nach Afghanistan und in den Irak. Von der E-Mail seines alten Fallschirmjägerkollegen. Von der Konferenz und dem Telefongespräch. Von dem Treffen am Zentralafrika-Museum und dem Mord an Lindman. Und zuletzt von dem absurden Angriff auf ihn im Hotel und von dem Sender, den er in seinem Rucksack gefunden hatte. Er erzählte, ohne etwas auszulassen. Es war ein seltsamer Fluss, der aus ihm herausströmte. Äußerlich wirkte er ruhig, aber in ihm lag eine unterschwellige Kraft.

«Du lieber Gott, wo bist du da nur hineingeraten», rief Klara, als sie das Ende des Parks erreicht hatten.

«Ich weiß es nicht», entgegnete Mahmoud. «Lindman scheint irgendwelche Informationen zu haben – gehabt zu haben, meine ich –, für die andere bereit sind, uns zu ermorden, um sie in die Finger zu bekommen.»

«Die Amerikaner, für die er gearbeitet hat?», fragte Klara.

«Keine Ahnung.» Mahmoud griff in seine Brieftasche und holte einen kleinen Zettel heraus. «Ich weiß nur, dass Lindman etwas von Paris gesagt hat, vermutlich hat er sein Gepäck dort in einem Schließfach verwahrt. Das ist alles.»

Er winkte ein Taxi heran, das am Bürgersteig stand, hielt die Hintertür auf und sah Klara fragend an.

«Ich will natürlich nicht, dass du mich nach Paris begleitest, aber hättest du noch ein bisschen Zeit?» Er atmete tief ein und wurde ein wenig rot. «Ich bin dir eine richtige Erklärung schuldig. Und absurderweise hat sie etwas mit Lindman zu tun.»

Sie baden in Euphorie und Endorphinen. Es ist so unvorstellbar und doch so greifbar, dass sie den Duft der Freiheit hinter dem Geruch von Schuhwichse und Waffenfett, Wolldecken und Putzmitteln wahrnehmen. So urplötzlich und so real, dass selbst der Wodka nach Freiheit schmeckt. Sie gießen ihn mit Fanta auf und trinken die Mischung aus grünen Bechern, denselben Bechern, aus denen sie schon am ersten Tag getrunken haben. Ebenso wie auf den zweiwöchigen Märschen, bei den endlosen Überlebenstrainings bei minus fünfundzwanzig Grad in Norrland, bei der Besteigung des Kebnekaise, im Flugzeug beim ersten und letzten Fallschirmsprung. Sie lachen, können nicht anders. Nennen sich bei ihren Spott- und Kosenamen. Geben Anekdoten von Wettkämpfen, von Sprüngen, erfrorenen Fingern, den Märschen zum Besten. Anekdoten, die sie behalten und ausgeschmückt haben, die sie bei der Waffenpflege und dem Wachdienst, in schlaflosen Nächten und an frühen Arbeitstagen bis zur Perfektion hin verfeinert haben.

Es kommt ihnen vor, als hätten sie sich gerade erst kennengelernt, als wären sie frisch verliebt. Als wären sie schon immer zusammen gewesen. Heute Abend erscheint alles in neuem Licht. Ein erster Anflug von Nostalgie oder Sentimentalität. Sie raufen sich, können es nicht lassen, die Lebendigkeit und Kraft ihrer Körper zu spüren. Fünfzehn Monate haben sie in der unmittelbaren körperlichen Gegenwart der anderen verbracht, eine Nähe, die sie, wie sie wissen, so nie mehr erleben werden. Nicht mit ihren Freundinnen, ihren Frauen oder Kindern. Nicht auf diese Art. Sie fahren einander durch die Haare. Ja, sie sind so erleichtert, dass es vorbei ist, dass sie es nicht fassen können.

Mahmoud lehnt sich zurück auf die Pritsche. Für einen Moment verdrängt er das Testosteron und die Euphorie, schließt die Augen und spürt, wie stramm das weinrote Barett an seinen Schläfen sitzt. Spürt den Wodka. Spürt, dass er am liebsten weinen würde. Dass er wünschte, seine Mutter könnte ihn jetzt so sehen. Für ihn ist es irrelevant, dass sie es nicht nachempfinden könnte, dass niemand nachempfinden könnte, was er durchgemacht hat. Und was er erreicht hat.

Welche grenzenlose Disziplin es erforderte, das Barett und den Fallschirm zu erringen. Welche Konzentration. Dass er es aus der trostlosen Vorstadt so weit geschafft hat. Wenn jemand Mut, Willenskraft und Ausdauer bewies, dann er. Dass er sich über die ihm entgegengebrachte Skepsis und die ihm verpassten Schimpfnamen hinwegsetzte. Über Vorgesetzte, die ihn die ersten beiden Monate Bin Laden nannten. Über die Schmierereien mit schwarzem Edding. *Al-Quaida. Raghead. Allahu akbar.* In den ersten Wochen jeden Morgen, manchmal flankiert von einem Hakenkreuz. Wie er sich dazu zwang, eine halbe Stunde vor allen anderen aufzustehen, um die Schande vom Spind zu scheuern. Wie er die Stimmen hinter seinem Rücken ignorierte und das jähe Verstummen, wann immer er einen Raum betrat. Er beugte sich nicht dem Druck. Wurde stärker, forderte mehr Raum ein. Wurde besser als sie. Härter. Unbezwingbarer. Bis man ihn nicht mehr ausschließen konnte. Bis er beinahe unmerklich ein Teil von ihnen wurde. Bis aus Bin Laden Shammosh wurde. Da nahm er ihr Vertrauen in ihn, ihren Respekt wahr. Stellte fest, dass es zwischen ihnen keinen Unterschied mehr gab.

In diesem Moment auf der Pritsche, im Stimmengewirr der jungen Kameraden, die er besser als alles andere kennt, mit dem Alkoholpegel im Blut, der ihn trägt und ihn schweben lässt, kommt es ihm vor, als hätte er eine Goldmedaille errungen. In ebendiesem Moment ist es eine Heldentat, die den Verstand übersteigt.

«Mensch, Shammosh! *Let's go!*»

Er spürt, wie ihn jemand packt, um ihn von der Pritsche zu ziehen. Er verschüttet seinen Longdrink über seine Levi's, bemerkt es aber nicht. Alle tanzen und albern herum. Kleine, bis jetzt unterdrückte Eruptionen männlicher aufgestauter Energie. Ventile, die unter dem Druck, hier nicht herauszukönnen, zu bersten drohen. Weg aus der beengten Unterkunft und dem Regiment, wohin auch immer, Hauptsache, weg. Sie würden ihre Baretts so gerne aufsetzen, wünschten sich, dass alle sähen, wer sie sind, was sie erreicht haben. Aber ihre Disziplin behält die Oberhand, und sie lassen die Mützen im Spind zurück, bevor sie auf dem Rücken der Kameraden reitend, tanzend, in die Kleinstadt, in den Abend hinaustaumeln und ihre Stimmen wie triumphierende Fanfaren in die Stille hinaustönen.

In der Bar wimmelt es von Gymnasiasten, Kassiererinnen und einem Haufen Wehrdienstleistender von weit geringerem Dienstgrad als sie selbst, die sie bewundernd mustern. Sie merken, dass sie ihre Barette nicht brauchen, man erkennt auch so, wer sie sind. Erkennt es an ihrem Blick, ihrer Haltung. Ihrem rauen Jargon und dem körperlichen Selbstvertrauen, das sie ausstrahlen, haftet etwas Mythisches an. Sie setzen sich an einen Tisch auf der Terrasse, am See, und irgendein übriggebliebener Konferenzteilnehmer lädt sie auf eine Runde Salmiakschnaps ein. Es ist einer dieser Abende. Eine dieser Sommernächte, in denen die Abenddämmerung sie wie ein schimmernder, silbrig glitzernder und vibrierender Kokon einhüllt, der sich ausdehnt, bis sie über dem Boden schweben.

Später steht Mahmoud an der Bar. Plötzlich kennt er scheinbar kein Maß. Nicht ein Tropfen Alkohol in fünfzehn Monaten, und auch davor keine Unmengen, aber jetzt darf er so viel trinken, wie er will. Er stolpert und legt die Hand auf den Tresen. Konzentriert sich darauf, richtig zu artikulieren. Schüttelt den Kopf. Er ist Mahmoud Shammosh aus Alby. Er ist Mahmoud Shammosh, Fallschirmjäger, angehender Jurastudent. Er ist Mahmoud Shammosh, unbesiegbar.

«Du bist einer von den Jägern, oder?»

Eine Stimme schält sich aus dem Stimmengewirr, der Geräuschkulisse und der Musik. Ganz dicht an Mahmouds Ohr. Er dreht den Kopf, antwortet, bevor er weiß, wer gefragt hat.

«Ich bin unbesiegbar.»

Es ist ein Mann. Vielleicht zehn Jahre älter als er. Er trägt einen dunklen, schmal geschnittenen Anzug. Dazu einen schmalen Schlips, den er nicht gelöst hat, obwohl er sich in einer Bar befindet, obwohl es spät ist. Ein glattes, sorgfältig gebügeltes weißes Hemd. Auch sein Gesicht ist schmal und lang, sein Blick hellwach. Ein Grübchen erscheint auf seiner Wange, als er über Mahmouds Erwiderung lacht. Blonde kurzgeschnittene Haare. Blaue Augen mit einem mehr als nur neugierigen Ausdruck. «Aha, unbesiegbar also. Alle Achtung!», kommentiert er.

Sein Blick. Er wirkt amüsiert und scheint bis auf den Grund von Mahmouds Seele zu sehen. Er ist schamlos, dieser Blick. Er signalisiert Mahmoud: Es ist deine Entscheidung. Aber wenn du noch hier stehst, hast du dich schon entschieden.

«Jawohl, unbesiegbar», wiederholt Mahmoud. «Unbesiegbar. Ich bin Fallschirmjäger. Weißt du, was wir für harte Burschen sind?»

Er muss sich konzentrieren, um nicht zu nuscheln. Ihm geht durch den Kopf, dass er aufbrechen sollte, dass das nicht gut enden kann.

«Imponierend», sagt der Mann, schlägt sich die Hand vor den Mund und zwinkert ihm zu. «Wie hart denn, Soldat?»

«Verdammt hart.»

Es will aus ihm heraus. Aus dem Schlummer und der Verleugnung. Aus dem hintersten Winkel. Und er lässt es zu. Lässt sich vom Alkohol enthemmen, fühlt sich frei. Unbesiegbar. Hinter seiner Stirn prickelt es. Seine Erektion presst sich gegen seine Jeans.

«Wohnst du hier im Hotel?», fragt er.

Auf einmal ist es so einfach, als hätte er nie etwas anderes getan. Er hat es sich verdient. Wer, wenn nicht er. Jetzt ist ja sowieso alles vorbei. Das Geplänkel und das Sich-Beweisen. Er hat das Barett. Er ist wer.

«Du nimmst anscheinend kein Blatt vor den Mund, Soldat? Das gefällt mir», sagt der Mann mit einem Grinsen.

Sie verlieren keine Zeit. Schleichen sich aus der Bar, schweben die Treppen hoch. Mit Schnapsgeschmack im Mund, dem frischen Geruch von Holz und Farbe in der Nase, die kaum den Schimmelgeruch übertünchen kann. Mahmoud wird nicht aus den Treppen schlau. Sie winden sich aufwärts und scheinen einer überirdischen Geometrie zufolge in haarsträubende Winkel zu führen, durch verschiedene Stockwerke und Türen. Es ist ein unfassbares Labyrinth, ein verwunschenes Schloss. Schließlich stolpern sie durch eine Tür, die sich mit einem saugenden Laut hinter ihnen schließt, als würde sie hermetisch verriegelt.

Es bleibt keine Zeit, um wieder Boden unter den Füßen zu bekommen. Die Woge bebt, liebkost ihn und droht über ihm zusammenzuschlagen. Sie treibt ihn vor sich her, zwingt ihn aufs Bett. Begierige Finger nesteln an Gürteln und Knöpfen. Münder, Lippen und Zähne küssen, saugen, beißen. Hände fahren über Schenkel und Brustkörbe, pochende Genitalien. Nackte Haut reibt sich, presst, stößt gegen nackte Haut. Und Mahmoud lässt es geschehen. Erlaubt sich endlich, loszulassen und vollends zu kapitulieren. Lässt sich von der Woge mitziehen, mitreißen.

Danach erfasst ihn Ernüchterung. Die helle Sommernacht ist nicht länger magisch oder überirdisch, sondern kalt und weiß und viel zu klar. Der Mann neben ihm regt sich in den billigen Laken, rollt sich auf die Seite und sieht ihn an. Ein paar graue Haarsträhnen blitzen in seiner spärlichen Brustbehaarung auf. Seine Grübchen. Dieser Blick, der Mahmoud keine Ruhe lässt.

«Ich muss gehen», sagt Mahmoud. «Muss zurück in die Unterkunft ...» Er verstummt. Es ist doch vorbei. Sie müssen jetzt keine Zeiten mehr einhalten. «Ich muss einfach los», fügt er hinzu.

Er steht auf und streift sich Unterhose und Jeans über. Zieht sein weißes T-Shirt über den Kopf. Knöpft sein Hemd schief zu. Verzichtet darauf, seine Nikes zuzubinden. Stolpert, wankt zur Tür.

«Darf ich dich anrufen?», fragt der Mann.

Mahmoud hat schon die Türklinke heruntergedrückt und die Tür einen Spalt geöffnet, als ihn die Stimme vom Bett erreicht, so eifrig und flehend, dass er nicht weiß, was er antworten soll. Also leiert er, ohne nachzudenken, seine Handynummer herunter, halb in der Hoffnung, dass der Mann sie sich nicht merken kann. Halb in der Hoffnung, dass er sich sofort, regelmäßig wieder melden wird.

Ist es Abend, Nacht oder Morgen? Es ist ein zeitloser Zustand. Ein triumphaler, schändlicher, befreiender, versklavender Moment, für den es ihm an Vergleichswerten und Bezugspunkten mangelt. Leichtigkeit und grenzenlose Schwere kennzeichnen ihn. Karlsborg ist nur noch eine dunkle Erinnerung, ihm vage vertraut. Wie ein Déjà-vu. Es überrascht ihn, dass er den Weg zurück ins Quartier findet. Überrascht ihn, einen Passierschein in seiner Hosentasche zu entdecken, den die Wache akzeptiert, da er offenbar derselbe Mann ist wie auf dem Bild, jener junge Mann, der sein Bestes tut, unverletzlich zu wirken.

Als er die Tür zur Unterkunft öffnet, weiß er, dass die Sache gelaufen ist. Weiß es, weil das Licht brennt, weil die frisch ausgebildeten Fallschirmjägersoldaten wach sind. Erkennt es an ihrem Schweigen und ihrem Lächeln und den abgewandten Blicken. Das ihm so vertraute Gefühl, ein Außenseiter zu sein, wächst mit jedem Atemzug, mit jedem endlosen Moment, in dem er keinen Ton von sich gibt, sondern wie ein ertappter Dieb auf der Schwelle verharrt, mit zerknittertem Hemd. Auf der Schwelle zwischen dem einen, was ihn ausmacht, und dem anderen. Und in ihm reift die Erkenntnis, dass es keinen Weg zurück gibt. Dass das Außenseiterdasein unzählige Facetten hat.

Lindman bricht als Erster das Schweigen, er erhebt sich von seiner Pritsche. Lindman, der sich wie aus dem Nichts zu seinen zwei Metern aufbaut, zu seinen hundertzehn Kilo aufbläst, zu einem kantigen, schweren Ballon. Lindman, der mit wiegenden Schritten auf ihn zukommt, dicht vor ihm stehen bleibt und ihn in seine Bier- und Schnapsfahne einhüllt.

«Wir wussten ja, dass du Kamele bumst, Bin Laden», beginnt er. «Aber nicht, dass du es auch mit Männerärschen treibst.»

Gelächter und Kichern. Ein paar halbherzig geäußerte Kommentare von Glans und Petrov, «lass es gut sein, Mann». Aber sie bedeuten nichts. Zwei Sätze, mehr braucht es nicht, um die fünfzehnmonatige Nähe zu zerstören.

Zuerst erwidert Mahmoud nichts. Spürt nur, wie ihn eine unendliche Schwäche überkommt. Er hätte in der Stadt bleiben sollen. Welche Torheit hatte ihn dazu bewogen zurückzugehen?

«Wovon redest du, Lindman?», fragt er und starrt zurück, in dessen blaue urschwedische Augen. Inzwischen sind auch ein paar andere aufgestanden. Er sieht Malm und Svensson, Landskog und Torsson. Sie bewegen sich wie eine Nebelwand auf ihn zu.

«Wovon ich rede?» Lindman dreht sich lachend um, zum Griechischen Chor, zu den Statisten. «Ich rede davon, dass du eine jämmerliche Schwulenfotze bist, Bin Laden, davon rede ich.»

«Nun gib's schon zu, Shammosh. Wir haben dich mit diesem Homo in der Bar gesehen. Haben gesehen, wie ihr euch weggeschlichen habt.»

Sagt Glans. Der den Blick auf Mahmouds Pritsche richtet. Glans. Mit dem er Wachschichten und Stress geteilt hat. Dem er beim Kartenlesen geholfen und dessen Wunden er verarztet hat. Nichts davon zählt mehr.

Ein zweifacher Piepton schallt durch den Raum. Aus Mahmouds Hosentasche. Bevor er reagieren kann, packt jemand von hinten seine Arme. Wie auf einen heimlichen Befehl, eine Übereinkunft hin. Jetzt rückt Lindman ihm auf den Leib, seine Finger schieben sich schon in Mahmouds Hosentasche. Wühlen darin, zerren und werden fündig. Strecken triumphierend das Handy in die Luft, gefolgt von ein paar raschen Klicks. Lindman räuspert sich. Es klingt wie ein Sieg.

«Danke für heute Nacht, Soldat», liest er vom Display ab. «Du hast nicht geflunkert, du warst wirklich ‹hart›. Grüße ...»

Lindman zieht seine Worte effektvoll in die Länge.

«Grüße, Jonas!»

Der ganze Raum explodiert in Gelächter und abscheulichem Triumph. Mahmoud spürt, wie sie ihn auf den Linoleumboden ziehen. Er wehrt sich nicht einmal. Spürt, wie sich ihre Körper gegen ihn pressen. Spürt ihren Atem.

«Pfui Teufel, Bin Laden, pfui Teufel, wie widerlich», zischt Lindman in sein Ohr. «Hat Jonas dich kräftig in den Arsch gefickt? Na?»

Sie zerren und reißen an ihm, ziehen ihn in verschiedene Richtungen, sind sich offensichtlich unschlüssig darüber, was sie mit ihm anstellen wollen, welche Strafe über ihn verhängt werden soll. Schließlich sind sie im Duschraum, und Mahmoud spürt, wie sein

Hemd, sein T-Shirt zerrissen werden. Wie die Jeans über seine Hüften gezogen wird, über die Schenkel und die Knie. Er spürt Wasser auf sich herunterprasseln, Tritte und Schläge. Wie er nackt unter dem eiskalten Wasserstrahl liegt. Ringsum hallen Stimmen von den glänzenden Kacheln wider, laute, gellende Stimmen. Stimmen seiner Mitstreiter, die er für sich eingenommen zu haben glaubte. Jetzt brüllen sie in unzähligen Varianten ein und dasselbe: Für solche wie dich gibt es keine Gnade, keinen Aufschub, nichts.

20. Dezember 2013
Brüssel, Belgien

«Erste Klasse? Gab es denn keine anderen Fahrkarten mehr?», fragte Mahmoud, stellte den Rucksack auf dem Boden ab und spähte aus dem Fenster. Der graue Bahnsteig wimmelte von Reisenden. Klara setzte sich auf den Platz am Gang und strich sich eine Haarsträhne aus der Stirn.

«Ich weiß nicht. Ich hatte gedacht, dass in der ersten Klasse weniger Leute sind. Es scheint ja ganz so, als würde nach dir gefahndet.»

«Und bald auch nach dir», brummte Mahmoud.

Er war dagegen gewesen, dass Klara mitkam, auch wenn sie es im Taxi vorgeschlagen, nein, darauf bestanden hatte, nachdem er ihr endlich alles erzählt hatte. Alles, was er ihr schon vor drei Jahren, vor fünf Jahren, nein, als sie sich kennengelernt hatten, hätte sagen sollen, und nicht erst jetzt, hier in Brüssel, nach den Ereignissen der letzten Nacht. Er kam sich vor wie ein Idiot, so furchtbar egoistisch. Und sie jetzt auch noch irgendeiner Gefahr auszusetzen war das Letzte, was er wollte. Schließlich hatte sie klein beigegeben, die Hände erhoben und gesagt: «Ist ja schon gut, wie du willst.»

Aber als sie vom Fahrkartenschalter zurückkam, stellte sich heraus, dass sie zwei Tickets gekauft hatte. Sie schien sich nicht im Geringsten verändert zu haben. Tat, was sie wollte. Zugleich musste er sich eingestehen, dass er erleichtert war. Er war so allein gewesen, so gejagt. Die letzten vierundzwanzig Stunden waren ein einziger Albtraum gewesen. Jetzt, wo er mit Klara in der bequemen ersten Klasse im TGV nach Paris saß, konnte er wieder atmen. Er schuldete ihr mehr, als er jemals zurückzahlen konnte.

«Was hast du gesagt?», fragte Klara.

«Ich habe gesagt, wenn du so weitermachst, wird bald auch nach dir gesucht.»

«*Whatever*», entgegnete sie und trank einen Schluck aus der Wasserflasche, die sie im Bahnhof gekauft hatte.

«Oder schlimmer noch. Wie es aussieht, kennen sie keine Skrupel.»

Mahmoud ließ seinen Blick auf dem Bahnsteig ruhen. Rostige Schienen und gefrorenes Unkraut, Graffiti und verlassene graue Gebäude. Und über allem schwebte ein riesiges, sich drehendes Tintin-Gesicht.

Als Mahmoud sich schließlich vom Fenster abwandte, spürte er Klaras Blick auf sich. Er wappnete sich und erwiderte ihn. Früher einmal hatte er sich ihrer Augen nicht erwehren können, ihre blauen Tiefen hatten ihn überwältigt. Der Zug fuhr aus dem Bahnhof. Das fahle Tageslicht brach sich im Zugfenster und verwandelte es in ein gesprenkeltes Segeltuch.

«Du siehst so anders aus», sagte Klara.

Mahmoud fuhr sich über seine stoppeligen Wangen, durch seine verschwitzten zotteligen Haare.

«Das meine ich nicht, nicht die Haare, jedenfalls nicht nur. Du bist insgesamt anders. Deine ganze Haltung. Deine Augen. Du wirkst älter.»

«Es ist ein langer Tag gewesen.»

Sie nickte. «Ich habe dich vor ein paar Wochen auf CNN gesehen. Gabriella hat mir den Clip gemailt. Es läuft gut für dich.»

«Mir kommt es vor, als wäre das eine Ewigkeit her», seufzte Mahmoud.

«Du hast dich im Fernsehen wacker geschlagen. Die Kamera liebt dich», sagte sie und zwinkerte ihm zu. «Das kann nicht schaden, jetzt, wo du stärker im Mittelpunkt der Öffentlichkeit stehst, als du jemals zu hoffen gewagt hast.»

«Ha, ha», erwiderte er, konnte sich aber das Lächeln nicht verkneifen.

«Ah, wusste ich doch, dass ich dir noch ein Lächeln entlocken würde», sagte Klara.

Sie tätschelte sanft seine Wange, bevor sie ihre Hand seinen Arm hinuntergleiten ließ und nach seiner Hand fasste. Mahmoud merkte, wie die Last, die auf ihm lag, für einen Moment leichter wurde. Er erwiderte ihren Händedruck, ein wenig zu fest zwar, aber sie protestierte nicht.

«So», begann sie. «Es ist vielleicht nicht der richtige Moment dafür, aber ...» Ihre Augenlider flatterten, urplötzlich wirkte sie so klein. «Herrje, es kommt mir jetzt so banal vor. Trotzdem. Ach, egal ...» Sie verstummte.

«Ja, Klara», sagte Mahmoud, hob eine Hand, umschloss behutsam ihr Kinn und drehte ihren Kopf zu sich. Ihre Wangen waren ganz weich und glatt.

«Selbstverständlich habe ich dich geliebt, mehr als je einen anderen Menschen. Das war es nicht. Und ich fand dich auch sexuell attraktiv, falls du dich das gefragt haben solltest.»

«Das wäre ja auch noch schöner!», brummte Klara.

«Aber es kam mir so vor, als würde das nicht ausreichen. Ich weiß nicht. Es lässt sich nicht so einfach erklären. Schon als Teenager wusste ich, dass ich mich auch zu Männern hingezogen fühle, oder wie man das ausdrücken will. Aber wie du weißt, hängt man in Alby so etwas nicht an die große Glocke. Und auch nicht in Karlsborg. Also, jetzt weißt du, was dahintersteckte. Als wir uns kennenlernten, dachte ich, dass es sich vielleicht von selbst regeln würde. Aber es hat mich nie ganz in Ruhe gelassen.»

Er verstummte. Sie sahen einander an. Der Zug näherte sich

seiner Höchstgeschwindigkeit. Paris war noch knapp eine Stunde entfernt.

«Das wird schon alles wieder, Moody, wir schaffen das», sagte Klara schließlich.

Er nickte und schloss die Augen, um sie nicht die Tränen sehen zu lassen, die in ihm hochstiegen. Klara lehnte sich an seine Schulter. Er roch ihr Shampoo, ihr Parfüm, ihren Duft.

Als die Kamera auf das rot-weiße Banner auf der Brücke des Flugzeugträgers zoomt, verlasse ich die jubelnde, von Testosteron strotzende Messe und trete hinaus in den Kies auf dem vorläufigen Kasernenhof, um zu atmen. Hier draußen ist der Abend angenehm kühl, die Hitze nur mehr ein Flüstern in der schwachen Brise. Das Bassgebrumm der Generatoren mischt sich mit den Klängen der Nationalhymne, dem Klirren der Bierflaschen, der Arglosigkeit. Ich spüre eine Übelkeit, die nicht mehr weichen will. Vielleicht habe ich etwas Falsches gegessen. Vielleicht bin ich müde. Vielleicht reagiert mein Körper auf das, was man aus uns gemacht hat.

Ich kann den Präsidenten nicht mehr im Fernsehen sehen, ohne dass mich Unruhe überkommt, und dieses jüngste Spektakel berührt mich unangenehm. *Mission accomplished.* Mission vollendet. Sowohl hier als auch im Irak, wenn man dem Verteidigungsminister glauben will. Erst vor eineinhalb Monaten hielt ich meinen jungen, viel zu patriotischen Kollegen in den Armen, während er hier draußen im Schotter starb, umgeben von diesen trostlosen, schrecklichen Bergen. Sein Blut im Staub, an meinen Händen, meinem Hemd. Er mochte deutsches Bier und Amerika. Die Harvard Law School und Soccer. Seine Augen glühten nicht vor Rastlosigkeit und Wurzellosigkeit, sondern vor Idealismus. Was sagen sie noch? Die Unschuld fällt dem Krieg als Erstes zum Opfer? Wie lange ist er hier gewesen? Einen Monat? Ich zähle nicht mehr. Keine Monate. Keine Toten.

Ich höre die Hurrarufe aus der Messe. Sie feiern die Illusion eines Sieges, ein flimmerndes, wackeliges Hologramm, eine Lüge, die so schlecht vorbereitet ist, dass es geradezu erniedrigend ist, daran glauben zu sollen. Doch heute Abend haben sie keine Kraft mehr zu protestieren. Nach Monaten der Anspannung ist diese kindlich vereinfachte Symbolik genau das, was sie brauchen. Wie lange dauert es noch, bis sie in diesem Schotter sterben, ihre unbewaffneten Jeeps zu Atomen gesprengt werden, ihre Leichenteile kilometerweit über das Land verstreut werden? Was wissen sie schon über diesen Friedhof der Imperien?

Ich gehe in die Hocke, lehne meinen Rücken gegen das Wellblech und nehme einen tiefen Schluck von meinem Corona. Ich trinke wieder. Es ist fünfzehn Jahre her, seit ich mit den Schülern, den Taliban, nicht weit von hier in den Bergen saß. Fünfzehn Jahre, seit ich sie bewaffnet habe und ihnen Satellitenbilder, Kenntnisse über asymmetrische Kriegsführung und Freundschaftsversprechen gegeben habe. Fünfzehn Jahre. Ein Flüstern. Eine Parenthese. Fünfzehn Jahre, seit ich einem Mann auf einer Fähre im bitterkalten Stockholm das Versprechen von totaler Vernichtung gegeben habe. Wenn ihr euch wundert, warum wir so überzeugt sind, dass sie Massenvernichtungswaffen besitzen: weil wir sie ihnen gegeben haben. Wir ernten, was wir säen. Schotter, Blut, Lüge für Lüge. Wir säen Chaos und ernten Status quo.

Ich bemerke ihn kaum, ehe er direkt neben mir steht. Die weiße Narbe leuchtet in der Abendsonne. Er ist bleich. Grobporig. Das graue Haar um die beginnende Glatze kurz geschnitten. Genau wie ich trägt er eine schlechtsitzende Felduniform ohne Rangabzeichen. Ein Spion im Krieg. Er nimmt einen Schluck Bier und rülpst in seine Hand. Wirkt zufrieden. Dies ist sein Revier, sein Krieg.

«Was für ein herrlich dummes Gewäsch», sagt er und rekelt sich.

Ein Lächeln lauert auf seinen Lippen. Ich entgegne nichts.

«Na, Bush auf diesem beschissenen Schiff? Was für ein herrlich dummes Gewäsch.»

Er wirft seine leere Bierflasche in hohem Bogen in Richtung

eines zehn Meter entfernten Müllcontainers. Sie landet mit einem klingenden Laut, ohne in Scherben zu gehen.

Ich richte mich auf und nicke, signalisiere, dass ich seiner Meinung bin.

Einige Minuten lang stehen wir schweigend da, ehe er sich zu der Tür wendet, hinter der die Messe liegt.

«Auch noch ein Bier?», fragt er über die Schulter hinweg.

Ich schüttele den Kopf. «Es taugt nichts», erkläre ich.

Er bleibt stehen und dreht sich um. Hebt seine Augenbrauen in einer übertriebenen oder gespielten Verwunderung.

«Was? Was taugt nichts?»

Ich sehe ihn nicht an, sondern blinzele in die Abendsonne, die auf den Fenstern der staubigen Jeeps aufblitzt.

«Du weißt, was ich meine. Die Verhörpolitik. Die Methoden im Verhörraum. Die taugen nichts.»

Er wendet sich von der Tür ab und kommt wieder auf mich zu. Dieses kleine Grinsen mit einem Mundwinkel.

«Selbst wenn es Ergebnisse bringt», fahre ich fort, «sind die Methoden zu brutal. Sie sagen alles Mögliche, nehmen alles Mögliche auf sich. Nur um davonzukommen. Auf diese Ergebnisse kann man sich nicht verlassen.»

«Dummes Gewäsch», sagt er erneut und sieht mir direkt in die Augen. «Dummes Gewäsch. Komm mir nicht mit diesem Mist. Du hast die Ergebnisse gesehen. Wir bekommen viermal so viele Informationen, seit wir mit den verstärkten Verhören begonnen haben. Wir finden mehr Waffen. Wir wissen mehr über die Führungsebene. Mehr darüber, was sie planen.» Er tritt einen Schritt zurück, als wollte er mich in Augenschein nehmen. «Verdammt, du verlierst hier doch wohl nicht die Kontrolle?»

«Die Kontrolle verlieren? Ich sage nur, dass diese Methoden inhuman sind. Und dass sie nicht zu verlässlichen Ergebnissen führen. Das ist alles. Wir brechen diese Menschen und bekommen im Gegenzug nichts, auf das wir vertrauen können. Jede Untersuchung weist in diese Richtung.»

«Untersuchung», faucht er. «Von welchen beschissenen Untersuchungen redest du? Hast du etwa einen Doktor in Verhörtechnik? Das ist ein verdammter Krieg, falls du es noch nicht bemerkt haben solltest. Egal, was der Präsident im Fernsehen sagt. Krieg, kapierst du? Fressen und gefressen werden. Wenn du das nicht begreifst, solltest du den nächsten Flug nach Hause nehmen, und dann kannst du schon morgen am Wasserspender in Langley über den neusten Leitartikel in der *New York Times* diskutieren. Aber hier draußen geht es darum, was wirklich funktioniert. Und das, was wir tun, funktioniert. Viel komplizierter ist es nicht.»

«Aber es funktioniert doch nicht, verdammt noch mal!»

Ich hatte nicht vor, meine Stimme zu erheben, aber seine Reptilaugen und seine Blutrünstigkeit machen mich nur noch wütender. Männer von seinem Schlag haben jetzt das Ruder übernommen. Autobatterien und Elektroden. Seit Kurdistan hat sich alles verändert.

Mein Kollege entgegnet nichts. Er mustert mich nur eingehend. Also starre ich weiter. Scharre mit dem Fuß im Sand, befreie meine Augen von jeder Empathie. Wir starren einander an. Aus der Messe dringen die Stimmen und der Lärm des Fernsehers. Der Duft von frittiertem Essen und trockenem Frühjahr. Er wendet seinen Blick zuerst ab.

«Es ist jetzt Zeit für dich, wieder nach Hause zu wechseln», sagt er. «Dein Aufenthalt im Feld hat das Verfallsdatum überschritten, wenn du die schwierigen Entscheidungen nicht mehr nachvollziehen kannst. Am besten, du packst deine Sachen.»

Ich erwidere nichts, sehe ihn nur weiterhin ruhig an.

«Das kapierst du doch wohl, oder?»

Er tritt einen Schritt auf mich zu. Jetzt ist sein Gesicht dem meinen ganz nah. Sein Atem riecht nach Bier und Staub und Tabak.

«Du warst schon immer eine miese kleine Fotze», zischt er. «Das wusste ich schon im Irak, dass du eine miese, kleine Fotze bist. Sieh zu, dass du einen Platz im nächsten Rotationsflug von Kabul bekommst. Du bist hier fertig.»

Er spuckt in den Schotter, dreht sich um und geht in die Messe, ohne sich umzusehen. Hört es so auf?

20. Dezember 2013
Stockholm, Schweden

Gabriella stieg bei Albert & Jack's Bakery & Deli in Skeppsbron aus dem Taxi, das Café befand sich direkt neben der Anwaltskanzlei Lindblad und Wiman. Auf halbem Weg in den Laden änderte sie ihre Meinung. Es war schon nach drei, und sie hatte nichts zu Mittag gegessen, merkte aber, dass sie nicht länger hungrig war. Die ständige Unruhe, die sie umtrieb, schien alle anderen Bedürfnisse zu verdrängen.

Was geht da nur vor, Mahmoud?, dachte sie.

Bronzelius hatte sie gebeten, Verbindung zu ihm aufzunehmen, falls Mahmoud sich bei ihr meldete. Weil das vielleicht manches vereinfachen könnte. Er hatte gesagt, die Säpo sei überzeugt davon, dass es sich bei der ganzen Sache nur um ein Missverständnis handelte. Dass Mahmoud sich mit allergrößter Wahrscheinlichkeit nur melden sollte, um ihnen die Geschehnisse zu erläutern. Dass sich alles gewiss auf informellem Weg klären ließe.

Gabriella seufzte. Sie wusste nicht, was sie glauben sollte. An und für sich verspürte sie große Erleichterung bei dem Gedanken, dass die Säpo ihn für unschuldig hielt.

Nasser Dezemberschnee fiel auf ihre dicken roten Haare, als sie mit wenigen Schritten den Eingang der Kanzlei erreicht hatte. Dunkle Wolken hingen über Djurgården und der Stockholmer Hafeneinfahrt. Bislang war der Dezember unbarmherzig gewesen.

Seufzend setzte sie sich in ihrem Büro vor den Computer und begann die Mails zu beantworten, die sie auf dem Weg vom Gericht hierher nicht gründlich genug auf ihrem Blackberry hatte durchgehen können. Aber es gelang ihr einfach nicht, sich darauf zu konzentrieren, weshalb sie sich auf dem Stuhl zurücklehnte. Ihr rechtes Fenster ging zu einem roten Haus aus dem 18. Jahrhundert im Ferkens gränd hinaus.

Sie griff nach dem Smartphone und versuchte zum x-ten Mal Mahmoud anzurufen. Als sie ihn nicht erreichte, probierte sie es auf Klaras Nummer, aber auch hier meldete sich niemand.

Verflucht, was war da bloß los?

«Warum musste ich heute in meiner sowieso nicht existierenden Mittagspause mit einem Schluffi von der Säpo telefonieren?»

Gabriella fuhr zusammen und sah von ihrem Handy auf. In der Tür stand Hans Wiman. Sein intelligenter Blick aus grauen Augen, der in ganz Schweden von unzähligen Fernsehübertragungen, Pressekonferenzen und Gesprächsrunden bekannt war, war auf Gabriella geheftet.

«Schluffis» nannte er alle Angehörigen von Berufsgruppen, die nicht im Anzug zur Arbeit erscheinen mussten.

Wiman trug immer einen Anzug, von Zegna oder Armani. Selbst samstags, wie Gabriella hatte feststellen können, als sie an einem der unzähligen Wochenenden in der Kanzlei gesessen hatte, um sich in einen neuen Fall einzuarbeiten oder einen alten abzuschließen.

Wenn jemand hörte, dass Wiman jemanden als Schluffi titulierte, war dies das erste Anzeichen dafür, dass sich die Karriere der betreffenden Person bei Lindblad und Wiman dem Ende zuneigte. Von da an dauerte es häufig nur noch wenige Wochen oder Monate, bis der- oder diejenige erfuhr, dass er oder sie kein «Teilhabermaterial» mehr sei. Es war keine Kündigung, so taktlos ging man nicht vor, doch ein deutliches Signal dafür, allmählich an einen Plan B zu denken.

«Säpo?», fragte Gabriella.

Sie war darauf nicht gefasst. Im Geiste ging sie die Konsequenzen durch. Wenn die Säpo mit Wiman gesprochen hatte, wusste er bestimmt schon, dass sie den «Terroristen» oder «Elitesoldaten» Mahmoud Shammosh kannte – je nachdem, welche Boulevardzeitung er las. Sie konnte ebenso gut gleich die Karten auf den Tisch legen.

«Mahmoud Shammosh betreffend?», fragte sie.

«Sie betreffend, Gabriella», antwortete Wiman.

Er ließ sie nicht aus den Augen. Sein roter Schlips leuchtete in der Dämmerung.

«Mich?»

Sie schluckte. Wenn etwas eine Karriere torpedieren konnte, dann, Gegenstand einer Säpo-Ermittlung zu sein. Wiman nickte. Er schien es zu genießen, sie so unter Druck zu sehen. Ob das ein Test war?

«Ein Bronzelius, wie ich mich zu erinnern meine. Er erwähnte, dass er Sie im Gericht aufgesucht habe?»

Gabriella räusperte sich. Warum nur fühlte sie sich schuldig? Sie hatte nichts Falsches getan.

«Das stimmt. Er ist heute Morgen im Gericht auf mich zugekommen und hat mich zu einem Bekannten verhört, Mahmoud Shammosh. In Belgien wird offenbar wegen Mordes nach ihm gefahndet.»

«Der Doktorand des Todes», bemerkte Wiman.

Er lächelte ein schmales, kaum sichtbares Lächeln. Offensichtlich hatte die Klatschpresse ihre Beschreibung Mahmouds anhand der Informationslage aktualisiert.

«Manchmal kommt ihnen tatsächlich ein guter Einfall.»

Gabriella erwiderte nichts, sie nickte nur.

«Interessante Bekannte, mit denen Sie sich da umgeben, Gabriella», sagte Wiman. «Mit Terroristen also.» Er schien die Situation zu genießen. «Was hält Ihre Vergangenheit denn noch so alles bereit? Bankräuber, vielleicht? Gemeine Diebe, Vergewaltiger?»

Gabriella errötete. Nicht, weil sie sich schämte, mit Mahmoud befreundet zu sein, sondern weil sie die Gefühllosigkeit in Wimans spöttischem Ton wütend machte. Sie musste sich zwingen, ihm nicht ins Wort zu fallen.

«Natürlich, je interessanter Ihre Vergangenheit, desto besser laufen die Geschäfte, nicht wahr? Ein verdächtigter Terrorist ist schließlich eine potenzielle Goldgrube für eine junge Anwältin. Besonders so ein Fall wie dieser. Die Anwältin und der Terrorist, befreundet seit Universitätstagen. Welch verschiedene Wege sie eingeschlagen haben, um schließlich durch ein langes Gerichtsverfahren von internationalem Interesse wieder vereint zu werden. Die Medien würden sich überschlagen. Unbenommen davon, wie der Prozess endet, hätten Sie sich einen Namen gemacht. Und das ist in dieser Branche das Wichtigste.»

«Ich bin mir nicht sicher, ob ich Sie richtig verstehe. Was meinen Sie damit?», fragte Gabriella.

Sie war verwirrt. Wiman war zweifellos ein brillanter Verteidiger und Geschäftsmann, und wie so viele brillante Anwälte und Geschäftsleute besaß er eine aalglatte Oberfläche, die ihn unberechenbar machte. Und eine eisige Gefühlskälte.

«Ich meine damit, dass es in unserem, in Ihrem Interesse ist, Verbindung zu Ihrem Terroristen-Freund aufzunehmen. Wenn Sie Kontakt zu ihm aufgenommen haben, sorgen Sie dafür, dass er sofort Ihre Dienste als Anwältin in Anspruch nimmt, sodass die Säpo Ihnen keine beschwerlichen Fragen mehr stellen kann. Die anwaltliche Schweigepflicht gilt schließlich erst, wenn er Ihr Klient ist, wie Sie vielleicht noch aus dem Studium wissen.»

Jetzt war Gabriella ernsthaft verärgert. Man musste sie wohl kaum an die grundlegendsten Regeln des Anwaltsberufes erinnern. Gleichzeitig war sie erleichtert. Nicht nur, dass die Säpo-Sache für sie persönlich vielleicht nicht von Nachteil wäre, vielleicht bekäme sie sogar Gelegenheit, Mahmoud mit dem Einverständnis ihres Chefs zu helfen.

«Sowie Sie Kontakt zu ihm hergestellt haben – und ich zweifle nicht daran, dass es in nächster Zukunft dazu kommt –, kümmern Sie sich darum, dass Shammosh nach Schweden kommt», fuhr Wiman fort. «Das ist schließlich die Voraussetzung, sofern Sie nicht Mitglied der Belgischen Anwaltskammer sind, nicht wahr? Sobald er sicher hier eingetroffen ist, sorgen wir dafür, dass er ein Weilchen untertaucht, damit wir die Sache richtig aufbauschen können, ehe wir damit an die Öffentlichkeit gehen. Am Ende muss er natürlich an Belgien ausgeliefert werden. Wo wir ihm dann eine Brüsseler Kanzlei zur Seite stellen werden ...»

«Die Sache richtig aufbauschen?», unterbrach ihn Gabriella schließlich.

Sie konnte sich nicht länger beherrschen. «Sie meinen, dass das nur ein erstklassiger PR-Coup für die Kanzlei ist, sonst nichts? Wir sprechen hier von meinem Bekannten, und ganz abgesehen davon ist er unschuldig! Du meine Güte, unsere Aufgabe ist es, ihn zu verteidigen, darum geht es doch bei uns?»

Wiman schüttelte den Kopf und zeigte erneut sein schmales Lächeln. «Ich weiß Ihren, wie soll ich es ausdrücken? – Ihren Idealismus? Ihre Loyalität? – durchaus zu schätzen, Gabriella.» Er verlieh den Worten etwas Fragendes, als ob ihm ihre Bedeutung fremd wäre. «Aber es gibt unterschiedliche Fälle. Fälle, die wir gewinnen müssen, um im Licht der Öffentlichkeit zu stehen, um unseren guten Ruf zu verfestigen. Und Fälle, bei denen es genügt mitzuspielen. Hier ist es letztlich womöglich sogar besser, den Prozess nicht zu gewinnen. Dies sind Fälle, in denen ein Unentschieden vorzuziehen ist, könnte man sagen. Sie nennen es PR-Coup, ja, mag sein. Der Anwaltsberuf ist ein Wirtschaftszweig. Wenn Sie mit Gerechtigkeit zu tun haben wollen, sind

Sie wohl besser bei den Schluffis vom Amtsgericht aufgehoben.»

Gabriella holte tief Luft. Jetzt war sie also schon kurz davor, mit diesen Schluffis in einen Topf geworfen zu werden. Nicht gut.

«Darüber hinaus ist das nicht nur eine Chance auf gute PR für die Kanzlei, sondern auch für Sie. Diese Sache könnte zu einem entscheidenden Fall in Ihrer Karriere werden. In solchen Momenten werden Stars geboren. Und Sie erhalten Gelegenheit, Ihrem Bekannten zu helfen. Das ist eine *Win-win*-Situation, Gabriella. Keiner verliert dabei.»

Weshalb protestierte sie eigentlich noch? Wimans Ausführungen bedeuteten, dass sie die offiziell sanktionierte Gelegenheit bekäme, Mahmoud zu helfen. Ob der Anlass dafür war, dass Wiman die Kanzlei in den Medien sehen wollte oder nicht, war nicht von Bedeutung. *Win-win*. Gabriella schluckte den bitteren Geschmack in ihrem Mund herunter, den Wimans skrupelloser Monolog verursacht hatte.

«Das klingt gut», sagte sie. «Vorausgesetzt, dass er sich meldet.»

«Das wird er schon. Halten Sie mich über die Angelegenheit auf dem Laufenden. Ich möchte regelmäßig informiert werden. Wenn ein Unterschlupf vonnöten sein sollte, lässt sich das organisieren. Und wenn der Sturm losbricht, verteilen wir Ihre Routinefälle auf die Kollegen. Die können gut ein paar Stunden mehr fakturieren.»

Gabriella nickte und dachte, dass ihre Kollegen bald Grund hätten, noch schlechter von ihr zu denken, als sie es vermutlich schon taten.

20. Dezember 2013
Paris, Frankreich

Der Schnellzug aus Brüssel verringerte nahezu lautlos das Tempo unter dem Art-Nouveau-Dach des höchstgelegenen Bahnhofs Europas, Gare du Nord in Paris. Klara drehte sich zu Mahmoud um, der noch immer tief und fest zu schlafen schien. Sie löste ihre Hand aus seiner. Noch immer verspürte sie etwas von der ungewohnten, fremden Intimität, die vor einer Stunde zwischen ihnen aufgekommen war.

Mahmoud erwachte mit einem Ruck und sah sich um. «Sind wir da?», fragte er und blickte auf den Bahnsteig, der schwarz vor Menschen war.

Er machte einen frischeren Eindruck. Die Stunde Schlaf schien ihm gutgetan zu haben.

«Jawohl. Jetzt werden wir sehen, ob wir richtig geraten haben.»

«Da stehen Polizisten», sagte Mahmoud. «Hast du nicht gesagt, dass sie die Pässe hier nicht routinemäßig überprüfen?»

«Das glaube ich auch nicht», erklärte Klara. «Nur wenn sie einen Grund haben. Sind Routinekontrollen seit dem Schengenabkommen nicht sogar verboten?»

«Du bist hier die EU-Expertin», sagte Mahmoud schulterzuckend. «Aber ich hoffe, dass du recht behältst, sonst könnte es etwas brenzlig werden.»

«Weil du ein Mordverdächtiger bist?» Sie spielte Mahmoud die Naive vor und klimperte mit den Wimpern.

«Jetzt hör doch endlich damit auf, immer Mordverdächtiger zu sagen», fauchte Mahmoud. «Ehrlich, das ist kein Witz.»

Klara konnte ein kleines nervöses Kichern nicht unterdrücken. Die ganze Situation war zu absurd, um nicht darüber zu scherzen.

Sie standen auf und reihten sich in den Strom der Passagiere im Mittelgang ein.

Klara spürte die Anspannung. Bisher hatten sie keine Probleme gehabt. Passkontrollen in Paris waren ungewöhnlich. Sie war bestimmt schon zehnmal hier gewesen und nie überprüft worden. Insofern funktionierte der Binnenmarkt. Viele pendelten täglich zwischen Brüssel und Paris hin und her, aber Klara war noch nie in Gesellschaft von jemandem gereist, nach dem gefahndet wurde. Sie sah Mahmoud an, dass er unter Druck stand. Seine Gesichtsmuskeln waren verkrampft, die Kiefer mahlten, als würde er auf einem Kaugummi herumkauen.

Sie stiegen aus und hielten mit den anderen Reisenden auf das Drehkreuz am Bahnsteigende zu. Klara bemühte sich, die beiden Polizisten nicht anzuschauen, die abwartend dastanden und die Neuankömmlinge musterten. Sie wirkten nicht sonderlich aufmerksam, sondern schienen eher ziellos über die Menschenmenge zu schauen.

Sie hatten das Drehkreuz fast erreicht, als Klara jemanden hinter sich rufen hörte. Schritte näherten sich im Laufschritt. Ihr Herz setzte für einen Moment aus.

«*Monsieur! Monsieur! Arrêtez!* Bleiben Sie stehen!»

Panisch schielte sie zu Mahmoud. Er erwiderte ihren Blick. Grimmig. Gnadenlos. In seinen Augen stand eine Entschlossenheit, die ihr Angst machte.

Langsam drehte er sich um. Er war auf alles gefasst, jeder Muskel in seinem Körper gespannt.

Aber Mahmoud war gar nicht gemeint gewesen. Klara sah, wie ein Zugschaffner einen Fahrgast einholte und ihm eine Tasche reichte, die er offenbar auf seinem Platz vergessen hatte. Wäre ihr Hals nicht so zugeschnürt, würde sie einen erleichterten Seufzer ausstoßen.

Mahmoud dagegen schien nicht erleichtert, sondern packte ihren Arm und schob sie unsanft in die Bahnhofshalle.

«Tu einfach genau das, was ich dir sage. Und dreh dich unter gar keinen Umständen um. Wir werden verfolgt.»

Mai 2003 – Dezember 2010
North Virginia, USA

Hört es wirklich so auf? Nicht mit einem Paukenschlag, sondern mit einem Pling? Zehn Stunden Flug, einige Wochen Beurlaubung, ein Schulterklopfen und ein leerer grauer Schreibtisch unter der unbarmherzigen Leuchtstoffröhre einer trostlosen Bürolandschaft.

«Wir organisieren dir dann ein Büro», sagt Susan, ohne mir in die Augen zu sehen.

Aber die Tage vergehen, und das Büro existiert genauso wenig wie Arbeitsaufträge für mich. Teilnahmsvolle Blicke, Tuscheln an der Kaffeemaschine. Sie kennen mich nicht – alle anderen hier sind jünger als ich –, aber die Gerüchte sind mir vorausgeeilt.

Ich bin der alte Feldagent, den man nach Hause geschickt hat, der die Entscheidungen nicht mehr verkraftet, die der Krieg erfordert, der Afghanistan nicht mehr verkraftet. Es wundert mich nicht. Wir sind alle Spione. Was bleibt uns schon, außer Gerüchten, Halbwahrheiten, aus dem Zusammenhang gerissenen Bruchstücken?

Ich kenne niemanden bis auf die Kollegen, die im Rang gestiegen sind. Die sich den Gepflogenheiten angepasst und die wechselnden Allianzen gemeistert haben. Die sich in ihren *town houses* schon immer wohler gefühlt haben als im Schatten. Deren Ziel von Anfang an die Mittagessen mit den Ratgebern des Präsidenten und die Abendessen mit den Botschaftern waren. Sie haben mich schon damals nicht interessiert und tun es auch heute nicht. Trotzdem kommen sie pflichtschuldig an meinem Platz vorbei und lassen ihren Blick über meinen aufgeräumten Schreibtisch schweifen, während sie versuchen, meinem Blick auszuweichen, und ihre Finger auf das rote Plastik meines leeren Posteingangsfachs trommeln.

«Ihre Sachkenntnis wäre dort von unschätzbarem Wert», sagen sie und überschlagen schnell im Kopf, wie viele Jahre es noch dauern wird, bis sie mich endlich in Rente schicken können.

Jemand hat einen Kontakt in einer privaten Firma im Irak empfohlen. Es gibt fast nur noch Privatfirmen. *Contractors.* Feldarbeit und großes Geld.

«Ihre Sachkenntnis wäre dort von unschätzbarem Wert.»

Aber ich bringe es nicht über mich, mich dort zu bewerben. Nach zwölf Stunden durch Whisky und Tabletten erzwungenem Schlaf schaffe ich es gerade noch, auf die Beine zu kommen. Und selbst das kaum. Wenn ich zur Arbeit fahre, sehe ich das Schwimmbad nicht einmal. Vielleicht habe ich vergessen, wie man schwimmt? Ich habe mich weiß Gott gezwungen, alles andere zu vergessen.

Und ich träume nicht länger jede Nacht, so wie ich es früher einmal tat. Nicht einmal die wiederkehrenden Albträume, aus denen ich fiebrig erwachte, die Decke vom Bett gestrampelt, manisch nach meiner Brust tastend, nach imaginären Einschusslöchern, gebrochenen Knochen, Trauer. Ich vermisse diese Träume. Wenn ich hin und wieder träume, dann von den Bergen. Ein ewiger Kameraschwenk über Schotter und Gras in gebrochenem Technicolor, ein Himmel in Yves-Klein-Blau, schneebedeckte Gipfel und Wege, die zu keinem Ziel führen, nur immer weiter in die Ferne. Ich wache auf und wünsche mir nichts, als ihnen folgen zu dürfen.

So vergehen die Tage, die Nächte. Die endlosen Augenblicke, die zu Wochen werden und dann zu Jahren. Das monotone Brummen der Autobahn begleitet mich wie ein Tinnitus. Als Abu Ghraib seit einem Monat in allen Medien ist, bekomme ich mein eigenes Büro. Kein Wort, nichts. Aber es ist eine Rehabilitierung. Ein kaum vernehmbares Flüstern. Eine Versöhnungsgeste oder eine Bestechung. So möchte ich es jedenfalls interpretieren. Als wüssten sie mich nicht genau einzuschätzen. Doch natürlich wissen sie exakt Bescheid. Haben es immer gewusst. Wer, wenn nicht der unerschütterlich Loyale, wäre immer noch hier?

Wir bekommen einen neuen Präsidenten, und als natürliche Folge wird die Organisation auf den Kopf gestellt, woraufhin am Ende alles wieder auf demselben Platz landet, wo es von Anfang an war. Aber das stimmt nicht ganz. Dinge ändern sich. Zuletzt schwebt der Irrsinn in einer Wolke der Reue davon und lässt uns wieder so zurück, wie wir einmal waren. Rational, realpolitisch. *streetsmart* statt christlich. Und wir lehnen uns zurück und lesen in der *Washington Post* über das, was wir geschaffen haben. Die alternative, private gewinnbringende Kriegsmaschinerie. Die unendlichen Zwischenhändler. Das Ausmaß ist schockierend, selbst für uns Eingeweihte, die es wissen sollten.

Langsam zwinge ich mich wieder ins Becken, langsam lerne ich wieder schwimmen. Bahn für Bahn, bis ich nicht mehr zähle, bis meine Arme so müde sind, dass ich kaum noch die Fernbedienung des Plasmafernsehers in meiner Wohnung heben kann, die bis ins kleinste Detail wie ein hochklassiges Hotel eingerichtet ist.

Langsam, kaum merklich, tausche ich den Whisky wieder gegen Tee, die Schlaftabletten gegen zwanzig Liegestütze auf dem weichen Schlafzimmerteppich, zwölf Stunden traumlosen Schlaf gegen sieben Stunden mit zerrissenen Albträumen, Trauer und, irgendwo, der zitternden, hoffnungsvollen Version eines Lebens. Bis ich eines Tages nichts mehr trinke. Nicht einmal Kaffee.

Langley und das Schwimmbecken und die Selbsthilfegruppen in deprimierenden grellbeleuchteten Klassenzimmern in Palisades oder Bethesda – mehr bleibt mir nicht. Abende mit Kabelfernsehen und Essen vom Imbiss nebenan. Ein Tag wie der andere. Das ist aus meinem Leben geworden. Viel ist es nicht. Es ist fast nichts.

Ich trage Damaskus in dem Amulett, das du mir gabst, um den Hals. Es lässt mich nicht eine Sekunde los. Alles, vor dem ich davonlief. Alles, was ich im Stich ließ und opferte. Es erfüllt mich wie eine Leere. Jeden Freitag suche ich in unseren Datenbanken nach dem Namen meiner Tochter. Lasse ihn durch unsere endlosen Register wirbeln, während ich mit der Hand das Amulett umschließe. Während ich das einzige Gebet spreche, das mich interessiert, das einzige, das jetzt von Bedeutung ist: Allmächtiger Gott, lass das Ergebnis null sein.

Es ist wenige Wochen vor Weihnachten. Ich habe blinkende Lichterketten für meinen Balkon gekauft, ein unbeholfener Versuch, Normalität anzustreben. Der Karton mit den Lichtern ist so leicht, dass ich ihn in einer Hand tragen kann, während ich mit der anderen in der Jackentasche nach den Autoschlüsseln krame. Im Parkhaus des Einkaufszentrums herrscht ein ewig graues Dämmerlicht. Meine Schritte hallen einsam auf dem Beton wider.

Neben meinem Auto steht ein Mann. Sofort übertragen und vervielfachen sich Hunderte trainierte Reflexe über mein Rückgrat, meine Nervenbahnen. Hunderte gegensätzliche Impulse von Gewalt und Flucht. Der Mann richtet sich auf, dreht sich zu mir um, streckt sich, als hätte er allzu lange in derselben Position verharrt. Es ist eine einladende Bewegung, die langsame Gebärde von einem, den man nicht fürchten muss. Ich höre, wie die Frequenz meiner Schritte im Echo verebbt. Schließlich bleibe ich stehen, zwanzig Meter vom Wagen entfernt. Jetzt ist nur noch das Brummen irgendeiner gigantischen Lüftungsanlage zu hören. Und der Verkehr drei Stockwerke unter uns. Nur ein Augenblick, der ins Wanken gerät und zu kippen droht.

Der Mann steht reglos da und hebt unendlich langsam seine geöffneten Hände in einer zeitlosen Geste des Friedens, der guten Absichten. Doch erst als er ein paar kurze langsame Schritte auf mich zugeht, weiß ich, wer er ist. Fünfundzwanzig Jahre der wechselnden Allianzen. Aber ich weiß, wer er ist.

Sein Schnauzbart ist kürzer. Sein Gesicht älter, zerfurcht. Es ist nicht sein Aussehen, das ihn verrät. Sondern das, was das Wiedersehen mit der Erinnerung an einen Augenblick macht: Kontext und Zusammenhang herzustellen.

«*Salam aleikum*», sagt er.

Ich räuspere mich und finde den Autoschlüssel. Schließe den Mazda mit einem Klick auf, ein kurzes Piepsen.

«*Aleikum salam.*»

Dann sitzen wir im Wagen. Zwei abgehalfterte Spione in einem japanischen Auto, vor einem amerikanischen Einkaufszentrum, in einer Welt, die sich inmitten all dieser unberechenbaren Gegenwart plötzlich um- und abgekehrt hat und zu der wir uns nicht mehr zu verhalten wissen. Erst schweigen wir, sitzen nur da, sehen uns nicht einmal an. Am Ende ist es an mir, den Anfang zu machen.

«Wie hast du mich gefunden?», frage ich auf Arabisch.

Er schielt zu mir herüber, von schräg oben. Ein Anflug von Enttäuschung in seinen Augen.

«Wie ich dich gefunden habe? Ich bin schon ziemlich lange hier in den USA. Ich habe meine Kontakte. Mit unserem Hintergrund – du weißt schon. Wenn man jemanden wirklich finden will, gelingt einem das auch.»

Ich komme mir dumm vor. Das hätte ich nie fragen dürfen. Ich habe ihn verletzt, seine Kompetenz in Frage gestellt, das, was von einem Leben übrig geblieben ist, das er vielleicht gar nicht länger führt.

«Aha», sage ich. «Du wohnst jetzt also hier?»

Er nickt, seufzt, macht eine resignierte Geste.

«Ich habe erkannt, wo das alles hinführen würde. Schon nach dem 11. September. Es war nur eine Frage der Zeit. Und deine Kollegen waren sehr entgegenkommend.»

«Und jetzt?», frage ich. «Was machst du jetzt?»

Er grinst schief und lehnt sich im Sitz zurück.

«Jetzt unterrichte ich Arabisch an einem Community College in St. George's County. Meine Frau arbeitet wieder als Krankenschwester.»

Er verstummt, schüttelt den Kopf, offenbar ist ihm besonders dieser Bereich seines neuen Lebens unangenehm. Schließlich zuckt er die Schultern.

«Sie ist Amerikanerin und scheint sich damit wohlzufühlen. Bei ihr ging das ganz schnell. Das nennt man wohl den amerikanischen Traum, was? Harte Arbeit, zwei Autos und ein kleines Haus in Millersville?»

Er lächelt erneut. Ein Lächeln, das ironisch ist, aber nicht resigniert oder bitter. Es ist das Lächeln eines Mannes, der weiß, was es bedeutet, von den Wellen fortgetragen zu werden, und der weder darüber klagt noch zu verstehen versucht, wie sich das Leben ändert. Es ist das Lächeln eines Flüchtlings.

«Es ist anders gekommen, als wir es uns vorgestellt hatten», sage ich. «Alles ist anders gekommen.»

Er nickt. «Stockholm ist lange her.»

Die Taucherglocke hat den Grund erreicht. Deshalb ist er zu mir gekommen, und die Aufgabe muss schwerer gewesen sein, als er sich anmerken lassen will. Ich nicke.

«Fünfundzwanzig Jahre», sage ich. «Es kommt einem vor wie gestern.»

«Erinnerst du dich daran, dass du mich vor unserem Treffen um etwas gebeten hast? Einer Sache nachzugehen? Als Gefälligkeit. Unter Spionen.»

«Natürlich.»

Mein Puls schlägt plötzlich doppelt so schnell. Ich versuche zu schlucken, aber mein Mund ist zu trocken.

«Das war mutig. Du bist ein Risiko eingegangen. Jemanden zu kontaktieren, den du nicht kanntest. Bei einem offiziellen Treffen ein persönliches Anliegen vorzutragen. Das ist ungewöhnlich. Nicht wahr?»

Er wendet sich mir zu und sieht mir direkt in die Augen.

«Jemand, der eine solche Frage stellt, ist entweder unwissend, oder er will sich selbst überlisten. Würdest du mir nicht zustimmen?»

«Was meinst du?», frage ich.

Er schüttelt vorsichtig den Kopf. Er sieht müde aus, alt.

«Du bist nicht unwissend. Du hattest deinen Verdacht. Einen begründeten Verdacht. Und du wusstest, dass ich ihn dir nie würde bestätigen können. Dass es so nicht funktioniert. Du wusstest, dass ich dir eine leere Antwort geben musste. Etwas, das nicht Lüge und nicht Wahrheit ist. Trotzdem hast du gefragt. Trotzdem wolltest du wissen, wer deine Freundin ermordet hat, die Mutter deiner Tochter. Du hast mich gefragt, als du noch nicht einmal wusstest, wer ich bin.»

«Ich war verzweifelt», sage ich vorsichtig. «Ich wäre zu allem bereit gewesen.»

Er schüttelt wieder den Kopf und öffnet seinen Rucksack, zieht eine beigefarbene Mappe daraus hervor. Legt sie auf seine Beine. Ich schließe die Augen. Lehne mich zurück und spüre, wie das Blut durch meinen Körper pumpt.

«Du hast mich gefragt, weil du wusstest, dass ich eine leere Antwort geben würde. Die du mit jeder beliebigen Deutung füllen konntest. Du wolltest den leichten Weg wählen. Lüge oder Wahrheit. Den Weg des geringsten Widerstands. Und wer bin ich, dir das zu verübeln?»

Ich sage nichts. Atme kaum.

«Vielleicht sollte ich es auch sein lassen. Was nützt es jetzt schon noch?», meint er. «Das Alte wieder hervorzukramen? Es ist lange her. Aber dieses Leben hat aus uns ein Instrument gemacht. Nicht mehr. Allzeit bereit, auf das zu reagieren, was sie sich entschließen, uns mitzuteilen. Allzeit bereit, die Seite, die Ideologie, die Methoden zu wechseln.»

Ich nicke noch immer. Es gibt keinen Unterschied. Wir sind alle gleich.

«Und jetzt ist es für uns beide vorbei. Das Leben, wie wir es uns vorgestellt haben. Vielleicht sollten wir aufhören, uns etwas vorzulügen?»

Er nimmt die Mappe und legt sie auf meine Knie. Sie wiegt fast nichts. Die Wahrheit fällt kaum ins Gewicht. Ich öffne die Augen erst, als ich höre, wie sich die Autotür hinter ihm schließt, ich den Widerhall seiner Schritte im leeren Parkhaus höre. Ich brauche die Mappe gar nicht erst aufzuschlagen. Ich weiß bereits, was sie enthält.

20. Dezember 2013
Paris, Frankreich

Mahmoud war sich absolut sicher. Als er sich auf dem Bahnsteig umgedreht hatte, hatte er einen Blick auf die junge Frau vom Brüsseler Flughafen erhascht. Sie hatte sich ruhig und besonnen etwa zwanzig Meter hinter ihnen in den Strom der Reisenden eingereiht.

Immer noch Klaras Ellenbogen umfassend, führte Mahmoud sie durch die Absperrungen, bis er in der Halle ein Hinweisschild zu den Schließfächern sah. Ein Stockwerk tiefer, bei den Mietwagengesellschaften. Mahmoud war entsetzlich nervös, bemühte sich aber, sich nicht anmerken zu lassen, dass er ihre Verfolgerin entdeckt hatte.

«Womit hast du die Fahrkarten bezahlt?», flüsterte er Klara zu.

«Äh, mit der EC-Karte, glaube ich.»

Er nickte. «Mist. Ich hätte dich warnen sollen. Verdammt, es sieht ganz so aus, als könnten sie sämtliche unserer Bewegungen nachvollziehen. Sie haben herausgefunden, wo du die Fahrkarten gekauft hast, und sind uns in den Zug gefolgt.»

Klara entgegnete nichts, nickte bloß. Angst schien sie nicht zu haben, war nur hochkonzentriert.

«Hast du noch das Handy aus Brüssel?», fragte Mahmoud.

Als Klara vom Fahrkartenschalter zurückgekehrt war, hatte Mahmoud zwei billige Prepaidhandys gekauft, falls sie voneinander getrennt würden und Verbindung zueinander aufnehmen mussten.

«Ja, in der Handtasche.»

«Gut. Wir müssen ein enormes Risiko eingehen. Am besten teilen wir uns auf.»

Mahmoud sah sie unverwandt an. Sie erwiderte seinen Blick.

«Einverstanden.»

In den ersten Wochen seiner Fallschirmjägerausbildung hatte Mahmoud gelernt, dass man nie wissen konnte, wie jemand unter Stress reagierte. Manche verloren alle Vernunft, die Besinnung, verhielten sich irrational. Vermeintliche Siegertypen büßten urplötzlich jede Handlungskraft ein. Andere wiederum wurden unter zunehmendem Druck gelassener und konzentrierter. Insgeheim hatte er wohl schon immer gewusst, dass er sich um Klara keine Sorgen machen musste. Trotzdem war er erleichtert über diese Erkenntnis – und seltsam gerührt.

«Hast du auch noch den Gepäckschein?»

«In meiner Brieftasche.»

«Gut. Wir machen Folgendes. Wir gehen in normalem Tempo zum Taxistand. Wenn dort eine Schlange ist, warten wir in aller Ruhe ab. Sowie wir ein Taxi bekommen, springst du hinein und kletterst über die Rückbank und steigst auf der anderen Seite wieder aus. So weit alles klar?»

Klaras Blick irrte umher, sie schluckte. Jetzt klopfte ihr das Herz auch bis zum Hals.

«Alles klar.»

«Ich fahre davon und lenke die Verfolger auf meine Fährte. Du gehst eine Weile in Deckung, kannst dann hoffentlich das Schließfach leeren, steigst in die Métro und fährst so weit wie irgend möglich aus der Stadt. In einer Stunde rufe ich dich an, und wir treffen uns wieder.»

«Und wenn ich sie nicht abschütteln kann? Was dann?»

«Dann lassen wir uns etwas anderes einfallen. Aber das wäre der Plan. Mehr haben wir im Moment nicht.»

«Erinnere mich daran, dass ich in Zukunft nicht mehr mit dir verreise, ja?», sagte Klara.

Mahmoud stutzte, nahm ihr Gesicht in seine Hände, zog es zu sich heran und hauchte ihr einen zärtlichen Kuss auf die Wange.

«Du kriegst das hin, Klara», flüsterte er. «Wie sagt dein Opa doch immer? Euch von der rauen Küste wirft so leicht nichts um, oder?»

Sie hatten fast die Taxis erreicht. Mahmoud spürte seinen Puls hämmern. Das war ein entscheidender Moment. Jetzt oder nie.

«Warte», sagte er zu Klara.

Er nahm den Rucksack ab und gab vor, etwas darin zu suchen, während er hinter sich schielte. Die blonde Frau ging in einem weiten Bogen in dieselbe Richtung wie Mahmoud und Klara. Auf der anderen Straßenseite bewegte sich ein Mann von Mitte dreißig auf dieselbe Art. Er schien ins Bild zu passen. Durchtrainiert, locker sitzende Cargo-Hosen. Skijacke und Sporttasche. Ein Bluetooth-Headset im Ohr. Mit aller Wahrscheinlichkeit Amerikaner. Mindestens zwei also. Mehr konnte er nicht entdecken.

«Mindestens zwei», flüsterte er Klara zu, ohne sie anzusehen. «Eine blonde Frau mit Pferdeschwanz in einer dunkelblauen Daunenjacke. Ein Mann mit Cargo-Hosen und grauroter Skijacke. Basecap. Beide tragen ein Headset. Gib vor, dich zu strecken, während ich den Rucksack richte.»

Klara tat, was er gesagt hatte, und nahm die Gelegenheit wahr, dabei den Blick über den Bahnhofsvorplatz schweifen zu lassen.

«Ich sehe sie», sagte sie leise. «Ich kenne die Frau. Sie war in meiner Wohnung.»

Ihre Stimme klang angespannt, ihre Gesichtszüge verhärteten sich. Angst zeichnete sich in ihrer Miene ab.

«Konzentrier dich, Klara», flüsterte Mahmoud. «Konzentrier dich. Es ist nur eine Sache der Technik. Keine Gefühle zeigen, verstehst du? Rein und wieder raus aus dem Taxi. Das ist der Plan.»

Klara nickte still.

«Gut. Es geht los», sagte Mahmoud und richtete sich auf.

Mit energischen Schritten hielten sie auf das erste Taxi zu.

«Du weißt, was du tun musst?», zischte er.

«Mach dir keine Sorgen. Wenn du dich um deinen Teil der Sache kümmerst, kümmere ich mich um meinen.»

Mahmoud riss die Autotür auf, und Klara sprang auf die Rückbank. Leicht geduckt rutschte sie über die verschlissenen Lederpolster und öffnete die Tür auf der anderen Seite nur so weit, dass sie gerade eben wieder auf die Straße schlüpfen konnte. Sie drehte sich noch nicht einmal mehr um, um Mahmoud anzusehen, der sich gerade auf die Rückbank setzte.

«Louvre», sagte Mahmoud zum Taxifahrer.

Etwas anderes wollte ihm unter Stress nicht einfallen. Der Fahrer sah über seine Schulter, offensichtlich verwirrt von der jungen Frau, die aus dem Taxi gehüpft war und jetzt neben seinem Hinterrad kauerte.

«Jetzt fahren Sie schon, los!», drängte Mahmoud auf Englisch.

Der Taxifahrer zuckte brummelnd die Schultern und legte den Gang ein. Das Auto reihte sich in den Pariser Verkehr ein. Mahmoud drehte sich um und sah den Mann in den Cargo-Hosen in einen kleinen dunkelblauen VW Golf springen, der auf der anderen Straßenseite auf ihn gewartet zu haben schien. Also sind es doch mehr als zwei, dachte er. Die Frau vom Flugplatz stand noch immer mit einem Finger auf ihrem Headset neben der Taxischlange. Mahmoud konnte Klara nicht sehen, aber wenn die Frau sie nicht bemerkt hatte – und so schien es –, hatte sie wohl ungesehen entkommen können.

20. Dezember 2013
Paris, Frankreich

Klara lief geduckt an den Taxis entlang, bis sie annahm, nicht mehr im unmittelbaren Blickfeld ihrer Verfolger zu sein. Aus dem Augenwinkel sah sie den Mann in der Skijacke über die Straße laufen. Sie schlich zwischen zwei parkende Autos, damit er sie nicht entdeckte. Ihr Herz raste. Auf der anderen Straßenseite kam ein dunkelblauer Golf angefahren, und der Mann sprang auf den Beifahrersitz. Der Wagen schien Mahmouds Taxi zu folgen.

Vorsichtig lugte Klara zwischen den Autos hervor. Die Frau stand immer noch vor dem Seiteneingang des Bahnhofs. Sie sprach offenbar in ihr Headset und observierte gleichzeitig die Umgebung. Das war zweifelsohne die Frau, die in Joggingkleidung aus ihrem Hauseingang gekommen war. Klara wurde plötzlich so übel, als müsse sie sich übergeben. Wie lange hatten diese Leute sie schon beschattet? Sie versuchte ihre Atmung zu kontrollieren, zwang sich, ruhig und gleichmäßig Luft zu holen. Keine Gefühle zeigen. Sie verdrängen.

Sie wusste, dass sie wieder ins Bahnhofsgebäude zurückmusste, um zu den Schließfächern zu kommen. Noch immer leicht geduckt, schlich sie im Schutz der Fahrzeuge die Straße entlang. Als sie an die Ecke kam, an der der Bahnhof lag, warf sie einen Blick zurück auf den Gehsteig. Die Frau war nicht mehr zu sehen. Klara nahm ihre rote Strickmütze aus der Tasche, setzte sie auf und stopfte sorgfältig ihre dunklen Haarsträhnen darunter. Dann zog sie ihren Mantel aus und legte ihn über die Handtasche. Sie fröstelte. Die graue Strickjacke, die sie in Antwerpen ein Vermögen gekostet hatte, war nicht in allererster Hinsicht dafür gedacht, warm zu halten. Und in Paris war es genauso kalt wie in Brüssel. Aber ihr Aussehen so weit wie möglich zu verändern, konnte nicht schaden.

Klara sammelte sich, bevor sie auf den Haupteingang zusteuerte. Ein steter Strom von Freitagspendlern bevölkerte den Bahnhof, und sie ließ sich willig von ihm mitziehen. Sie folgte den Hinweisschildern zu den Schließfächern und nahm die Rolltreppe ins Tiefgeschoss.

Um zu den Schließfächern zu gelangen, musste man eine Art Sicherheitsschleuse passieren. Alle Taschen wurden von einem grimmigen Wärter durchleuchtet. Vor der Schleuse hatte sich eine kurze Schlange gebildet. Als Klara an der Reihe war, legte sie ihre Schultertasche und den Mantel auf das Band.

«Entschuldigen Sie», wandte sie sich an das Sicherheitspersonal, «können Sie mir sagen, wo das Schließfach C193 liegt?»

Es strengte sie an, normal zu atmen. Der Mann vom Sicherheitsdienst musterte sie aufmerksam, bevor er antwortete: «Die Abteilung C befindet sich dort hinten, Mademoiselle.»

Klara dankte ihm und nahm ihre Sachen vom Laufband. Vielleicht, vielleicht, war das Glück ja doch auf ihrer Seite.

Nach nicht einmal einer Minute hatte sie das Schließfach gefunden. Die Tür maß etwa einen halben Quadratmeter.

Klara beugte sich vor, um den Code einzutippen, der auf der Quittung stand, und hielt den Atem an. Neben der Schließfachtür leuchtete ein rotes Lämpchen. Eine knappe Mitteilung auf Französisch erschien auf dem Display. Falscher Code. Klara spürte, wie der Boden unter ihr nachzugeben schien. Falscher Code. Erneut holte sie die Quittung heraus, hockte sich vor das Schließfach und gab noch einmal die sechs Ziffern ein.

Es dauerte eine Sekunde, bis das Lämpchen grün leuchtete, und eine weitere knappe Sekunde, bis die Tür mit einem mechanischen Klicken aufsprang, sodass Klara einen Blick in die Box werfen konnte.

Bis auf eine schmale Nylontasche war sie leer. Vorsichtig zog sie die Tasche ans Licht und öffnete sie. Darin lag ein kleiner aluminiumfarbener Apple-Computer. Ein Macbook Air, von der kleinsten Sorte. Klara schloss die Tasche wieder und ging zum Ausgang. Plötzlich registrierte sie am Rand ihres Blickfelds eine Bewegung. Jemand stand vor der Glaswand zwischen den Schließfächern und den Mietwagenschaltern. Sie drehte den Kopf und sah gerade noch die Silhouette der Frau mit dem Pferdeschwanz, ehe sie abtauchte.

«Verdammt», zischte Klara. Aber jetzt gab es kein Zurück mehr.

Uns von der rauen Küste wirft so leicht nichts um.

Ohne den Blick von der Glaswand zu wenden, zwängte sie sich durch die Reisenden, die ihr Gepäck einschließen lassen wollten. Die Frau war nicht zu sehen. Vielleicht hatte ihr die Phantasie einen Streich gespielt? Als sie den Schließfachbereich verließ, warf sie die Nylontasche über die Schulter. Keine Gefühle zeigen, dachte sie. Fahr hoch und steig in die Métro. Ruf Mahmoud an. Eines nach dem anderen.

Da roch sie es, ganz schwach nur. Aber es war unverkennbar. Einen süßen künstlichen Zimtgeruch. Viel zu schnell drehte sie sich um, um zu sehen, woher er kam. Und da, nur wenige Meter von ihr entfernt, stand die Frau mit dem Pferdeschwanz.

Klara wusste instinktiv, dass es nicht die richtige Entscheidung war, konnte sich aber nicht beherrschen. Panisch drängte sie sich durch eine Gruppe japanischer Touristen, stürmte die Treppen hoch und durch die Wartehalle. Weg, nur weg hier.

Die Hauptverkehrszeit nahte. Mahmouds Taxi und der Golf, der sich ein paar Wagen hinter ihnen befand, steckten im Pariser Weihnachtsverkehr fest. Mahmoud bemühte sich, seine Nervosität in Schach zu halten. Es gab nichts Schlimmeres, als seine Lage nicht selbst beeinflussen zu können, den Entscheidungen anderer ausgeliefert zu sein. In Gedanken ging er die Möglichkeiten durch, die ihm blieben. Er könnte wieder in die Métro abtauchen. Auf lange Sicht würde er seine Verfolger dort abschütteln können, aber es war zeitaufwendig. Und er sorgte sich um Klara. Warum nur hatte er sie darum gebeten, das Schließfach zu überprüfen?

Er hatte nicht damit gerechnet, dass die Frau am Bahnhof blieb. Sein Plan war impulsiv gewesen. Jetzt war er besorgt. Vielleicht hatte sie Klara ja aus dem Taxi schlüpfen sehen und umdisponiert? Wieder versuchte er, Klara auf dem Handy zu erreichen, aber es meldete sich nur die Mailbox. Vermutlich war sie bei den Schließfächern und hörte das Klingeln nicht. Aber das konnte ihn nicht davon abhalten, sich weiterhin wilde Szenarien auszumalen.

Mahmoud sah erneut durch die Heckscheibe. Der Himmel war grau, und die Wolken hingen so tief, als ob sie sich noch nicht ganz entschieden hätten, welches Unwetter sie loslassen sollten. Der Verkehr kroch unendlich zäh dahin. Es war an der Zeit, eine Entscheidung zu fällen. Er musste seine Verfolger abschütteln und Klara finden. Sich die Gelegenheit zunutze machen, das war die einzige Möglichkeit.

«Wie heißt diese Straße?», fragte Mahmoud den Taxifahrer.

Der Mann sah ihn mit seinen müden Hundeaugen an.

«Rue La Fayette.»

«Auf welcher Höhe sind wir?»

«Kurz vor der Rue de Châteaudun. Aber bei diesem Verkehr werden wir sie wohl erst in zwanzig Minuten erreichen.»

Er klang resigniert. Mahmoud drehte sich abermals um. Noch immer stand der Verkehr still. Hinter ihnen erahnte er den Golf. Er nahm sein Prepaid-Telefon, gab drei Ziffern ein und wartete, bis sich jemand meldete.

Kurze Zeit später hörte Mahmoud die Sirenen von zwei Polizeimotorrädern. Er schaute durch die Heckscheibe. Sie schlängelten sich zwischen den verstopften Fahrspuren hindurch und blieben eine Wagenlänge hinter dem dunkelblauen Golf stehen. Der Taxifahrer ließ die Scheibe herunter und lehnte sich hinaus, um zu sehen, was da vor sich ging. Kalte Luft drang ins Wageninnere. Links und rechts von ihnen wandten sich die Köpfe gelangweilter Verkehrsteilnehmer zu dem Golf um. Mahmoud beugte sich zu dem Taxifahrer vor und klopfte ihm auf die Schulter. Gereizt drehte sich der Mann um.

«Ich steige hier aus», erklärte Mahmoud und reichte dem Taxifahrer einen Zehn-Euro-Schein, der erstaunt danach griff.

«Behalten Sie das Wechselgeld», sagte Mahmoud. Er warf einen Blick zurück. Ein Polizist in anthrazitblauer Schutzkleidung stieg von seinem Motorrad und ging ruhig, mit einer Hand auf der Pistole, auf den Golf zu.

Das war die Gelegenheit. Mahmoud öffnete die Taxitür und ließ sich vorsichtig auf den Asphalt gleiten. Die Luft roch nach Abgasen und Winter. Geduckt schlängelte er sich im Zickzackkurs zwischen den Autos vorwärts zum Gehsteig. Dort richtete er sich auf und rannte los. Bevor er die Treppen zur Métro-Station Cadet herunterlief, drehte er sich ein letztes Mal um. Der Verkehr rollte wieder, aber der Golf stand noch immer mit eingeschalteter Warnblinkanlage da. Die Polizisten hatten den Mann und seinen Fahrer genötigt auszusteigen und schienen mit ihnen in eine heftige Diskussion verstrickt zu sein. Der Mann reckte sich, um Mahmouds Taxi im Auge zu behalten. Hatte er gesehen, dass er es verlassen hatte? Doch eigentlich spielte es keine Rolle. Die Amerikaner brauchten mindestens noch ein paar Minuten, um die Polizisten davon zu überzeugen, dass sie keinen der anderen Verkehrsteilnehmer mit der Pistole bedroht hatten. Wenn es ihnen schließlich gelingen würde, wäre es zu spät. Mahmoud konnte sich ein Lächeln nicht verkneifen. Er war Houdini, der Entfesselungskünstler, niemand konnte ihn fangen. Als er den unteren Treppenabsatz erreichte, spürte er sein Handy in der Hosentasche vibrieren. Klara.

20. Dezember 2013

Paris, Frankreich

Klara fror so sehr, dass sie zitterte, obwohl sie wieder in ihren Mantel geschlüpft war, als sie den Métro-Bahnsteig erreicht hatte. Sie vergrub die Hände in den Manteltaschen und sah sich zum hundertsten Mal um. Für einen Moment hatte sie wirklich gedacht, dass alles vorbei wäre. Was für eine Angst, was für eine Panik sie gehabt hatte! Die Frau mit dem Pferdeschwanz hatte sie auch im Gare du Nord entdeckt, aber zwischen ihnen waren zu viele Leute gewesen, als dass sie sie hätte einholen können. Klara hatte die Rolltreppe im Laufschritt genommen, war in die erstbeste Métro geschlüpft und hatte den Bahnhof so weit hinter sich gelassen, wie es nur ging. Aber es war knapp gewesen, viel zu knapp.

«Du wirkst gehetzt, Klara. Wirst du verfolgt?», fragte Mahmoud.

Klara fuhr zusammen, als sie seine kalte Hand auf ihrer Wange spürte.

«Wo zum Teufel bist du gewesen?», herrschte sie ihn an.

Sie hätten sich schon vor einer Viertelstunde treffen sollen. Eine Viertelstunde voller Qual und Paranoia. Mahmoud lächelte zaghaft, während sein Blick den Métro-Bahnhof absuchte.

«Ich bin schon ein bisschen länger hier. Wollte mich hier erst ein wenig umsehen, bevor ich mich zeige.»

«Was? Du hast mich hier wie einen verdammten Lockvogel stehen lassen, während du dir überlegt hast, ob es sicher genug ist?», fauchte Klara.

Sie spürte, wie aus Angst Ärger wurde. Für wen hielt er sich? Aber Mahmoud zuckte nur die Schultern.

«Sorry. Wenn du dich hier unwohl gefühlt hast, hätten wir uns vielleicht lieber woanders treffen sollen.»

Der Blick aus seinen kühlen braunen Augen schweifte erneut über den Bahnhof. Diese Ungeduld, die darin lag. Dieser Ausdruck, der seine Intelligenz so sehr verriet. Weshalb man ihn für arrogant, ja, beinahe gefühlskalt halten konnte, was er aber nicht war. Mahmoud war nur schon einen Schritt weiter, beim nächsten Zug, der nächsten Partie. Dieser Wesenszug an ihm hatte sie anfangs zu ihm hingezogen und sie gleichzeitig irritiert.

«Und, war etwas im Schließfach?», fragte er.

Klara deutete auf die Tasche über ihrer Schulter, tätschelte sie. «Ein Laptop. Die Sache verlief nicht ganz problemlos.»

Sie erzählte ihm von ihrer Verfolgerin und der Flucht durch den Bahnhof.

Mahmoud nickte still. «Es tut mir leid, dass du in diesen Scheiß mit reingezogen wurdest.»

Klara zuckte nur die Achseln. «Na ja, daran bin ich wohl selbst schuld», sagte sie schließlich. «Wie bist du ihnen eigentlich entkommen?»

Mahmoud lächelte stolz. «Ich habe die Polizei gerufen. Habe gesagt, ich hätte jemanden in einem Golf mit einer Pistole fuchteln sehen. Nach weniger als fünf Minuten waren die Bullen da, so konnten die Typen mir natürlich nicht hinterherlaufen. Ich bin ein Genie.»

Klara warf ihm einen Seitenblick zu. Zum ersten Mal war er wieder so, wie sie ihn kannte. Voller Entschlusskraft und schelmischer, charmanter Selbstsicherheit.

«Und du hast einen Plan?», fragte Mahmoud.

Klara hatte ihm davon nicht am Telefon erzählen wollen. Es kam ihr einfacher vor, ihre Idee direkt mit Mahmoud zu besprechen. Vorsichtig umfasste sie seinen Ellbogen und schob ihn zur Treppe. Auf der Straße rieselten große feuchte Schneeflocken vom Himmel, mischten sich mit den Autoabgasen, wurden vom gelben Licht der

Straßenlaternen angestrahlt und schmolzen, noch bevor sie den Boden berührt hatten.

«Also, Folgendes», hob sie an. «Mein Freund lebt in Paris. Oder vielleicht nicht mein Freund, aber so ähnlich. Ein Typ. Oder ein Mann.»

Mahmoud verzog den Mund zu einem aufreizend ironischen Lächeln und wandte den Blick ab.

«Kein Typ, aber ein Mann? Verstehe. Wie alt ist er?»

Klara gab vor, ihn nicht gehört zu haben.

«Er wohnt in der Avenue Victor-Hugo. Vielleicht kann er uns helfen.»

«Vielleicht?», hakte Mahmoud nach. Auf seiner Stirn bildete sich eine besorgte, erstaunte Falte.

«Ja. Beziehungsweise, er kann uns helfen. Er ist jetzt zu Hause. Allein», fügte sie hinzu.

«Allein?», wiederholte Mahmoud.

Er sah sie an. In seiner Stimme schwang ein mitfühlender Ton mit. Sein Blick war nicht länger kühl, sondern liebevoll. Sanfte Verheißungen aus der Vergangenheit. Geflüsterte Versprechen auf der Galerie der Carolina Rediviva, auf regennassen Brücken über dem Fyrisån im Morgengrauen, nach schlaflosen Nächten, zwei Körper in einem schmalen Bett in ihrer kleinen Studentenbude. Sie hatte vergessen, dass sie Mahmoud einmal geliebt hatte. Dass er der Einzige war, den sie jemals geliebt hatte. Wie konnte man so etwas vergessen? Sie legte den Kopf in den Nacken und spürte den Schnee wie Tränen auf ihren Wangen.

«Er ist verheiratet und hat eine Tochter», sagte sie.

Schon im nächsten Moment bereute sie, dass sie ihm das erzählt hatte. Denn sie hatte nicht die Kraft, es ihm zu erklären. Wusste nicht, welche Worte für ihre morgendliche Entdeckung in Cyrils

Wohnung passend waren. Sie kam ihr schon so weit entfernt, so unwirklich vor. Doch Mahmoud nickte nur.

«Und wie, glaubst du, kann er uns helfen?»

«Ich weiß nicht. Vielleicht können wir heute bei ihm übernachten? Lindmans Computer durchforsten? Ich weiß es nicht. Wenn du eine bessere Idee hast, gern. Aber unser Verhältnis ist nicht – wie soll ich es sagen? – offiziell.»

«Können wir ihm trauen? Ich meine, so einfach mit einem mordverdächtigen Exmann hereinzuschneien, ist ja ein ziemlich großes Ding.»

«Wir waren vorsichtig», sagte Klara, seufzte und schüttelte den Kopf, um wieder einen klaren Gedanken fassen zu können. «Ich hatte angefangen, ihm zu vertrauen. Bis ich heute Morgen in seiner Wohnung ein Foto von ihm und seiner Familie gefunden habe. Und jetzt nehme ich an, dass er ein größeres Interesse daran hat als ich, dass unser Verhältnis nicht bekannt wird.»

«Um Gottes willen!», rief Mahmoud aus. «Du hast erst heute Morgen herausgefunden, dass er eine Familie hat?»

Klara nickte. Sie kam sich so klein, so dumm und naiv vor. Mahmoud sagte nichts, legte aber behutsam den Arm um sie, zog sie an sich. Klara spürte seine Wärme durch den Schnee und ihre Kleidung.

«Das tut mir leid, Klara, ehrlich. Trotzdem müssen wir diesen Rechner überprüfen und ein bisschen zur Ruhe kommen. Schaffst du es, dich bei ihm zu melden?»

Sie nickte. «Na klar. Einen polizeilich gesuchten, homosexuellen Exfreund zu schützen, ist ja wohl das Geringste, was man von einem konservativen Politiker verlangen kann, oder?»

20. Dezember 2013
Brüssel, Belgien

George nahm einen letzten Bissen seines Chicken Vindaloo und legte die Plastikgabel mit einer Grimasse in die Aluschale zurück, woraufhin er sich ein Stück trockenes Naan-Brot in den Mund steckte und sorgfältig kaute, um diese lähmende Schärfe hinauszuzögern. Konnten Reiper und seine Bande nicht wenigstens etwas Ordentliches zu essen bestellen? Etwas von Deuxième Élément oder warum nicht Sushi? Er fühlte sich müde und fett. Wann war er eigentlich das letzte Mal im Fitnessstudio gewesen?

Und warum durfte er nicht einfach nach Hause gehen? Stattdessen hatten sie ihn beauftragt, die Anreise und ein Hotelzimmer in Paris zu buchen. Als wäre er irgendeine dahergelaufene Sekretärin. Es war zwecklos zu fragen, worum es eigentlich ging. Josh, dieser dämliche Sklaventreiber, grinste nur sein überlegenes Grinsen und sagte, das sei auf *need-to-know*-Basis. Was für ein widerliches kleines Aas er doch war, dieser Josh.

Und von Merchant & Taylor erhielt er einfach keinen Rückruf. Jetzt war es schon fast Wochenende. Kaum wahrscheinlich, dass Appleby dann von sich hören ließ. Das konnte einfach nicht wahr sein. Er hatte seine Seele dafür gegeben, in dieser Firma etwas zu werden. Sich zum ersten Mal im Leben wirklich den Arsch aufgerissen. Er war ein Mann der Zukunft, ein Mann für die großen Kunden, die breitgefächerten Strategien. Hatte Appleby das bei dem phantastischen Essen im Comme chez Soi nicht selbst gesagt? Wie George dieses Lob in sich eingesogen hatte. Die Exklusivität, einen Auftrag anzunehmen, der dem vorbehalten war, der es wagte, weit zu gehen. Richtig weit. Die großen Geheimnisse in greifbarer Nähe. War das wirklich erst gestern gewesen? Jetzt hatte er das Gefühl, auf dem letzten Abstellgleis zu stehen. Abgesägt. Nicht einmal einen Rückruf wert. Er überlegte, eine weitere Nachricht an Appleby zu schicken, riss sich jedoch zusammen. Er durfte nicht verzweifelt wirken.

Stattdessen stand er auf, um die Deckenlampe in der kleinen Dienstbotenkammer anzuknipsen, in die man ihn gesteckt hatte. Die Reste des indischen Essens widerten ihn an, von diesem Geruch nach Kreuzkümmel und Chili wurde ihm schlecht. Er knüllte die Aluschale zusammen und presste sie in die dünne Plastiktüte, die Josh ihm vor einer halben Stunde gegeben hatte. In der Küche musste es einen Mülleimer geben.

Im Flur war es dunkel, und George konnte keinen Lichtschalter entdecken. Aus dem Wohnzimmer hörte er dumpfes Gemurmel. Ein schmaler Lichtstreifen drang unter der verschlossenen schiefen Tür hindurch. Die Plastiktüte in der Hand, schlich George dort hin. Er hielt den Atem an, als das Parkett unter ihm nachgab und knarzte. Vorsichtig legte er das Ohr an die Tür.

«Und alle wissen, worum es geht? Ein schwarzer Code. Keine Spuren. Keine Überlebenden. Das muss ganz deutlich sein. Wir können uns keine weiteren Fehler erlauben.»

Es war Reipers Stimme, trocken und sachlich. George glaubte für einen Moment, er würde gleich ohnmächtig werden und rücklings umfallen. Er hatte das Gefühl, als wäre der Luft um ihn herum auf einen Schlag jeglicher Sauerstoff entzogen worden, und er müsste um jeden Atemzug kämpfen.

Keine Überlebenden.

George konnte kaum glauben, dass er richtig gehört hatte. Langsam wich er von der Tür zurück, wollte kein Wort mehr hören, wünschte, er hätte gar nichts vernommen. Er verfluchte seine Neugier. Wollte sich auflösen, nicht mehr existieren.

Keine Überlebenden.

Er stolperte zurück in die Dienstbotenkammer und ließ die Plastiktüte auf den Boden fallen. Eine eklige, orangefarbene Brühe vom Chicken Vindaloo rann heraus. Mit zitternden Händen zog er sein Portemonnaie aus der Innentasche seines Jacketts. Kramte in einem der weichen Kalbslederfächer. Die Notration. Er bekam das Tütchen zu fassen. Schüttete das Koks mit zitternden Fingern auf den Computertisch und zog es mit ein paar schnellen Zügen in die Nase. Er schloss die Augen und spürte, wie er fast vom Stuhl abhob.

Keine Überlebenden.

Das vierstöckige Haus in der Avenue Victor-Hugo 161 im sechzehnten Pariser Arrondissement sah genauso aus, wie Mahmoud sich die Häuser in Paris immer vorgestellt hatte. Dies war eindeutig eine wohlhabende Gegend.

Klara betätigte die kleine Klingel an der Haustür. «Ich bin's», sagte sie auf Englisch, als die Sprechanlage knisterte.

Knarrend ging die Tür auf, und sie betraten ein Treppenhaus, in dem es hallte. Fresken in Blumen- und Girlandenform zierten die Wände. Ein riesiger Kronleuchter spendete warmes Licht. Klara ging zu dem uralten Aufzug und drückte auf den Knopf.

«Nicht den Aufzug», sagte Mahmoud. Er zeigte zur Treppe. «Ich will checken, ob sich jemand im Treppenhaus versteckt», flüsterte er.

Klara nickte.

Cyril wohnte im obersten Stock. Ohne ein Wort zu wechseln, stiegen sie hastig die Stufen hoch. Cyrils Tür war angelehnt. Mahmoud blickte zu Klara, die die Schultern zuckte und sich ein nicht sonderlich überzeugendes Lächeln abrang. Gerade als sie die Tür öffnen wollte, piepste ihr Handy. Zwei unmissverständliche Töne, das typische Signal für den Eingang einer SMS.

Mahmoud wollte seinen Ohren nicht trauen. «Um Himmels willen! Hast du etwa noch das Handy an?» Panik ergriff ihn. «Hast du es, seit wir hier sind, benutzt?»

Klaras Gesicht war blass, als sie eine Hand in die Tasche steckte, um es herauszuholen. «Ich musste nur Cyrils Nummer herausfinden. Aber ich habe ihn vom Prepaid-Telefon angerufen. Muss vergessen haben, es auszustellen.» Sie war wie gelähmt vor Schreck. «Haben sie uns dadurch jetzt orten können?»

«Keine Ahnung», antwortete Mahmoud, «aber wir können uns so etwas nicht leisten.»

Sie wurden davon unterbrochen, dass die Tür geöffnet wurde. Vor ihnen stand Cyril, untadelig in Chino-Hose und Ralph-Lauren-Hemd gekleidet. Seine Haare waren noch feucht, als wäre er gerade erst aus der Dusche gekommen.

Doch Mahmoud musste nur einen schnellen Blick in sein Gesicht werfen, um zu wissen, dass etwas ganz und gar nicht in Ordnung war. Cyril war blass, und sein Blick flackerte, wanderte zur Treppe. Offenbar wusste er nicht, was er mit seinen Händen anstellen sollte. Zuerst streckte er sie Klara entgegen, nur um sie gleich wieder zurückzuziehen. Schob probeweise die linke Hand in die Hosentasche und zog sie wieder heraus. Es war offensichtlich, dass kein junger, vielversprechender französischer Politiker mehr vor ihnen stand, sondern ein gebrochener Mann.

«Klara, was machst du hier?», fragte er und probierte ein zittriges Lächeln. «Du warst so geheimnisvoll am Telefon. Wer ist dein Begleiter?»

Mahmoud drehte sich zu Klara, die nicht geantwortet hatte. Sie las eine Nachricht auf ihrem Handydisplay. Ihre Augen waren schmal.

«Klara», sagte Cyril erneut. «Kommt rein, steht doch um Gottes willen nicht hier draußen herum.»

Langsam wandte Klara den Blick von ihrem Telefon und sah Cyril an. Öffnete den Mund.

«Du lieber Gott», sagte sie schließlich.

In ihrem Blick stand eine abgrundtiefe Leere, jedes Gefühl in ihren Augen war ausgelöscht. Mahmoud kannte diesen Blick. Er hatte ihn schon einmal, ein einziges Mal, in seinem Leben gesehen. Vor drei Jahren am Flughafen, unmittelbar bevor Klara ihre Koffer genommen hatte und, ohne sich noch einmal umzuwenden, zum Check-in-Schalter gegangen war.

«Was hast du getan, Cyril?», sagte sie.

Cyril schluckte. Instinktiv tat er Mahmoud beinahe leid. Er war offensichtlich nicht daran gewöhnt, der Unterlegene zu sein.

«Klara, begreif das doch! Sie haben gesagt, du seist von einem Terroristen entführt worden und dass ich Verbindung zu ihnen aufnehmen soll, falls du herkommst.»

Klara schüttelte den Kopf, ohne den Blick von Cyril abzuwenden.

«Sie haben gesagt, sie hätten Fotos, Tonaufnahmen. Von dir und mir. Dass sie uns zusammen in deiner Wohnung gefilmt hätten. Wenn ich nicht mit ihnen kooperieren würde, wäre das mein Ende. Das verstehst du doch, Klara? Du wusstest doch bestimmt die ganze Zeit, dass unsere Affäre nur vorübergehend war? Ich habe Familie, eine Tochter. Das musst du doch gewusst haben?»

Mahmoud reagierte erst, als Cyril schon wimmernd und nach Luft schnappend auf dem Granitfußboden lag und sich mit den Händen in den Schritt fasste. Klaras Tritt war so hart wie gezielt gewesen. Sie ging neben Cyril in die Hocke, strich sich eine rabenschwarze Haarsträhne aus den Augen und beugte sich über ihn.

«Wo sind sie?», flüsterte sie. «In deiner Wohnung? Auf der Straße? Antworte mir, oder ich bringe dich um.»

Cyril sah zu ihr hoch. Seine Augen waren feucht, und er winselte leise, wie ein Hund.

«Sie sind nicht hier», zischte er. «Wo sie sind, weiß ich nicht. Vielleicht auf der Straße, ich weiß es nicht, ich schwör's.»

«Wo ist dein Auto?»

Klaras Stimme war so unnachgiebig und kalt wie ein Fels im Schärengarten.

«Im Innenhof», sagte er.

«Die Schlüssel und deine Brieftasche.»

Cyril zögerte und sah erstaunt zu ihr hoch. «Mensch, Klara, das können wir doch bestimmt lö...»

Sie brachte ihn mit einer Ohrfeige zum Schweigen. Cyril fluchte und versuchte nach ihrer Hand zu greifen, während er sich auf die Seite rollte, aber Mahmoud hinderte ihn mit einem gezielten Tritt in die Kniekehle daran. Der junge, vielversprechende französische Politiker heulte auf und rollte sich zurück auf den Rücken.

«Gib ihr die Schlüssel», befahl Mahmoud. «Hast du nicht kapiert, dass sie es ernst meint?»

Cyril deutete auf die Wohnung.

«Auf der Anrichte im Flur, beides», seufzte er resigniert.

Mahmoud stieg über ihn hinweg und betrat die Wohnung.

«Die PIN-Codes deiner Karten, jetzt», sagte Klara.

Cyril murmelte einen vierstelligen Code.

«Ich hoffe für dich, dass er stimmt», sagte Mahmoud, als er mit dem Schlüssel und der Brieftasche zurück ins Treppenhaus kam.

Klara erhob sich und klopfte ihre Hosenbeine ab. Mahmoud griff nach ihrer Hand und zog sie von Cyril fort. Im letzten Moment, bevor sie die Treppen erreichten, machte sie sich von ihm los und ging zu Cyril zurück, der sich auf die Knie aufgerappelt hatte. Sie beugte sich zu ihm hinunter, umfasste sein Kinn und zog es nach oben, zwang ihn, ihr in die Augen zu sehen.

«Und übrigens», sagte sie mit ausdrucksloser Stimme. «Es ist aus, *asshole*.»

Ihre Schritte hallten noch immer hinter ihnen im Treppenhaus wider, als Mahmoud die Tür zum Innenhof aufriss. Eine einsame Lampe erhellte einen kleinen engen Parkplatz. Der Schneefall hatte zugenommen. Eine dünne Schicht bedeckte etwa zehn Karossen, die dicht an dicht vor ihnen parkten.

«Was für eine Karre hat er?», fragte Mahmoud.

«Einen blauen Jaguar.»

«Diskret.»

Wenig später hatten sie ihn gefunden. Mahmoud schloss den Wagen auf und glitt auf den hellen Ledersitz. Klara setzte sich neben ihn.

«Mensch, Klara», sagte Mahmoud und sah sie an. «Was hat eigentlich in dieser SMS gestanden, die du bekommen hast? Du bist da oben ja plötzlich zu Lisbeth Salander mutiert!»

Klara steckte eine Hand in ihre Manteltasche und hielt Mahmoud das Blackberry vor die Nase. Die Nachricht war kurz: *Sie werden euch umbringen. Versteck dich. George.*

«George?», sagte Mahmoud fragend.

«Ich kenne nur einen George. Ein Schwede, dem ich manchmal auf Partys in Brüssel begegnet bin. Typ reiches Muttersöhnchen. Ein Lobbyist. Ich weiß wirklich nicht, was er mit dieser Sache zu tun haben soll.»

Sie schüttelte den Kopf, als versuchte sie, die Einzelheiten zu einem Gesamtbild zu ordnen. Oder wie um aus einem Traum aufzuwachen.

«Das ist krank», sagte sie. «Als Cyril die Tür geöffnet hat, habe ich gleich gesehen, dass irgendetwas nicht stimmt.»

Mahmoud nickte nur. Ihm kam es vor, als wäre sein Kopf zum

Bersten gefüllt, als wäre es unmöglich, einen klaren Gedanken zu fassen.

«Wir müssen hier weg, wer weiß, wie viel Zeit uns noch bleibt», drängte Klara.

Der Jaguar sprang mit einem Knurren an, als Mahmoud den Zündschlüssel umdrehte. Die Scheibenwischer fegten die dünne Schneedecke von der Windschutzscheibe. In der verdeckten Aufbewahrungsleiste zwischen den Sitzen fand Klara die Fernbedienung für das Tor zur Straße, während Mahmoud den Jaguar aus der Parklücke herausmanövrierte. Er fuhr zum Tor und bremste ab, bevor er sich Klara zuwandte.

«Auf der anderen Seite kann uns alles Mögliche erwarten.»

Sie nickte nur und starrte mit einem wilden Blick geradeaus. «Wir können genauso gut herausfinden, was es ist», sagte sie und drückte auf die Fernbedienung.

Das Tor reagierte mit einem Summen und rollte langsam hoch.

Mahmoud ließ den Motor aufheulen und warf einen weiteren Blick zu Klara hinüber.

«Du bist härter im Nehmen, als man glauben könnte.»

«Warte nur, *you ain't seen nothing yet*», erwiderte sie.

Noch bevor das Tor ganz geöffnet war, drückte Mahmoud das Gaspedal durch und ließ die Kupplung kommen. Der sechszylindrige Motor des Jaguars gab ein Grollen von sich, die Reifen drehten durch, bevor sie griffen. Als der Wagen auf die Avenue Victor-Hugo schoss, trennte nur ein hauchdünner Abstand Tor und Wagendach. Funken flogen, als die Vorderpartie des Wagens gegen die Bordsteinkante schrammte.

Auf dem schneefeuchten Asphalt gerieten die Räder ins Schlittern. Mahmoud steuerte mit einer schnellen Bewegung des Lenkrads gegen. Autos hupten und bremsten scharf ab. Ein paar Fußgänger lugten unter ihren Regenschirmen hervor, um zu schauen, was da los war. Bevor Mahmoud und Klara es sich versahen, rasten sie die Straße entlang. Schmelzender Schnee lief in Rinnsalen über die Windschutzscheibe.

«Ist jemand hinter uns?», schrie Mahmoud.

Klara drehte sich um, reckte den Nacken, um etwas sehen zu können. «Ich weiß nicht. Dieser verdammte Schnee! Ich kann nicht durch die Heckscheibe gucken. Doch, warte, ein schwarzer Van! Als wir kamen, hat er auf dem Gehsteig geparkt. Er folgt uns. Verflucht!»

Der Verkehr hatte mittlerweile abgenommen. Mahmoud fuhr noch immer im zweiten Gang und wechselte auf die linke Fahrspur. Gab Gas. Schoss an den beiden Autos vor ihnen vorbei und schwenkte wieder zurück in die rechte Spur. Das Hupen des entgegenkommenden Verkehrs nahm er kaum wahr, ignorierte die geballten Fäuste und Mittelfinger. Einfach nur weg.

«Und jetzt?», rief er Klara zu.

Klara wandte sich erneut um, machte sich lang. «Ich kann sie nicht sehen.»

Irgendwo in der Ferne heulten Sirenen auf. Im Rückspiegel sah Mahmoud den schwachen Schein aufblitzenden Blaulichts. Die Polizei.

«Sind sie hinter uns her?», fragte Klara.

Mahmoud zuckte die Schultern, konzentrierte sich auf die Straße, den nassen Asphalt, den unaufhörlich fallenden Schnee. «Wer weiß? Vielleicht hatte dein Typ die Nase voll und hat uns wegen Diebstahls angezeigt.»

«Er ist nicht mein Typ. Nicht mehr.»

Sie näherten sich einer Kreuzung. Mahmoud sah die Ampel auf Gelb springen, wechselte erneut die Spur und drückte das Gaspedal durch. Alles oder nichts. Er nahm kaum wahr, dass die anderen Fahrzeuge auf den Gehsteig ausscherten, um ihnen auszuweichen. Hinter ihnen die Sirenen. Der schwarze Kastenwagen. Mahmoud blieb in seiner Spur und hielt direkt auf die rote Ampel zu. Der entgegenkommende Verkehr schien stillzustehen, wie paralysiert von ihrer Wahnsinnsfahrt. Er schlug das Lenkrad ein. In rasendem Tempo näherten sie sich der Kreuzung. Rechts schien sich eine schnurgerade Gasse, schmal wie ein Tunnel, zwischen blankgeputzten Pariser Balkonen zu erstrecken. Mahmoud setzte alles auf eine Karte und bog scharf ab. Die Reifen kreischten auf dem Asphalt, griffen aber. Das Sirenengeheul nahm ab.

«Wo sind sie? Kannst du sie sehen?», brüllte Mahmoud Klara zu. Seine Nerven waren zum Zerreißen gespannt.

«Da vorn!», rief sie und zeigte nach links. «Ein Supermarkt mit Tiefgarage. Fahr da runter!»

Mahmoud sah das Schild. Supermarché Casino. Ein Pfeil, der zu einem Parkhaus zeigte. Noch fünfzig Meter. Er bremste erst ab, als er das Lenkrad einschlug. Der Wagen hüpfte und ruckte, als er über die abgeflachte Bordsteinkante fuhr. Der Supermarkt schien noch geöffnet zu sein. Ein Schlagbaum blockierte die Einfahrt zum Parkhaus. Mahmoud blieb stehen, ließ die Scheibe herunter, drückte auf den grünen Knopf. Es dauerte eine Ewigkeit, bis die Schranke hochging. Sie rollten eine abfallende Rampe hinunter.

«Siehst du sie? Siehst du sie?»

Mahmoud ließ den Rückspiegel nicht aus den Augen.

«Bis jetzt nicht.»

Die Tiefgarage war eine Welt für sich. Im kalten Licht der Neonröhren schoben Kleinfamilien Einkaufswagen zu ihren Kombis, Mütter, Väter, Kinder. Diese Alltäglichkeit zu sehen war fast schockierend. Mahmoud hatte beinahe vergessen, dass es eine wirkliche, normale Welt gab. Eine Welt, in der er nicht wegen Mordes gesucht wurde. Eine Welt, in der er nicht von Maschinengewehren bedroht wurde, vielversprechende französische Politiker misshandelte oder zusehen musste, wie sein alter Wehrdienstkamerad erschossen wurde. Wie irgendein Pariser, der Freitagseinkäufe machte, hielt er auf einem Parkfeld an. Nachdem er den Motor ausgestellt hatte, ließ er den Kopf aufs Lenkrad sinken. Die Verkleidung aus Walnussholz an seiner Stirn fühlte sich kühl und beruhigend an. Vorsichtig löste er seinen krampfhaften Griff. Seine Fingerknöchel schmerzten.

Klara hatte bereits die Beifahrertür geöffnet.

«Nun komm schon, verdammt, wer weiß, wie viel Zeit wir noch haben», schrie sie ihn an.

20. Dezember 2013
Paris, Frankreich

Sie konnten die Treppen nicht schnell genug finden, weshalb sie den Aufzug nahmen, zwischen Einkaufswagen und Supermarktkunden eingeklemmt. Aus einem knisternden Lautsprecher erklang Bing Crosbys «Silent Night». Die Aufzugwände waren mit Angebotsschildern für Gänseleber, Austern, Champagner beklebt, Pariser Weihnachtsessen. Klara musterte Mahmoud von der Seite. Sein Kiefer mahlte, seine Augen fixierten die schäbige Aufzugtür.

Auch Klara war hochkonzentriert und angespannt. Als wäre sie sich jedes Muskels in ihrem Körper bewusst, jeder Gedanke, den sie fasste, war klar und schlüssig, ihr ganzes Ich nur auf Flucht, auf Überleben konzentriert.

Die Türen gingen auf, die ineinander verkeilten Einkaufswagen lösten sich voneinander und rollten aus dem überdimensionierten Fahrstuhl. Schließlich blieben nur noch Mahmoud und Klara zurück. Sie sahen sich an. Klara zuckte mit den Schultern.

«Let's go.»

Sie betraten den lichtdurchfluteten Kassenbereich des Supermarché Casino. Und nichts passierte. Um sie herum nur Weihnachtsangebote und spät einkaufende Kunden.

«Haben wir sie abgeschüttelt?», fragte Klara.

Mahmoud sah sich angespannt um, mit eingezogenem Kopf, als traute er seinen Augen nicht.

«Sieht fast so aus. Vielleicht sind sie schon an der roten Ampel zurückgeblieben.»

Zögernd gingen sie zum Ausgang.

«Kein schwarzer Kastenwagen», stellte Mahmoud aus dem Fenster spähend fest.

Als sich die automatischen Türen vor ihnen öffneten, sah Klara sie sofort durch das dichte Schneetreiben. Auf der anderen Straßenseite, erhellt vom starken Schein der Straßenlaterne. Die Augen von gestern, von heute. Die Frau mit dem Pferdeschwanz, nur einen Steinwurf von ihnen entfernt. Sie hatte sie auch entdeckt.

«Sie sind hier!», schrie Klara, drehte sich um und zog an Mahmouds Arm, um ihn mit sich zurück in das Geschäft zu zerren. «Sie sind hier!»

Aber Mahmouds Arm war schwer. Statt sich ins Geschäft ziehen zu lassen, zog er sie zu Boden. Lautlos schlossen sich die automatischen Türen zur Straße.

«Komm schon, wir müssen hier weg!», schrie Klara und zerrte weiter an seinem Arm.

Die Glastüren zerstoben in einem Kristallregen. Die Zeit blieb stehen. Klara warf sich vor den Kassen zu Boden. Hinter ihr brach ein Sektregal zusammen, das als Blickfang im Eingangsbereich stand. Flaschen zersprangen, ihr Glas mischte sich mit dem der Türen. Der süße Geruch von billigem Wein. Schreie und Chaos. Ringsum warfen sich Kunden in Panik zu Boden. Aus den Lautsprechern erklang Bing Crosby: «Jingle bells, jingle bells, jingle all the way». Klara zog immer noch an Mahmouds Arm.

«Nun komm schon, na los jetzt!»

Sie drehte sich zu ihm um. Mahmoud lag zwischen den Glassplittern auf dem Rücken. Seine braunen Augen standen weit offen, starrten leblos in das unbarmherzige Neonlicht. Auf seiner Stirn, unmittelbar über seinem rechten Auge, sah Klara ein kleines schwarzes Loch.

Erst da bemerkte sie das Blut.

Die unwahrscheinliche Menge an klebrigem rotem Blut, das sich wie ein Heiligenschein um seinen Hinterkopf ausbreitete und sich mit dem ausgelaufenen Wein mischte.

«Moody, Moody, na los doch, komm schon!»

Wieder zerrte sie an seinem Arm, versuchte mit ganzer Kraft, ihn hinter die Kassen zu hieven. Als gäbe es noch einen Schutz. Überall schreiende Menschen, umstürzende Einkaufswagen, Waren, die zu Boden fielen, zerbrachen. Er war zu schwer, sie konnte ihn nicht bewegen.

Also beugte sie sich über sein Gesicht, zu seinem Hals, den sie vor langer Zeit mit ihren Küssen bedeckt hatte. Ihre Jeans sogen sein Blut auf, klebten an ihren Knien. Glasscherben schnitten in ihre Handflächen, als sie ihre Wange an seinen Mund legte. Mit ihren Fingern nach seinem Hals tastete. Aber da war nichts. Kein Atem, kein Puls. Nur seine warmen braunen Augen. Leblos. Adrenalin raste durch Klaras Adern, panisch fragte sie sich, ob sie jetzt würde sterben müssen.

Sie blickte auf. Sah durch die zersprungenen Glastüren, dass ein Mann und eine Frau herbeistürmten. Sie hielten etwas Schweres, Schwarzes in der Hand. Waffen.

«Moody! Moody!»

Panik. Schock. Der erste, beinahe unmerkliche Anflug tiefer Trauer, die sie weit mehr erschreckte, als es die Mörder dort draußen taten. In Bruchteilen von Sekunden entschied sie, nicht sterben zu wollen. Es war wie ein Blitz, der durch ihr Bewusstsein zuckte. Unglaublich klar. Sie hatte nie aufgehört, Mahmoud zu lieben. Hatte es verdrängt, aber nicht vergessen. Und sie konnte es damit nicht enden lassen. Mahmoud, abgeknallt wie einen Köter, erloschen, auf dem schmutzigen Boden eines Supermarkts. Als Mörder und Terrorist bezichtigt. Damit durfte es nicht enden.

«Ich liebe dich, Moody», flüsterte sie, die Lippen an seinen.

Dann ließ sie seinen Arm los, stand auf und rannte an den Kassen und sich duckenden Kunden vorbei in den Supermarkt hinein. Im Hintergrund hörte sie Sirenen.

Sie lief durch die Scherben, den Wein und das Chaos. Hörte die Schreie und das Weinen nicht. Ihr Kopf war wie leergefegt, als sie sich zwischen den Regalen durchschlängelte. Sie drehte sich nicht um.

Im hinteren Teil des Supermarkts herrschte eine sonderbare Ruhe. Kunden hielten zögernd auf die Kassen zu, verunsichert, was dort vor sich ging. Ganz hinten befand sich ein Fleischtresen, jedoch ohne Verkäufer, sämtliches Personal schien zum Eingang gelaufen zu sein. Klara umrundete ihn und kam durch ein paar Schwingtüren in ein unordentliches Lager. Ein Mann mit Schürze und Haarnetz, der von dem Durcheinander im vorderen Teil des Ladens anscheinend nichts mitbekommen hatte, rief ihr etwas hinterher. Klara registrierte ihn kaum, hatte nur Augen für das Notausgangsschild. Die blutigen Jeans klebten an ihren Beinen.

Sie drückte die Klinke mit dem Ellenbogen herunter, damit die Glasscherben in ihren Handflächen nicht noch tiefer ins Fleisch drangen. Die Tür führte zu einer Laderampe auf der Rückseite des Supermarkts. Eine dünne Schneeschicht bedeckte den Boden. Die Flocken fielen dicht und diagonal in der Dämmerung. Ein kurzer Sprung von der Rampe, und sie befand sich in einem Hinterhof. Die blutigen Schuhsohlen färbten ihre Schritte im Schnee rot, als sie durch eine Ausfahrt mit einem gelben Schlagbaum auf eine Seitenstraße zurannte. Sie bog nach links ab. Und blickte erst über die Schulter, als sie ein ganzes Stück entfernt war. Niemand verfolgte sie.

20. Dezember 2013
North Virginia, USA

Ein Schwimmzug. Zwei. Drei. Atmen. Ich mache die Augen zu und schließe das Wasser, die Gedanken, die Erinnerungen aus.

Ein Schwimmzug. Zwei. Drei. Atmen. Ich bin ein Torpedo ohne Sprengkraft. Ein Blindgänger.

Ich durchbreche den Rhythmus, schwimme vier Züge, ohne zu atmen. Dann fünf. Sechs.

Ich wende am anderen Ende, meine Fußsohlen berühren kurz die Kacheln. Die Kraft, mit der ich mich abstoße, überträgt sich auf mich. Ich spüre, wie die Energie sich umwandelt, wie Kraft zu Geschwindigkeit wird, bedeutungsloser Geschwindigkeit. Ich bleibe viel länger unter Wasser, als es sinnvoll ist. Die halbe Länge des Beckens und mehr. Weit hinaus über den entscheidenden Punkt, wo die Energie meiner Fortbewegung vom Widerstand ausgebremst wird. Und weiter.

Ich steuere in die Tiefe. Lasse mich ausbremsen, höre auf, die Arme und Beine zu bewegen. Ich entleere meine Lungen. Der Druck auf meinem Trommelfell. Das Geräusch der Luft, die aus meiner Nase, meinem Mund hinausblubbert, während ich sinke. Der gestreifte Boden an meinem Brustkorb. Die glatte Farbe der schwarzen Linien. Die Lungen, die sich aufblähen und zusammenziehen und vergeblich Atemzüge simulieren.

Aber es hilft nicht. Nicht einmal das hilft. Die Gedanken. Die Erinnerung. Ich habe mein Gebet gesprochen. Mein einziges Gebet. Nichts hilft.

Später hänge ich gebeugt über dem Beckenrand und schluchze, hyperventiliere. Hinter meinen Augenlidern blitzt es vor Sauerstoffmangel und Erschöpfung. Kleine Sterne hüpfen durch meine Nervenbahnen. Vor drei Stunden fand ich den Namen meiner Tochter in unseren Datenbanken. Drei Stunden, seit mein Gebet nicht mehr erhört wurde. Drei Stunden, seit ich meine Vergangenheit nicht mehr vergessen kann.

Ich sitze im Mazda und warte darauf, dass irgendetwas, was auch immer, wieder gut wird. Ich umklammere das Lenkrad so fest, dass die Fingerknöchel weiß hervorstehen. Ich denke, dass ich, wenn ich es loslasse, mitgerissen werde. Dass die Kraft in dem, was ich zu ignorieren beschlossen habe, so stark ist, so unvernünftig. Die Scham ist so übermächtig, dass sie mich nach hinten drückt, gegen das Lederimitat des Sitzes.

Auf meinem Bildschirm in Langley habe ich die Fahndungsmeldungen und die Berichte über meine Tochter aus Paris und Brüssel gesehen. Ich habe alles gelesen, zu dem ich Zugang hatte. Alles, was meine Befugnis erlaubte. Viel war es nicht. Zusammenfassungen in OpenMedia. Nichts über uns. Nichts über die Hintergründe. Nichts über die Schatten. Aber ich weiß es trotzdem. Die Fingerabdrücke der Schatten sind unverkennbar. Der arabische Freund, die schallgedämpften Waffen. Die Dateien in unserem Register, zu denen ich keinen Zutritt habe. Die Tatsache, dass es Dateien gibt, zu denen ich keinen Zutritt habe. Verschlüsselte und geschützte Dokumente. Stapelweise Geheimnisse.

Im Handschuhfach liegt die dünne beigefarbene Mappe, die ich nie geöffnet habe. Mein einziges Mittel. Meine einzige Möglichkeit, sie zu retten und mich selbst. Meine Geschichte für ihre Zukunft.

Das gefrorene Gras knistert unter meinen Füßen. Geschmackvolle Lichter erleuchten die Fassade aus aufgeklebtem Granit, weiß lackiertem Holz, die hohlen Masonit-Säulen, Kolonialstil imitierend, über der Schiefertreppe. Der amerikanische Traum als Fertigbau. Ein papierdünnes Potemkin-Haus am oberen Ende der Skala des für die Mittelklasse Erschwinglichen. Ein Statussymbol für den Erfolg, das aussieht, als könnte der erstbeste Windstoß es wegblasen.

Ich stehe am Fuß der Treppe und sehe zu den dunklen Fenstern empor. Die beige Mappe in der Hand. Ich war ein toter Gegenstand. Ein abgebrochener Ast im Fluss der Geschichte. Folgsam habe ich mich von jeder noch so kleinen Bewegung mitreißen lassen. Das hat jetzt ein Ende. Eine merkwürdige Ruhe überkommt mich, als ich die Türklingel drücke.

Susan öffnet erstaunlich schnell, obwohl es fast Mitternacht ist. Sie trägt immer noch ihre Bürokleidung, Kostüm und Bluse, anonym wie jeder andere Abteilungsleiter. Ihr Gesicht ist nach wie vor angespannt, gestresst und unergründlich, nicht ihrem Zuhause angepasst. Vielleicht ist sie gerade erst durch die Tür hereingekommen.

Sie besteht darauf, dass wir ihren Wagen nehmen, und wir fahren schweigend durch die breiten Vorortstraßen, unter den kahlen Ahornbäumen entlang, vorbei an den endlosen Fußballfeldern und Baseballkäfigen der kolossalen Schule, vorbei an dunklen Villen und verriegelten McMansion-Protzhäusern, die fast unter dem Gewicht des blinkenden Weihnachtsschmucks zusammenbrechen. Durch den schlummernden Traum von einem Vorort.

Die Autobahn ist leer, und wir schweigen, vorübergehend hypnotisiert vom Rhythmus der Reifen, die über die Betonfugen rauschen. Im Radio ruft ein Hörer an und schimpft irgendetwas über den Präsidenten, die Muslime, das oberste Gericht. Susans Daumen gleitet über das lederbezogene Lenkrad zu dem Regler, woraufhin die Stimme des Trottels verstummt. Wir fahren auf der

245 in Richtung Süden. Nach D.C. hinein. Ihre Augen fixieren den Scheinwerferkegel des Fernlichts. Ich ahne eine gewisse Ambivalenz in ihrem Blick, ihren Gesten. Vielleicht wiegt sie die Geheimnisse gegeneinander ab, die Lügen. Die Wahrheit. Verteilt sie neu auf den Waagschalen, um ein Gleichgewicht zu erhalten.

Zuletzt biegen wir von der Autobahn ab, fahren zum Potomac Park und halten am FDR-Monument. Wir steigen aus, und das Geräusch der zufallenden Türen hallt über den Park und das Wasser. Langsam gehen wir auf die Skulptur zu, und das künstliche Licht lässt Roosevelt in seinem bronzenen Rollstuhl wie ein Gespenst aussehen. Wir frösteln in der Kälte, die von der Bucht heranweht. Ringsumher glitzert das Monument und spiegelt sich distanzlos in dem stillen schwarzen Wasser. Narziss. Sind wir so geworden?

«Also», sagt sie schließlich. «Worüber wolltest du mit mir sprechen?»

Sie sieht klein aus, wie sie dort steht, den Blick auf das Wasser gerichtet. Ich denke, dass wir alle an unseren Kompromissen zu tragen haben, unseren sinnlosen Entscheidungen. Sie vielleicht noch mehr. Sie war schon Chefin, als es kaum weibliche Angestellte gab. Über wie viele Leichen musste sie gehen, sie ignorieren und doch zusammenzählen, um sie sich zunutze zu machen, wenn sich die Gelegenheit ergab?

Ich fasse Mut, bin über meine eigene Ruhe erstaunt.

Beginne mittendrin.

«Wen habe ich in Beirut umgebracht?»

20. Dezember 2013
Paris, Frankreich

Klara setzte die Schere unmittelbar unter den Ohren an. Fünf rasche Schnitte, und die Frisur, die sie bei Toni & Guy in Brüssel fünfundachtzig Euro gekostet hatte, war nur noch Geschichte.

Sie kürzte auch oben, dann vorn. Drehte den Kopf, um sich in dem schmutzigen Hotelspiegel von der Seite zu betrachten. Klaubte die Haare mit der linken Hand zusammen und warf sie in den Papierkorb neben dem Waschbecken. Das winzige Hotelzimmer hatte sie mit dem Geld bezahlt, das sie in einem anderen Stadtteil mit Cyrils Karte abgehoben hatte. Der PIN-Code war korrekt gewesen. Dieser feige Dreckskerl! Sie hatte zweitausend Euro abgehoben, anscheinend die Höchstsumme pro Tag. Und damit war Cyril für seinen Verrat noch billig davongekommen. Danach hatte sie die Karte zerbrochen und in einen Papierkorb geschmissen.

Nach weniger als fünfzehn Minuten hatte sie ihr schulterlanges Haar in einen burschikosen Kurzhaarschnitt verwandelt. Sie beugte sich vor und befeuchtete die Haare mit kaltem Wasser aus dem Hahn, bevor sie nahezu eine ganze Flasche Blondierung einmassierte.

Eigentlich wollte sie nur weinen. Wollte sich unter die verschlissene, geblümte Bettwäsche verkriechen, die Gardinen zuziehen und schlafen, nichts als schlafen. Und nie, nie mehr aufwachen. Wollte nur fliehen, alles hinter sich lassen, die Augen schließen und ein Nichts werden. Zu existieren aufhören. Aber die Tränen kamen nicht. Und sobald sie die Augen schloss, sah sie Mahmouds aufgerissene Augen vor sich, roch den Gestank von billigem Wein, spürte den Windzug der lautlos an ihrer Wange vorbeischwirrenden Kugeln.

Warum konnte sie nicht einfach weinen?

Als die Blondierung auf der Kopfhaut zu brennen begann, ließ sie das ausgefranste verwaschene Handtuch fallen und setzte sich in die gelb schimmernde Badewanne, um das Wasserstoffperoxid auszuspülen. Da kein Shampoo vorhanden war, wusch sie sich mit der Seife, die wohl jemand hier vergessen hatte. Als sie fertig war, betrachtete sich erneut im Spiegel. Ihre Haare als blond zu bezeichnen wäre eine Übertreibung gewesen. Sie waren jetzt wohl eher hellbraun statt schwarz. Aber sie hatte eine Kurzhaarfrisur. Vielleicht reichte das ja schon als vorübergehende Tarnung. Der halbherzige, klischeehafte Versuch einer Metamorphose. Vielleicht war es lächerlich, sinnlos, mehr Ritual als Verkleidung. Sie konnte Moody nicht mehr retten. Aber sie würde sein Ansehen retten.

Sie wandte sich vom Spiegel ab und dem kleinen MacBook zu, das hinter ihr auf dem Bett stand. Der Laptop war mit einem Passwort gesichert, das nicht zu knacken war. Eine elektronische Sphinx – in deren binärem Labyrinth sich etwas befand, für das jemand zu töten bereit war, damit es nicht an die Öffentlichkeit kam.

Klara wollte ihn gewaltsam knacken, die Festplatte zertrümmern und ihren Inhalt auf dem Bett entleeren. War bereit, alles zu tun, um an die Informationen zu kommen, die darauf gespeichert waren. Stattdessen machte sie die Augen zu und lehnte sich zurück. Nur, um sich beinahe sofort wieder mit einem Ruck aufzusetzen.

Jörgen! Natürlich. Jörgen Apelbom und seine Hackerkontakte. Vielleicht konnte er ihr ja helfen? Sie sah auf die Uhr, erst halb neun. Ohne länger nachzudenken, schlüpfte sie in ihre Kleidung und lief die Treppe hinunter.

Der schläfrige spanische Austauschstudent saß hinter dem

kleinen Tisch, der die Rezeption darstellen sollte, und surfte im Internet. Zuerst schien er sie nicht wiederzuerkennen.

«Ich wohne in Zimmer 12, ich habe mir die Haare gefärbt», sagte Klara.

Sie nahm die Telefonkarte für Ferngespräche heraus, die sie gekauft hatte, um Gabriella anzurufen, und ging zur Telefonzelle in der Ecke des Empfangsbereichs. Sie spürte den Blick des Austauschstudenten im Rücken, ignorierte ihn aber. Jörgen meldete sich nach dem ersten Klingeln.

«Jörgen, ich bin's, Klara Walldéen. Habe ich dich geweckt?»

Sie hörte in der Leitung, wie Jörgen sich räusperte.

«Wow!», sagte er. «Wow!»

«Was willst du damit sagen?», fragte Klara.

Vielleicht war es doch eine blöde Idee gewesen.

«Ich habe dein Foto gerade im *Aftonbladet* gesehen. Nach dir wird ...» Jörgen räusperte sich erneut. «Ich meine, nach dir wird gefahndet.»

Klara schloss die Augen und fuhr sich durch ihre jetzt kurzen Haare. Gefahndet. Der Austauschstudent am Empfang gestikulierte in ihre Richtung. Sie gab ihm zu verstehen, er solle warten.

«Ich muss dich um einen Gefallen bitten», sagte Klara. «Und ich habe vollstes Verständnis dafür, wenn du ablehnst.»

Eine Sekunde war es still im Hörer.

«Schieß los, was willst du?», sagte Jörgen schließlich.

«Jemanden, der ein Computerpasswort knacken kann, von einem Mac. Jemanden Diskretes, wenn du weißt, was ich meine.»

«Jemanden, der ein Passwort knacken kann?», hakte Jörgen nach. Es klang zögernd, nachdenklich.

«Egal. Verzeih, dass ich überhaupt angerufen habe», sagte Klara. «Das war idiotisch von mir, ich will dich in nichts hineinziehen.»

«Wo bist du gerade? In Brüssel?», unterbrach Jörgen sie.

«Es ist vielleicht besser, du weißt das nicht. Aber wenn du jemanden in Brüssel auftreiben kannst, würde mir das helfen.»

«Wie kann ich dich erreichen?»

Klara gab ihm die Nummer des Prepaid-Telefons, das Mahmoud ihr in Brüssel gekauft hatte.

«Aber gib die Nummer bitte an niemanden weiter, ja?»

Sie legten auf. Auf dem Weg zu ihrem Zimmer nickte sie dem Austauschstudenten zu, ignorierte aber seine Kontaktversuche. Sie zog die Jeans aus, die immer noch feucht war, nachdem sie versucht hatte, in der Badewanne Mahmouds Blut herauszuwaschen. Das Bett war hart, und es zog kalt vom Fenster herein. Ihr war es egal, sie konnte sowieso nicht schlafen.

Als das Handy einen kurzen Signalton von sich gab, saß Klara auf der Fensterbank. Ihr Kopf lehnte an der Scheibe. Sie hatte reglos in dem dunklen Zimmer gesessen, während der Schneefall draußen in einen leise trommelnden Regen übergegangen war. Als sie aufstand, sah sie ihr Gesicht im schwarzen Glas des Spiegels reflektiert. Die kurzen, schlecht gefärbten Haare, die müden Augen. Dieselbe Veränderung, die sie an Mahmoud wahrgenommen hatte. Die Entschlossenheit, nicht mehr vor Gewalt zurückzuschrecken, die Schockstarre. Und noch etwas anderes, Abgründiges, dunkler als die Nacht dort draußen. Etwas, das sie gerade erst gestreift hatte. Die unendliche, alles überschattende Trauer. Sie versuchte, an etwas anderes zu denken, zwang sich, der lockenden Finsternis und dem Selbstmitleid nicht nachzugeben, alles zu verdrängen.

«Nicht jetzt», flüsterte sie zu sich selbst. «Nicht heute Abend. Erst, wenn es vorbei ist.»

Die SMS kam von einer unterdrückten Nummer. Gut, dass er nicht sein eigenes Telefon nimmt, dachte Klara. Ob sie ihr

Gespräch trotzdem orten konnten? Vielleicht, das war nicht zu sagen. Die Nachricht war kurz.

«Prinsengracht 344, Amsterdam. Morgen früh nach zehn Uhr. Blitzworm97 nennt er sich. Richte Grüße von SoulXsearcher aus. Keine Namen, keine Handys. 200 Euro. O.k.?»

Sonst nichts. Wie die Bestätigung eines Arzttermins. Nur dass kein Arzt so hieß.

«Ja, danke», schrieb Klara zurück.

Als die Nachricht gesendet worden war, schaltete sie das Handy aus und entfernte den Akku. Dann zog sie wieder die Jeans an. Sie war noch immer feucht an den Beinen, aber egal. Sie würde nicht einen Moment länger in diesem Zimmer bleiben. Falls sie irgendwie ihr Handy orteten, konnten sie jeden Augenblick hier eintreffen. Auf dem Weg nach draußen schmiss sie Handy und Akku in den Papierkorb. Sie blieb an dem schmutzig weißen Rechner in der Lobby stehen, der den Gästen zur Verfügung stand. Die Busse nach Amsterdam fuhren von einem Ort ab, der am anderen Ende von Paris lag. Der nächste Nachtbus ging um elf. Sie warf einen Blick auf die Uhr des Rechners. Halb zehn. Auf nach Amsterdam.

Susan dreht sich langsam um. Unsere Blicke treffen sich. Ihre Augen sind leer, einsam, blau.

«Sind wir deswegen hier?», fragt sie. «Um in der Vergangenheit zu wühlen?»

Ich erwidere nichts.

«Herrgott», seufzt sie. «Das ist fast dreißig Jahre her. Du weißt, wer er war. Basil el Fahin. Bombenbauer für die Hisbollah. Du hast doch gesehen, was er ...»

«Ich weiß, was du von ihm behauptet hast, wer er war», unterbreche ich sie. «Ich weiß verdammt noch mal, was du gesagt hast!»

Meine Stimme wird bedrängt von Adrenalin und Schwefel, ist vollkommen instabil. Sie erschreckt mich, diese Stimme. Ich erlange wieder die Kontrolle über sie. Bezwinge sie. Fahre mir über das Gesicht.

«Ich weiß, was ihr gesagt habt. Aber er war nicht derjenige, der Louise ermordet hat. Du hast mir nicht die Wahrheit erzählt.»

Etwas an ihrer Haltung hat sich verändert. Sie spannt den Rücken wie einen Bogen, spannt für einen Augenblick auch ihre Gesichtszüge an und glättet sie dann angestrengt wieder. All diese Zeichen. All diese Lügen.

«Reiß dich zusammen», entgegnet sie. «Was ist nur mit dir los? Warum bringst du mich mitten in der Nacht hierher, um diese irrsinnigen Theorien vor mir auszubreiten?»

Aber da ist etwas, ein Spalt in ihrer gespielten Irritation, ein Riss in ihrer aufgesetzten Frustration. Etwas Tieferes. Ich lese es in ihren Augen, sie flackern und irren umher. Vielleicht fällt dem Lügner das Lügen schwer. Aber da ist noch mehr. Als wollte ein

Teil von ihr erzählen. Als fände ein Teil von ihr, dass es jetzt genug sei. Dort liegt eine Möglichkeit, eine Öffnung.

Ich nehme die Mappe, strecke sie ihr entgegen. Ein Messer, das ich in den Spalt schiebe, um ihn weiter aufzuhebeln.

«Gib auf», sage ich. «Bitte, Susan, ich weiß doch schon alles. Sieh es dir selbst an. Es steht hier.»

Meine Stimme ist jetzt ruhig, kontrolliert. Ich räuspere mich. Wedele auffordernd mit der Mappe vor ihrem Gesicht herum. Sie lässt die Arme hängen. So bleiben wir stehen. Jeder in seiner Waagschale. Es erfordert so wenig, das Gleichgewicht zu zerstören. Sie nimmt die Mappe. Hält sie in den Händen, ohne sie zu öffnen.

Ich weiß nicht, wie lange dieser Moment der merkwürdigen, eiskalten Intimität andauert. Vielleicht nur eine Sekunde. Er wird unterbrochen, als irgendwo in der Ferne die Alarmanlage eines Autos losgeht. Ich warte, bis wieder Stille herrscht.

«Ihr habt Louise umgebracht», flüstere ich. «Du hast sie umgebracht.»

Susan tritt einen Schritt zurück und setzt sich auf die frostüberzogene Bank, ohne sie abzuwischen. Sie legt die Mappe auf ihre Knie, ihr Blick verliert sich im schwarzen Wasser vor uns.

Ich gehe vor ihr in die Hocke. Ich bekomme keine Luft. Sie wendet mir ihr Gesicht zu, sieht mich an. Ihre Augen sind plötzlich blank, nackt. Für einen kurzen Moment ohne Anzeichen von Verrat und Täuschung. Sie nimmt ein Taschentuch aus ihrer Handtasche. Dreht sich zur Seite, tupft sich die Augenwinkel, schnäuzt sich.

«Aber du musst es doch immer gewusst haben?», fragt sie.

Ihre Stimme ist jetzt dünn, vogelgleich. Ich schweige. Es ist schockierend, sie so zu sehen. Plötzlich so verletzlich. So jung, fast wie ein Mädchen, ein Kind. Sie, die die Reise durch die Schatten genau wie ich vollkommen allein hinter sich gebracht hat.

Zwei Kugeln vom selben Kaliber mit verschiedenen Bahnen. Ihre Bahn führte nach oben, nach außen. Meine kreiste immer um mich selbst. Susan und ihr gefürchteter Intellekt, ihre ungekünstelte, natürliche Autorität. Wie viel Mist hat sie auf sich genommen? Wie viel Leere hat in ihr Platz? Als sie zu reden beginnt, wendet sie sich nicht an mich, sondern an sich selbst, das Monument, die Geschichte an sich.

«Es war natürlich geplant, dass es in diese Richtung gehen würde. Aber das wusste ich nicht. Damals jedenfalls nicht. Das wusste wohl keiner von uns. Dass die Operation in Damaskus eine russische Puppe war und du nur die äußerste Hülle. Ich war so neu, so unerfahren. Du warst mein erster Verantwortungsbereich, der erste Agent, den ich koordinieren musste. Ich war nicht einmal im Feld gewesen, abgesehen von Paris, und das zählte ja kaum. Und ich weiß nicht, warum mich niemand darüber informiert hat, dass wir Waffen an die Syrer lieferten. Klar war das naiv von mir. Es nicht zu begreifen. Aber ich wusste nicht mehr, als dass es immer verschiedene Ebenen gab, Entscheidungen, die von jemand anderem getroffen wurden, in einem anderen Zusammenhang. Fehler, die begangen wurden und für die man büßen musste. Schulden, die bezahlt werden mussten. Unsere Waffenlieferungen an das Regime waren eine Teilzahlung für irgendeine andere Vereinbarung, die wir vor langer Zeit getroffen hatten. Irgendeinen anderen hohlen, schlecht durchdachten Kompromiss. So lief der Kalte Krieg wohl ab. Die eine Hand wusste nie, was die andere tat. Das habe ich mit der Zeit gelernt.»

Ich richte mich auf, vorsichtig, weil ich fürchte, ihren Bericht zu stören, ihre Beichte. Setze mich neben sie auf die Bank.

«Und als du die Sache mit den Waffenlieferungen dann herausgefunden hattest und ich begriff, dass du recht hattest, da habe ich es mit Daniels besprochen, unserem operativen Chef. Und alles, was er sagte, war: ‹Gut gemacht, Mädel, wir kümmern uns darum.›

In einem solchen Moment weiß man, dass es schlimm enden wird. Wenn sie sagen: ‹Wir kümmern uns darum.› Und jetzt bin ich diejenige, die so etwas sagt.»

Sie lächelt schief und schüttelt leicht den Kopf, lässt den Blick über das schwarze Wasser streifen, über die kalten weißen Säulen dahinter.

«Es war nicht meine Entscheidung, dich aus dem Weg zu räumen, um das Geheimnis zu schützen. Es war nicht mein Befehl. Ich weiß, das spielt keine Rolle, aber man hat es mir tatsächlich erst nachher erzählt. Um ehrlich zu sein, weiß ich nicht einmal, wer das beschlossen hatte. Daniels vielleicht. Oder eine höhere Ebene. Und ich weiß auch nicht, wer die Bombe platziert hat. Aber ich kann dir sagen, dass es einer von uns war.»

Am Ende sind wir hier angekommen, umgeben von dem, was ich immer gewusst habe, von dem, was immer vor meinen Augen lag und was ich zu ignorieren beschlossen hatte. Am Ende befinden wir uns inmitten dessen, wovor ich mein halbes Leben lang geflüchtet bin. Mir wird davon so schwindelig, dass ich mich an der Bank abstützen muss. Meine eigene Feigheit ist so augenfällig, so grässlich im Licht dessen, was möglicherweise die Wahrheit ist. Aber ich schiebe meinen Selbsthass beiseite. Wir müssen weiter, bis an die Oberfläche.

«Warum habt ihr mich am Leben gelassen, nachdem das Attentat fehlschlug?»

Warum habt ihr mich am Leben gelassen? Was für eine merkwürdige Frage. Die Worte kleben fast an meiner Zunge. Susan zuckt mit den Schultern.

«Was sollten wir tun? Dich in Langley hinrichten? Einen Autounfall in Delaware einfädeln? Das wäre doch viel zu offensichtlich gewesen. Wenn du auf diese Art gestorben wärst, nach der Bombe, wäre es herausgekommen. Gleichzeitig hat wohl irgendjemand weiter oben in der Hierarchie eingesehen, dass wir nicht unsere eigenen Agenten umbringen können, wenn sie lediglich ihren Job machen. Dieser ganze Sumpf war von Anfang an ein furchtbarer Fehler. Und anschließend stellte sich ja heraus, dass du loyal warst. Mehr als das.»

Mein Herz steht vollkommen still. Die Hitze und der Beton, die Scherben, das Glas. Deine müden Augen, dein strähniges Haar in meinem Auto. Die kaum merklichen Atemzüge des Kindes an meiner Brust. Ein Fehler. Die Banalität, die darin liegt. Darin, dass ich es mein ganzes Leben lang vermieden habe, diesen Gedanken zu denken. Ich spüre die Konturen eines furchtbaren Zorns, einer Tücke, in mir wachsen. Gleichzeitig läuft mir die Zeit davon. Dies ist nur ein Teil von allem. Diese Geschichte ist nur ein Teil. Vielleicht bleibt noch Raum für eine Zukunft.

«Und Beirut?», frage ich. «Wen habe ich in Beirut umgebracht?»

«Einen Bombenbauer von der Hisbollah. Genau wie ich es dir gesagt habe. Wir hatten ihn lange gesucht und gerade aktuelle Informationen darüber erhalten, dass er sich in Beirut aufhielt. Wir haben Material getürkt, wonach er derjenige wäre, der für den Mord an deiner Freundin verantwortlich war. Es bot sich eine Möglichkeit, ein operatives Ziel zu erreichen und die Geschichte gleichzeitig aus der Welt zu schaffen. Es löste das Problem, das wir hatten. Und du bekamst, was du wolltest, oder? Deine Rache. In dieser Gleichung gab es nur ein Plus. Sieht man mal von der Moral ab. Nun ja, du verstehst schon?»

Sie lächelt erneut halbherzig, traurig. Vielleicht denkt sie wie ich, dass wir Böses mit Bösem aufwiegen, dass uns diese Gleichung hierhergeführt hat. Dass etwas rationell erscheint, bis der Vorhang zur Seite gezogen wird und wir nur noch den Wahnsinn sehen. Sie schaut mich an.

«Warum jetzt?», fragt sie. «Warum hast du plötzlich beschlossen, all das zu sehen, was dein ganzes Leben lang vor dir gelegen hat?»

Ich fühle nur noch eine große Leere. Ich verspüre nur noch das Bedürfnis nach einem Drink.

«Ich brauche einen Drink», sage ich.

«Ich dachte, du trinkst nicht mehr?»

Es gibt nichts, was sie nicht über mich wissen.

20. Dezember 2013
Stockholm, Schweden

«Das macht zweihundertfünfundsiebzig Kronen», sagte der Taxifahrer und lehnte sich vor, um die imposante Zwanziger-Jahre-Villa besser in Augenschein nehmen zu können, die von der sanften Fassadenbeleuchtung angestrahlt wurde.

«Das scheint ja ein richtiges Schloss zu sein», stellte er fest.

Gabriella holte ihre Brieftasche heraus und reichte ihm die Kreditkarte der Kanzlei. Vor einer halben Stunde hatte sich Klara bei ihr gemeldet. Zu Tode erschrocken und geschockt. Mit dünner kläglicher Stimme. Es war ein Albtraum, ein seltsames, entgleistes Hirngespinst – dass Mahmoud in Paris vor ihren Augen erschossen worden war. Dass jetzt nach ihr, Klara, gefahndet wurde, ihr Bild auf den Titelseiten der Boulevardzeitungen prangte. Der Doktorand des Todes und die schöne politische Referentin.

«Vertrittst du mich?», hatte Klara sie gefragt. «Sag mir, was ich tun soll.»

Alle möglichen Gedanken waren Gabriella durch den Kopf geschossen. Sie war durcheinander und verängstigt. Hatte das Gefühl, jeden Halt zu verlieren. Sie musste an Bronzelius' Worte denken: dass die Sache mit Mahmoud ein Missverständnis sei und die Säpo das zu wissen schien. Aber wer jagte dann erst Mahmoud und jetzt Klara?

«Komm nach Hause», hatte sie schließlich gesagt. «Komm nach Hause, dann finden wir eine Lösung.»

Sie wusste nicht, ob das die richtige Entscheidung war. Vielleicht hätte sie Klara raten sollen, sich bei der französischen Polizei zu melden? Den Medien zufolge hatten sie nur vor, ihr ein paar Fragen stellen. Aber Gabriella wollte lieber kein Risiko eingehen. Sowie sie den Hörer aufgelegt hatte, hatte sie Wiman angerufen.

Der Fahrer gab ihr die Karte zurück, und sie sprang aus dem Taxi. Die Uhr ihres Handys zeigte kurz nach Mitternacht. Ein ungewöhnlicher Zeitpunkt für einen Besuch bei ihrem Chef, aber der Vorschlag war von Wiman gekommen. Irgendwie gab es ihr ein Gefühl von Sicherheit, dass ihm die Angelegenheit nicht gleichgültig war.

Sein Haus war zweifellos prächtig, das stellte sie nun auch fest, als sie über das sorgfältig verlegte Kopfsteinpflaster zur Eingangstür ging. Davon gehört hatte sie schon. Das Gebäude hatte unter den jungen Juristen der Kanzlei, die mit einer Einladung beehrt worden waren, einen legendären Ruf. Es bestand aus einem perfekten cremefarbenen Kubus, hatte zwei Stockwerke und eine Wohnfläche von etwa dreihundert Quadratmetern. Auf einer kleinen Anhöhe gelegen, scheinbar abseits, wirkte das Haus, als sei es selbst für Djursholm zu exklusiv.

Die Türglocke tat ihr Bestes, um dem Bild gerecht zu werden, und gab ein tiefes «Ding-Dong» von sich, als sie auf den kleinen weißen Knopf neben den Flügeltüren drückte. Es dauerte nur wenige Sekunden, bis geöffnet wurde.

«Hallo, Gabriella, kommen Sie herein», begrüßte Wiman sie.

Trotz der fortgeschrittenen Uhrzeit war er untadelig in seine übliche Garderobe gekleidet, ein dunkler Anzug und ein weißes Hemd mit rotem Einstecktuch. Nur auf den Schlips hatte er verzichtet. Er hielt ein bauchiges Whiskeyglas in der Hand. Die bernsteinfarbene Flüssigkeit schien in dem gedämpften Licht, das aus dem Hausinneren drang, von selbst zu leuchten.

«Entschuldigen Sie die späte Störung», sagte Gabriella. «Das war wirklich keine Absicht, wir hätten das auch morgen besprechen können. Ich wollte Sie nur auf dem Laufenden halten.»

Wiman schnitt ihr mit einer ungeduldigen Geste das Wort ab und ging über den Marmorboden voraus durch den Flur.

«Ich habe Sie immerhin hergebeten, Gabriella. Hätte ich bis morgen warten wollen, hätte ich das gesagt.»

Er führte sie in eine Art Arbeitszimmer oder Bibliothek. Gab es das noch, private Bibliotheken? Erstaunt sah Gabriella sich um. Die Längsseite wurde von drei hohen Fenstern dominiert, die zum Wasser hin lagen. Sie konnte es in der Dunkelheit nur erahnen, ging aber davon aus, dass es sich um ein Grundstück am Wasser handelte. Ein Fenster an der Schmalseite zeigte ebenfalls in Richtung Wasser. Die restlichen Wände waren bis unters Dach mit Büchern bedeckt. Ein verglimmendes Feuer brannte in einem Kachelofen neben der Tür, durch die sie gerade hereingekommen waren. Was mochte so ein Haus kosten? Zwanzig Millionen Kronen? Oder mehr? War es das, was einen als Teilhaber erwartete?

«Sie haben ein phantastisches Haus», sagte sie.

«Aus der Jahrhundertwende», erklärte Wiman, ungerührt von dem Kompliment. «Aber in den Zwanzigern im italienischen Stil umgebaut. Und später habe ich es selbstverständlich renovieren lassen. Darf ich Ihnen etwas anbieten? Einen Cognac? Ein Glas Rotwein?» Er deutete auf einen kleinen, aber reich bestückten Barwagen aus Mahagoni, der in der Zimmerecke stand.

«Gerne einen Whiskey.»

Sie hatte plötzlich das Gefühl, einen Drink nötig zu haben.

Wiman goss eine leidliche Menge Whiskey in ein Glas von derselben Sorte wie seines. Bevor er die Flasche auf den Barwagen zurückstellte, schenkte er sich selbst nach.

«Wasser?»

Gabriella schüttelte den Kopf, und Wiman reichte ihr das Glas, dann setzten sie sich in die Bruno-Mathsson-Sessel vor dem

Kachelofen. Abgesehen von dem Feuerschein und einer gedimmten Stehlampe neben dem Barwagen lag der Raum im Dunkeln.

«Ich bedaure den Tod Ihres Bekannten, mein Beileid», sagte Wiman und nippte am Whiskey.

Gabriella nahm einen weitaus größeren Schluck als er und lehnte sich in den Sessel zurück, dessen Rückenlehne mit Schaffell bezogen war. Sie wollte nicht weinen, nicht hier, nicht jetzt.

«Ja, es ist furchtbar», sagte sie beherrscht. «Schockierend. Ich kann es immer noch nicht fassen.»

Sie konnte es nicht verhindern. Eine Träne löste sich aus ihrem Augenwinkel und rann ihre Wange hinab. Die Nachricht war immer noch so frisch, so unbegreiflich.

Wiman erwiderte nichts, starrte nur in die Glut. Er schien irgendwie gealtert, verhärmt. Als ob ihn etwas bedrückte. Gabriella hatte diesen Zug noch nie zuvor an ihm gesehen. Normalerweise war sein Gesicht eisern, frei von Gefühlen.

«Und Sie haben jetzt Kontakt zu Klara Walldéen? Die sich den Medien zufolge in Begleitung von Shammosh befand, als er in Paris erschossen wurde?», fragte er und legte ein Birkenscheit in die Glut. Es knisterte, bevor es Feuer fing.

Gabriella hörte den Wind in den uralten Bäumen heulen. Mit der Handfläche wischte sie die Träne fort und fuhr sich durch ihre roten Locken. Nickte.

«Klara hat mich gerade angerufen und mich gebeten, sie zu vertreten. Und das habe ich natürlich vor. Wenn sie überhaupt jemanden braucht, der sie vertritt. Soweit ich informiert bin, ist sie nicht verdächtig.»

«Und wo hält sie sich auf?», fragte Wiman.

«Ich weiß es nicht. Sie wollte es mir am Telefon nicht sagen. Aber ich habe sie gebeten, nach Schweden zu kommen, das schien mir das einzig Richtige. Damit wir uns zusammensetzen und durchgehen können, was geschehen ist, bevor sie sich bei der Polizei meldet. Sie steht natürlich völlig unter Schock.»

«Worum geht es hier?» Wimans Stimme war trocken, beinahe ungeduldig. «Warum wurden Shammosh und dieser andere Schwede ermordet? Es ist von größter Bedeutung zu erfahren, was hinter der ganzen Geschichte steckt.»

«Ich habe keine Ahnung. Und ich bin mir auch nicht sicher, ob Klara eine Ahnung hat.»

«Haben Sie diesen Eindruck gewonnen? Dass sie nicht weiß, weshalb sie gejagt wurden?»

«Ja. Beziehungsweise nein. Ich glaube nicht, dass sie weiß, was da vor sich geht. Wenigstens hat sie mir das gesagt.»

Wiman nickte langsam. «Was genau hat sie am Telefon gesagt? Geben Sie die Worte so exakt wie möglich wieder.»

Gabriella dachte nach und rekonstruierte das kurze Gespräch, so gut sie konnte. Von Wiman ausgefragt zu werden beruhigte sie, gab ihr Sicherheit. Seine eiskalte Konzentration auf die Details. Es half ihr, Abstand zu gewinnen.

«Und wann kommt sie nach Schweden?», wollte Wiman wissen, als sie geendet hatte. «Falls sie überhaupt nach Schweden kommt? Wie lautet der Plan?»

«Sie hat erwähnt, dass sie einen Ort im Schärengarten kennt, an dem sie sich verstecken kann, während wir herausfinden, was vor sich geht. Bei Arkösund. Und das ist auch mein eigentliches Anliegen. Was soll ich tun? Was sagen? Die Medien werden die Story bestimmt schon morgen bringen.»

Gabriella kippte den restlichen Whiskey hinunter und spürte, wie er sie von innen heraus wärmte.

«Wen interessieren schon die Medien», sagte Wiman. Er nahm Gabriellas Glas und ging zur Bar, um ihr nachzuschenken. «Sehen Sie einfach zu, dass sie nach Schweden kommt. Sie soll sich verstecken, während wir uns etwas überlegen. Halten Sie mich nur darüber auf dem Laufenden, wo Sie beide sich genau befinden, ja? Es ist wichtig, dass wir in Verbindung bleiben.»

Wiman reichte Gabriella das Glas.

«Setzen Sie mich über alle Einzelheiten in Kenntnis, sobald Sie sie haben. Das ist jetzt nicht der Zeitpunkt für irgendwelche Alleingänge, ich meine es ernst.»

Gabriella nickte und trank den Whiskey in einem einzigen brennenden Zug aus.

«Ich sollte jetzt wirklich ein Taxi rufen», sagte sie und griff nach ihrem Handy.

Zwanzig Minuten später sitzen wir in einer schummrigen Bar in Georgetown, in einem Séparée ganz hinten, die weinroten Vinylsitze sind glatt und kühl unter meinen Chinos. Dies ist ein Ort für Leute wie uns, die es mit dem Alkohol ernst meinen. Mein erster Rusty Nails schmeckt zart und nostalgisch auf meinen Lippen. Der zweite hält meine Füße am Boden, lässt die Geschichte vorübergehend verblassen. Ich stelle mein Glas auf den dunklen, abgenutzten Tisch.

Susan nuckelt an ihrem Club-Soda. Lässt das Highball-Glas zwischen ihren Fingern kreisen, sodass das Eis klirrt. Das Geräusch mischt sich mit einem Song, den ich vage wiedererkenne. *These mist covered mountains are a home now for me.* In dem schummrigen Licht sieht Susan fast durchsichtig, gespenstig aus. Sie ist bis hier mit mir mitgekommen. Wie lange wird sie es noch tun?

«Also warum jetzt?», fragt sie noch einmal.

Wir sind am Ziel. Wir sind den verschlungenen Tentakeln der Geschichte bis hier gefolgt. Bis zur Oberfläche. Hierher, wo es nur darum geht, zu vergessen, zu verzeihen, zu retten, was zu retten ist.

«Meine Tochter», sage ich. «Es geht um meine Tochter.»

Sie verzieht keine Miene. Nimmt einen kleinen Schluck von ihrem Drink.

«Klara Walldéen», sage ich. «Sie existiert in unseren Registern. Ich möchte zu allem, was es über sie gibt, Zugang haben. All unsere Berichte, alle Echtzeit-Daten, alles. Und ich will sie jetzt haben. Sofort. Noch heute Nacht.»

Susan sieht mich nur an. Die Neutralität ihres Blicks lähmt mich.

«Und wenn du sie bekommen würdest?», fragt sie. «Wenn du

Zugang zu dem bekommen würdest, was du haben willst. Was

würde das ändern?»

Ich leere den Rest meines Glases in einem Schluck, bis die Eiswürfel an meine Zähne schlagen. Lehne mich zurück und spüre, wie der Raum um mich herum schrumpft. Wie die Welt dort draußen wächst. Spüre die Wärme des Alkohols und die Trauer aus meiner Vergangenheit. Spüre die Angst, aber auch die Verlockung, die in der Jagd liegt. Wie die Kraft, die in jeder falschen Entscheidung liegt, aufgewogen wird gegen die Kraft einer einzigen Möglichkeit, etwas wiedergutzumachen. Es gibt einen Zeitpunkt, zu dem der Relativismus die Seele eines Menschen nicht mehr retten kann. Ich habe so vieles gutzumachen.

«Worum geht es dabei?», frage ich. «In was für eine Sache ist sie verwickelt?»

Susan sieht geradewegs durch mich hindurch.

«Warum hast du deine Tochter nie erwähnt?»

Obwohl ich weiß, dass ich es nicht tun sollte, dass ich bereits zu weit gegangen bin, dass ich die Grenze überschritten habe, winke ich dem Barkeeper und sehe, wie er nickt und sich nach einem Glas streckt, es mit Eis füllt und mit Whisky, Drambuie.

«Ich habe zuerst gefragt», sage ich.

«Hast du geglaubt, du könntest sie schützen? Aus allem heraushalten?», fragt sie.

Jetzt wirkt sie beinahe traurig. Ihre blasse Haut vor der weinroten Rückenlehne des Séparées. Die Dunkelheit im Lokal. Die ersten Konturen von Ringen unter ihren Augen, gegen die ihr Make-up nichts mehr ausrichten kann. Es ist spät, aber wir sind schlaflose Nächte beide gewöhnt.

«Du verstehst doch wohl, dass wir das alles schon wussten, als du vor dreißig Jahren aus Damaskus zurückkamst? Dass du sie ein paar Tage nach dem Attentat in der schwedischen Botschaft zurückgelassen hast. Dass sie mit ihren Großeltern im schwedischen Schärengarten aufgewachsen ist. Ich weiß von deinen Recherchen in der Datenbank, seit du vor zehn Jahren zum ersten Mal damit angefangen hast. Es gibt nichts, was wir nicht wissen.»

Es ist wie eine außerkörperliche Erfahrung, mit diesem Selbstbetrug konfrontiert zu werden. Als schwebte man hoch über dem eigenen Körper, seiner eigenen, konstruierten Welt. Ich spüre, wie meine Finger zittern, und bekämpfe den Impuls, den Drink, den mir der Barkeeper gerade hingestellt hat, in einem Zug zu leeren. Ich nehme einen Schluck. Das Klirren von Eis. Alles, was sie sagt und was ich eigentlich schon weiß. Ich trinke noch einmal von dem Whisky. Lehne den Kopf zurück, gebe nach und schütte ihn in mich hinein. Lasse die süßliche Flüssigkeit durch mich hindurchströmen. Lasse mir von ihr eine zerbrechliche Stärke geben. Ich nestle an der beigefarbenen Mappe, die Susan vor uns auf den Tisch gelegt hat.

«Es ist scheißegal», sage ich. «Es geht mir am Arsch vorbei, was ihr wusstet. Gib mir die Informationen über Klara, Susan. Für mich ist es jetzt vorbei. Es ist aus. Ich werde mit dem, was ich weiß und was ich beweisen kann, zur *Washington Post* gehen. Ich schwöre es, Susan. Es reicht jetzt. Gib mir die Chance, das wiedergutzumachen, was ich kann.»

Susan stellt ihr Glas lautlos auf den Tisch und greift nach der Mappe. Mit ruhiger Hand schlägt sie sie zwischen uns auf dem Tisch auf. Der Luftzug lässt die Papiere flattern, und sie verteilen sich über den Tisch. Zehn. Zwanzig. Vielleicht dreißig Seiten. Alle vollkommen leer. Nur reine, weiße DIN-A4-Seiten. Nichts anderes.

Dann sitzen wir im Auto. Ich spüre, wie der Rausch in mir wabert und zuckt. Susan fährt stoisch durch die schlafende Stadt, während sie alles über Klara und Mahmoud erzählt. Alles über die Fehler und die verlorene Kontrolle. Alles über den gewöhnlichen, hoffnungslosen Alltag in unserer Welt und über eine weitere Operation ohne Sinn und Verstand.

Als sie ihren Bericht beendet hat, tätigt sie einen Anruf und bittet irgendeinen namenlosen diensthabenden Assistenten in gehörigem Abstand, meine Reise zu buchen. Sanft bremst sie den Wagen vor meinem Wohnkomplex ab. Hebt das Handgelenk und wirft einen Blick auf ihre schlichte, teure Uhr.

«In vier Stunden geht dein Flug», sagt sie. «Du brauchst eine Dusche und eine Kanne Kaffee. Hast du noch einen Decknamen, den du verwenden kannst?»

Ich nicke. Denke an die beiden kanadischen Pässe mit unterschiedlichen Namen, die in meinem Tresor liegen. Ich dachte, dieses Spiel wäre vorbei. Aber es findet immer noch eine weitere Partie statt. Es gibt immer noch eine letzte Chance.

«Warum, Susan?», frage ich. «Warum tust du das für mich?»

Der Elektromotor des Fords summt. Draußen tanzen einige Flocken im Licht der Straßenlaterne.

«Vielleicht bin ich es dir schuldig?», schlägt sie vor. «Vielleicht ist es die beste Möglichkeit, die wir haben, um diese Angelegenheit zu lösen? Spielt das denn eine Rolle?»

Ich öffne die Beifahrertür. Der Alkohol verwandelt mich zu Gas, lässt mich aus dem Auto schweben. Nichts spielt eine Rolle. Nichts außer der nächsten Partie.

21. Dezember 2013
Amsterdam, Niederlande

Im halb vollen, dürftig gereinigten Nachtbus nach Amsterdam überkam Klara schließlich die Müdigkeit. Der Fernstreckenbus von Paris war die beste Alternative gewesen. Es herrschte keine Ausweispflicht, und es war auch kaum anzunehmen, dass es in Amsterdam eine Passkontrolle geben würde. Eurolines – der zähfließende interkontinentale Blutkreislauf des armen Europas – war das exakte Gegenstück zu dem klinischen Netz aus Flugrouten und Zuglinien der Mittelklasse. Statt Samsonites ziehende Geschäftsreisende und pausbäckige Familien transportierten die Busse polnische Tischler mit Wodkaflaschen und Werkzeugkästen sowie allein reisende muslimische Frauen mit Kopftuch und sorgfältig gepackten Taschen aus Billigplastik. Hin und wieder auch Studenten mit akuten Liquiditätsproblemen, deren Erasmusherz in einem anderen Teil des Kontinents schlug. Klara hatte sich über zwei Sitze gelegt. Die Handtasche diente ihr als Kopfkissen, und den Schulterriemen der Laptoptasche hatte sie mehrfach um den linken Arm geschlungen. Sie schlief, noch bevor der Bus das Zentrum von Paris hinter sich gelassen hatte.

Klara wachte erst wieder auf, als sie vor dem Bahnhof Amsterdam-Amstel im Zentrum anhielten. Draußen war es noch immer dunkel, und ein grimmiger Wind fegte herein, als sich die Bustüren mit einem Seufzen öffneten. Klara schlüpfte in ihren Mantel und zog die Strickmütze tief über die Ohren. Während sie sich den Schlaf aus den Augen rieb, sah sie aus dem Fenster und rechnete fast damit, von einem wartenden Polizeiaufgebot empfangen zu werden. Aber der Betonplatz vor dem Gebäude aus den dreißiger Jahren war bis auf einen einsamen Stadtbus, der ohne Licht unter einer defekten Straßenlaterne stand, wie leergefegt. Klara reihte sich in die bunte Schar der Passagiere ein und verließ den Bus. Die Uhr am Bahnhofsgebäude zeigte, dass es kurz vor sieben war. Noch drei Stunden.

Amsterdams Straßen und Kanäle lagen verlassen da, als Klara durch die Stadt lief. Der Wind schien geradewegs durch Klara hindurchzublasen. Wann immer sie Amsterdam besucht hatte, war es windig gewesen, eine ständige, eisige Erinnerung daran, wie flach Holland war.

Klara war ungeduldig, fast manisch. Es kostete sie alle Kraft, die Gedanken an Mahmoud, das Blut und die drohende Trauer nicht an sich heranzulassen. Sie blieb stehen, schloss für einen Moment die Augen und versuchte sich gedanklich auf den Ort einzustellen, an dem sie jetzt war, wenn auch nicht glücklich, so wenigstens sicher. Anschließend dachte sie an das Bild ihrer Großmutter im Wohnzimmer, das prasselnde Feuer im Kachelofen, die Spitzentischdecke und das allerfeinste Gustavsberg-Porzellan. An den Geschmack von Safranbrot und das Geräusch des aufziehenden Sturmes. Sie wusste, dass diese Imagination keine dauerhafte Lösung war. Aber sie war ein zeitweiliger Verband an einem amputierten Bein, und für den Augenblick stillte er die Blutung.

Sie hatte erwartet, dass jemand namens Blitzworm97 in einem schäbigeren Viertel als der Prinsengracht wohnen würde. In einer Garage in einer Vorortsiedlung aus Beton vielleicht, wo er, leicht übergewichtig und mit einem Star-Trek-T-Shirt bekleidet, Jolt-Cola trank und Pläne schmiedete, das Finanzzentrum der Welt durch eine gezielte Cyberattacke zu zerstören. Bestimmt hatte sie nicht erwartet, ihn hier, inmitten der pittoresken Kanäle des weihnachtlich geschmückten, gemütlichen Zentrums von Amsterdam zu finden. Ob die Adresse wirklich stimmte? Aber sie hatte sie zigmal überprüft, bevor sie sich des Telefons entledigt hatte, und es gab nur eine Prinsengracht in Amsterdam.

Die Nummer 344 schien ein Einfamilienhaus zu sein. Große, fein säuberlich geputzte Fenster gingen zum Kanal hinaus. Drinnen erkannte sie eine klinisch saubere Küche aus Edelstahl, in der ein grauhaariger Mann in den Fünfzigern in einem feinen dunkelblauen Anzug auf einem Barhocker saß und mit der Tageszeitung vor sich auf der Theke Kaffee trank. Das perfekte Bild eines erfolgreichen europäischen Mannes, wie der «*How To Spend It*»-Beilage der *Financial Times* entsprungen. Klara spürte, wie sie der Mut verließ. Dass dies Blitzworm sein sollte, war völlig unmöglich. Irgendetwas stimmte hier nicht.

Rasch passierte sie das Haus, setzte sich in ein Café in der Nähe und bestellte sich einen Cappuccino und zwei Croissants. Plötzlich war sie hungrig. Wann hatte sie eigentlich zuletzt etwas gegessen? Sie war durcheinander, beunruhigt. Der Mann hatte kaum so gewirkt, als hätte er zweihundert Euro nötig, allein sein Schlips hatte vermutlich mehr gekostet. Aber es war ihre einzige Chance.

Um fünf nach zehn schluckte Klara hart und klingelte an der Haustür der Prinsengracht 344. Trotz der frühen winterlichen Kälte schwitzte sie. Eine tiefliegende Wolkendecke hing über Amsterdam, und ein garstiger Nieselregen benetzte ihr Gesicht. Nach einem kurzen Augenblick hörte sie Schritte auf der Treppe, dann wurde die Tür sperrangelweit geöffnet.

Ein schlankes Mädchen von etwa fünfzehn Jahren mit hohen Wangenknochen und hellblauen Augen stand vor ihr. Ihr Gesicht war schmal und erinnerte an einen Windhund, mit einem Mund, der viel zu groß darin wirkte. Ihre Arme waren lang und schlaksig, ihre Beine steckten in lose hängenden Jeans. Sie trug ein überdimensioniertes Justin-Bieber-T-Shirt, ihre Kleidung entbehrte insgesamt jeglicher Proportion, als würde sie sich nicht wohlfühlen in ihrer Haut. Mit diesen Wangenknochen und diesen Augen aber würde sich das aber ändern, sobald sie die Teenagerzeit erst hinter sich gebracht hatte, vermutete Klara. Das Mädchen kaute Kaugummi, was auch sonst.

«Hallo», sagte Klara auf Englisch, unsicher, wie sie fortfahren sollte.

Das Mädchen sah sie an, ein kindliches, arrogantes Lächeln lag auf ihren Lippen.

«Hi, zu wem willst du?»

Sie sprach ein fast akzentloses amerikanisches Englisch.

«Verzeihung, das muss die falsche Adresse sein», sagte Klara.

Das Mädchen sah sie immer noch unverwandt an, ohne Anstalten zu machen, die Tür wieder zu schließen.

«Verzeihung ...», wiederholte Klara und wollte sich umdrehen.

«Komm rein, du bist doch SoulXsearchers Kumpel, oder?», sagte das Mädchen.

Klara hielt mitten in der Bewegung inne. «Ja, bin ich. Bist du Blitzworm97?»

«Hattest du jemand anderes erwartet?», erwiderte das Mädchen, während Klara zögernd den lichtdurchfluteten, von Philippe Starck inspirierten Flur betrat. Eine hohe Vase mit frischen weißen Rosen stand auf einem weiß gestrichenen Rokokotisch unter einem Gemälde, das wie ein waschechter Miró aussah.

«Ich weiß nicht», antwortete Klara.

«Einen Typen, vielleicht?», fuhr das Mädchen fort. «Tut mir leid, dich zu enttäuschen.» Sie wies zur Treppe am Ende des Flurs. «Mein Zimmer liegt oben.»

Sie ging Klara voran drei Treppen hoch in die Dachgeschosswohnung. Eine Tür führte in ein großes, leicht schizophrenes

Zimmer mit Dachschrägen und zwei Dachgauben. Jemand hatte den Stil der geschmackvollen, minimalistischen Einrichtung hier oben offenbar beibehalten. Weiße Wände und ein dunkler, sorgfältig gepflegter Dielenboden, sichtbare Balken und Fensterbänke aus schwarzem Marmor. Aber jemand anderes – Blitzworm97, wie Klara annahm – hatte sein Bestes getan, das Zimmer weniger kultiviert und urbaner zu gestalten.

Poster und Plakate bedeckten den Großteil der Wände. The Notorious B.I.G., 2Pac, Bob Marley. Mit Graffiti besprühte Baumwolltücher. Fotos von Cannabisblättern. Ein paar ramponierte Skateboards lagen halb unter dem Bett. Eine beeindruckende Ausrüstung an Computern und Bildschirmen nahm eine ganze Zimmerhälfte ein. Das Hästens-Bett mit der Laura-Ashley-Bettwäsche war ungemacht. Stringtangas, Strümpfe und Teller mit Essensresten waren über den Boden verstreut.

«Ich nehme an, das Justin-Bieber-T-Shirt ist ironisch gemeint?», fragte Klara lächelnd.

«Bingo», antwortete das Mädchen trocken.

Blitzworm97 setzte sich aufs Bett und nahm eine kleine Tüte Haschisch und Zigarettenpapier aus einer Nachttischschublade. Wortlos begann sie, einen Joint zu drehen. Die Handlung hatte etwas dermaßen Rebellisches, dass Klara ein Lächeln unterdrücken musste. «Also, Blitzworm. Soll ich dich so nennen, oder hast du einen richtigen Namen?»

«Du kannst mich Blitz oder Blitzie nenne, wenn du willst. *Whatever.*» Sie zündete sich den Joint an und inhalierte tief. «Du auch?», fragte sie und reichte ihn Klara.

«Klar doch, Blitzie», sagte Klara und nahm ihn entgegen.

Sie erinnerte sich nicht mehr daran, wann sie zuletzt Marihuana geraucht hatte. Irgendwann, als sie noch neu in Brüssel gewesen war. Sie hatte nie besonderen Gefallen daran gefunden, aber jetzt, kurz nach zehn am Vormittag in Gesellschaft eines rebellischen Teenagers in Amsterdam, passte es irgendwie.

«Bist du nicht noch ein bisschen zu jung dafür?», fragte Klara und ließ den Rauch zur Zimmerdecke steigen.

Blitzie schnappte nach dem Joint und nahm einen gierigen, trotzigen Zug. «Das kümmert hier in Amsterdam keinen.»

Klara nickte. Das stimmte wohl.

«Ihr habt ein schönes Haus.»

«Wen interessiert das?», schnaubte Blitzie. «Meine Alten sind abscheuliche Kapitalisten, ich hasse sie!»

Diesmal konnte Klara sich das Lächeln nicht verkneifen. Vielleicht lag es am Haschisch, dass sie sich so warm und beinahe entspannt fühlte. Sie hätte Blitzie am liebsten umarmt.

«Das geht vorbei», sagte sie.

Blitzie zuckte die Schultern. «Woher kennst du SoulXsearcher?», fragte sie.

«Wir arbeiten zusammen», erklärte Klara. «Sind Freunde, könnte man sagen. Und du?»

«Übers Netz», entgegnete Blitzie und deutete mit einem Nicken zu den Computern hinüber. «Er kennt Leute, die ich kenne. Hacker, richtige Hacker. Wenn sie ihm vertrauen, vertraue ich ihm auch.»

«Du bist also eine Hackerin?»

Blitzie nickte, stieß den Rauch aus und lehnte sich langsam zurück.

«Ich habe Blitzworm kreiert.» Sie sah Klara an, als müsste die zutiefst beeindruckt sein.

«Tatsächlich? Ich bin keine Hackerin. Mir sagt das leider gar nichts», entgegnete Klara.

Blitzie wirkte enttäuscht.

«Ich habe den Server des Massachusetts Institute of Technology gehackt, also den Server der besten technischen Uni für digitale

Codes. Hab ihnen meinen Lebenslauf im Intranet hinterlassen. Es war *kind of a big deal.* Sie haben mir angeboten, nach meinem Schulabschluss bei ihnen zu studieren. Aber das geht mir am Arsch vorbei.»

«Wahnsinn! Aber warum willst du nicht? War das nicht der Sinn der Aktion?»

«Ach, diese scheiß Schnöselschule ist mir wurscht. Da hängen doch eh nur jede Menge Koreaner rum.»

Klara schüttelte den Kopf, das Marihuana machte sie träge. Wie waren sie nur auf das Thema gekommen? Sie war schließlich keine Karriereberaterin.

«Also Blitzie, es ist so, dass ich einen Laptop habe, für den mir das Passwort fehlt», begann Klara. «Jörgen, beziehungsweise SoulXsearcher, hat gesagt, dass du mir da behilflich sein könntest?» Sie zog das MacBook aus der Tasche.

«Warum gehst du damit nicht zu irgendeinem Applestore? Die können dir garantiert helfen», fragte Blitzie mit einem süffisanten Lächeln.

Klara seufzte. «Lass gut sein, willst du die zweihundert Euro oder nicht?»

«Der Preis ist inzwischen gestiegen», erklärte Blitzie, während sie ein zweites Mal den Joint anzündete, der in ihren Fingern ausgegangen war. «Jetzt will ich dreihundert.»

21. Dezember 2013
Arkösund, Schweden

Wieder in Schweden zu sein machte die Situation nur noch bizarrer, unbegreiflicher, albtraumhafter. Der kleine Privatjet hatte für einen kurzen Moment dafür gesorgt, dass George sich besser gefühlt hatte. Denn das war trotz allem ziemlich krass gewesen. In den schwarzen Van von Digital Solutions zu steigen und direkt bis zum Flugzeug gefahren zu werden, das bereits auf der Startbahn wartete. Keine Pass- oder Sicherheitskontrollen, einfach nur aus dem Auto hinaus, die Treppe hinauf und sich in einen der gepolsterten Ledersitze sinken zu lassen. Für Josh und die blonde Kirsten und den Rest von Reipers Gang schien das nichts Besonderes zu sein. Vielleicht reisten sie häufig so.

George hingegen hatte schon immer von einer Situation wie dieser geträumt, auf einen Klienten gehofft, der einen solchen Lebensstil pflegte, die Ressourcen dafür hatte. Seine Kollegen hatten über Aufträge von Banken oder Internetfirmen berichtet, bei denen es mitunter vorkam, dass die Berater mit der Firmenleitung fliegen durften, und George hatte den Tag herbeigesehnt, an dem ihm dieses Glück zuteilwerden würde. Privatjet. Die ultimative Bestätigung des Erfolgs. Aber jetzt, mit Reipers Mörderbande, oder was auch immer sie waren, konnte er sich selbst mit solchen Gedanken nicht lange ablenken. Der Stress wollte einfach nicht nachlassen. Und George hatte nicht einmal mehr ein bisschen Koks, um sein Dasein wenigstens etwas zu erleichtern.

Außerdem war die Stimmung nach dem Tag in Paris im Keller. Reiper war völlig außer sich gewesen. George hatte, mit einem zunehmenden Gefühl, dass alles vollkommen irreal war, die Nachrichten über den Mord an Mahmoud Shammosh gesehen. Die Fahndungsmeldung über Klara. Ihm wurde ganz schlecht bei dem

Gedanken, in so etwas involviert zu sein. Wie zur Hölle hatte es so weit kommen können?

Aber Klara schien immerhin erfolgreich untergetaucht zu sein, soweit George die Gesprächsfetzen verstanden hatte, die er hin und wieder aufgeschnappt hatte. Keine Spur von ihrem Handy, von einer Geldentnahme am Automaten, nichts. Dann aber war er gezwungen gewesen, ein Gespräch zwischen ihr und ihrer Freundin zu übersetzen, einer Strafverteidigerin, deren Namen George vage wiedererkannte. Offenbar hörten sie auch das Telefon der Anwältin ab.

George hatte gezögert und überlegt zu lügen, doch er wagte es nicht. Nicht nach dieser kaltblütigen Tat in Paris. Nicht, nachdem ihm klargeworden war, dass die Leute von Digital Solutions Mörder waren. Gewissenlose Profikiller. Also hatte er Klara ein zweites Mal verraten und übersetzt, dass sie anscheinend auf dem Weg nach Schweden war. Was für ein rücksichtsloses Weichei er doch war. Was für ein ekelhaftes kleines Aas.

Von Reiper beauftragt, hatte George ein Haus in Arkösund gemietet. Sie schienen sicher zu sein, dass Klara dort auftauchen würde. Fünfunddreißigtausend Kronen pro Woche war ein richtiger Wucherpreis, aber das schien Reiper egal zu sein, und das Haus machte immerhin auch etwas her. Um die letzte Jahrhundertwende erbaut, gelb mit weißen Hausecken und einem Wintergarten, der aufs Meer und die Marina hinausging. Reipers Bande hatte sofort ein paar große Ferngläser auf der Marina installiert und schien in Schichten den Hafen zu observieren, rund um die Uhr. Niemandem war daran gelegen, George zu erzählen, wonach sie eigentlich suchten, auch wenn er es erraten konnte.

Ein richtiger Scheißjob war das. Und George war eine Art Gefangener. Zwar hatte Reiper das nicht explizit gesagt, aber es war offensichtlich, dass er sich nicht einfach aus dem Staub machen konnte. Sie schlossen die Haustür von innen zu und zogen den Schlüssel ab. Und er war nur selten allein. Es schien, als wäre immer irgendjemand aus der Gruppe in seiner Nähe. Obendrein hatte Reiper nach dem Vorfall in Paris George das Handy abgenommen. Auch wenn Reiper kein Wort darüber verlor, lebte George in der ständigen Angst, dass Reiper wusste, dass er derjenige war, der Klara gewarnt hatte.

George überlegte, ob er wieder den Fernseher anstellen sollte, hätte es jedoch nicht ertragen können, in diesen endlosen Nachrichtensendungen noch mehr über Shammosh und Klara zu hören. Stattdessen inspizierte er das einzige Bücherregal des Hauses, in dem ausschließlich zerlesene schwedische Krimis im Taschenbuchformat standen. Wie in jedem anderen Sommerhaus auch. In einem Zeitschriftenständer neben einem der Kachelöfen im Salon schien die komplette Auflage der Frauenzeitschrift *Amelia* zu liegen. George nahm die neuste Ausgabe. «Malou von Silvers – wie ich mir den Alltag versüße» lautete eine der Überschriften auf dem Titel. Mit einem entnervten Seufzer ließ er die Zeitschrift zurück in den Ständer fallen, lehnte sich auf dem Sofa zurück und schloss die Augen.

«Ja, es ist schon ziemlich anstrengend, nichts zu tun. Das kann den besten Mann ermüden.»

George öffnete die Augen und drehte sich um. Kirsten hatte sich auf dem Sofa gegenüber ausgestreckt. Im grauen Morgenlicht sah er nur ihre Silhouette. Er musste eingenickt sein, denn er hatte nicht gehört, wie sie hereingekommen war.

«Aber wirklich», sagte er lachend. «Ich muss wohl eingeschlafen sein.»

Halbherzig richtete er sich wieder auf und zog den dunkelblauen

Kapuzenpullover zurecht, den Josh ihm geliehen hatte. Reiper hatte ihm nicht erlaubt, einen Abstecher nach Hause zu machen und seine eigenen Sachen einzupacken, ehe sie losfuhren. Also lebte George mit der Kleidung, die er bereits getragen hatte, und ein paar Jeans und Pullovern, die Josh ihm widerstrebend hingeworfen hatte. Außerdem hatte ihm irgendjemand Rio-Slips mit Eingriff und Socken in einem Supermarkt oder einer Drogerie gekauft. Er fühlte sich wie der letzte Penner. Aber er fügte sich optimal ins Bild ein. Ganz Digital Solutions kleidete sich wie amerikanische College Kids. Trainingsklamotten oder Jeans.

«Scheint so», sagte sie. «Es ist für uns alle zäh. Viel Warterei und untätiges Herumsitzen. Aber das gehört auch zum Job.»

«Zum Job?»

George versuchte, seine Frisur so diskret wie möglich zu ordnen. Kirsten war nicht sein Typ. Ihre Lippen waren zu dünn, zu anonym. Sie war viel zu wenig geschminkt, wenn überhaupt, und dann dieser ewige Pferdeschwanz. Natürlich hatte sie einen verdammt durchtrainierten Körper, den sie unter diesen ausgebeulten Kapuzenpullovern versteckte, aber er wirkte eher athletisch als aus ästhetischen Gründen in Form gebracht. Egal, sie war nun mal das einzige weibliche Wesen in Reipers Team. Und Zerstreuung war hier wirklich Mangelware.

«Was ist denn eigentlich der Job?»

Kirsten lächelte ihn an. Ihre rechte Wange hatte ein kleines, unregelmäßiges Grübchen. Dadurch sah sie eigentlich ganz niedlich aus. Ganz und gar nicht wie eine professionelle Mörderin.

«*Damage control*», sagte sie. «Zurzeit geht es vor allem um Schadensbegrenzung. Deine alte Freundin ist unglücklicherweise an Informationen gelangt, die sie nicht korrekt handhaben kann, weil sie dazu gar nicht über die passenden Möglichkeiten verfügt. Wir können keine Risiken eingehen. Die Wahrscheinlichkeit, dass die negativen Konsequenzen unkontrollierbar werden, ist einfach

zu groß. Leider.»

«Die negativen Konsequenzen werden unkontrollierbar?» George zwinkerte ihr zu. «Redest du immer so?»

Kirsten zuckte mit den Schultern.

«Was soll ich deiner Meinung nach sonst sagen? Dass man uns alle in den Arsch fickt – *and not in a good way* –, wenn diese Informationen an die Öffentlichkeit gelangen? Ist das eine ausreichend bildhafte Beschreibung für dich?»

In ihrem Blick lagen gelassenes Selbstvertrauen und eine fast mitleidige Überlegenheit, als sie ihn ansah. Als gehörte sie einer höheren Lebensform an und müsste sich permanent daran erinnern, dass die niederen Wesen nicht denselben intuitiven Zugang zu Informationen hatten wie sie.

«Doch, doch. Reiper hat auch versucht, es mir zu erklären», brummelte er. «Aber diese Menschen gleich zu ermorden? Du liebe Güte.»

«Wir ermorden niemanden», erwiderte Kirsten ruhig. «Wir befinden uns in einem Krieg, klar? Soldaten morden nicht, sie kämpfen für das Überleben ihres Landes. Und genau das sind wir: Soldaten. Was wir tun, hält die Welt am Laufen. Weil wir uns opfern, können du und deine blutleeren Kollegen jeden Tag zur Arbeit gehen, und ihr könnt mit eurem verdammten *bullshit* weitermachen. Ermorden? Was glaubst du eigentlich, wer du bist, hier zu sitzen und von Mord zu quatschen? Und wir tun alles, was in unserer Macht steht, damit niemand sein Leben lassen muss. Du glaubst mir vielleicht nicht? Du glaubst vielleicht, wir würden das genießen?»

Ihre intelligenten Augen musterten George. Eine kleine Furche in der sonst so glatten Stirn. Dieses physische Selbstvertrauen. Sie könnte eine olympische Läuferin sein oder eine junge athletische Ärztin. Was auch immer, nur nicht das, was sie wirklich war. Aber was war sie eigentlich? Eine Soldatin? Spionin? Mörderin?

«Auf diese Weise entwickeln sich eben solche Operationen», fuhr sie fort. «Sie sind wie jede andere Schlacht. Man entwirft eine Taktik, plant bis ins kleinste Detail, wie alles durchgeführt werden soll. Doch sobald der erste Schuss fällt, kann man alle seine Pläne über Bord werfen.»

«Und ich?», fragte George. «Bald ist Weihnachten. Also ... wie lange muss ich denn noch hierbleiben?»

Kirsten legte den Kopf schief, jetzt bemerkte er einen Anflug von Wärme in ihrem Blick, als würde sie verstehen, dass dies nicht Georges Krieg war. Dass er sich keineswegs freiwillig dafür entschieden hatte, hier zu sein.

«Tut mir leid», sagte sie. «Aber bis auf weiteres musst du erst einmal hierbleiben. Reiper ist zu dem Schluss gekommen, dass wir es uns nicht leisten können, dich während der laufenden Operation gehen zu lassen.» Sie rekelte sich und zwinkerte ihm zu. «Also kannst du es dir hier genauso gut ein bisschen gemütlich machen. Vielleicht könntest du uns *Swedish meatballs* braten. Meine Schicht beginnt jetzt.»

Sie lächelte ihn an und ging auf die Veranda hinaus, um das Fernglas zu übernehmen.

21. Dezember 2013
Amsterdam, Niederlande

Klara legte dreihundert Euro in bar auf den Nachttisch.

«Wie du willst, aber das war's dann mit dem dummen Geschwätz, ja?»

Blitzie raffte die Scheine an sich und stopfte sie in ihre Jeans.

«Hast du das Geld wirklich nötig? Bei deinen abscheulichen Kapitalisteneltern, meine ich?»

Sie lächelte Blitzie vorsichtig zu, die den Mund verzog.

«Sie wollen, dass ich wie ein sogenanntes ‹normales Kind› aufwachse», motzte sie. «Vierzig Euro Taschengeld die Woche. Als ob man so normal wird.»

Sie wandte sich den Computern zu und schien sich in irgendein Diskussionsforum zu vertiefen. Diese Rechner hatte sie bestimmt nicht von vierzig Euro die Woche gekauft, dachte Klara. Vielleicht gibt es ja verschiedene Abstufungen von normal.

«Gut, darf ich ihn mir mal ansehen?», fragte Blitzie schließlich.

Klara gab ihr den Laptop. Blitzie klappte ihn auf, und ihre Finger flogen über die Tastatur.

«Kannst du das Passwort knacken?», fragte Klara.

Mit stumpfem Kifferblick sah Blitzie auf. «Ich kann alles knacken, klar? Es ist nur eine Frage der Zeit.»

«Und wie lange wird das hier dauern, meinst du?»

Klara war ungeduldig, wollte, dass es weiter voranging. Und sie wusste nicht, wie lange sie den wachsenden Stress und die Trauer noch unterdrücken konnte.

«Oh Mann, beruhig dich! Ich leg mal los, dann sehen wir schon.»

Blitzie hielt inne und musterte Klara plötzlich mit einem merkwürdigen Ausdruck in den Augen. Ihr Lächeln war wie weggewischt.

«Du heißt Klara, oder? Dann bist du doch die, nach der in Paris wegen Mordes oder so gefahndet wird? Du bist also *auf der Flucht.*»

Das war eine Feststellung, keine Frage. Blitzie war offenbar ein Genie, aber gänzlich undurchschaubar. Klara nickte.

«Kann sein.»

«Also, hast du jemanden ermordet?»

Klara spürte, wie sich tief in ihrem Inneren Zorn regte und durch ihre Angststarre hindurch an die Oberfläche drang. Was hatte sie getan, um das zu verdienen? Um sich von einem verzogenen kleinen Wunderkind solche Fragen über ein Ereignis gefallen lassen zu müssen, das sie krampfhaft zu verdrängen versuchte?

«Ich habe niemanden ermordet. Und ich werde verdammt noch mal auch nicht wegen Mordes gesucht! Wenn du es wirklich wissen willst: Irgendwelche Unbekannte haben meinen Ex mit einem Kopfschuss getötet. Ich habe seine Hand gehalten.» Klara merkte gar nicht, dass sie die Stimme erhoben hatte und ihr Tränen über die Wangen liefen. «Ich habe seine Hand gehalten, als sie ihn erschossen haben. Sein Körper wurde schwer, er hat mich zu Boden gezogen. Und ich habe ihn einfach ganz allein da liegen lassen.»

Sie konnte nicht weitersprechen. Ihre Stimme stockte, und sie wandte sich ab. Sie wollte jetzt nicht weinen, nicht an das schreckliche Erlebnis denken. Wollte einfach nur das verfluchte Passwort wissen und weitermachen, weglaufen und nie, nie mehr stehen bleiben.

Blitzie stellte den Rechner auf den Boden und setzte sich neben Klara auf die Bettkante. Ein dünner Arm legte sich um Klaras Schultern, ihre Hand streichelte Klaras Wange.

«Entschuldige, das habe ich nicht gewollt. Ich bin wohl nicht so gut, was Gefühle angeht. Vielleicht bin ich autistisch oder so.»

Klara wischte sich die Tränen ab, fuhr sich durch die Haare und drehte sich zu Blitzie.

«Du bist nicht autistisch. Nur eben ein Teenager.» Sie holte tief Luft. «Können wir das jetzt abhaken und uns wieder dem Laptop zuwenden?»

Blitzie nahm den Arm von Klaras Schultern und griff nach dem Mac. Nachdem sie ihren Schreibtisch durchwühlt hatte, fand sie einen USB-Stick, der ihre Billigung zu finden schien, steckte ihn in den Laptop und drückte auf Neustart. Wieder huschten ihre schmalen Finger über die Tastatur.

«So, jetzt heißt es einfach abwarten», sagte sie schließlich. «Ich lasse ein Programm durchlaufen, das ich etwas modifiziert habe. Wir kriegen das Passwort, aber es wird ein Weilchen dauern. Willste 'n Bier?»

Inzwischen waren sie bei ihrem zweiten Heineken und ihrem zweiten Joint angekommen und schalteten zwischen irgendeinem *Jersey-Shore-Marathon* auf MTV – den Blitzie zu hassen vorgab und zu dem sie trotzdem ständig wieder umschaltete – und den Nachrichtenkanälen hin und her. Sie schien eine schier unendliche Zahl von Kanälen zu haben. Der Morgen ging langsam in den Nachmittag über.

Blitzies Eltern, diese «Kapitalistenschweine», betrieben offenbar einen Hedgefonds und waren nachrichtensüchtig, weshalb sie jeden erdenklichen Sender abonniert hatten. Der Mord an Mahmoud schien jäh aus allen europäischen Nachrichtensendungen verschwunden, aber als Blitzie in die Küche ging, um Snacks zu holen, zappte sich Klara zu den hinteren Satellitenkanälen und stieß zu ihrem Erstaunen auf das schwedische SVT24. Das Haschisch und die Biere hatten sie gleichgültig und träge gemacht, aber momentan war sie weitaus lieber abgestumpft als hellwach.

Als Blitzie das Zimmer mit einem Tablett voller Nachos und Salsa betrat, lief eine Nachrichtensendung.

«... und bei uns im Studio ist heute Eva-Karin Boman, die Europapolitikerin der Sozialdemokraten. Herzlich willkommen, Eva-Karin.»

Klara fiel die Kinnlade herunter. Sie richtete sich auf Blitzies niedrigem Sofa auf, erhöhte die Lautstärke und versuchte sich zu konzentrieren. Die Kamera zoomte Eva-Karins sorgfältig geschminktes Gesicht heran. Sie wirkte gestresst.

«In den letzten Tagen haben wir die Entwicklungen bezüglich eines schwedischen Doktoranden verfolgt, nach dem über Interpol wegen Terrorismus gefahndet wird», begann der Moderator mit einem ernsten Blick in die Kamera. «Freitagabend wurde er von unbekannten Tätern nach einem Schusswechsel getötet. Bei ihm war eine Schwedin, Klara Walldéen, die nun von der französischen Polizei gesucht wird.»

Der Moderator machte eine Kunstpause, und die Kamera schwenkte erneut zu Eva-Karin.

«Klara Walldéen arbeitet seit mehreren Jahren mit Ihnen zusammen, Eva-Karin. Warum, glauben Sie, hält sie sich versteckt?»

Jetzt brachte die Kamera Eva-Karins Gesicht in Großaufnahme.

«Ich weiß es nicht, Anders. Normalerweise würde man sich doch – wenn man wie Klara Walldéen Zeugin von so einer Tat wurde – an die Polizei wenden. Wenn sie sich nicht meldet, ist es nicht weiter verwunderlich, dass Fragen aufkommen.»

«Welche Fragen meinen Sie?»

«Fragen bezüglich ihrer Kollaboration mit einem verurteilten Terroristen, zum Beispiel. Es hat natürlich für mich nie einen Anlass gegeben, mit ihr über so etwas zu sprechen. Sie war schließlich nur als Sekretärin bei mir angestellt ...»

Klara sprang vom Sofa auf. Sie zitterte am ganzen Leib. «Verurteilter Terrorist!? Sekretärin!?», schrie sie. «Was willst du damit sagen?»

Dem Moderator war offenbar dasselbe durch den Kopf gegangen.

«Der erschossene Schwede ist meinen Informationen nach kein verurteilter Terrorist.»

«Soweit wir das wissen», bemerkte Eva-Karin. «Wir wissen auch nicht, zu welchem Netzwerk er gehört und welche Verbindungen Klara Walldéen dazu hat. Ich kann nur sagen, dass ich sie auffordere, sich umgehend bei der französischen Polizei zu melden, wenn sie nichts zu verbergen hat.»

Klara stellte den Fernseher aus und pfefferte die Fernbedienung quer durch den Raum, die Batterien stoben in alle Richtungen. Sie hatte nicht viel von Eva-Karin erwartet, aber dass ihre Chefin sich auf eigene Initiative an die Medien wandte, um sie mit Dreck zu bewerfen, war sogar für Eva-Karin ein starkes Stück.

Blitzie schien Klaras Ausbruch völlig ungerührt zu lassen. Sie hatte sich, ohne dass Klara es bemerkt hatte, wieder vor den Rechner gehockt.

«So ein Kack», grummelte sie, während ihre Finger über die Tastatur flitzten. «Es dauert Wochen, dieses beschissene Passwort zu knacken.»

Klara spürte, wie etwas Großes, Warmes in ihrem Hals anschwoll. Verspürte einen ziehenden Schmerz an den Schläfen und hinter den Augen. Wie damals, in ihrer Kindheit, wenn sie wegen einer Ungerechtigkeit oder eines Kummers von ihren Gefühlen überwältigt worden war. Sie legte den Kopf in den Nacken, um ihre Tränen in den Griff zu bekommen. Es würde also Wochen dauern, das Passwort zu finden. Wie sollte sie wochenlang untertauchen? Mahmouds weit aufgerissene Augen, das Blut, das Foto von Cyrils Familie, die Schatten, die vor dem Supermarkt in Paris auf sie zugelaufen waren, all das überschwemmte sie wie eine gewaltige Flutwelle. Sie konnte nicht mehr, konnte nicht noch mehr ertragen. Schluchzte laut auf. Warme, schwere Tränen liefen über ihre Wangen.

Doch dann spürte sie Blitzies knochige kleine Hand ihren Handrücken streicheln. Klara zwang sich, die Augen zu öffnen, um sie durch einen verschwommenen Tränenschleier anzusehen. Blitzie wirkte mit einem Mal so klein, so besorgt.

«Heul doch nicht, bitte. Ich habe da vielleicht eine Idee. Aber sie ist kompliziert.»

23. Dezember 2013
Stockholm und Arkösund, Schweden

Gabriella fröstelte und zog ihre Mütze noch ein Stück tiefer über die Ohren. Sie schlang sich die Arme um den Leib und hüpfte auf der Stelle. Als auch das nicht half, zog sie eine Schachtel Benson & Hedges und eine Streichholzschachtel aus der Tasche. Sie verbrauchte drei Streichhölzer, bis sie die Zigarette angezündet hatte – sie war aus der Übung. Es war lange her, dass sie morgens geraucht hatte. Im Grunde war sie nie eine Raucherin gewesen, hatte nur in Gesellschaft von Klara und Mahmoud zu Examenszeiten oder in Londoner Pubs geraucht. Aber im Moment war es ihr ein Bedürfnis. Sie nahm ein paar schnelle Züge und sah auf die Stadt hinab.

Selbst in der Dunkelheit war der Ausblick vom Katarinahissen einzigartig. Stockholm glitzerte im Zwielicht unter dem winterlichen Dunst und einer Schicht von Schneekristallen. Allmählich setzte der Verkehr ein. Sie konnte ein dumpfes Grollen unter sich hören. Die U-Bahn-Waggons, die zwischen Söder und Gamla stan hin- und hersausten, sahen wie erleuchtete Weihnachtsdekorationen aus. Obwohl Gabriella nicht weit entfernt wohnte und von ihrem momentanen Standort beinahe ihr Büro an der Skeppsbron sehen konnte, war sie selten hier, als wäre der Fahrstuhl nur etwas für Touristen. Oder Teenager. Oder Alkis – jedenfalls nichts für sie. Sie drehte sich um und musterte die Fußgängerbrücke. Niemand zu sehen, sie war ganz allein. Es war kurz vor acht.

Noch fünf Minuten. Es war fast einen Tag her, dass sie die E-Mail an princephillipmitchell777@gmail.com bekommen hatte, die Adresse, die Klara sie nach ihrem Anruf einzurichten gebeten hatte. Prince Phillip Mitchells *«I'm So Happy»*. Wie oft hatten sie Klaras zerkratzte Single angehört? Diesen heiligen Soul-Gral, den Klara während des ersten Semesters in Uppsala ganz unten aus einer Plattenkiste auf dem Vaksala torg gezogen hatte. Zehn Kronen hatte sie dafür bezahlt. Auf Plattenauktionen im Internet musste man bestimmt über tausend Kronen dafür blechen, wenn man die Single überhaupt fand. Klara hatte ihr nur sagen müssen, dass sie eine neue Gmail-Adresse mit dem Namen des Sängers einrichten sollte, der den besten Song der Welt gesungen hatte, gefolgt von dreimal der Sieben, und Gabriella hatte Bescheid gewusst. Auch wenn jemand ihr Gespräch mitgeschnitten haben sollte, würde keiner wissen, worauf sich Klara bezogen hatte.

Die von ihr versandte E-Mail war von einer anonymen Hotmail-Adresse verschickt worden, war nicht unterschrieben gewesen und hatte detailliert dargelegt, wie Gabriella mit der U-Bahn und dem Taxi kreuz und quer durch die halbe Stadt fahren sollte, bis zum Katarinahissen. Sie sollte sich dabei ständig vergewissern, dass sie nicht beschattet wurde. Um Punkt acht Uhr sollte sie schließlich vor Ort sein.

Und das war jetzt, wie Gabriella mit einem Blick auf ihre Armbanduhr feststellte. Als sie wieder aufsah, hörte sie, wie sich mit einem dumpfen Geräusch der Aufzug ankündigte. Sie drehte sich voller Erwartung um, aber statt Klara stand im Fahrstuhl nur ein schmaler Teenager in unförmiger Kleidung, mit Schirmmütze und Kapuzenpulli unter einer viel zu großen schwarzen Jacke. Vielleicht ein Skater. Gabriella seufzte und drehte sich wieder zum Geländer, als wäre es das Natürlichste der Welt, frühmorgens am Tag vor Heiligabend achtunddreißig Meter über Stockholm zu stehen und die Aussicht zu bewundern.

«Wow. Entweder bist du sauer auf mich, oder meine Verkleidung ist besser als erhofft», sagte der Skater.

Gabriella fuhr herum und sah sich Klaras hellblauen Augen gegenüber, die unter der schwarzen Schirmmütze hervorschauten.

Sie war ungeschminkt, und ihre Wangen wirkten eingefallen. Ihr Gesicht schimmerte grau, und ihre Lippen waren blass und schmaler als sonst. Ein kleines gequältes Lächeln blitzte in ihren Mundwinkeln auf.

«Klara!»

Gabriella musste sich beherrschen, um nicht aufzuschreien. Überschwänglich schlang sie die Arme um ihre Freundin. Ihre Jacken knisterten, als sie aneinanderrieben. Klaras Wange war eiskalt.

«Klara, Klara», flüsterte Gabriella nur.

Mehr konnte sie nicht herausbringen. Alles, was sie vielleicht hätte sagen können, kam ihr einfach nur belanglos vor. Stattdessen drückte sie Klara so fest wie möglich an sich. Klaras Tränen benetzten ihre Wangen. Schließlich ließen sie einander los. Klara unternahm einen vergeblichen Versuch, sich die Tränen abzuwischen, die nicht enden wollten.

«Verzeih, es waren ein paar harte Tage», flüsterte sie.

Gabriella streichelte ihre Wange. «Was ist mit deinen Haaren passiert? Du siehst ja aus wie k. d. lang.»

Klara hob den Kopf und lachte auf. Zuerst nur kurz, dann brachen die Dämme, doch Gabriella konnte beim besten Willen nicht feststellen, ob sie wirklich lachte oder weinte.

«k. d. lang?», wiederholte Klara, während noch immer Tränen über ihre Wangen liefen. «Was Besseres fällt dir nicht ein? k. d. lang, die kanadische Vorzeigelesbe! Wem sagt die überhaupt noch was? Du meine Güte!»

Gabriella musste auch lachen. «Na ja, in einer besseren Ausführung.»

«Eine bessere Ausführung von ihr? Geht das überhaupt?»

Ihr Gelächter verebbte, und sie sahen sich um, als wären sie sich plötzlich bewusst geworden, wo sie sich befanden.

«Du hast meine Anweisungen befolgt?», fragte Klara.

Gabriella nickte. «Deine Anweisungen, um die Spione abzuschütteln, na klar. Seit sechs Uhr früh bin ich durch die ganze Stadt gegurkt.»

Klara schaute sich noch einmal nach allen Seiten um. Erneut lag ein gehetzter, ruheloser Ausdruck in ihren Augen.

«Wir können nur hoffen, das wir allein sind. Hast du ein Auto organisieren können?»

Gabriella nickte wieder. «Hab mir gestern Abend eines von einem Kollegen geborgt. Er glaubt, ich will damit zu IKEA. Ich kann es über die Weihnachtsfeiertage behalten.»

«Und du hast den Handyakku rausgenommen?»

«Ja, und ich habe auch meine ganzen Klamotten nach einem Sender durchsucht, so wie du geschrieben hast.»

Klara straffte die Schultern. «Dann los, wir fahren wieder runter.»

In Södermalm herrschte noch immer kein Betrieb, als sie den Slussen Richtung Hornsgatan überquerten, wo Gabriella den Saab geparkt hatte. Sie nahm Klaras Hand und zog sie an sich. Es gab so viel zu bereden, so viel zu begreifen, solch unfassbaren Kummer zu teilen. So viele wichtige Fragen. Aber sie brachte es nicht fertig, sie zu stellen. Noch nicht.

«Wie bist du hergekommen?», fragte sie stattdessen.

«Mit dem Bus», antwortete Klara. «Es hat ein Weilchen gedauert, könnte man sagen.»

«Und woher hast du die Skater-Klamotten?»

Klara sah über die Schulter und ließ den Blick nervös die Straße entlangwandern. «Das ist eine lange Geschichte. Ein Teenager, eine Hackerin in Amsterdam, hat sie mir gegeben. Ich erzähl's dir später. Ich erzähl dir alles, wenn wir im Auto sitzen.»

Eine dünne Frostschicht hatte sich bereits auf der Windschutzscheibe des kleinen Wagens gebildet. Gabriella machte sich nicht die Mühe, sie abzukratzen, das sollten die Scheibenwischer besorgen. Mit einem Knopfdruck entriegelte sie den Wagen, der mit einem Aufblinken der Scheinwerfer reagierte.

«Ich fahre. Ich weiß, wo wir hinmüssen», sagte Klara. «Und du wirst vollauf damit beschäftigt sein, mir während der Fahrt zuzuhören.»

Sie brauchten zweieinhalb Stunden bis nach Arkösund. Klara war ruhig und besonnen gefahren und hatte fast ununterbrochen erzählt. Von Mahmoud, von all dem Schrecklichen. Sie hatte lautlos geweint, sich aber geweigert, Gabriella das Steuer übernehmen zu lassen. Als bräuchte sie die Ablenkung, sich aufs Fahren zu konzentrieren. Es war so unwirklich. So albtraumhaft. Der Mord an Mahmoud. Und Cyril, diese falsche Ratte. Die Verfolgungsjagd und der Laptop. Blitzies weit hergeholter Plan.

«Du weißt also nicht, was sich auf dem Rechner befindet?», fragte Gabriella schließlich. «Wir wissen noch nicht einmal, warum das alles geschieht?»

Schweigend schüttelte Klara den Kopf.

«Und unsere einzige Chance, das herauszufinden, besteht in dem Plan, den eine zugedröhnte fünfzehnjährige Hackerin ausgeheckt hat?»

Klara nickte und verzog die Lippen zu einem kleinen hoffnungslosen Lächeln. «Aber sie hat echt was auf dem Kasten. Blitzie ist eine verdammt clevere zugedröhnte fünfzehnjährige Hackerin, ja?»

Gabriella erwiderte das Lächeln. «In Ordnung. Viel mehr haben wir ja auch nicht in der Hand, nehme ich an. Vielleicht können wir über diesen Bronzelius bei der Säpo gehen?»

Klara kicherte und schüttelte den Kopf. «Verflucht, wir haben wirklich nicht viel in der Hand.»

Schließlich stellte Klara den Wagen auf einem Parkplatz in einem Ort ab. Vermutlich Arkösund. Ein Stück die Straße hinunter erahnte Gabriella eine Mole, dahinter dunkle Klippen und das Meer. Der Motor verstummte. Klara reichte Gabriella den Zündschlüssel.

«Da sind wir. Das ist Arkösund», sagte sie.

Stumm saßen sie einen Augenblick da und betrachteten den Schnee, der zunehmend heftiger auf die Windschutzscheibe fiel. Noch schmolz er, bevor er auf dem Boden aufkam, aber bald würde er liegen bleiben.

«Im Ernst, ich könnte verstehen, wenn du wieder zurückfahren willst», sagte Klara. «Ich kann dich nicht darum bitten, mit mir hier draußen zu bleiben, wenn ich noch nicht einmal weiß, worum es bei der Sache geht. Und noch dazu an Weihnachten.»

Gabriella sah die Freundin an, als wäre sie schwer von Begriff. Dann schüttelte sie den Kopf.

«Wovon redest du? Zurückfahren? Jetzt? Reiß dich zusammen!»

Gabriella stieg aus. Kälte hüllte sie ein. Dicke Schneeflocken landeten auf ihrem Gesicht, in ihren Haaren. Sie beugte sich vor und schaute Klara auffordernd an.

«Na los doch, auf geht's! Wo sollen wir deinen alten Kumpel treffen?»

Klara stieg ebenfalls aus dem Wagen und zeigte zur Marina. «Da unten. In einer Viertelstunde. Oder in zwölf Minuten, um genau zu sein.»

«Zwölf Minuten? Das ist wirklich exakt», bemerkte Gabriella.

«Um Punkt elf Uhr. Er legt an der Mole an und bleibt nur ein paar Minuten. Wenn wir nicht da sind, kommt er heute Abend um sechs wieder.»

Klara warf sich die Laptoptasche über die Schulter und deutete zum Hafen. «Also los, wir joggen hin. Ich erfriere allmählich.»

Sie brauchten knapp fünf Minuten bis zu dem verlassenen Yachthafen. Vom Meer wehte ein eisiger Wind. Klara lotste Gabriella in den Windschatten der ehemaligen Tankstelle. Sie zitterten vor Kälte und schlangen sich die Arme um den Leib.

«Nur noch ein paar Minuten», sagte Klara.

«Du scheinst Bosse ja völlig zu vertrauen», stellte Gabriella fest.

Sie erinnerte sich daran, dass Klara von ihm erzählt hatte. Bosse hatte schon jetzt das Zeug zu einem richtigen Schärenoriginal. Klara war mit ihm auf den äußeren Schären aufgewachsen und von der ersten bis zur neunten Klasse zur Schule gefahren. Ihre Kindheit hatte auf Gabriella immer so fremd und exotisch gewirkt, mit Schul- und Luftkissenbooten, Jagd und Fischerei. Romantisch und sepiafarben, wie eine einzige lange Folge von *Ferien auf Saltkrokan*. So weit entfernt von Gabriellas geborgener und ach so normalen Kindheit in einer Kleinfamilie im Einfamilienhaus in Bromma. Und Klara sprach selten vom Schärengarten. Er war, was er war. Aber Gabriella wusste, so zielstrebig Klara ihm auch den Rücken gekehrt hatte, so unmissverständlich zog es sie immer wieder dorthin zurück. Vielleicht noch stärker, seit sie in Brüssel war.

In der Bucht wurde plötzlich ein dumpfes Stampfen, ein tiefer Herzschlag laut.

«Mach dich bereit, er wird in wenigen Minuten hier sein», sagte Klara.

George nahm einen Bissen von seinem süßen schwedischen Brot mit dem gut gereiften Herrgårds-Käse und versuchte zu genießen, dass er immerhin sein Lieblingsfrühstück bekam. Gestern hatte Kirsten ihn zum Einkaufen mitgenommen, sie waren in ein kleines miefiges Kaff namens Östra Husby gefahren. Anscheinend wollten sie, dass er die Gespräche im Supermarkt führte, damit sie nicht zu viel Aufmerksamkeit auf sich zogen. Hier auf dem platten Land waren amerikanische Gäste in der Weihnachtswoche wohl eher ungewöhnlich.

Auf der gesamten Autofahrt in das Dorf hatte er davon geträumt, irgendeinen dahergelaufenen Bauern zu packen und ihn anzuflehen, die Polizei zu rufen. Aber Kirsten schien seine Gedanken lesen zu können. Als er das Auto mit Herzklopfen geparkt hatte und die Fluchtpläne wie Kohlensäure durch sein Blut gebitzelt waren, hatte sie ruhig ihre Hand auf seinen Arm gelegt.

«Ich mag dich, George», hatte sie gesagt.

Sie hatte aufrichtig ausgesehen. War sie nicht doch ein bisschen scharf?

«Aber mach jetzt keinen Unfug. Du darfst keine Sekunde daran zweifeln, dass ich dir in den Rücken schieße, sobald du auf dumme Gedanken kommst.»

Sie hatte den Bund ihrer gefütterten Jacke hochgehoben, und darunter war eine große, aschgraue Maschinenpistole sichtbar geworden. Georges Herz war für einen Moment stehengeblieben. Die Überlegung, ob Kirsten eventuell scharf war, war von den Fluchtimpulsen überblendet worden. Sie war eine Mörderin. Das durfte er nicht vergessen. Also hatte er sich auf frischgepressten Orangensaft von Brämhults, Brot und Herrgårds-Käse konzentriert. Und Käsepops. Leichtbier. Tiefkühlpizza und Pyttipanna.

Jetzt fröstelte er in der geschmackvoll eingerichteten, modernen Landküche. Sosehr er die Heizungen auch aufdrehte, die Villa blieb eiskalt. Sein Kaffee war bereits in der Tasse abgekühlt, und einer der Amerikaner hatte den Rest aus der Kanne getrunken, die er nach dem Aufwachen aufgesetzt hatte. Wobei Aufwachen wohl nicht das richtige Wort war. Eigentlich hatte er kaum geschlafen. Die Unruhe und das schlechte Gewissen wucherten wie ein Krebsgeschwür in ihm. Er streckte den Rücken und seine steifen Glieder. Wenn sie ihn nur für einen Moment allein lassen würden, könnte er ein Fenster einschlagen und einfach abhauen. Auf Reipers billige Erpressung pfeifen. Auf die Straftaten, zu denen sie ihn zwangen. Darauf, dass sie ihm vielleicht in den Rücken schießen würden. Auf einfach alles pfeifen. Auf Strümpfen von hier flüchten. Doch in dem Zimmer im Obergeschoss, in dem er schlief, war das Fenster mit einem Vorhängeschloss versehen, und Josh oder einer der anderen schlief immer in dem zweiten Bett. Und selbst hier unten waren die Fenster von außen abgeschlossen. Die Außentür verriegelt. Und es war immer jemand in seiner Nähe. Sie waren Profis, keine Frage.

Ihm blieb nur, wieder ins Wohnzimmer zurückzugehen. Die Xbox einzuschalten, die sie zur Zerstreuung angeschlossen hatten, und eine weitere Runde *Halo 4* oder *Modern Warfare 3* zu spielen. Einfach nur den Kopf freikriegen. Nicht daran denken, was gewesen war, nicht an die Zukunft denken. Nur die Knöpfe der Fernbedienung drücken und den virtuellen Feind spüren lassen, wie die Angst schmeckt.

Er hatte die Konsole gerade angeschlossen und sich routiniert durch die ersten Menüs von *Halo* geklickt, als er hörte, wie Kirsten, die gerade die Frühschicht am Fernglas hatte, sich zu Wort meldete.

«Code orange», sprach sie mit lauter beherrschter Stimme in ihr Bluetooth-Headset, mit dem alle außer George ausgestattet waren. «Ich wiederhole: Code orange. Identifikationsgrad siebzig Prozent. Verdächtiges Objekt plus weitere Person besteigen ein kleineres Boot am Pier. Alle auf Position gehen.»

Kaum hatte sie ihre Durchsage beendet, herrschte hektisches Treiben im Haus. Polternd stürmten Reipers Männer die Treppen in den Flur hinunter, die meisten bereits für den Einsatz oder Kampf gekleidet. In der Halle schlüpften sie in schwarze Gore-tex-Overalls und Winterstiefel. George erhob sich und ging leise zu Kirsten auf die Veranda hinaus. Sie stand über das Fernglas gebeugt und sprach ununterbrochen Meldungen in ihr Headset.

«Das Fahrzeug legt bereits vom Kai ab und entfernt sich. Zwei Personen befinden sich im Bug, haben sich vermutlich auf den Boden gelegt. Bei dem Fahrzeug handelt es sich um ein kleineres Arbeitsboot. Schätzungsweise achtzig PS. Geschätzte Höchstgeschwindigkeit zwanzig Knoten. Eine Person im Ruderhaus. Keine sichtbaren Waffen. Standby für Peilung und Kurs.»

George merkte zunächst nicht, dass Reiper durch die andere Tür auf die Terrasse getreten war, auch er war dabei, sich einen dicken schwarzen Overall überzuziehen. Er trug bereits eine schwarze Strickmaske, die er über seine schmierigen Augenbrauen hochgerollt hatte.

«Du bist nicht hundert Prozent sicher, dass es Walldéen ist, was?», fragte er ruhig.

«Nicht hundert», antwortete Kirsten, ohne von ihrem Fernglas aufzublicken.

Die Haustür wurde zugeschlagen. Durch das Verandafenster sah George zwei schwarz gekleidete Männer mit länglichen, gummierten Taschen durch das Gras bis zum Bootssteg joggen, der zum Haus gehörte. Das kleine abgedeckte Motorboot, das dort vertäut gelegen hatte, als sie ins Haus eingezogen waren, dröhnte

bereits startbereit.

«Aber fast?», fragte Reiper.

«Wie gesagt, siebzig Prozent. Das Objekt war gekleidet wie ein junger Mann, und im Schnee kann man die Details nur schwer erkennen. Aber die Person befand sich in Gesellschaft einer Frau, die Gabriella Seichelman sein könnte. Sie hatten sich hinter dem Aufbau der Tankstelle versteckt, und ich habe das Boot erst in letzter Sekunde gesehen. Es fuhr in einem ziemlich merkwürdigen Winkel heran, mit ausgeschalteten Lichtern.»

Reiper schien nachzudenken, aber nicht länger als eine Sekunde. «Wir können uns keine weiteren Fehler leisten. Wir müssen hundertprozentig sicher sein, bevor wir eingreifen», sagte er und drückte einen Knopf an seinem Headset. «Leitet Plan B ein und wartet auf den Teamführer. Greift unter keinen Umständen ein, ehe wir sie eindeutig identifiziert haben.» Er wandte sich wieder Kirsten zu. «Na gut», sagte er. «Wir folgen ihrem Weg über den Radar und beobachten, wo sie hinfahren. Ich gehe mal davon aus, dass sie nicht so dumm sind, sich bei Walldéens Großeltern zu verstecken. Es scheint ja auch nicht deren Boot zu sein, das sie aufgelesen hat. Haben wir irgendeine Information, wer sie abgeholt haben könnte?»

Kirsten schüttelte den Kopf. «Nichts. Wie du weißt, haben wir bisher keinerlei Information darüber erhalten.»

Reiper nickte, und erst als er sich umdrehte, um ebenfalls zum Boot zu gehen, schien er George zu entdecken. Ohne seine Anwesenheit mit einer Miene zu würdigen, wandte er sich wieder Kirsten zu.

«Und du behältst unseren schwedischen Mitbewohner im Auge?», fragte er. «Josh sagt, das Schlafzimmer sei vorbereitet.»

«Mach dir keine Sorgen», antwortete Kirsten, ohne aufzusehen. «Wir folgen dem Protokoll.»

Und damit war Reiper verschwunden. George blickte seiner Silhouette noch einen Moment durch das Fenster nach, bis sie im Schneefall zunehmend verschwand und schließlich nicht mehr zu sehen war. Einige Minuten später beobachtete er, wie das Motorboot langsam von der Brücke ablegte und ohne Licht in das stahlgraue Wasser hinausglitt.

«George», sagte Kirsten und wandte sich zu ihm um. «Wir treten nun in eine operative Phase, und es ist auch für dich selbst am besten, wenn du nicht weißt, was passiert. Glaube mir. Ich werde dich jetzt im Schlafzimmer einschließen.»

George seufzte. Aber er hatte kaum noch Kraft, um zu protestieren. Die Angst in seiner Brust raubte ihm alle Energie.

«Im Ernst?», versuchte er dennoch. «Kirsten, zum Teufel, ist das wirklich nötig?»

Sie richtete sich auf und deutete auf die Tür zum Flur. «Stell dich nicht so an», sagte sie ruhig, den Kopf erneut schief gelegt. Ein kleines Lächeln in den Mundwinkeln. «Wir haben nicht den ganzen Tag Zeit.»

«*Whatever*», entgegnete George und zuckte mit den Schultern.

23. Dezember 2013
Arkösund, Schweden

Erst als das Boot in einem Halbkreis gewendet hatte und von Arkösunds Mole aufs Meer hinaussteuerte, wagte Gabriella es, Klara anzusehen. Bäuchlings lagen sie auf dem nassen Plastikboden. Gabriella hatte das Gefühl, als wäre das Meer unter ihr ein lebendiges Wesen. Als das Boot plötzlich beschleunigte, wurde sie ein Stück hochgerissen. Feuchter Schnee lief über ihre Wange.

Klara lag ein kleines Stück von ihr entfernt und erwiderte ihren Blick. Gabriella sah, dass sich ihre Lippen bewegten, aber ihre Stimme ging im Geräusch des beschleunigenden Motors unter.

«Was?», schrie Gabriella.

Klara hob eine Hand und deutete auf das Ruderhaus. «Wir gehen rein, ich frier mich hier sonst zu Tode!», rief sie.

Sie rappelten sich auf und liefen geduckt darauf zu. Die Tür wurde von innen geöffnet, und sie stolperten hinein. Ein Riese von Mann in abgetragenem Regenzeug umarmte Klara, noch bevor sie über die Schwelle getreten waren. Er sah mindestens zehn Jahre älter aus als sie, aber Gabriella wusste, dass zwischen den beiden nur wenige Jahre lagen. Vermutlich rührte der falsche Eindruck von seiner Glatze und den feinen, weißblonden Haaren an seinen Schläfen. Eine ungewöhnliche Frisur heutzutage, gänzlich uneitel. Er war beinahe zwei Meter groß und musste gut hundert Kilo auf die Waage bringen. Klara verschwand in seiner Umarmung.

«Mensch, Klara! In was für ’ne Sache haste dich da bloß reingeritten?», rief er.

Klara löste sich aus seinen Armen und beugte sich vor, um achtern durch das Bullauge zu schauen.

«Ich erklär dir alles, Bosse, ich versprech’s. Später. Zuerst müssen wir Schutz suchen. Hast du ein anderes Boot daliegen und warten sehen, als wir kamen?»

«Nee», antwortete er und drückte den Gashebel nach vorn, als sie die offene Bucht erreichten. Das Boot hüpfte auf den kleinen kappeligen Wellenkämmen. «Aber bei so ’nem Wetter isses auch verdammt schwer, was zu seh’n.»

Klara nickte. In dem schwachen grauen Tageslicht draußen wurde das Schneetreiben immer stärker.

«Bosse, das ist meine beste Freundin Gabriella», erklärte Klara.

Gabriella wischte sich das Tauwasser vom Gesicht und streckte die Hand aus, während sie sich bemühte, sich in dem aufkommenden Unwetter aufrecht zu halten.

«Gabriella. Nett, dich kennenzulernen», sagte sie.

Nett, dich kennenzulernen? Als wäre sie mit Klaras alten Freunden beim Vorglühen vor einer Party statt auf einem eiskalten Boot auf der Flucht vor Gott weiß was.

Bosse zog sie an sich und umarmte sie genauso fest, wie er Klara umarmt hatte.

«Und ob! Hoffe nich, dass du Klara in dies’n Kram mit reingezogen hast.»

«Nein, wohl kaum. Es war eher andersherum.»

«Mensch, Klara», sagte Bosse und drehte sich um. «In deinem ganzen Leben haste dir nichts zuschulden kommen lassen. Nich einen ollen Ärger in der Schule, Bestnoten, Jura und der ganze Kram. Und nu behaupten sie, dass du was mit Terroristen zu tun hast? Ausgerechnet du, die mir schon die Leviten liest, weil ich in Sanden ’n büschchen Selbstgebrannten verticke?»

«Ich nehme an, dadurch habe ich meinen moralischen Vorteil jetzt eingebüßt. Aber sag mal – hast du eigentlich einen Radar?», fragte Klara und sah sich im Ruderhaus um.

«’nen Radar? Glaubste etwa, ich würd mich zwischen den Inseln nich zurechtfinden? Wie oft bin ich hier draußen schon herumgetuckert? Selbst du könntest hier doch im Schlaf durch die Gegend gondeln, wofür brauch ich da 'n Radar?»

«Nicht zur Navigation», entgegnete Klara. «Aber ich hätte gern überprüft, ob wir verfolgt werden.»

«Verfolgt?»

Bosse zog seine buschigen Augenbrauen hoch und schüttelte argwöhnisch seinen riesigen Schädel. Musterte Klara gründlich.

«Was haste überhaupt mit deinen Haaren angestellt?»

«Sie hat sie offenbar in Amsterdam gelassen», warf Gabriella ein. «Wohin fahren wir eigentlich?»

«Zu Bosses Erbe», sagte Klara. «Schmugglerschäre wird sie genannt, ich weiß nicht einmal, wie sie richtig heißt. Seine Familie besitzt ein kleines Sommerhaus da draußen in den äußeren Schären. Sie waren Schmuggler, könnte man sagen, nicht, Bosse? Und dort haben sie ihre Waren gelöscht. Bosses Familie war nie ein besonders großer Verfechter des Alkoholmonopols.»

Bosse lächelte stolz. «Im Gegenteil. Ohne den Systembolaget hätt'n wir keinen Markt gehabt, weder ich für meinen Selbstgebrannten noch Opa für sein' russischen Schmuggelwodka. Er sagte immer ‹Lager› dazu. Klara und ich sind früher im Sommer manchmal zu ihm rausgetuckert, nich, Klara? Um zu fischen.»

Klara nickte. «Und ich habe dort während des zweiten Uppsala-Semesters für das Examen gepaukt. Keinerlei Ablenkung, wenn man so will. Nur eine kleine Felseninsel. Man hat dort das Gefühl, näher an Finnland als an Stockholm zu sein.»

«Dass es dort weder fließend Wasser noch Strom gibt, macht's allerdings 'n büschchen schwer bewohnbar», erklärte Bosse. «Aber ich hab euch gestern das Nötigste hingebracht. Sollte also alles in Butter sein.»

Je weiter sie hinaus in den Schärengarten kamen, desto karger und ursprünglicher wurde die Landschaft. Die Inseln des inneren Schärengartens wichen stahlgrauen Felsinseln und Klippen, niedrigen Büschen und Gestrüpp. Es waren auch keine roten Sommerhäuschen mehr zu sehen, nur noch hartes kaltes Meer und Granit.

Klara betrachtete noch lange die Umrisse der Inseln durch das Bullauge.

«Zu Hause?», fragte Gabriella und nahm Klaras Hand in ihre.

Hastig strich sich Klara eine Träne aus dem Augenwinkel und nickte.

«Wärste nich lieber nach Aspöja gefahren?», fragte Bosse.

«Das kann ich nicht riskieren», antwortete Klara. «Wenn ein Ort observiert wird, dann das Haus meiner Großeltern. Aber auf der Schmugglerschäre wird keiner suchen. Und es gibt dort keinen Handy- und Internetempfang, noch nicht einmal ein GPS funktioniert dort draußen einwandfrei. Da haben wir Zeit zum Nachdenken.»

Schweigend fuhren sie weiter hinaus. Gabriella ließ sich auf dem Boden nieder und lehnte sich zurück. Seltsam, dass Bosse kein Bedürfnis zu verspüren schien, Klara über ihre Erlebnisse ins Kreuzverhör zu nehmen. Er schien einfach zufrieden damit zu sein, dass sie da war. Dieses Schweigen strahlt irgendwie Geborgenheit aus, dachte sie, während sie sich bemühte, die Augen offen zu halten. Der hypnotische Gesang des Motors und wie das Boot monoton über die Wellen tuckerte, ließ sie willenlos in den Schlaf gleiten.

Klaras Stimme weckte sie.

«Volle Kraft zurück, Bosse!», rief sie. «Auf der Insel steigt Rauch aus dem Schornstein!»

Gabriella setzte sich auf und war sofort hellwach. Klara stand mit einem Fernglas neben Bosse. Es sah zweifellos ganz danach aus, als ob aus dem Schornstein der Hütte, die gerade so auf der kleinen Schäre am offenen Meer zu erkennen war, Rauch drang.

23. Dezember 2013
Arkösund, Schweden

Im Schlafzimmer eingesperrt wie ein Tier. Ein Tiger im Käfig. Oder nicht einmal das. Eher wie ein dämlicher, zahmer Hund, der alles tun würde, um zu gefallen und sein Fressen, seinen Spaziergang, die Zuneigung seines Herrchens zu bekommen. So widerlich. George legte sich angezogen auf das Bett, zog sich die Decke über den Kopf und vergrub das Gesicht im Kopfkissen.

Zum ersten Mal seit sehr langer Zeit war ihm zum Heulen zumute. Wie hatte es so weit kommen können? Noch vor einer Woche hatte er den Wetterbericht in Brüssel verfolgt und sich einzig und allein darüber Gedanken gemacht, wie nervenaufreibend es sein würde, Weihnachten zusammen mit der Verwandtschaft in Stockholm zu verbringen.

Und jetzt? Jetzt hätte er seinen Arm dafür gegeben, mit dem Alten reden zu können. Wenn er ein Telefon gehabt hätte, hätte er direkt angerufen und alles erzählt. Von Reiper und seiner ätzenden Bande. Vom Kokain. Von Gottlieb und dem idiotischen Fehler, den er, George, damals auf der Jagd nach dem schnellen Geld begangen hatte. Geld! Was für ein mieser Scherz.

«Ich komme nach Hause», würde er schluchzen. «Ich komme nach Hause und hole mein Referendariat nach und schlage den richtigen Weg ein.»

Und natürlich würde der Alte enttäuscht sein. Alles, was George tat, war das genaue Gegenteil der Lööw'schen Ideale. Aber sein Vater würde ihn verstehen. Oder wenn schon nicht verstehen, dann ihm zumindest verzeihen? Das würde er doch? George stieß einen lauten und langgezogenen Schluchzer aus.

«Verdammt!», schrie er in sein Kopfkissen hinein. «Verdammt! Verdammt! Verdaaaammt!»

Wie lange würde diese Sache eigentlich noch andauern? Reiper und seine Bande waren irgendwo draußen im Schärengarten und jagten eine Person, die offenbar «mit siebzigprozentiger Wahrscheinlichkeit» Klara Walldéen war. Er zweifelte nicht daran, dass Reipers Leute sie finden würden und sie, vorausgesetzt, es war Klara, auch umbringen würden. Genau wie sie offenbar schon zwei andere Menschen ermordet hatten. Soweit er wusste. Die Toten waren ein *Kollateralschaden*. Unerhebliche Opfer in einem Krieg, bei dem ihm nicht einmal klar war, wer gegeneinander kämpfte und aus welchem Grund. Wie viele hatten sie schon ermordet? Wie viele weitere *Kollateralschäden* gab es?

Und was würde anschließend passieren? Wenn sie zurückkamen? Würden sie George einfach die Hand schütteln und ihm für eine gute Zusammenarbeit danken, ehe sie sein Honorar auf Merchant & Taylors Konto überwiesen, plus einen zwanzigprozentigen Bonus an ihn direkt? Nach allem, was er gesehen und gehört hatte?

Langsam dämmerte es ihm. Das, was die ganze Zeit offensichtlich gewesen war, was er jedoch von sich geschoben, nicht akzeptiert hatte. Wenn irgendjemand in alldem ein *Kollateralschaden* war, dann er selbst. Um Gottes willen! Sie würden auch ihn umbringen. Hatten sie das von Anfang an gewusst? Hatte Appleby es gewusst? Dass dieses Risiko bestand? Hatte er ihn direkt in die Klauen des Teufels geschickt? Das Essen bei Comme chez Soi als Letztes Abendmahl?

George setzte sich auf, sein Kopf war schwer, und in ihm drehte sich alles vor Todesangst. Auf dem Bett kniend, beugte er sich zum Fensterbrett und zog an den Haken, die durch eine Kette mit einem stabilen Vorhängeschloss verbunden waren. Draußen glitten die schmelzenden Schneeflocken in Rinnsalen die Scheibe hinab. Ob er das Glas zerschlagen konnte? Er beugte sich vor, um hinauszusehen. Zweiter Stock. Fünf bis sechs Meter hinab bis zu dem ausgeblichenen Rasen. Selbst wenn es ihm irgendwie gelänge, hinauszuschlüpfen und sich an die Fensterbank zu hängen, wären es immer noch vier Meter bis zum Boden. Kirsten würde hören, wie das Glas klirrte, und keinen Moment zögern, Georges Leben ein Ende zu bereiten, wenn er mit einem verstauchten oder gebrochenen Fuß in den grauen stürmischen Vormittag humpelte. Mit einem Schluchzen ließ er die Fensterhaken los und vergrub sein Gesicht in den Händen.

Das Haus war vollkommen still. Nur der zunehmende Wind, der über die Dachpfannen heulte, war zu hören. George öffnete die Augen und sah sich in dem kleinen geblümten Schlafzimmer um. Zwei ungemachte Betten. Eine Kommode, in die Josh all seine Unterwäsche, Trainingsklamotten und Jeans in ordentlichen Stapeln einsortiert hatte. Rastlos stand George auf und durchwühlte die Schubladen. Er wusste nicht einmal, wonach er suchte. Was auch immer es war, er würde es sicher nicht zwischen Joshs Calvin-Klein-Unterhosen oder seinen T-Shirts von Abercrombie & Fitch finden.

Die niedrige dünnwandige Tür des Einbauschranks war unverschlossen, und George öffnete sie und spähte in die Dunkelheit. Abgestandene Luft schlug ihm entgegen. Als er die Tür gerade wieder schließen wollte, hörte er ein Knistern und etwas, das wie eine leise Stimme klang. Er öffnete die Tür wieder und versuchte, die Augen an die Dunkelheit zu gewöhnen. Auf der linken Seite, direkt hinter der Schwelle, ahnte er ein schwaches grünes Licht.

George ging in die Knie und tastete mit den Händen über den unbehandelten Holzboden. Das grüne Licht stammte von der Leuchtdiode eines kleinen elektrischen Ladegeräts. Er bekam es zu fassen und hob es gegen das Fenster. An dem Ladekabel hing etwas, das wie ein kleines Funkgerät oder ein Bluetooth-Headset aussah – vom selben Modell, wie es alle in Reipers Bande trugen. Er wollte seinen Augen nicht trauen. Sie mussten in solcher Hast aufgebrochen sein, dass sie vergessen hatten, dass sie ein zusätzliches Gerät in der Ladestation hatten. Das Headset knisterte erneut, kurze Wortfolgen, die von ebenso kurzen Wortfolgen beantwortet wurden. George warf einen Blick zu der verschlossenen Schlafzimmertür. Das Haus war hellhörig, er würde es bemerken, wenn Kirsten die Treppen hinaufkäme. Mit zitternden Händen befestigte er den kleinen Apparat an seinem Ohr, setzte sich auf den Boden und lehnte sich gegen die verschlossene Tür.

23. Dezember 2013
Sankt-Anna-Schärengarten, Schweden

Klara hatte sich nicht getäuscht. Zwar minderte das Unwetter die Sicht, aber der Schornstein der Hütte qualmte tatsächlich. Starr vor Schreck ließ sie das Fernglas sinken und drehte sich zu Bosse um. Wie hatte jemand hierherfinden können? Zu ihrem einzigen Unterschlupf? Aber Bosse verringerte nicht das Tempo, er erwiderte nur gelassen ihren Blick. Ein Lächeln spielte um seine Mundwinkel.

«Nur ruhig Blut, Klara. Hab 'nen kleinen Abstecher hier raus gemacht und den Kamin eingeheizt, bevor ich euch in Arkösund abgeholt hab. Kann euch doch nich hier draußen in der Kälte hocken lassen.»

«Um Gottes willen, Bosse, du hast mich zu Tode erschreckt!», rief Klara grimmig und wandte sich zu Gabriella um, die aus ihrem Schlummer erwacht war.

«Du lieber Himmel, deine Nerven sind wirklich im Eimer», sagte Gabriella. «Ich hätte beinahe einen Herzanfall bekommen.»

Klara seufzte tief auf und spürte, wie ihr Pulsschlag sich allmählich wieder beruhigte. «Wie viele Scheite hast du eigentlich in den Kamin gestopft, dass er immer noch brennt?», fragte sie Bosse.

«Reichlich», grunzte der zufrieden.

Wenig später stieß Bosse mit dem Bug des Bootes gegen die rundgeschliffenen Felsen der Schmugglerschäre. Klara stand auf dem Vordeck, sprang geschickt auf die Klippen und zurrte den Tampen an einem morschen Poller auf der Brücke fest. Sie duckte sich vor dem Wind und dem Schneeregen, schirmte die Augen ab und spähte zu der kleinen Hütte hinüber. Früher einmal war sie wie alles hier draußen falunrot gewesen, aber die Sonne und die

Stürme hatten die Farbe abblättern und verblassen lassen, bis die hundert Jahre alten Fichtenplanken ungeschützt waren. Es war ein Wunder, dass das Glas der Sprossenfenster noch heil war. Bosse hatte seinem Erbe nicht gerade viel Aufmerksamkeit geschenkt.

Sie hatten an dem maroden Steg im Naturhafen angelegt, der an der Westseite der Insel lag. Von dort waren es etwa fünfzig Meter bis zu der Hütte. Auf der anderen Seite der Insel sah Klara schon mit unbändiger Kraft und weißen Kämmen die Wellen heranbranden. Am Nachmittag und in der Nacht würde es noch schlimmer werden. Hinter den Klippen erstreckte sich das Meer grau und unbarmherzig bis zum Horizont. Als Bosse sie das erste Mal hergebracht hatte, hatte sie gedacht, dies müsse das Ende der Welt sein.

Sie drehte sich um und stellte fest, dass Bosse Gabriella vom Boot herunterhalf. Sie machte einen erschöpften und etwas verwirrten Eindruck. Für einen Moment bekam Klara ein schlechtes Gewissen, weil sie Gabriella mit hierhergeschleppt hatte. Aber sie wusste nicht, wie sie diese Sache allein aufklären sollte.

«Tja, das wird wohl 'ne heftige Nacht für euch», rief Bosse durch Wind und Schneeregen. «Stürmischer Wind, mindestens. Und Schnee. Ich werd an euch denken, wenn ich daheim in meinem Federbett lieg», fügte er lachend hinzu und legte einen Arm um Gabriella. «Das is wohl was anderes als so 'ne Anwaltskanzlei in der Hauptstadt», sagte er zufrieden.

Gabriella warf ihm einen gereizten Blick zu. Klara lachte in sich hinein. Gabriella sollte man lieber nicht unterschätzen, in keiner Hinsicht. Klara hakte sich bei ihr ein.

«Gabriella ist keine gewöhnliche Anwältin, Bosse. Sie ist meine beste Freundin.»

«Ja, ja. Du hast ja auch Jura studiert, und noch dazu ohne staatliche Unterstützung.» Er schüttelte den Kopf und marschierte voran zur Hütte.

«Wenn man ihn erst mal besser kennt, weiß man ihn zu schätzen», flüsterte Klara.

«Bestimmt», erwiderte Gabriella mit einem Lächeln. «Man könnte vielleicht sagen, dass ihr beide euch in etwas unterschiedliche Richtungen entwickelt habt, oder?»

Bosse öffnete die Tür, und sie eilten zum Schutz vor dem Unwetter in die Hütte. Sie bestand aus einem Raum von etwa dreißig Quadratmetern, der bis unters Dach offen war. An einem Ende befand sich ein Schlafboden, zu dem eine klapprige Leiter hochführte. Vor dem Kamin stand ein durchgesessenes grünes Sofa, die Wände waren aus unbehandeltem Fichtenholz, so wie der Boden. Unter dem Schlafboden gab es eine notdürftige Küche mit einem Gasherd, und dort standen auch ein paar Kühltaschen.

Bosse ging zum Kamin, um ein paar Holzscheite hineinzuwerfen. «Das Holz sollte reich'n. Und ich hab die Gasflaschen im Herd aufgefüllt. In den Kühltaschen sind Milch und Käse. 'n büschchen Pyttipanna, Eier und Rote Beete. Ein geräucherter Lachs. 'n paar Kartoffeln. Bestimmt genug, um euch 'n paar Tage damit über Wasser zu halten. Und dann wär da noch die hier.»

Er holte eine alte Cola-Flasche mit abblätterndem Etikett hervor, die eine klare Flüssigkeit enthielt.

«Und was soll das sein?», fragte Gabriella.

Klara schüttelte den Kopf. «Um Himmels willen, Bosse», rief sie und drehte sich zu Gabriella um. «Das ist Bosses edelster Vintage. Selbstgebrannter aus seiner eigenen Destillieranlage, nehme ich an?»

«Na und ob!», erwiderte Bosse. «Schärengarten Spezial. 'nen besseren Schnaps gibt's nich, der ist garantiert ohne das Brechmittel aus'm Systembolaget. Is doch Weihnachten! 'n büschchen was Gutes braucht ihr doch!» Er sah auf seine Armbanduhr. «Fein, ich glaub, ihr habt genug, um zurechtzukommen. Wenn das Wetter 's zulässt, komm ich morgen wieder. Aber jetzt muss ich 'n paar Dinge regeln.»

«Fahr nur, wir kommen schon klar», sagte Klara, plötzlich erleichtert darüber, mit Gabriella allein sein zu können. Sie ging zu Bosse und umarmte ihn.

«Danke für alles», sagte sie leise. «Du hast mir schon wieder das Leben gerettet.»

Bosse wirkte verlegen und zuckte die Schultern. «Ach, schon gut. Ich wünschte, ich könnt mehr tun.»

«Du hast genug getan», erwiderte Klara.

Bosse wandte sich zur Tür und hielt mit der Hand auf der Türklinke inne. «Übrigens – nur für den Fall –, ich hab deine Büchse mitgebracht.»

Er zeigte zum Kamin, wo tatsächlich Klaras Schrotflinte und ein paar Patronenschachteln lagen.

Klara tätschelte ihm die Wange.

«Das ist lieb, aber wenn ich die brauchen sollte, ist es wohl schon zu spät.»

23. Dezember 2013
Arkösund, Schweden

Während George mit dem Rücken an der verschlossenen Tür lehnte, hörte er, wie das Jahrhundertwendehaus wie ein müder alter Mann gegen die frechen Attacken des Wintersturms protestierte und ächzte. Das Headset an seinem Ohr war stumm geblieben, seit er es gefunden hatte. Als er es im Schrank entdeckt hatte, war eindeutig eine Stimme daraus zu hören gewesen, aber seither gab es keinen Ton von sich. George hatte mehrmals die Batterie und Lautstärke kontrolliert, doch alles schien in Ordnung zu sein. Er konnte nur hoffen, dass das letzte Knistern, was er gehört hatte, keine Anweisung gewesen war, die Frequenz zu wechseln.

Aber vielleicht war es auch egal. Er wusste sowieso nicht, was er mit den Informationen hätte anstellen sollen, wenn er etwas mithören würde. Schließlich war er ein Gefangener. Ein feiger Gefangener noch dazu. Anscheinend mangelte es ihm sowohl an Zivilcourage als auch an Überlebensinstinkt. Wie sonst ließ es sich erklären, dass er immer tiefer in diesen Sumpf hineingezogen worden war, ohne etwas zu unternehmen – sich weder selbst befreit noch etwas gegen die Gefahr unternommen hatte, der Klara offenbar ausgesetzt war? Inzwischen war er so tief verstrickt, dass er nicht einmal mehr wusste, wie er diesen Raum wieder verlassen sollte. Erneut begrub er sein Gesicht zwischen den Händen und stieß ein langgezogenes Jammern aus.

In diesem Moment hörte er plötzlich Reipers Stimme in seinem Ohr, so klar und deutlich, dass er zusammenschreckte und sich mit pochendem Herz umsah, ehe er begriff, dass diese vollkommen neutrale, unbehagliche Stimme tatsächlich aus dem Kopfhörer kam.

«Beta one to alpha one», sagte Reiper.

Es dauerte keine Sekunde, ehe Kirsten antwortete.

«*Alpha one* hier, kommen.»

«Wechsle zu Kanal fünf. Bestätigen, kommen.»

«Zu Kanal fünf gewechselt, kommen.»

«Ausführen, wir sehen uns dort, Ende, kommen.»

«Verstanden. Ende.»

George fummelte an dem Gerät herum. Kanal fünf, Kanal fünf, Kanal fünf. Er fand einen Knopf, der mit *«Channels»* gekennzeichnet war. Nachdem er ihn ein paarmal gedrückt hatte, zeigte das Display an, dass er sich auf Kanal fünf befand. Es dauerte nicht lange, bis Reiper wieder zu hören war.

«Beta one to alpha one.»

Kurz darauf erklang auch Kirstens Stimme.

«Hier *alpha one*, kommen.»

«Wir befinden uns im Schutz einer Insel mit folgenden Koordinaten.»

Reiper leierte eine lange Zahlenreihe herunter. George stand auf und rannte zu Joshs Nachttisch. Josh löste vor dem Einschlafen Sudokus, also musste ein Stift neben seinem Bett liegen.

«Ich wiederhole», sagte Reiper, und nannte die Position noch einmal.

George sagte die Zahlen laut vor sich her, ehe er endlich einen Werbekugelschreiber von Merchant & Taylor fand. Er zog die Augenbrauen hoch. Wo zum Teufel hatte Josh den her? Er konnte sich nicht erinnern, selbst einen dabeigehabt zu haben. Egal. Konzentriert gelang es ihm, die lange Ziffernkombination ganz unten auf eine Seite mit Joshs halbfertigem Sudoku zu kritzeln.

«Ich wiederhole», sagte Kirsten und las die Ziffern erneut vor.

George verglich sie mit seiner Notiz und stellte zufrieden fest, dass er sich alles richtig gemerkt hatte.

«Bestätigt», erwiderte Reiper. «Das Objekt hat sich auf folgenden Koordinaten installiert.»

Eine neue Ziffernreihe folgte und wurde bestätigt. George schrieb auch sie auf die Sudoku-Seite.

«Wir warten, bis es dunkel ist, und werden dann eine erste Operation durchführen, um das Objekt zu identifizieren. Wenn die vollständige Identifikation erfolgt ist, gehen wir zum ursprünglichen Plan über. Kommen.»

«Verstanden, kommen.»

«Bei dir alles unter Kontrolle? Kommen.»

«Alles plangemäß, kommen.»

«Gut. Ende. Kommen.»

«Verstanden. Ende.»

George setzte sich wieder auf das Bett. Er betrachtete die Ziffern, die er notiert hatte. Jetzt wusste er also, wo Reiper war. Er wusste, wo sich das Objekt befand, das mit siebzigprozentiger Sicherheit Klara war. Was nun? Was half ihm das? Sobald die Dunkelheit hereinbrechen würde, würde Reipers Gang sie identifizieren. Und sie anschließend ermorden. Und vermutlich auch ihre Freundin, die offenbar in Arkösund mit in das Boot gestiegen war. Und er saß hier, in einem zugigen Schlafzimmer eingesperrt, höchstwahrscheinlich in Erwartung seines eigenen Todes.

Diesmal vergrub er sein Gesicht nicht in den Händen, als ihn das Gefühl von Trostlosigkeit überkam. Stattdessen hängte er das Funkgerät und das Headset wieder an das Ladegerät im Schrank, wo er sie gefunden hatte. Dann ging er auf die verschlossene Tür zu. Er holte tief Luft. Es war höchste Zeit, die Situation selbst in die Hand zu nehmen.

«Kirsten!», rief er, so laut er konnte, während er gegen die Tür hämmerte. «Kirsten! Ich muss auf die Toilette! Komm schon! Mach die Tür auf!»

Es dauerte eine Weile, ehe George die Treppe weiter unten im Haus knarren hörte und nicht mehr gegen die Tür polterte. Er drehte sich um und sah durch das Fenster auf den grauen Rasen, die grauen, struppigen Apfelbäume. Dahinter ahnte er weiß schäumende Wellen, die sich an sanften Klippen brachen. Es dämmerte bereits. Er warf einen Blick auf seine Breitling-Uhr. Es war fast drei. Mit pochendem Herz schrie er erneut: «Kirsten, verdammt, ich muss sofort aufs Klo!»

«Reg dich ab», sagte Kirsten im Stockwerk darunter.

Nach einigen Sekunden hörte er den Schlüssel im Schloss.

«Ich möchte, dass du dich auf dein Bett setzt, ehe ich aufschließe», erklärte Kirsten hinter dem dünnen Holz. «Also, geh von der Tür weg.»

George stöhnte. «Komm schon! Was, glaubst du, sollte ich tun? Dich überwältigen?»

Eine Mischung aus Enttäuschung und Erleichterung überkam ihn, als er sich von der Tür entfernte und auf das Bett zutrat. Er hatte tatsächlich erst die Idee gehabt, sich auf sie zu stürzen, sobald sie die Tür öffnete. Sie zu überraschen, sie zu Boden zu ringen und ihr die Pistole zu entwinden, ehe sie überhaupt begriff, wie ihr geschah. Das war natürlich kein besonders durchdachter Plan gewesen, und er hätte ohnehin keine Chance gehabt. Sie war mit großer Wahrscheinlichkeit stärker und smarter als er. Außerdem war sie bestimmt eine unfaire Kämpferin. Umso besser, wenn diese Möglichkeit von vornherein wegfiel.

«Okay», sagte er. «Ich sitze auf dem Bett.»

Der Schlüssel wurde umgedreht, und Kirsten stand in der Tür. Sie sah konzentriert aus, ihre Wangenknochen stachen noch stärker hervor als sonst, ihr breiter Mund war ein einziger dünner Strich.

«Lass die Hände so, damit ich sie sehen kann», befahl sie. «Und leg die hier an.»

Sie warf ihm ein Paar Handschellen aus gehärtetem Plastik auf das ungemachte Bett. Sie selbst trat nicht über die Türschwelle.

«Also im Ernst!», rief George. «Handschellen? Wirklich? Reicht es denn nicht, dass ihr mich einsperrt? Die ganze Sache fing einmal damit an, dass ihr meine Kunden wart, erinnerst du dich überhaupt noch daran?»

«Hör endlich auf, so einen Blödsinn zu reden», unterbrach Kirsten ihn. «Und sei froh, dass ich das Protokoll etwas großzügiger auslege. Eigentlich besagen die Regeln, dass du einen Sack über dem Kopf und einen Hörschutz trägst, sobald du aus deiner *area of confinement* geführt wirst. Ich tue dir also einen Gefallen.»

«Regeln?», brummelte George. «Welche verdammten Regeln? Wann hat sich dieser Ort in ein Guantánamo verwandelt?»

Kirsten antwortete nicht, sondern bedeutete George nur mit hastigen Gesten, dass er sich gefälligst beeilen sollte. Mit einem Seufzer legte er die Handschellen an. Sie schlossen sich lautlos und beunruhigend eng um seine Handgelenke.

«Nach dir», sagte Kirsten. «Du weißt, wo die Toilette ist. Ich gehe ein paar Schritte hinter dir. Es tut mir leid, George. Ich glaube wirklich nicht, dass du auf dumme Gedanken kommst, aber wir haben nun einmal Regeln für so etwas.»

George nickte stumm und tat einen vorsichtigen Schritt die Treppe hinab. Seine Gedanken überschlugen sich. Vielleicht war dies seine letzte Chance. Warum war er so impulsiv gewesen? Warum hatte er sich keinen Plan überlegt? Warum war er so ein verdammter Idiot?

Am Fuß der Treppe gab es eine Gästetoilette, die vom Flur abging. Hierhin würde Kirsten ihn führen. Vielleicht würde er sie überreden können, sich ein Weilchen ins Wohnzimmer zu setzen? Um nicht im trostlosen Flur stehen zu müssen? Auf der Toilette würde er überdenken können, was er tun sollte. Er nahm jede

Stufe behutsam, langsam, um Zeit zu gewinnen. Die Treppe führte in einem Halbkreis nach unten.

Als er den kleinen Flur erblickte, erkannte er plötzlich seine Möglichkeit, seine einzige, kleine Chance. Mit einem Mal war ihm vor Erwartung und vor Angst schwindelig. Auf dem Fensterbrett am Ende der Treppe hing ein schwarzes iPhone zum Laden in der Steckdose. Von ihrer Position drei Schritte hinter George konnte Kirsten es noch nicht sehen.

Er brauchte nur eine knappe Sekunde, um sich zu entscheiden, alles auf eine Karte zu setzen. Mit einem Schrei tat er so, als würde er stolpern, zwei Schritte hinab in einem gespielten Versuch, das Gleichgewicht wiederzuerlangen. Dann warf er sich nach vorn und drehte sich in der Bewegung so, dass er seitwärts auf die letzte Treppenstufe fiel.

«Aaaaah», schrie er.

Er spürte, wie seine Hüfte auf das abgeschliffene Holz der Treppe traf. Die Schulter schlug auf dem Parkettboden im Flur auf. Doch er sah nur das Telefon und das Ladekabel. Statt seinen Kopf mit den Händen zu schützen, gelang es ihm, sie zum Fenster zu strecken. Er spürte das Ladekabel zwischen seinen Fingern und zerrte so fest daran, wie er konnte, und das Telefon wurde vom Fensterbrett gerissen und landete auf dem Boden. Georges Kopf donnerte gegen die Heizung unter dem Fenster, und etwas Nasses und Klebriges tropfte in seine Augen. Seine Augenbraue musste aufgeplatzt sein. In einem rötlichen Schleier sah er das Telefon vor sich, das sich nach dem Fall immer noch drehte. Er streckte seine gefesselten Hände danach und bekam seine kalte, glatte Oberfläche zu fassen.

«Teufel noch mal!», hörte er Kirsten hinter sich rufen.

Ihre Füße polterten auf der Treppe. George beugte sich vor, die eine Schulter am Boden, während er mit beiden Händen das Telefon in seinen Hosenbund und tief in den schrecklichen Rio-Slip schob, mit dem Josh ihn ausgestattet hatte. Jetzt war er zum ersten Mal froh, dass es keine Boxershorts waren. Er bemühte sich, den Kapuzenpullover über seinen Schritt zu ziehen.

Kirsten war direkt hinter ihm. Jetzt sterbe ich, dachte George. Genau jetzt sterbe ich.

«Wie geht es dir?», fragte sie.

Ihre Stimme klang tatsächlich beunruhigt.

«Ich bin gestolpert», zischte George. «Und diese dämlichen Handschellen machen es einem ja nicht gerade leichter.»

Kirsten hockte sich neben ihn, und er rollte auf den Rücken, die Hände noch immer vor dem Schritt.

«Du blutest», stellte Kirsten fest. «Deine Augenbraue ist aufgeplatzt. Nichts Ernstes. Du musst sie gut zupflastern. Komm schon, geh auf die Toilette und mach dich wieder hübsch.»

George kam auf die Knie. Sein ganzer Körper schmerzte, die Augenbraue pochte. War das möglich? War es wirklich möglich, dass sie das Handy nicht gesehen hatte? Er wagte kaum zu atmen, presste jedoch ein kleines Lächeln hervor.

«Das tut mir leid», sagte er. «Es war wirklich nicht meine Absicht, zu stolpern und mir den Kopf aufzuschlagen.»

«Tja, wahrscheinlich war es gut, dass ich dir keinen Sack übergezogen habe, sonst wärst du wahrscheinlich gleich aus dem Fenster gefallen», erwiderte sie trocken. «Und jetzt steh endlich auf.»

George erhob sich vorsichtig. Er presste die blutende Wunde mit den Fingern zusammen und steuerte auf die Toilette zu. Das Telefon lag kalt und hart an seinem Geschlecht. Ob sich so die letzte Chance anfühlte?

23. Dezember 2013
Stockholm und Arkösund, Schweden

Es ist derselbe Flughafen, doch eine andere Zeit. Holz und Glas und Starbucks. Ein Selbstbewusstsein, das es vor fünfundzwanzig Jahren noch nicht gab. *Welcome to the capital of Scandinavia.* Lächelnde Menschen. Es herrscht keine Beerdigungsstimmung mehr. Aber die Dunkelheit ist dieselbe, als ich meinen gemieteten Volvo auf die Autobahn lenke, den Jetlag im Nacken. Sogar die Formensprache der Autos hat sich geändert. Sie sehen nicht mehr aus wie eckige Särge, sondern wie Wasser, schwungvoll, mit ihren fließenden Linien und ihren getönten Fenstern. Hier werde ich meinen eigenen Spuren folgen – und noch weiter gehen.

Ich fahre über denselben Asphalt, durch dasselbe Walddickicht, über dieselben Brücken und feuchten Felder. Es ist derselbe Weg, den ich in Erinnerung habe, das einzig Neue bin ich. Hier werde ich am Ende die Konsequenz aus meinen eigenen Handlungen ziehen. Hier werde ich die Geschichte beugen, anstatt ihr wie ein Sklave zu dienen, ein Instrument, eine Ziffer in einer unendlich veränderbaren Matrix.

Es ist fünfundzwanzig Jahre her, seit ich diesen Weg ein einziges Mal gefahren bin, und trotzdem erinnere ich mich und schiele nicht einmal nach dem Navigationsgerät. Schnee liegt in der Luft, als ich anhalte und einen Kaffee kaufe, um nicht einzuschlafen. Mikroskopische Kristalle, die schwerelos im Licht des Shell-Select-Schilds glitzern. Aus meinem Mund kommt harter, kompakter Atem. Die Zimtwecken sind größer und süßer. Der Kaffee ist nicht mehr wässrig, sondern bitter und mit geschäumter Milch. Nachdem ich die Hälfte getrunken habe, werfe ich den Becher in einen modernen Abfalleimer, der aus verschiedenen Fächern mit komplizierten Anweisungen für die Müllsortierung besteht. Anschließend fahre ich weiter auf der fast menschenleeren schwarzen Straße. Es kostet Anstrengung, nicht schneller zu fahren als erlaubt. Die Ungeduld, die Angst, der Zeitmangel. Alle jagen sie mich, den Gesetzlosen. Und ich denke, dass ich alles bereue. Dass es möglicherweise nichts gibt, was ich nicht bereue.

Bei Norrköping verlasse ich die Autobahn, biege auf verschlungene Nebenstraßen ab und werde von einer Dunkelheit verschluckt, die so dicht ist, dass ich abbremsen muss, so zäh, dass das Licht des Wagens kaum hindurchdringt. Jedes einsame Auto, das mir entgegenkommt, ist eine Explosion, die meine Welt einen Moment lang erschüttert, bis es vorbeigefahren ist. Das sollte mich nicht erstaunen, schließlich bin ich diese Strecke schon einmal gefahren. Aber meine Geschichte ist falsch, angefüllt mit Konstruktionen und Rechtfertigungen. Nicht einmal meine Erinnerung an die Dunkelheit stimmt mit der Realität überein.

Diesmal fahre ich schon vor Arkösund ab. Ich vermeide das Offensichtliche. Ich bin mir nicht sicher, wie viel meine Feinde wissen. Der Wald ist lichter geworden, weicht Klippen und knorrigen Sträuchern. Die schwarzen Fenster der verlassenen Sommerhäuser reflektieren das Licht der Autoscheinwerfer. Der Wind pfeift gegen die Karosserie, und die Scheibenwischer schleifen im Regen oder Schneematsch über das Glas. Wenn die Uhr auf dem Armaturenbrett nicht anzeigen würde, dass es spät am Nachmittag ist, würde ich glauben, es wäre mitten in der Nacht. Der Asphalt wird zu Schotter, bis der Weg schließlich an einem Steg endet, wo ich schemenhaft ein einsames offenes Boot erkennen kann, das im Wind gegen seine Fender prallt.

Ich bremse ab und parke ganz unten am Ufer beim trockenen Schilf. Ziehe die Kapuze meiner Goretex-Jacke über und steige aus dem Auto, begebe mich ins Unwetter. Über den Kofferraum des Volvos gebeugt, öffne ich den schweren Reißverschluss der gummierten Dufflebag, die vorbereitet im Auto lag, als ich es abholte. Ich überprüfe noch einmal das Schweizer Maschinengewehr, das weder Namen noch Seriennummer trägt. Überprüfe auch das Magazin ein zweites Mal. Als ich zufrieden bin, hole ich die gefütterte Überziehhose, die Mütze, die wasserdichten Handschuhe, das GPS mit der integrierten Seekarte und der bereits verzeichneten Route.

Das kleine Gummiboot liegt genau an der Stelle, die man mir beschrieben hat. Aus dem Wasser gezogen und etwa zehn Meter vom Steg entfernt in einem Gebüsch versteckt. Susan hat schnell gearbeitet. Alles gut vorbereitet.

Ich lege mein Gepäck auf den Boden des Boots und befestige das GPS am Instrumentenbrett. Dann ziehe ich das Boot ins seichte Wasser, wo ich zusteigen kann, ohne nass zu werden. Der Schnee wirbelt in meine Augen. Der Wind tobt über mir und vor mir in der Bucht. Selbst hier sind die Wellen nachts weiß. Weiter draußen wird die Wetterlage schlimmer.

Ich betrachte die elektronische Seekarte und nehme letzte Änderungen vor, weil meine Route in Lee verlaufen soll und ich die offene See vermeiden will. Mehrere Versuche sind nötig, bis ich in das Boot gelange, das sich im Wind hin und her dreht. Ich ziehe meine Handschuhe aus und schiebe meine Hand in die Jacke. Meine steifgefrorenen Finger tasten sich zum Reißverschluss der Innentasche vor. Ich öffne sie und spüre das silberne Amulett an meinen Fingern. Für einen Moment bin ich versucht, es herauszunehmen, um dich wiederzusehen. Ich habe dich schon so lange nicht mehr gesehen. Aber es ist zu dunkel, zu windig. Ich kann es mir nicht leisten, es zu verlieren, meinen Schlüssel, mein Schibboleth. Stattdessen schließe ich die Jacke und stoße mich vom Ufer ab. Das Meer ist genauso dunkel wie alles andere. Die rote Route des GPS leuchtet einsam im Regen, im Schnee, im Wind.

23. Dezember 2013
Sankt-Anna-Schärengarten, Schweden

Als der Sturm Klara schließlich weckte, dämmerte es schon. Sie setzte sich auf der dünnen Matratze auf und sah sich, für einen flüchtigen Moment orientierungslos, im schwachen warmen Schein des erlöschenden Kaminfeuers um. Der Wind rüttelte an der Hütte, zog durch alle Ritzen hinein, sauste pfeifend über das Blechdach und um die Hausecken. Zwischen den Böen hörte sie nur einen Steinwurf entfernt die Wellen auf die Klippen branden. Klara rieb sich die Augen und wurde sich wieder bewusst, wo sie war.

Wie lange hatte sie eigentlich geschlafen? Kaum dass Bosse aufgebrochen war, hatte sie eine ungeheure Müdigkeit erfasst. Sie hatte sich auf dem Meer und im Schärengarten geborgen gefühlt. Bei Bosse und Gabriella. Gabriella? Fröstelnd kroch Klara unter der Decke hervor und zum Rand des Schlafbodens. Gabriella schlief vor dem Kamin auf dem Sofa, mit einer verschlissenen rot karierten Decke über den Beinen. Es lag etwas Friedliches, Normales und Tröstliches in diesem Anblick.

«Schläfst du, Gabriella?», fragte Klara leise.

Gabriella brummte etwas, drehte sich auf die Seite und blinzelte. «Sieht ganz so aus», sagte sie und zog zitternd die Decke über sich. «Brrr, ist das kalt. Wie spät ist es?»

Klara sah auf die Uhr. «Fast acht. Du liebe Zeit, wie lange habe ich geschlafen? Sechs Stunden?»

«Ja, bei dir sind ziemlich schnell die Lichter ausgegangen», erwiderte Gabriella und verstummte.

Sie schien zu lauschen.

«Was für ein Wind!», sagte sie.

«Ja, Bosse hat nicht übertrieben, als er sagte, dass Sturm aufzieht.»

Klara war plötzlich furchtbar hungrig. Ein trockenes Brötchen an einer Tankstelle hinter Stockholm war ihre letzte Mahlzeit gewesen. Sie fand ihre Strickjacke und die Jeans auf dem Boden und zog sie über, bevor sie zur Leiter kroch. «Lachsbrote?», fragte sie und kletterte hinunter.

Kaum hatte sie das Wort ausgesprochen, erstarrte sie in der Bewegung. Vorsichtig drehte sie den Kopf und sah in Gabriellas weit aufgerissene, hellwache Augen. Sie hatte es auch gehört.

Vielleicht war es nur der Sturm gewesen, der über das Dach heulte. Vielleicht ein Seevogel in Not. Aber es hatte wie eine menschliche Stimme geklungen. Nur ganz kurz, fast übertönt vom Wind. In unmittelbarer Nähe. Klara spürte, wie sie eine Gänsehaut bekam und ihr Herz schneller schlug.

«Was war das?», flüsterte Gabriella.

Klaras Glieder gehorchten ihr wieder, sie kletterte die letzten Sprossen hinunter. «Ich weiß nicht», sagte sie atemlos. «Vielleicht war es nur der Sturm?», flüsterte sie und eilte auf Zehenspitzen in den offenen Küchenbereich des Häuschens.

Ihre Schrotflinte stand noch an der Stelle, an der sie das Gewehr nach Bosses Aufbruch abgestellt hatte, in die Ecke hinter der provisorischen Spüle gelehnt. Daneben lagen zwei Pappschachteln mit Patronen auf dem Boden. Die Flinte aus Stahl war kalt und fühlte sich in ihren Händen vertraut an, als Klara sie hochhob. Sie ging in die Hocke und öffnete eine Schachtel, klappte den Lauf des Gewehres vom Kolben und stopfte eine Schrotpatrone in jedes Rohr. Schloss die Flinte wieder mit einem dumpfen Klicken.

Sie bedeutete Gabriella, zu ihr zu kommen. Der schwache Feuerschein reichte nicht bis in die Küche, sodass Klara ihren Umriss nur erahnte, als diese geduckt bei ihr ankam. Sie spürte Gabriellas Hand an ihrem Ellenbogen, ihre hektischen Atemzüge in ihrem Nacken.

«Was glaubst du? Klang das nicht wie eine Stimme?», flüsterte Gabriella.

Klara zuckte die Schultern. «Vielleicht. Schwer zu sagen.»

Aber es hatte tatsächlich wie eine Männerstimme geklungen. Wie ein kurzer Befehl, eine Spur zu laut, als der Sturm Luft geholt hatte.

«Was sollen wir tun?»

Klara hörte einen Anflug von Angst in Gabriellas Stimme. Eine Angst, die möglicherweise anschwellen und unkontrollierbar werden könnte. Ein Gefühl, das Klara in der letzten Woche weitaus besser kennengelernt hatte, als sie es sich jemals gewünscht hätte. Und sie wusste, dass es sofort unterdrückt werden musste. Sie wandte sich ihrer Freundin zu und ließ kurz mit einer Hand das Gewehr los, um nach Gabriellas Hand zu fassen.

«Hör mir zu, Gabriella», flüsterte sie. «Wir können es uns nicht leisten, jetzt das Wesentliche aus dem Blick zu verlieren, ja? Wir dürfen nur ans Jetzt denken. Nicht an gestern oder morgen oder auch nur zehn Minuten weiter. Nur ans Jetzt, an die nächste Bewegung, den nächsten Schritt, verstehst du? Kannst du das versuchen? Die Angst in Schach zu halten?»

Sie hörte Gabriella schlucken.

«Ja, zum Teufel! Was glaubst du denn? Dass ich eine Panikattacke kriege?», fauchte die Freundin. «Sei nicht albern!»

Natürlich. Es war dumm von ihr, Gabriella zu unterschätzen. Natürlich war sie mindestens genauso gut wie sie in der Lage, mit dieser Situation umzugehen.

«Gut», flüsterte Klara. «Kannst du durch das Fenster spähen und herausfinden, was das war? Ich behalte die Tür im Auge.»

Klara spürte die Kühle, als Gabriella von ihrer Seite wich und zu einem der Fenster schlich, die zum Schärengarten hinauszeigten. Wenn jemand an der Schäre angelandet war, dann auf der windabgewandten Seite, und nicht dort, wo die starke Brandung es unmöglich machte, an Land zu gehen. Die Tür ging zum Anleger hinaus, und Klara ließ sie nicht aus den Augen. Durch den Sturm und den Regen hindurch hörte Klara die Wellen auf die Klippen branden.

Ein kurzer Moment verging, dann vernahm sie erneut Gabriellas Flüstern.

«Komm her, Klara, das musst du dir ansehen.»

Den Lauf der Flinte umklammernd, lief Klara flugs zum Fenster und ging neben Gabriella in die Hocke.

«Was denn? Was ist es?», zischte sie.

Doch bevor Gabriella antworten konnte, sah sie es schon – auf demselben kleinen Pfad, den sie heute Vormittag gekommen waren. Den schwachen hüpfenden Schein einer Taschenlampe.

23. Dezember 2013
Arkösund, Schweden

George verriegelte die Tür zur Gästetoilette hinter sich und schaltete das Licht an. Der enge Raum hatte kein Fenster, wahrscheinlich ließ Kirsten ihn deshalb in Ruhe. In dem kleinen Spiegel über dem Waschbecken sah er wirklich übel aus. Das halbe Gesicht war von hellrotem Blut verschmiert, die obere Hälfte seines Kapuzenpullovers ebenso, und er stellte fest, dass das Blut noch immer aus der kleinen Platzwunde über der Augenbraue drang. George musste seinen Brechreiz unterdrücken. Er verabscheute Blut. Besonders sein eigenes. Aber daran durfte er jetzt nicht denken. Er presste die Wunde zusammen und beugte sich vor, um sein Gesicht abzuwaschen, so gut es ging.

«Verdammt, wie du aussiehst», sagte Kirsten, als er die Tür öffnete und aus der Toilette herauskam.

Sie lächelte ihn entschuldigend an und reichte ihm eine Schachtel. Er nahm sie mit seinen gefesselten Händen entgegen.

«Pflaster-Strips», erklärte sie. «Damit du uns nicht das ganze Haus vollblutest.»

«Danke», sagte George.

Sie machte eine Geste in Richtung Treppe. «Ich fürchte, ich muss dich leider wieder einschließen, George.»

Diesmal gehorchte George aufs Wort, er musste sich sogar anstrengen, um nicht zu zeigen, wie sehr er darauf erpicht war, in seinen Käfig zurückzukehren.

Nachdem er sich wieder aufs Bett gesetzt hatte, hörte er, wie Kirstens Schritte die knarrende Treppe hinab verschwanden. Mit einiger Anstrengung gelang es ihm, die Schachtel mit den Strips zu öffnen und den Blutstrom zumindest vorübergehend zu stoppen. Kirsten hatte sich nicht willig gezeigt, seine Handschellen zu öffnen, sondern nur den Kopf geschüttelt, als er es vorschlug. Voller Panik, sie könnte erahnen, dass er etwas im Schilde führte, hatte er nicht darauf beharrt.

Er stand auf, zog das Telefon aus seiner Unterhose und das Sudoku-Heft aus seinem Versteck hinter der Heizung. Nachdem er sich, so gut es ging, vergewissert hatte, dass Kirsten wirklich die Treppe hinuntergegangen war, ließ er sich wieder auf dem Bett nieder und stellte das Handy an. Mit zitternden Fingern wählte er die Ziffern eins, eins, zwei auf dem empfindlichen Display.

Ein Freizeichen, Georges Puls galoppierte, während er wartete und gleichzeitig zu horchen versuchte, ob Kirsten auf die Idee gekommen war, wieder die Stufen hochzusteigen. Nach dem vierten Tuten erklang eine ruhige Frauenstimme im Hörer.

«Notrufzentrale. Was ist vorgefallen?»

George spürte, wie sein Mund trocken wurde und sein Kopf leicht wie Watte. Warum hatte er die Polizei nicht schon in Brüssel kontaktiert, lange bevor alles aus dem Ruder lief?

«Mein Name ist George Lööw», antwortete er leise. «Und ich wurde entführt, könnte man sagen.»

«Wo befinden Sie sich in diesem Moment?»

Die Stimme klang immer noch ruhig, offenbar unberührt von der Dramatik, die in dem Wort «entführt» lag.

«In Arkösund, glaube ich. Gibt es einen Ort, der so heißt? Irgendwo im Schärengarten vor Norrköping. Ich werde von ein paar Amerikanern in einem gelben Haus gefangen gehalten.»

«Wir schicken Hilfe», unterbrach ihn die Stimme. «Bleiben Sie in der Leitung. Ich werde Sie weiterverbinden, verstehen Sie mich? Legen Sie nicht auf.»

Es klickte in der Leitung, und er vernahm ein leeres, atmosphärisches Rauschen. Zehn Sekunden. Zwanzig. Dreißig. George lauschte nach Geräuschen vor der Tür. Doch bisher tat sich nichts.

Dann hörte er erneut eine Stimme in der Leitung. Ein Mann. Ein gelassener, vertrauenerweckender schwedischer Mann.

«Mein Name ist Roger», sagte die Stimme. «Ich arbeite bei der operativen Antiterroreinheit der Säpo.»

«Äh, hallo», antwortete George ein wenig unsicher.

«Wo befinden Sie sich?»

Säpo. *That's more like it*, dachte George. Er wiederholte alles, was er wusste. Dass er in einem gelben Haus in Arkösund gefangen gehalten wurde. Und er versuchte zu erklären, in welchem Abstand zum Hafen die Villa lag.

«Unternehmen Sie nichts, um zu entkommen. Verhalten Sie sich unauffällig, überlassen Sie uns die Sache. Wie viele Personen halten Sie gefangen?»

«Momentan nur eine», antwortete George. «Man hat mich eingeschlossen. Die anderen sind mit dem Boot unterwegs und suchen nach Klara Walldéen. Also der Frau, nach der man sozusagen fahndet.»

«Und wie viele Personen sind das?»

«Fünf, glaube ich.»

«Wissen Sie auch, wo diese Leute sind und wo Walldéen ist?»

Seine Stimme klang angespannt, und in ihr schwang etwas mit, das George nicht genau einschätzen konnte. Er klemmte das Handy zwischen Schulter und Wange, bekam mit seinen gefesselten Händen das Sudoku zu fassen und las die Koordinaten vor.

«Gut», sagte der Mann. «Behalten Sie das Telefon in Ihrer Nähe, falls wir Sie erneut kontaktieren müssen. Aber tätigen Sie keine weiteren Anrufe damit. Sonst bringen Sie sich selbst in Gefahr. Möglicherweise können Ihre Entführer es orten.»

«Natürlich», erwiderte George. «Aber was passiert jetzt? Sie müssen mir helfen!»

«Wir kümmern uns darum», antwortete die gelassene, vertrauenerweckende Stimme.

23. Dezember 2013
Sankt-Anna-Schärengarten, Schweden

«Was ist das?»

Gabriellas Stimme wurde fast vom Sturmgetöse erstickt. «Eine Taschenlampe?»

Klara spürte, wie sich ihr am ganzen Körper die Haare aufstellten. Wie das Adrenalin in ihren Adern rauschte.

«Es sieht wie eine Taschenlampe aus, oder?», wiederholte Gabriella. «Könnte das Bosse sein?»

Klara zuckte die Schultern. «Er wollte doch erst morgen wiederkommen. Und er wäre nicht in diesem Unwetter unterwegs.»

«Was sollen wir tun?»

Klara wandte sich ihr zu, sah ihre eigene Furcht in Gabriellas Augen widergespiegelt.

«Ich weiß es nicht.»

Sie hielt mit einer Hand den Lauf der Schrotflinte fester, mit der anderen entsicherte sie die Waffe. Und atmete tief ein. Eine Minute verging. Ihre Finger zitterten, hinter ihren Schläfen pochte es. Sie warteten mit gespannten Muskeln, fluchtbereit.

Dann wurde lautstark an die Tür geklopft. Kurze, harte Schläge. Im Fenster blitzte der Schein einer Taschenlampe auf. Der Lichtkegel glitt über den Fußboden. Eine Stimme erklang, die vom Sturm zerpflückt wurde und unmöglich zu verstehen war. Klara drückte sich an die Wand und bedeutete Gabriella, sich neben sie zu hocken. Ihr Zeigefinger zitterte, als er sich um den Abzug krümmte. Erneut wurde gegen die Tür gehämmert, und als der Sturm einen Augenblick seine Kräfte sammelte, hörten sie abermals die Stimme.

George zuckte zusammen, als ein Schlüssel im Schloss zu seinem Gefängnis umgedreht wurde. Und schon stand Kirsten in der Tür. Er starrte sie an, vor Schreck gelähmt. Wie war es möglich, dass er ihre Schritte auf der Treppe nicht gehört hatte? Im Dämmerlicht sah ihr Gesicht verbissen und konzentriert aus. Das Wohlwollen ihm gegenüber war aus ihrer Miene vollkommen verschwunden. Als sie ihn ansah, waren ihre Augen so eiskalt, dass George sich wegdrehen musste. Seine Hände zitterten. Was um alles in der Welt hatte er getan? Im Augenwinkel sah er, dass Kirsten die große aschgraue Pistole in der Hand hielt. Ganz vorn war ein schmaler länglicher Zylinder befestigt. Ein Schalldämpfer.

«Gib es mir», forderte Kirsten.

Ihre Stimme war tief und vollkommen ruhig, als sie langsam auf George zuging.

«Was denn?», fragte er.

Seine Stimme klang kläglich, so unsagbar einsam. Kirsten blieb einen knappen Meter vor ihm stehen.

«Das Handy, du Trottel», sagte sie. «Du hast wohl geglaubt, du könntest es dir leicht machen, einfach ein Telefon nehmen und die Polizei rufen? Hast du denn gar nichts begriffen?»

Sie hob die Pistole und zielte auf ihn. Der Schalldämpfer berührte fast Georges Stirn. Die Mündung sah riesig aus.

«Zu spät», sagte George. «Ich habe die Polizei schon gerufen. Was auch immer du mit mir vorhast – für euch ist es zu spät.»

Seine Stimme war nur noch ein Flüstern. Kirsten schluckte schwer.

«Musste das sein?», fragte sie. «Was hast du geglaubt? Dass wir hier im Schärengarten auf eigene Faust Fangen spielen? Ganz ohne Schutz? Hast du das wirklich geglaubt? Bist du so dermaßen

naiv?»

Sie schüttelte den Kopf, als könnte sie den Umfang seiner Ignoranz unmöglich begreifen.

«Unsere Operation ist von den höchsten Stellen bewilligt, und die schwedische Polizei hat die Anweisung, hier draußen nicht einzugreifen. Mit deinem Anruf hast du nur erreicht, dass die Säpo nun wiederum uns angerufen hat. Es tut mir leid, dass ich dich enttäuschen muss, George. So sieht der Krieg gegen den Terror auf dem Boden aus. Und jetzt gib mir endlich das Scheißtelefon!»

Alle Hoffnung, die er gehegt hatte, trieb davon, ohne dass er sie aufzuhalten versuchte, und machte einer fast lähmenden Hoffnungslosigkeit Platz. Aber gleichzeitig wuchs auch etwas anderes in ihm. Eine Wut, ein Zorn, der ebenso unerwartet wie befreiend kam.

All diese Schichten von Lügen und Geheimnissen. Alles, dem er in der letzten Woche ausgesetzt gewesen war. War es denn wirklich möglich, dass diese Teufel machen konnten, was sie wollten? Galten für sie überhaupt keine Regeln? Gab es niemanden, der sie zur Verantwortung zog oder fragte, was in Gottes Namen sie da taten?

Kirsten wedelte ungeduldig mit der Hand. «Her damit», sagte sie.

«Nein», erwiderte er und schüttelte den Kopf. Sein Mund war so trocken, dass die Worte sich kaum noch von seiner Zunge lösten.

«Was?», fragte Kirsten. «Was nein?»

«Nein, ich gebe dir das Handy nicht.»

Er konnte kaum noch atmen. Sie würde ihn töten. Einer von den anderen würde ihn jedenfalls ganz sicher töten. Aber plötzlich war es das Wichtigste, nicht mehr mitzuspielen. Zu widersprechen. Ganz gleich, ob es Folgen hatte oder nicht.

George versuchte zu schlucken und zwang sich, seinen Blick von der Pistolenmündung zu nehmen und hoch auf Kirstens Gesicht zu richten. Ein Muskel zitterte kaum merklich unter ihrem linken Auge. Der breite Mund war ein schmaler Strich, die Augen klein und zusammengekniffen.

«Du bist ein noch viel größerer Idiot, als man es sich vorstellen kann. Glaubst du, das Telefon hilft dir in irgendeiner Weise? Dein Todesurteil ist bereits unterschrieben. Kapierst du das nicht?»

Doch ihre Stimme zitterte verräterisch. Sie blinzelte mehrmals hintereinander. George rüstete sich. Das Adrenalin rauschte durch seinen Körper, als er sah, wie sie die Pistole fester umklammerte, wie sich der Zeigefinger um den Abzug krümmte. Der Stahl der Mündung lag kalt und schwer an seiner Wange. Etwas Warmes und Nasses breitete sich in seinem Schritt aus, aber er bemerkte nicht einmal, dass er sich vollpinkelte.

«Schließ die Augen», sagte sie.

Ihre Stimme überschlug sich, und ein kleines Rinnsal von Schweiß lief ihre Wange hinab. George fixierte sie. Da war etwas tief in ihrem Blick. Etwas, das er durch den Adrenalinnebel, trotz der Todesangst, erkannte. Das zuvor nicht da gewesen war. Ein Riss, ein haarfeiner Spalt, ein Zögern. Selbst ein geübter Jäger findet es unbehaglich, sein Haustier zu erschießen.

«Schließ die Augen, verdammt noch mal!», schrie sie.

«Nein», flüsterte George.

Eine ewige Sekunde. Nur der Sturm war zu hören. Und Georges Herzklopfen. Dann, plötzlich, ein Knistern in Kirstens Kopfhörer. Sie wurden beide aus ihrer Trance gerissen, und sie fummelte mit ihrer Hand an dem Gerät, um den Antwortknopf zu drücken.

Für einen Moment ließ sie George aus den Augen.

Was dann folgte, war das Ergebnis reinen Instinkts. Eines verzweifelten, überwältigenden Überlebenswillens.

George hechtete seitwärts aufs Bett, während er gleichzeitig mit seinen gefesselten Händen den Pistolenlauf an seiner Wange packte. Er zerrte daran und bog die Waffe von sich weg. Drehte sie. Spürte den Windzug und den brennenden Schmerz einer Kugel, die den äußersten Rand seines Ohrläppchens abriss. In seinem Kopf rauschte es, als hätte jemand seinen Blutkreislauf maximal hochgeschraubt. Und irgendwo neben oder hinter diesem Rauschen hörte er Kirsten brüllen. Sie stürzten zu Boden. Es war wie ein Kampf unter Wasser, schwerelos. George wusste nicht länger, wo oben und unten war, was richtig war oder falsch. Was Denken war und was Reflex. Er konzentrierte sich nur noch auf den Pistolenlauf. Sah bloß noch die Mündung.

Er drehte und zog, zerrte und schlug. Ein weiterer, lautloser Schuss löste sich, der Lauf war heiß geworden. George hämmerte die Hand, die die Pistole hielt, auf das, was vermutlich der Boden war. Es hätte genauso gut die Decke sein können. Oder die Wand. Die Welt war bunt durcheinandergeraten, ein Kaleidoskop.

Noch ein Husten aus der Pistole, und dann gab die Hand, die die Waffe umklammert hielt, nach. Ein langgezogener Schrei irgendwo neben ihm. Hände, die sein Gesicht, seine Arme und seine Brust zerkratzten. Kurze Nägel, die seine Augen suchten. George bekam seine Arme frei und hob sie. Der Lauf der Waffe war noch immer warm, als er den Kolben nach unten hieb. Dorthin, wo er Kirstens Gesicht vermutete. So fest er konnte. Erst einmal, dann noch einmal. Und ein drittes Mal. Das Krachen von splitternden Gesichtsknochen, wie wenn man auf einem Knorpel herumkaute.

Die Attacken gegen ihn wurden schwächer, ihre starken Arme verloren die Zielsicherheit. George hob den Kolben erneut. Als wäre er blind. Taub. Nur noch ein Organismus, der darauf ausgerichtet war, einen Widerstand zu brechen. Aber dieser Nebel, die Lähmung, löste sich, ehe er erneut zuschlug. Er saß auf Kirstens Brust. Ihr zerschlagenes Gesicht. Der schlürfende Laut, wenn sie flach atmete, durch gebrochene Knochen, Blut. Er wandte den Blick ab, verdrängte die furchtbare Verwüstung und kroch von ihr herunter. Dann richtete er, neben ihr kniend, seinen Oberkörper auf. Mit zitternden Händen drückte er den Lauf an Kirstens Stirn.

«Die Schlüssel», sagte er. «Die Schlüssel für die Handschellen.»

Kirsten wühlte in der Tasche ihrer Cargo-Hose, und ein kleines Schlüsselbund fiel mit einem Klirren auf die Dielen.

«Die Schlüssel zu dem anderen Boot unten am Steg?»

Kirsten schüttelte den Kopf.

«Was hast du vor, verdammt? Willst du losziehen, um deine Prinzessin zu retten? Was glaubst du eigentlich, wer du bist? Rambo?»

Ihre Stimme klang gepresst. All das Blut, die Anstrengung, die Niederlage.

George zögerte keine Sekunde, sondern nahm den Lauf von Kirstens Gesicht und feuerte einen Schuss auf ihren Oberschenkel. Der Rückstoß überraschte ihn so sehr, dass er fast hintenübergefallen wäre. Kirsten schrie auf, als die Kugel glatt durch sie hindurchging.

«Die Schlüssel zum Boot», wiederholte George.

Kirsten schnaubte, schüttelte den Kopf, knurrte vor Schmerz wie ein Tier.

«Im Schrank hinter der Tür», zischte sie dann. «Du hättest sie ja sowieso gefunden.»

George kam auf die Beine und konnte sich der Handschellen entledigen. Er wagte es nicht, Kirsten anzusehen, die wimmernd auf dem Boden lag, schwer misshandelt und angeschossen. War es möglich, dass er all diese Verwüstung angerichtet hatte? Durch den Adrenalinschock war er der Ohnmacht nahe, aber gleichzeitig auch beschämt und besorgt. Eine Frau. Er hatte eine Frau zusammengeschlagen. Eine Frau, für die er noch vor wenigen Minuten – in Anbetracht der Umstände – beinahe so etwas wie Freundschaft empfunden hatte. Mit einer psychischen Kraftanstrengung verdrängte er seine Gedanken und riss das Laken vom Bett. Methodisch riss er es in lange, dezimeterbreite Streifen. Ohne Kirsten anzusehen, legte er die Fetzen neben sie auf den Boden.

«Verbinde deine Wunden», sagte er.

Dann stand er auf, ging durch die Tür und schloss sie hinter sich ab.

Das Klopfen an der Tür wurde immer lauter. Sie hörten Stimmenfetzen, zuerst völlig unverständlich, dann, ganz plötzlich, deutlich. Klara spürte, wie sich ihre Schockstarre löste.

«Opa!», rief sie. Erleichtert drehte sie sich zu Gabriella um. «Das ist Opa! Du meine Güte!» Sie ließ das Gewehr sinken und fuhr sich übers Gesicht.

«Verdammt, das war knapp», bemerkte Gabriella.

Klara war schon aufgesprungen und lief zur Tür. Als sie öffnete, wurde die Tür vom Wind erfasst, sodass Klara beinahe hinausgezogen wurde. Schnee peitschte in die Hütte.

«Opa!», schrie sie, um den Wind zu übertönen. «Was, um Himmels willen, machst du hier?»

Klaras Großvater steckte in seiner leuchtend gelben Ölkleidung. Den Südwester, der so verschlissen war, dass er schwarz schimmerte, hatte er tief in die Stirn gezogen. Hinter ihm blitzte etwas auf. Eine zweite Taschenlampe. Klara spähte aus zusammengekniffenen Augen über seine Schulter und sah eine Silhouette, die in der Dunkelheit kaum zu erkennen war. Sie spürte, wie ihr Großvater ihren Ellenbogen umfasste und sie sanft zurück in die Hütte drängte.

«Ich hatte gehofft, dass du uns wenigstens an Weihnachten besuchst, Klara», sagte er ruhig.

Ein müdes Lächeln spielte um seine Lippen, als er den Südwester abnahm und sie zum Kamin schob. Weihnachten. Klara hatte völlig vergessen, dass Dezember war.

«Was? Welchen Tag haben wir denn heute?»

«Einen Tag vor Heiligabend», antwortete ihr Großvater. «Setz dich, Klara.»

Sie blickte zur Tür und sah, dass der andere Mann zaghaft, unsicher über die Schwelle trat. Auch er trug einen Sturmanzug, jedoch in bedeutend modernerer Ausführung. Er stellte eine längliche, gummierte Tasche hinter der Tür ab und blieb stehen.

«Wer ist das?», fragte Klara. Ihre Fingerknöchel wurden weiß, als sie den Gewehrkolben hielt, ihr Zeigefinger ruhte am Abzug.

Ihr Großvater öffnete seinen Regenmantel und ließ ihn zu Boden fallen. «Wenn ich ganz ehrlich bin, weiß ich es nicht, aber ich habe meine Vermutungen», sagte er.

Er setzte sich auf einen Sprossenstuhl und gab Klara durch eine Geste zu verstehen, auf dem Sofa Platz zu nehmen. Ohne den Mann neben der Tür aus den Augen zu lassen, setzte sie sich.

«Ich glaube, dass er Amerikaner ist. Er ist vor ein paar Stunden bei uns auf Aspöja aufgetaucht.»

Klara spürte, wie sich ihr Brustkorb in Panik zusammenschnürte. Sie legte das Gewehr in den Schoß, hielt es mit beiden Händen fest.

«Um Gottes willen!», rief sie aus. «Du konntest es nicht wissen, aber ...»

Ihr Großvater legte kopfschüttelnd eine eiskalte Hand auf ihr Knie.

«Er hat deine Mutter gekannt, Klara. Das hat er auf mehr als eine Art bewiesen. Ich wäre lieber gestorben, als ihn unter diesen Umständen mit hierherzubringen, wenn ich ihn verdächtigt hätte, etwas auf dem Kerbholz zu haben.»

«Aber woher wusstest du überhaupt, wo ich bin?»

Ihr Großvater zwinkerte ihr zu. «Wie du weißt, habe ich meine Methoden.»

«Auf Bosse kann man sich aber auch nie verlassen», grummelte sie.

Klaras Großvater wandte sich Gabriella zu. Er lächelte sie an.

«Hallo, übrigens, Gabriella. Lange nicht gesehen.»

Klara hörte nicht einmal, was sie sagten. Ihre Augen waren auf den Mann geheftet. Mit seinem Handschuh bürstete er sich den Schnee von der Kapuze und zog sie vom Kopf.

Er schien um die sechzig zu sein und hatte den athletischen Körper eines Marathonläufers. Seine Haare waren kurz geschnitten, aber dick wie Rosshaar. Ein grau durchsetzter Dreitagebart bedeckte seine faltendurchzogenen Wangen und sein Kinn. Klara sah ihn an, aber er wich ihrem Blick aus. Er jagte ihr keine Angst ein, machte vielmehr einen zutiefst traurigen Eindruck. Als hätte er viel zu lange allein großes Leid schultern müssen.

23. Dezember 2013
Sankt-Anna-Schärengarten, Schweden

Ich stehe in dem nassen Schnee, lasse den Sturm und die Flocken über meinen mit Goretex bekleideten Körper wehen, lasse mich von den Böen beugen. Ich schließe die Augen, während der alte Mann gegen die Tür hämmert und gedämpft etwas in seinem melodiösen Dialekt ruft. Der Sturm übertönt ihn, zerrt seine Worte in alle Richtungen, verteilt sie in Atome, in Fetzen von Vokalen, Konsonanten, die zufällig in den Schnee hinauswirbeln, aufs Meer.

Als die Tür geöffnet wird, kommt es mir vor, als wäre ich blind, als sendeten meine Augen für einen Moment keine Signale mehr an mein Bewusstsein. Vielleicht ist auch das ein Schutzmechanismus? Der letzte, der noch bleibt, der endgültige, am wenigsten verfeinerte. Physis statt Psychologie. Eine stumpfe Waffe, die mich davor beschützen will, mit der endgültigen Summe meines Verrats konfrontiert zu werden. Aber schließlich gibt es, natürlich, kein Versteck mehr. Mein Bewusstsein fügt sich.

Durch ein Raster aus Schnee sehe ich sie im schwach erleuchteten Rechteck der Tür. Sie steht, schmal und ausgezehrt, hinter der Schwelle und kämpft damit, dass ihr der Wind nicht die Tür aus der Hand reißt. Eine Schrotflinte, die im Verhältnis zu ihrem dünnen Körper überdimensioniert wirkt, hängt über ihrer Schulter, und so, wie sie das Gewehr trägt, vermittelt es den Eindruck von einer mühelosen, natürlichen Kompetenz.

Ich blinzle in die Dunkelheit und kann ihre Augen erahnen. Im Dunkel glitzern sie wie Wasser. Es sind deine Augen. Ich kann mich unmöglich der Erkenntnis erwehren, dass in ihrem Herz mein Herz pocht. In ihrem Blut mein Blut fließt. Der Gedanke ist viel zu groß. Der Sturm hat meinen Kopf erreicht und an Stärke zugenommen. Alles, was ich gedacht habe. Die Worte, die ich nicht einmal vor mir selbst formulieren konnte und die mein ganzes Erwachsenenleben hindurch in mir gewachsen sind. All das ist jetzt Treibgut. Alles wird zum Opfer dieses Sturms. Ich habe sie vollkommen allein gelassen. Hab Erbarmen mit mir.

Ich sehe, wie der alte Mann sie behutsam am Arm nimmt und in die kleine Hütte führt. Sie setzt sich auf das Sofa vor dem Kamin. Er nimmt seinen verschneiten Südwester ab. Die Stiefel hinterlassen feuchte Spuren auf dem unbehandelten Holzboden. Vorsichtig betrete ich den Raum. Schiebe die Kapuze zurück, stelle meine Tasche hinter der Tür ab. Nasser Schnee gleitet lautlos auf den Boden hinab.

Eine weitere junge Frau steht am Kamin. Ihr Blick wechselt zwischen Klara und mir, und sie fährt sich immer wieder durch ihr wirres, rotes Haar. Ich kann ihre Angst förmlich spüren. Sie setzt alles daran, ihre Panik in Schach zu halten. Vermutlich hat sie geglaubt, wir wären gekommen, um sie umzubringen.

Der alte Mann redet leise in seiner eigentümlichen Sprache. Ich weiß nicht, was er sagt, wie viel er versteht und was er sich denkt. Alles, was ich zu ihm gesagt habe, waren die wenigen Worte, die ich in seiner Sprache gelernt habe, ehe ich ihn und seine Frau aufgesucht habe.

Ich kannte deine Tochter. Klara ist in großer Gefahr. Ich bin hier, um zu helfen. Und dann habe ich seiner Frau das Amulett gegeben. Und das Bild von ihrer Tochter. Ihre Augen, als die Frau mich ansah. Hellblau wie ein Winterhimmel. Dieselben Augen wie jene, die ich nie vergessen werde. Warum haben sie beschlossen, mir zu vertrauen? Es schien, als hätten sie instinktiv gewusst, wer ich bin. Als hätten sie mich erwartet. Als wären sie eigentlich nicht einmal verwundert.

Der alte Mann hat aufgehört zu reden, und die junge Frau, die meine Tochter ist, wenn ich es mir erlaube, dieses Wort zu denken, wendet sich mir zu. Ich höre Wellen, die sich auf Granit brechen, Wind, der um uns herum niemals abflauen wird. Das Auge des Sturms. Ich hätte nicht gedacht, dass ich es bis hierher schaffen würde. Mein Plan hat seinen äußersten Rand erreicht. Was bleibt, sind Chaos, Zufall, Wahrheit. Ihre Stimme ist tiefer, als ich es erwartet hätte. Ihr Englisch britisch und natürlich.

«So», sagt sie. «Mein Großvater hat erzählt, du kanntest meine Mutter? Du hast einen merkwürdigen Tag für deinen Besuch gewählt.»

George stolperte die Treppe hinab, hätte fast die schwere Pistole verloren, konnte sich gerade noch am Geländer festhalten und das Gleichgewicht wiedererlangen. Die Übelkeit, der Schock, das Blut. Das Bild von Kirstens zerschlagenem Gesicht und das Wissen, dass er sie misshandelt hatte. Um Haaresbreite hätte er es nicht mehr rechtzeitig ins Bad geschafft, um sich zu übergeben.

Zwei zielgerichtete, unaufhaltsame Konvulsionen in die Toilettenschüssel. Seine Augen, die sich mit Tränen füllten, der Gestank von Erbrochenem, Urin und Blut. Sein Kopf dröhnte, sein Gesicht dröhnte, sein ganzer Körper dröhnte und blutete.

Als es nichts mehr in ihm gab, von dem er sich hätte befreien können, sank er neben der Toilette zusammen, den Rücken an die geschmackvolle und neurenovierte Wand aus Natursteinen gelehnt. Über sich hörte er ein schleifendes Geräusch, dann den Türgriff des Schlafzimmers, der nach unten gedrückt wurde. Für einen Augenblick hielt er den Atem an. Er wusste, dass er die Tür abgeschlossen und die Funkgeräte mitgenommen hatte, um nicht zu riskieren, dass Kirsten ihre Kumpane alarmierte. Nach einer Minute war es wieder still. Hatte er sie umgebracht? Er hatte sie doch wohl nicht getötet? Sie hatte mit ihm gesprochen und sich dort oben ganz eindeutig bewegt. Aber diese Stille war entsetzlich. Vielleicht verblutete sie?

Er wusste nicht, wie lange er reglos dagesessen hatte, als ihm plötzlich auffiel, dass er so fror, dass seine Zähne klapperten. Mit einer Kraftanstrengung zwang er sich auf die Füße und zog den Pullover über den Kopf. Er war schwer von Blut. Dann schälte er sich aus den urinstinkenden Hosen und Unterhosen. Nackt stand er auf und betrachtete sich bibbernd im Spiegel. Herrgott. Er stieg in die geräumige Duschkabine und drehte das warme Wasser auf.

Als es über ihn strömte, mischte es sich mit seinen Tränen.

Schon nach wenigen Minuten zwang er sich dazu, die Dusche wieder zu verlassen. Er hatte keine Zeit zu verlieren. Immerhin waren seine Beine jetzt ein wenig stabiler. Er fand das Päckchen mit den Pflaster-Strips in seiner Tasche und verarztete die Wunde über der Augenbraue neu. Verklebte das zerrissene Ohrläppchen doppelt.

Noch immer nackt und bibbernd vor Kälte, betrat er eines der weißen geschmackvollen Schlafzimmer, das Reipers Männer benutzt hatten. Wahllos riss er Schubladen und Schrankbretter heraus und fand die zurückgelassene Kleidung von irgendjemandem. Noch mehr Jeans. Noch mehr T-Shirts und Kapuzenpullover. Die falsche Größe, aber sauber und warm. Er zog mehrere Schichten übereinander. Trotzdem hörten seine Hände nicht auf zu zittern. Unter einigen Unterhosen fand er ein zusätzliches Magazin, das so aussah, als würde es in Kirstens Pistole passen. Er steckte es in die Hosentasche und lief die Treppe hinunter.

In seinem Kopf drehte sich alles. Fliehen, fliehen, fliehen. Das war das Einzige, woran er denken konnte. Nur in die Kleidung schlüpfen, die Tür öffnen und geradewegs über den Schnee davonrennen. Nur weg von hier. So weit weg von Reipers Kaltblütigkeit und Kirstens lädiertem Gesicht, wie es nur irgendwie ging.

Aber was dann? Wohin sollte er fliehen? Wo sollte er sich verstecken? Und wenn es stimmte, was Kirsten gesagt hatte – dass die schwedische Polizei in gewisser Weise guthieß, was Reiper und seine Bande trieben? Dann wäre er zu Hause in der Rådmansgatan wohl kaum in Sicherheit.

Und dann war da auch noch Klara. Er kannte sie kaum. Eigentlich war es nicht sein Stil, sich über andere Leute Gedanken zu machen. Seiner Meinung nach sollten alle allein zurechtkommen. Allerdings hatte er sie verraten. Hatte Reipers Leute auf ihre Spur gebracht. Obwohl er all das am liebsten einfach vergessen hätte, gab es irgendwo in ihm einen gewissen Widerstand dagegen. Er wusste, wo sie war. Vielleicht konnte er sie warnen? Und was hatte er sonst schon für eine Wahl?

An einem Haken im Flur hing ein schwerer Ölmantel. Er hängte ihn sich über die Schultern und steckte die Pistole in die Tasche. Der Mantel war eine Nummer zu klein. Aber das war jetzt wirklich egal. Handschuhe und Mütze nahm er sich von der Hutablage. Er bewegte sich schnell, als hätte er Angst vor dem Stillstand, als würden die Furcht und der Zweifel ihn überwältigen, wenn er sich auch nur für einen Moment entspannte.

Die Schlüssel hingen tatsächlich im Schrank neben der Tür. Er holte sein iPhone hervor und widerstand dem Impuls, irgendjemanden anzurufen, wen auch immer. Am allerliebsten den Alten. Aber er wagte es nicht, erneut das Risiko einzugehen, gefangen genommen zu werden. Nachdem er mehrmals ungelenk auf dem Display herumgetippt hatte, öffnete sich die Kartenapplikation.

Ein paar Sekunden später hatte er die Koordinaten eingegeben, die er von Reiper aufgeschnappt hatte. Nach Google Maps navigieren? Noch dazu im Sturm? Das war Irrsinn. Aber etwas anderes blieb ihm nicht übrig. Die Karte zeigte eine kleine Insel in den äußeren Schären. Er zoomte auf das Satellitenbild. Auf der Insel lag etwas, das möglicherweise eine Hütte sein konnte. Musste er dorthin? Hielt Klara sich dort versteckt? Der Akku des Telefons war fast vollständig geladen, das müsste reichen.

Als er die Tür öffnete, wirbelte der Schnee in den Vorraum des Flurs. Er zog sich die Mütze in die Stirn und joggte über den Rasen zum Steg. Seine Fußspuren waren vom Schneesturm beinahe schon verwischt, als er in das kleine Boot sprang und den Benzinhahn öffnete. Die Sommer in Roslagen hatten immerhin dazu geführt, dass er das Bootfahren gelernt hatte. Dennoch brauchte er drei Versuche, ehe der Motor ansprang.

Ich antworte ihr nicht. Ich habe keine Antworten. Keine Worte, mittels derer ich mich ausdrücken kann. Alles, woran ich denken kann, ist, dass die Wahrheit mich am Ende eingeholt hat. Dass die Lüge nie vollständig ist. Ihr Gesicht ist ausgezehrt, aber schön. Gleichzeitig haben ihre Züge etwas Unbeugsames an sich, etwas Strenges und Entschiedenes, das einen verwirrt. Eine Kompromisslosigkeit, wie ich sie nicht von mir kenne. Sie muss sie von dir haben. Ich weiß es. Ihrem Blick weiche ich um jeden Preis aus.

Mangels Worten, einer Erklärung, bewege ich mich zum Fenster, das auf den Schärengarten hinausgeht. Ich spähe in die Dunkelheit. Wir wissen nicht, was unsere Feinde wissen.

«Wer weiß, dass du hier bist?», frage ich sie, ohne mich umzudrehen.

Mein eigenes Spiegelbild im Glas schiebt sich in ihres. Ihr Haar ist kurz, schlecht geschnitten und gefärbt. Eine amateurhafte Tarnung, die nicht verbergen kann, dass das Haar darunter denselben rabenschwarzen Ton hat wie auch meines einst hatte. Dass ihre Haut meine Haut ist.

Sie wackelt leicht mit dem Kopf, streicht sich eine Strähne aus der Stirn, ihr Blick flackert. Es schmerzt mich, diese nervösen Gesten bei ihr zu sehen. Die Paranoia und Trauer einer Gejagten. Gibt es ein menschliches Verhalten, das mir besser vertraut ist?

«Niemand», antwortet sie jetzt. «Niemand weiß, dass ich hier bin.»

Ich drehe mich um. Wir haben keine Zeit für so etwas.

«Jetzt komm schon», sage ich. «Ich habe dich gefunden. Dein Großvater wusste, wo du warst. Überleg noch mal. Wer weiß, dass du hier bist?»

Meine Worte sind zu hart. Meine Stimme zu sehr von den vielen Verhören trainiert. Ihre Gesichtsmuskulatur spannt sich an, ihre Stimme ist hingegen ruhig, hat jedoch einen glühenden Kern.

«Was gibt dir das Recht, hierherzukommen und Forderungen zu stellen?», fragt sie. «Ich weiß nicht einmal, wer du bist.»

Ich verbrenne mich an den Worten, fast wäre ich zurückgewichen. Sie weiß nicht einmal, wer ich bin.

«Entschuldige», entgegne ich. «Ich wollte nicht taktlos sein. Aber wir haben nur sehr wenig Zeit. Ich werde das noch erklären, aber jetzt musst du mir glauben, dass ich ein Fachmann für solche Situationen bin. Und außerdem wärst du schon tot, wenn ich dir nicht hätte helfen wollen.»

Sie wechselt einen Blick mit ihrer rothaarigen Freundin, die vorsichtig nickt.

«Gut», sagt sie. «Der Einzige, der weiß, dass ich hier bin, ist der Freund, der uns mit seinem Boot hierhergebracht hat und dann wieder gefahren ist. Er wird morgen früh in der Dämmerung zurückkommen, um zu kontrollieren, ob alles in Ordnung ist. Er war derjenige, der es meinem Großvater erzählt hat.»

Ich nicke. «Wem hat er es noch erzählt?»

«Niemandem. Das kann ich garantieren.»

«Glaub mir», sage ich. «In dieser Situation solltest du niemandem trauen.»

«Ich traue ihm», entgegnet sie. «Genauso sehr wie mir selbst.»

«Und trotzdem hat er es deinem Großvater erzählt?», frage ich.

Sie antwortet nicht. Ihre Freundin räuspert sich. Ihr Blick streift hastig durch den Raum, sie spielt nervös mit den Händen.

«Und du?», frage ich die Rothaarige. «Wem hast du es erzählt?»

Ich kenne alle Zeichen. Alle Löcher, alle Lücken. Alle Signale, mit denen unsere Körper uns verraten.

«Ich habe es meinem Chef erzählt», beginnt sie. «Aber er ist

Anwalt, und Klara ist unsere Mandantin. Er würde es auf keinen Fall weitertragen. Er würde seine Zulassung verlieren, wenn er es jemandem sagt.»

«Du bist Gabriella Seichelman, oder? Du arbeitest für Lindblad und Wiman in Stockholm?»

«Woher wissen Sie, wer ich bin?», fragt sie.

Ich antworte nicht. Es ist unwichtig. Wir haben keine Zeit.

«Sie wissen auch, dass du hier bist.» Ich habe mich wieder Klara zugewandt. «Die, die dich jagen, wissen, dass du hier bist. Dass sie noch nicht zum Angriff übergegangen sind, ist reine Taktik. Sie warten auf die Nacht. Vielleicht auch darauf, dass der Sturm abflaut. Ich nehme an, dass sie weniger mit den Witterungen hier draußen vertraut sind als dein Großvater.»

Ich werfe einen Blick zu dem dunklen Fenster. Dabei ist es sinnlos. Nur ein Reflex. Die Jäger sind immer unsichtbar.

«Aber wie ist das möglich?», fragt Klara.

Ihre Stimme ist trotzig, zweifelnd.

«Ich habe dich gefunden», erkläre ich. «Diejenigen, die dich jagen, sind wie ich. Die Information, wo du dich befindest, wurde mit zu vielen geteilt. Ich konnte leicht herausfinden, wer deine Freundin ist.» Mit einem Kopfnicken deute ich auf Gabriella. «Wenn ich es weiß, wissen sie es auch. Und glaube mir, sie haben ihre Methoden, um an Informationen zu gelangen. Selbst bei Anwälten. Besonders bei Anwälten.»

Ich spüre, wie der Stress in mir wächst, und zwinge mich, ihn zu beherrschen. Ich drücke ihn tief in den Magen hinab. Auch wenn sie nicht zugegeben hätten, dass sie vielen von ihrem Ziel erzählt haben, wüsste ich, dass unsere Feinde hier sind. Ein siebter Sinn. Ein Geruch. Eine Schwingung in der Luft, die nichts mit dem Sturm zu tun hat.

«Haltet euch von den Fenstern fern», warne ich sie.

Ich gehe vor Klara in die Hocke und schaue hoch. Bekämpfe meinen Widerwillen. Zwinge mich, ihr in die Augen zu sehen. In der kupferfarbenen Glut des Kamins sind sie viel mehr als nur blau. Sie wirken konsequent, fordernd. Augen für Ideale, nicht für Kompromisse. Sie sind all das, an das ich mich erinnere, und mehr.

«Klara», sage ich.

Es ist das erste Mal, dass ich ihren Namen ausspreche.

«Es ist unglaublich wichtig, dass du mir gegenüber ehrlich bist. Dass du die Wahrheit sagst. Wir, vor allem du, sind in großer Gefahr, wie du weißt. Vielleicht finden wir einen Weg, lebend aus dieser Sache herauszukommen, aber nur, wenn du mir erzählst, was du weißt.»

Sie sieht mich an, ohne mit der Wimper zu zucken, ohne Affekte oder einen Ansatz des Wiedererkennens. Aber ihre rastlosen Hände verraten, wie gehetzt sie ist.

«Warum? Warum sollte ich dir vertrauen?»

«Weil ich einen sehr weiten Weg auf mich genommen habe, um dir zu helfen. Es gibt von unterschiedlicher Seite große Interessen, die auf dem Spiel stehen, und in diesem Moment bin ich der Einzige, der sich um dich Gedanken macht.»

«Warum?», fragt sie noch einmal. «Warum machst du dir um mich Gedanken?»

Ich halte den Atem an. Wir haben keine Zeit. Es gibt keine Zeit.

«Ich kannte deine Mutter», erkläre ich. «Etwas ist vor langer, langer Zeit schiefgelaufen, und ich will es wiedergutmachen. Oder nein, ich kann es nicht wiedergutmachen. Aber ich möchte etwas tun, um einen Teil meiner Schuld zu sühnen.»

Sie sagt nichts. Nur ihr Blick flackert wieder. Sie spielt mit ihren Händen. Ihre Freundin hat sich neben sie gestellt und hält jetzt ihre Hand. Im Augenwinkel sehe ich, wie der alte Mann durch das schwarze Fenster hinausspäht.

«Bitte deinen Großvater, sich vom Fenster fernzuhalten.»

Sie sagt etwas in der Sprache, die ich nicht spreche, und wendet sich wieder mir zu.

«Habt ihr den Computer?», frage ich.

Wieder wechseln die beiden Frauen einen schnellen, fast unmerklichen Blick. Klara nickt.

«Wir haben ihn», antwortet sie.

«Was befindet sich darauf?», frage ich. «Habt ihr gesehen, was darauf ist?»

In ihren eisblauen Augen wächst ein neuer Ausdruck. Hart und vollkommen gleichgültig. Natürlich hat sie keinerlei Grund, mir zu vertrauen. Und trotzdem schmerzt es mich.

«Was, glaubst du, ist darauf?», fragt sie. «Wenn, dann müsstest du es doch wissen. Warum versucht ihr sonst, uns zu töten?»

«Was ich glaube?», frage ich. «Ich könnte mit dem anfangen, was ich weiß.»

Ich sehe, wie sie sich allmählich konzentrieren. Vielleicht wissen sie wirklich gar nichts. Also erzähle ich, was Susan mir erzählt hat. Die Wahrheit. Oder eine mögliche Wahrheit.

«Mahmoud Shammoshs Freund», beginne ich. «Lindman. Er hat für einen Subunternehmer der amerikanischen Regierung in Afghanistan gearbeitet. Ein Unternehmen, das damit beauftragt war, verdächtige Terroristen festzuhalten und sie mit, sagen wir einmal, unkonventionellen Methoden zu verhören.»

Ich bin von mir selbst angewidert. Von meiner Wortwahl. Ich fange von neuem an.

«Was ich meine, ist, dass Lindman für ein Unternehmen arbeitete, das indirekt vom amerikanischen Geheimdienst beauftragt wurde. Digital Solutions nannten wir es. Eigentlich ist das nichts Ungewöhnliches. Es ist ein notwendiger Bestandteil unserer Arbeit, nur so verhindern wir, dass unsere Fingerabdrücke überall zu finden sind. In diesen privaten Firmen arbeiten meistens alte, ausgediente Agenten, und sie agieren über Strohmänner und Scheinfirmen, die wir gegründet haben. Dieses Unternehmen …»

Ich verstumme, um zu überlegen, wie ich mich ausdrücken soll, damit es korrekt ist. So korrekt wie möglich.

«Digital Solutions sollte Terroristen verhören, die wir aufgespürt haben. Sie waren beauftragt, härtere Methoden anzuwenden. Hunde und Scheinhinrichtungen. Waterboarding. Methoden, die keine bleibenden körperlichen Schäden hinterlassen. Aber Foltermethoden, ganz egal, wie man sie offiziell nennt. Methoden, wie sie die CIA in Abu Ghraib anwendete. Irgendetwas lief allerdings schief mit dieser Firma. Wir wissen nicht genau, was, aber sie fingen an, viel weiter zu gehen als vereinbart. Sehr viel weiter. Es dauerte eine Weile, bis wir es herausfanden. Elektroschocks und Todesfälle. Furchtbare Sachen. Unbeschreibliche Gräueltaten.»

«Warum?», unterbricht Klara mich. «Wenn sie nicht damit beauftragt wurden, warum haben sie es dann gemacht?»

Ihre Augen funkeln. Wechseln zwischen Stress und Zweifel und etwas anderem. Dunklerem. Ich zucke die Schultern.

«Ich weiß es nicht. Vielleicht waren sie im Lauf der Zeit so abgestumpft? Vielleicht glaubten sie, auf diese Weise noch mehr Informationen zu erhalten? Noch schneller. Und außerdem gibt es Menschen, die keine Befehle brauchen. Die einfach nur Sadisten sind.»

Die Erinnerungen aus dem Irak und Afghanistan. Die Autobatterie und die misshandelten irakischen Gefangenen in Kurdistan. Provisorische Verhörzellen in Beirut und Kabul. Es gibt so viele Beispiele, so viele Ausreden und Erklärungen, so viel Leid. So vieles, für das man zur Rechenschaft gezogen werden könnte.

«Soweit ich weiß, haben wir diese Operation unmittelbar eingestellt, nachdem wir Informationen darüber erhielten, was vor sich ging. Das ist einige Wochen her. Aber einige, die diesen Einsatz verantworteten, haben eine lange Karriere im amerikanischen Geheimdienst hinter sich. Sie haben Kontakte. Kontakte und Druckmittel. Sie wissen zu viel über zu viele Menschen, die weit oben in der Hierarchie der Organisation stehen. Statt diese Agenten also direkt nach Hause abzuberufen, erhielten sie den Auftrag, die Angelegenheit aus der Welt zu schaffen. Und das ging wohl gründlich daneben. Wir glauben, dass der schwedische Soldat Lindman an irgendeine Art von Daten über diese Operation gelangt ist, die er veröffentlichen wollte. Wir wissen, dass Digital Solutions in Afghanistan tätig war. Warum er Shammosh kontaktierte, weiß ich nicht. Aber du hast gefragt, was man meiner Meinung nach auf dem Computer findet. Ich glaube, er steckt voller Beweise über einen Einsatz, der nie sanktioniert wurde und der, wenn er an die Öffentlichkeit käme, einen absolut irreparablen Schaden anrichten würde.»

Dieser Sturm da draußen. Vielleicht ist er jetzt ein wenig abgeflaut. Vielleicht liegt weniger Kraft, weniger Zielgerichtetheit in den Böen, die an den Fensterscheiben rütteln, über den Dachfirst rollen und das Wasser über die Klippen zwingen.

«Ich brauche wohl nicht zu erklären, was passiert, wenn diese Informationen publik würden?», frage ich. «Welche Konsequenzen das hätte? Jetzt, wo die amerikanischen Truppen gerade den Rückzug aus Afghanistan antreten? Wenn das herauskommt, bricht das Chaos von neuem aus.»

«Aber du hast nicht gesehen, was sich tatsächlich auf dem Computer befindet?», fragt sie.

«Mir wurde erzählt, was er vermutlich enthält», antworte ich.

«Du sagst, das würde zu Chaos führen?»

«Wenn es veröffentlicht wird. Ja, dann führt es zu Chaos.»

Sie zwinkert nicht mehr. Ihre Hände sind ruhig geworden. Sie sitzt einfach nur still da.

«Vielleicht wäre das Chaos berechtigt», meint sie.

«Ist es das, was dein Freund Mahmoud gewollt hätte?», frage ich.

Ich kann gar nicht reagieren, so schnell schlägt sie mich mit voller Kraft, vermutlich mit der geballten Faust, und trifft mich direkt über dem linken Auge. Ein brennender Schmerz, Tränen. Ich blinzle und hebe die Hände zur Verteidigung und bekomme ihre Faust zu fassen, ehe sie mich erneut trifft. Sie ist erstaunlich stark.

«Klara», sage ich. «Beruhige dich! Beruhige dich. Was tust du?»

Ihre Freundin ist aufgestanden und hält ihre Arme fest. Der alte Mann streicht ihr über das Haar, flüstert ihr etwas zu.

«Sag seinen Namen nicht!», fordert sie. «Wenn du seinen Namen noch einmal sagst, bringe ich dich um. Verstehst du? Ich bringe dich um. Ihr seid es, du, deine Freunde, deine elende Bande, die dafür gesorgt haben, dass dieser ganze Mist passiert ist! Ihr! Ihr verdammten Mörder! Du hast kein Recht dazu, seinen Namen auszusprechen. Begreifst du das?»

Ihre Stimme ist ein Fauchen, die Stimme eines Tieres. Ihre Augen sind so voll reinem, unverhohlenem Hass, dass ich noch einmal wegsehen muss. Ich hebe meine Hände in einer Geste der Entschuldigung, Versöhnung.

«Bitte verzeih mir», sage ich. «Ich verstehe, dass du unter großem Stress stehst.»

«Das hat verdammt noch mal nichts mit Stress zu tun», zischt sie. «Kapier es doch! Es hat nur damit zu tun, dass ihr ihn umgebracht habt. Ihr habt ihn vor meinen Augen erschossen. Als ich seine Hand hielt. Er starb in einer Pfütze billigen Weins, in einem beschissenen Supermarkt. Und ich musste ihn dort zurücklassen. Kapierst du das? Stress? *Fuck off!*»

Du, die nie fluchte. Mein Verrat, der nie aufhört.

«Ich möchte dir nur helfen», versuche ich sie zu beschwichtigen.

«Ich scheiße auf Afghanistan», entgegnet sie. «Ich scheiße auf dieses Land. Ich scheiße darauf, wie viele dort sterben. Wie viele Amerikaner sterben. Wie viele Schulen nie gebaut werden. Oder Krankenhäuser oder was zum Teufel. Dieser beschissene Computer! Als ob damit der Augenblick ungeschehen gemacht würde, in dem er gestorben ist! Als ihr ihn abgeknallt habt wie einen Köter! Würde das irgendetwas für ihn ändern? Für mich? Na?»

Ich schüttele den Kopf. «Aber du kannst das Leid mindern», sage ich.

Sie schweigt eine Sekunde. Nimmt mich mit ihrem Blick gefangen. Es kostet eine übermenschliche Anstrengung, ihm nicht auszuweichen. Als sie von neuem zu sprechen beginnt, ist sie vollkommen ruhig.

«Aber ich will das Leid verstärken», sagt sie. «In diesem Moment will ich einfach nur eine Bombe mitten in all dem Dreck in die Luft jagen. Ich möchte euren Spießrutenlauf sehen. Ich möchte euch sterben sehen. Verstehst du?»

23. Dezember 2013
Sankt-Anna-Schärengarten, Schweden

Georges Augen hatten Minuten gebraucht, um sich an die Dunkelheit zu gewöhnen, doch wenn er auf die beleuchtete Karte des Handys blickte, wurde er geblendet und bemühte sich daher, so wenig wie möglich davon Gebrauch zu machen. Stattdessen versuchte er seine Route auf einer alten, laminierten Seekarte nachzuvollziehen, die er unter dem Steuerstand gefunden hatte. Er hockte dahinter und drückte die Seekarte mit beiden Händen gegen das Steuer. Das Boot neigte sich stark und bebte. Der Sturm übertönte das Brummen des Motors.

Er hielt eine gleichmäßige Geschwindigkeit. So schnell, dass das Boot von den Wellen hin- und hergeworfen wurde, aber nicht schneller, als er es kontrollieren konnte. Feuchter Schnee und Brachwasser überspülten ihn, durchnässten ihn, sodass er eigentlich bis aufs Mark frieren müsste. Aber das konnte ihm nichts anhaben. Als befände er sich in einer anderen Welt, in der ihn weder Wind noch Wetter erreichen konnten.

Er hatte keinen Plan. Trotzdem fühlte er sich merkwürdig erleichtert und weniger nervös, als er es die ganze Zeit gewesen war, seit er Reiper begegnet war. Was vor nur wenigen Tagen passiert war, kam ihm vor, als wäre es Jahre her, ein ganzes Leben. Er hielt sein Schicksal in den eigenen Händen. Hatte die Seiten gewechselt. Er war nicht länger ein Legionär in Reipers Armee von Mördern. Er würde zurückschlagen.

«Yippieekayeee, motherfuckers!», schrie er, so laut er konnte, dem Sturm entgegen.

Nach einer knappen halben Stunde drosselte George die Fahrt und lenkte das Boot an eine halbwegs geschützte Stelle hinter einer kleinen, mit Wacholder bewachsenen Klippe. In einer Luke unter der Achterbank lag ein rostiger, kleiner Anker, den er über Bord hievte, damit er nicht abgetrieben wurde. Er machte sich so klein es ging und holte das Telefon hervor. Das Boot schaukelte in den Wellen. Der Schnee schmolz und rann über sein Gesicht. Er hatte kaum Empfang. Nur ein kleines Stück weiter entfernt würde er das Handy gar nicht mehr verwenden können.

Er verglich das Satellitenbild mit der Seekarte, und sein Puls stieg. Wenn er es richtig verstand, war er weniger als eine Minute von der Insel entfernt, auf der sich Reipers Angaben zufolge Klara versteckte. Reipers Bande musste irgendwo in der Nähe sein. Schnell tippte George die Koordinaten ein, mit denen sie ihre eigene Position angegeben hatten, und die Nadel der digitalen Karte bewegte sich ein wenig nach Osten.

George seufzte schwer. So sehr von seiner eigenen Tatkraft eingenommen, hatte er nicht einmal daran gedacht, dass er riskieren könnte, Reiper und seinem Gefolge direkt in die Arme zu fahren.

Was sollte er jetzt tun? Er hörte Kirstens röchelnde Stimme, sah ihr höhnisches Grinsen vor sich.

«Was glaubst du eigentlich, wer du bist? Rambo?»

Er verdrängte das Bild von ihrem zertrümmerten Gesicht, aber die Stimme biss sich fest. Er war kein Rambo. Wirklich nicht. Noch immer hielt er das Telefon in seinen steifgefrorenen Händen und überlegte erneut, jemanden anzurufen. Aber wenn schon die Polizei in dieser Angelegenheit nicht auf seiner Seite war – wen sollte er dann alarmieren?

Georges einziger Vorteil war, dass Reiper keineswegs mit ihm als Bedrohung rechnete. Zu diesem Zeitpunkt mussten sie sich fragen, warum sie keinen Kontakt zu Kirsten bekamen, aber George zweifelte daran, dass sie ihn in irgendeiner Weise verdächtigten, etwas damit zu tun zu haben. In ihren Augen war er ein Bürohengst, ein

Stümper, ein nützlicher Idiot. Und das war sein einziger Vorteil. Es

konnte nur schiefgehen.

Er zog Kirstens Pistole aus der tiefen Tasche seines Ölmantels. Sie war so dunkel, dass sie auch das kleine bisschen Licht, das der frischgefallene Schnee reflektierte, zu absorbieren schien. Er fand die Sperre, mit der man das Magazin löste, und ersetzte es durch ein volles Magazin, das er in der Villa gefunden hatte. Dann ließ er die Pistole erneut in die Tasche gleiten und schaltete das Telefon aus. Es war an der Zeit.

«Wir haben jetzt keine Zeit dafür», sagte der Mann.

Etwas Flehendes lag in seiner Stimme. Eine Spur Hoffnungslosigkeit in seinen Worten, die eben noch so vernünftig, besonnen geklungen hatten.

Klaras Blick ließ ihn nicht los. Die innere Leere, die sie empfand, wollte nicht weichen, aber für einen Moment war sie von einer gleißenden Wut verdrängt worden. Die Knöchel ihrer rechten Hand taten weh, dort, wo sie seine Schläfe getroffen hatten. Alles, was sich seit dem Mord an Mahmoud in ihr aufgestaut hatte, plötzlich hatte es sie überwältigt, sie die Beherrschung verlieren lassen.

Aber jetzt merkte sie, wie der Zorn nachließ, wie die Welt um sie herum wieder Konturen bekam. Sie wollte diese herrliche Wut festhalten, versuchte sich darauf zu konzentrieren, damit sie nicht versickerte, zurück in den Abgrund, und sie mit dem Gefühl der Leere und dem Kummer allein ließ. Aber sie ließ sich nicht greifen. Rann wie Sand durch ihre Finger.

Klara setzte sich auf das Sofa. Ihr Kopf war schwer, schien plötzlich Tonnen zu wiegen. Sie musste ihn in die Hände stützen. Irgendwo neben sich nahm sie Gabriellas Duft wahr. Irgendwo, vielleicht in ihrem Nacken, spürte sie die rauen Hände ihres Großvaters. Nach einer Ewigkeit wandte sie ihr Gesicht wieder dem Mann zu.

«Du sagst also, dass du uns lebend aus dieser Sache rausbringen kannst? Am besten erzählst du, wie.»

Der Mann ging erneut vor ihr in die Hocke. Dort, wo sie ihn mit ihrer Faust getroffen hatte, zeichnete sich bereits eine rote Stelle ab.

«Du hast eine ganz schön üble Rechte», bemerkte er mit einem leisen Lächeln auf den Lippen.

Etwas an diesem Lächeln kam ihr so vertraut vor, viel zu vertraut. So viele Fragen, die sie nicht stellen konnte. So viele Gedanken, die ihr durch den Kopf gingen und auf die Zukunft verschoben werden mussten.

«Was machen wir jetzt?»

«Zuerst muss ich mir ein Bild davon machen, was auf dem Laptop ist», sagte er. «Das ist eure Verhandlungsgrundlage.»

Er hielt einen Moment inne, bevor er fortfuhr. Es schien, als würde er einen unbestimmten Zweifel hegen.

«Mein Auftrag lautet, den Rechner zu sichern und mich zu vergewissern, dass ihr keine Kopien des Materials angefertigt habt. Meine Chefin hat mir die Befugnis erteilt, euch zu versichern, dass die Angelegenheit damit erledigt ist. Dass alles vorbei ist, wenn ihr den Laptop übergebt.»

Er sagte es auf eine seltsame Art, als schwankte er oder wäre unschlüssig. Als nagte etwas an ihm, das ihm keine Ruhe ließ.

«Aber ich vertraue meiner Chefin nicht», fügte er schließlich hinzu. «Ich vertraue niemandem. Wenn ihr ihnen den Rechner überlasst, bleibt euch nichts, um zu verhandeln. Und wenn ihr nichts zum Verhandeln habt, seid ihr rechtlos. So viele sind schon gestorben. Wenn ihr auch noch draufgeht, spielt das keine Rolle für sie. Beziehungsweise, natürlich spielt es eine Rolle, sie sind ja keine Ungeheuer. Aber das Risiko bei diesen Informationen ist zu groß. Wenn ihr nach allem, was ihr gesehen habt und was ihr wisst, euren einzigen Trumpf hergebt ...»

Er verstummte, drehte den Kopf zum Fenster. Etwas dort hatte seine Aufmerksamkeit gefesselt. So hockte er einen flüchtigen Moment da, bis er aufstand und erstaunlich schnell, fast graziös, den Raum durchquerte. Aus der Dufflebag neben der Tür zog er ein Maschinengewehr in Tarnfarben. Ein metallisches Geräusch erklang, als er ein Magazin einsetzte. Ein Klick, als er das Fernrohr darauf befestigte. Er schloss seine Jacke, zog die Kapuze hoch.

«Wartet hier. Und was immer ihr tut, haltet euch von den Fenstern fern.»

Mit diesen Worten öffnete er leise die Tür und verschwand in der Dunkelheit.

«Was geht hier vor?», flüsterte Gabriella. Sie umklammerte Klaras Hand fester.

«Er hat es auch gehört», meldete sich Klaras Großvater zu Wort. «Einen Motor. Es klingt, als würde sich ein Boot nähern.»

23. Dezember 2013
Sankt-Anna-Schärengarten, Schweden

Die See war rauer, als George die Klippe umfuhr, hinter der er Schutz gesucht hatte. Die Wellen wurden größer, peitschender. Er erhöhte die Geschwindigkeit und spürte, wie das kleine Boot vom Meer angehoben wurde. Das Geräusch der Schraube, die frei in der Luft schnurrte, ehe das Boot inmitten des nächsten Brechers wieder aufsetzte. Die allumfassende Dunkelheit.

George wurde von dem schwindelerregenden Gefühl gepackt, gleich die Kontrolle zu verlieren. Mit einem desperaten Ruck mit dem Handgelenk versetzte er den Motor in den Leerlauf. Das Wasser flutete über das Vorderdeck, das Boot stellte sich quer und wurde vom Unwetter zurückgeworfen. Das war noch schlimmer. Die Panik lag im Hinterhalt jeder neuen Attacke der Wellen. George drückte den Gasregler nach vorn, wartete darauf, dass das Manöver eine Wirkung zeigte, und riss das Ruder herum. Das Boot neigte sich, bewegte sich jedoch vorwärts.

Wenn er sich auf dem Wellenkamm befand, konnte er etwas erkennen, das vielleicht die Schäre war, auf der Klara sich befand. Ein schwacher, kaum wahrnehmbarer Lichtschein, der möglicherweise vom Fenster einer kleinen Hütte ausging. Mit jeder Welle kam er näher. In der Dunkelheit konnte er jedoch keine Details erkennen.

Bis die Insel auf einmal direkt vor ihm lag. Er legte den Rückwärtsgang ein und zog den Regler so fest zu sich heran, wie er konnte. Hörte den Rumpf über die Klippen schrammen. Merkte, wie der Motor in der wilden See vollkommen nutzlos wurde. Die Wellen rissen das Boot auf die Seite und pressten es gegen den kohlschwarzen Fels.

«Verdammt!», schrie George.

Das Boot wurde immer wieder gegen die Klippen geschleudert und durchgerüttelt. Das Kreischen des Schiffsschraubenstahls auf dem Granit gellte durch das Sturmtosen.

«Verdammt!»

Er ließ das Steuer los, warf sich auf den Boden, kroch auf allen vieren durch das eiskalte Wasser des Vorderdecks und spürte, wie die Klippen an dem Glasfiberrumpf schabten und zerrten. Es war nur eine Frage der Zeit, bis sie das Boot durchschnitten. Er schob ein Bein über die niedrige Reling, steckte seinen rechten Fuß in eine schäumende Welle, spürte die glatten Steine unter seiner Sohle. Eine unmenschliche Kälte. Um ihn herum nur schwarze, aufgepeitschte Wellen und Dunkelheit. Dann wurde das Boot von der Strömung aufs Wasser hinausgezogen, und er verlor den Halt, ehe die Brecher das Schiff erneut gegen die Klippen warfen.

Noch einmal gelang es ihm, seinen Fuß auf einen glitschigen Fels zu schwingen, er rutschte ab, konnte sich jedoch trotzdem halb über Bord hangeln. Während er sich krampfhaft an die Reling klammerte, schwang er seinen anderen Fuß aus dem Boot und ins Meer. Er spürte, wie seine Füße hilflos über die abfallenden Klippen glitten. Die Strömung riss das Boot erneut mit sich. George stemmte sich hoch und ins Wasser hinein, er stieß das Boot mit den Händen weg. Das Tosen der brechenden Wellen um ihn herum, das Pfeifen und Heulen des Sturms. Sein rechter Fuß fand auf einem ebenen Felsabsatz Halt. Er hechtete auf die Klippe, tastete und kratzte, um irgendetwas zu finden, das seine steifgefrorenen Finger greifen konnten. Spürte, wie der Fels durch die Handschuhe in seine Handflächen schnitt.

Er zappelte mit dem linken Fuß, bis dieser schließlich eine Kluft in der Wasserlinie fand. Flach auf dem Gestein liegend, drückte er sich nach oben. Die Hände tasteten weiter nach Halt. Das Boot donnerte nur eine Haaresbreite von ihm entfernt gegen den Fels.

Er hörte, wie sich die Steine in den Rumpf schnitten, und fühlte das schäumende Wasser an seinen Beinen, als er sich endlich am Fels festhalten und sich weiter die Klippe hinaufziehen konnte. Direkt unter ihm hatte das Boot nun leck geschlagen und wand sich, bereits halb mit Meerwasser gefüllt, in den Wogen.

Unter einem windgepeitschten Wacholderbusch legte George sich flach auf den Bauch und atmete tief durch. Er war am Leben. Viel mehr aber auch nicht. Er hob den Kopf, in Richtung der kleinen Hütte.

Nur um die winzige Hoffnung in ihm schon im nächsten Moment sterben zu sehen.

Vor ihm im Schnee hockten zwei schwarz gekleidete Männer. Dunkle Kleidung, schwarze Masken. In ihren Händen hielten sie kleine, effektive Maschinengewehre, deren Läufe direkt auf ihn zielten.

«George», sagte Josh. «Du siehst einfach beschissen aus.»

Das Boot kommt aus der falschen Richtung. Aus Norden, schräg gegen die Wellen. Im Nachtsichtgerät kann ich es erahnen, wenn es in den Wellentälern verschwindet und auf den Kämmen wieder auftaucht. Das Motorengeräusch ist durch den Sturm zu hören.

Das ist amateurhaft. Mehr noch. Es ist der reinste Irrsinn, Selbstmord. Wenn das Boot die Klippen erreicht, wird es daran zerschellen. Dass dies unsere Feinde sind, ist ausgeschlossen. Klaras Freund? Er kennt diese Insel, diesen Sturm. Niemals würde er sich aus diesem Winkel nähern.

Ich gehe in die Hocke. Der trockene Mund, das rastlose Herzklopfen. Das leise Verlangen nach einem Drink. Alles, wofür wir planen. Alle Strategien und langfristigen Ziele. All diese Abgrenzungen und Deckungen. Alles, was wir schaffen, um das Risiko zu mindern, es vorauszusehen. Und am Ende ist es das Unerwartete, das Unerklärliche, das vollkommen Unvorhersehbare, das uns vernichtet.

Irgendetwas liegt in der Luft. Mehr als nur Schnee und Sturm. Ich richte mein Nachtsichtgerät auf die Klippen, wo der alte Mann in der schlimmsten Phase des Sturms mühelos sein Boot festmachte. Ich sehe nur das Heck, der Rest liegt im Schutz des Felsens. Aber da ist noch mehr. Ein Schatten, eine Silhouette. Pontons oder ein Rumpf, vielleicht ein weiteres Boot? Sind unsere Feinde bereits hier?

Mein Herz schlägt schneller. Ich lege mich flach auf den Boden und robbe an der Klippe entlang, weg von dieser kleinen Hütte. Ich drücke das Maschinengewehr mit der rechten Hand an mich, bürste den weichen Schnee davon ab. Irgendwo nahe der Klippen höre ich das Geräusch eines Boots, das mit dem Granit kollidiert.

Höre jemanden zweimal hintereinander schreien. Wie einen Vogel im Sturm.

Ich krieche in einem Bogen vorwärts. Wenn unsere Feinde bereits hier sind, verfolgen auch sie die Ankunft dieses Bootes und warten ab, um zu sehen, was das Unvorhersehbare für sie bedeuten wird. Die kleine Schäre ist flach und gnadenlos. Nur einzelne größere Steine und ein paar Büsche bieten hier Schutz. Ich richte das Nachtsichtgerät dorthin, wo das Geräusch herkam, und sehe das Boot manövrierunfähig in den Wellen. Davor eine Person, die darum kämpft, die Klippen hinaufzugelangen. Jemand, der in dem Schneematsch klettert und rutscht.

«Wer bist du?», flüstere ich vor mich hin.

Der Mann findet Halt, hangelt sich von der Wasserlinie nach oben, in Sicherheit. Legt sich platt auf den Boden, vielleicht um Atem zu holen. Er sieht verfroren aus. Schiffbrüchig. Nach einem Moment hebt er das Gesicht und scheint zu erstarren. Er ist nur etwa zwanzig Meter von mir entfernt. Was sieht er, das ich nicht sehe? Ich lasse mein Fernglas die Klippe hinaufwandern. Einige vom Wetter mitgenommene Büsche. Eine Felsspalte. Eine Bewegung, mehrere Bewegungen. Meine Hand krampft sich um das Gewehr.

Etwas löst sich aus den Schatten. Eine schwarze Gestalt mit einer Maske. Windgebeugt, aber mit einer Waffe an der Schulter. Dahinter eine weitere Gestalt. Sind es nicht mehr? Es muss noch eine weitere Gruppe geben.

Aber in diesem Moment sind sie nur zu zweit. Das ist alles, was ich weiß. Und eine dritte, unbekannte Person. Ist dies meine Chance? Ist es unsere Chance zu überleben? Ich habe nur das Überraschungsmoment. Wäre der Mann mit dem Boot nicht gekommen, hätten sie uns in der Hütte überwältigt. Wie nutze ich diesen glücklichen Zufall am besten? Diese ewigen Kalkulationen. Berechnungen. Die Wahrscheinlichkeit.

Ich lege das Gewehr an die Schulter. Es ist so lange her, dass ich mich das letzte Mal in einer solchen Situation befand. Ich atme aus. Blinzle, um im Schnee klar zu sehen. Vor mir erhebt der schwarz gekleidete Mann seine Waffe gegen den anderen, der platt und hilflos auf der Klippe liegt. Der Schuss hallt zwischen den Klippen wider, sein Echo wird gedämpft und verschwindet im Sturm, im Schnee.

23. Dezember 2013
Sankt-Anna-Schärengarten, Schweden

George schloss die Augen. Lehnte den Kopf an den Fels, spürte die Nässe an seiner eiskalten Wange. Spürte, wie der Schnee über ihm wirbelte. Alles war vergebens. Alles. Es war zu spät.

«Gütiger Gott», flüsterte er. «Vergib mit. Vergib mir. Vergib mir.»

Er sah Klaras Gesicht vor sich. Dann Kirstens zertrümmerte Wangenknochen und Nase. Warum hatte er nicht schon früher etwas unternommen? Aus dem Augenwinkel sah er, wie Josh aufstand und auf ihn zuging. Das Gewehr im Anschlag. Er würde nicht denselben Fehler machen wie Kirsten.

«Du bist also aus dem Haus gekommen?», fragte Josh. «Unglaublich. Ich hätte nicht gedacht, dass du zu so etwas fähig bist. Was hast du mit Kirsten gemacht?»

George schwieg. Er hörte Joshs Stimme kaum. Nichts spielte eine Rolle. Nichts.

«Scheiß drauf», sagte Josh. «Wir haben jetzt keine Zeit, uns damit aufzuhalten. *Bye, bye*, George.»

Das Geräusch eines Schusses. Merkwürdig gedämpft im Sturm. Vom Wind zerrissen. Vor Georges Augen blitzte es. Er wartete auf den Schmerz. Auf das Licht, die Ruhe. Darauf, dass die Welt zu existieren aufhörte.

Doch alles, was er hörte, war der Sturm. Alles, was er spürte, war der Schnee an der einen Wange und das nasse Gestein an der anderen. Verwirrt öffnete er die Augen und drehte den Kopf in Joshs Richtung. Doch der stand nicht mehr da.

Stattdessen lag ein lebloser Körper auf der Klippe. Etwas Dunkles sickerte aus seinem Kopf in den Schnee. Blut. Der andere schwarz gekleidete Mann war zurück in die Deckung der Felsspalte gehechtet, wo sie sich versteckt haben mussten, als George die Klippe hinaufgekrochen war. George konnte sehen, dass der Mann sich die Hand ans Ohr hielt und etwas schrie. Vielleicht hatte er Funkkontakt mit Reiper.

Was war geschehen? Irgendjemand hatte geschossen. George blinzelte, rappelte sich auf alle viere hoch und kroch hinter einen Vorsprung. Um ihn herum erwachte die Welt wieder zum Leben.

Der andere Mann stand jetzt mit dem Rücken zu George und spähte über die Schäre, über den Rand der Klippe. George tastete in der Tasche des Ölmantels nach der Pistole, bis er sie endlich zu fassen bekam. Seine Hand war so kalt, dass er die Finger kaum zu bewegen vermochte und sie zwingen musste, den Schalldämpfer von Kirstens Pistole zu umgreifen. Die Waffe blieb im Futter der Tasche hängen, und George zerrte so heftig daran, dass der Stoff mit herausgezogen wurde und zerriss. Er fummelte an der Pistole herum, sie fiel ihm auf den Fels, er konnte sie jedoch rechtzeitig wieder fassen, ehe sie ins Wasser schlitterte. Die Waffe fühlte sich groß und klobig an. Unwirklich. Alles fühlte sich unwirklich an.

In der Dunkelheit konnte George den anderen Mann nur erahnen, obwohl er nicht mehr als zehn Meter entfernt stand. Wer war es? Chuck? Sean? Das waren ohnehin nicht ihre richtigen Namen. Der Mann schien sich hektisch in alle Richtungen umzusehen, als wäre er wegen des Schusses genauso verunsichert wie George. Die Pistole wog schwer in Georges Händen. Seine Finger waren schmerzhaft steif von der Kälte, als er wieder auf dem Boden lag und die Waffe auf die dunkle Silhouette richtete. Er schob alle Gedanken an Schuld, an die Konsequenzen beiseite. Hatte nur das eigene Überleben im Blick. Nur das. Und dann drückte er ab.

Ein, zwei, drei hustende Schüsse. Kaum hörbar im Sturm. Der Mann schrie auf, sackte hinter dem Stein, dem niedrigen Busch zusammen. Worte, die buchstabenweise vom Sturm verteilt wurden. Stöhnen und Verwünschungen.

Zitternd von Kälte und Schock, kroch George die Anhöhe hinauf, umrundete den Stein, wo der unbekannte Schütze in Deckung lag, in einem großen Bogen und ging auf die kleine Hütte zu.

23. Dezember 2013
Sankt-Anna-Schärengarten, Schweden

Am Ende ist es reiner Zufall. Die Banalität des Kampfes. Ich gehe in die Hocke. Richte mein Nachtsichtgerät auf die Klippen. Sehe den Körper, leblos im Schnee. Sehe, wie der Mann aus dem Meer auf dem Fels liegt, einen Schuss abfeuert und schließlich auf die Beine kommt. Er ist bewaffnet. Freund oder Feind. Zufall. Ich stehe ebenfalls auf, ducke mich jedoch, mache mich klein. Ich darf nicht zulassen, dass er bis zur Hütte gelangt. Dieses Risiko kann ich nicht eingehen. Ich laufe einige schnelle Schritte. Der Schnee unter meinen Füßen. Der Granit. Die Unruhe macht mich unvorsichtig.

Ich weiß es, noch ehe ich den Schmerz spüre. Wie ich es immer weiß. Wie ich es immer gewusst habe. Dass es das Band ist, das tötet. Dass es nicht die Lüge ist, sondern die Wahrheit, die unsere Existenz bedroht. Dann der Schmerz. Irgendwo in der Magengegend. Im Rücken. Intensiv und vollkommen tödlich. Und ich rutsche im Schnee auf dem Fels aus. Wirbele herum und falle. Dann erneut der Schmerz. In der Schulter, der Hand. Die Zeit endet.

So hört es auf.

Ich liege auf dem Rücken. Schnee fällt auf mein Gesicht. Ich öffne die Augen und sehe seinen Schatten, in der Hocke, neben mir. Die Narbe auf seiner Wange leuchtet in der Dunkelheit. Das Gewehr ruht auf seinen Knien. Er wirkt nicht einmal verwundert.

«Ich dachte, du wärst hinter den Schreibtisch verbannt worden?», sagt er.

Ich antworte nicht. Spüre, wie mein Mund sich mit Blut füllt. Spucke neben mir aus. Ich wusste, dass er es war. Auch wenn

Susan seinen Namen, oder einen seiner Namen, nicht aussprechen wollte. Wir mustern einander. Wir sind noch immer in Kurdistan, in Afghanistan. So hört es auf.

«Susan hat dich geschickt?», fragt er.

Ich schweige.

«Du hast einen meiner Männer erschossen», sagt er.

Nichts mehr zu verlieren. Nichts zu gewinnen. Ich nicke. Spucke Blut, während mein Mund sich von neuem füllt. Ich lasse es über meine Lippen rinnen.

«Es ist nicht nötig», sage ich.

Meine Stimme ist dumpf, rasselnd, so voller Blut und Tod, dass ich mich kaum selbst verstehen kann. Er jedoch ist es gewohnt, die Bekenntnisse von Sterbenden entgegenzunehmen. Er beugt sich vor.

«Was?», fragt er.

Mein Körper ist so schwer. So schwer, dass er durch den Schnee sinkt, durch den Fels. Gleichzeitig ist er so leicht. So leicht, dass ich, wenn ich die Augen schließe, emporwirble, mit dem Schnee eins werde, mit dem Sturm. Verschwinde. Leichter als die Flocken, leichter als der Wind. Ein Körper, gefüllt mit Helium. Ein Körper, gefüllt mit Blei. Über der dunklen Wolkendecke ist der Himmel blassblau. Ich habe in jede meiner Waagschalen die Flucht gelegt. Und jetzt ist es zu spät. Es bleibt nichts übrig, was meine Seele noch retten könnte.

Als ich die Augen erneut öffne, ist er dabei, wieder aufzustehen. In der Dunkelheit wirkt er riesig. Ich bin jetzt unbedeutend. Nicht Teil seines Auftrags. Ein Zufall. Etwas Unvorhersehbares, das er in den Griff bekommen hat und jetzt zurücklässt. Ich huste. Zwinge die Worte durch das Blut hindurch hervor.

«Sie braucht nicht zu sterben.»

Dieser Satz bedeutet eine übermenschliche Anstrengung. Ich

ertrinke in meinem eigenen Blut. Irgendwo in weiter Ferne höre ich seine Stimme.

«Du hast dich nicht verändert», sagt er. «Das war schon immer dein Problem. Dein blutendes Herz.»

Ich zwinge meinen Kopf zur Seite, um ihn anschauen zu können. Es ist so unerhört schwer, die Augen zu öffnen. Im selben Moment höre ich den Knall. Dumpf und begrenzt wie eine kontrollierte Explosion. In einem merkwürdigen, kalten Licht sehe ich, wie er vom Boden abhebt. Sehe ihn durch den Sturm segeln, für einen Augenblick schwerelos. Sehe ihn im Schnee landen, ausgebreitet, still.

23. Dezember 2013
Sankt-Anna-Schärengarten, Schweden

«Zieh diese Regensachen an», sagte Klara, nahm ein Bündel alte, nach Terpentin riechende gelbe Ölkleidung aus einer alten Holzkiste an der Tür und warf sie Gabriella zu. Selbst war sie in Sturmhosen und Stiefel geschlüpft, die so groß waren, dass sie wie ein kleines Kind darin aussah. Gabriella wickelte das Bündel aus und begann die abgetragenen Hosen anzuziehen.

«Das ist definitiv ein Boot», bemerkte Klaras Großvater.

Entgegen dem Rat des Amerikaners kniete er vor dem Fenster und sah hinaus in die Nacht. Das Geräusch des näherkommenden Bootes wurde immer stärker.

«Weiß der Geier, welcher Irre da mit Wind aus Achtern herkommt.»

Klaras Großvater drehte sich um und musterte seine Enkelin, die dabei war, ihren Regenmantel zu schließen. Die Kapuze hatte sie schon tief in die Stirn gezogen.

«Was hast du vor, Klara? Du willst doch wohl nicht unserem amerikanischen Freund folgen?»

Klara krempelte die zu langen Ärmel hoch. Dann öffnete sie die Schachtel mit den Schrotpatronen, nahm eine Handvoll heraus und stopfte sie sich in die Taschen.

«Ich weiß nicht. Aber wir halten uns am besten bereit. Ich habe das Gefühl, dass wir darauf gefasst sein müssen, Hals über Kopf von hier zu verschwinden.»

Sie klappte den Lauf des Gewehres vom Kolben und überprüfte, ob es immer noch geladen war, drehte sich zu ihrem Großvater um und zögerte kurz.

«Opa», sagte sie schließlich. «Du hast beteuert, dass du dir sicher bist, dass dieser Mann Mama kannte.»

Klaras Großvater wandte sich zu ihr um. Er wirkte mitgenommen. Das Motorengeräusch draußen war trotz des Sturms immer deutlicher zu hören.

«Was hat dich so sicher gemacht?»

Bevor Klaras Großvater antworten konnte, hörten sie ein lautes Krachen und Kreischen unterhalb des Hauses. Klaras Großvater drehte sich erneut zum Fenster. Zwei kurze Aufschreie wurden laut, vielleicht Flüche.

«Was war das?», flüsterte Gabriella.

«Das Boot hat die Klippen gerammt», erklärte Klaras Großvater.

Reflexartig geduckt, schlich auch Gabriella zum Fenster. Sie sah das Schneetreiben, erahnte die nächsten Sträucher. Eine Klippe. Eine Bewegung an der Wasserkante, aber vielleicht war das nur Einbildung. Hörte den abflauenden, doch immer noch heulenden Wind. Das Geräusch des gegen die Klippen schlagenden Bootes. Und vielleicht Stimmfetzen. Da hallte ein dumpfer Knall durch den Sturm.

«Was war das?», fragte Gabriella erschrocken. Ihr Puls hämmerte in ihrer Brust.

Eine Stimme schrie auf und verstummte wieder. Als Gabriella sich zu Klara umdrehen wollte, sah sie nur noch die Tür zufallen.

23. Dezember 2013
Sankt-Anna-Schärengarten, Schweden

Der Sturm hatte nachgelassen, aber das Schneetreiben war noch dichter geworden. Klara stand mit dem Rücken an der Hauswand. Die Schrotflinte lag kalt in ihren Händen. Die Gedanken jagten mit ihrem Herz um die Wette. Was ging da vor? Vorsichtig nahm sie die kleine Taschenlampe heraus, die sie in der Küche gefunden hatte.

Da hörte sie es, gedämpft vom Wind und Schnee. Schnelle Schritte, gefolgt von einem scharrenden Geräusch und einem dumpfen Rums. Als wäre jemand auf den Klippen gestürzt. Sie suchte mit einem Knie auf dem Boden Halt, den Kolben an die Schulter gedrückt. Den Lauf und die Taschenlampe hielt sie in der linken Hand. Jemand hustete, röchelte, spuckte. Ein Geräusch, das wie eine Stimme klang. Einen Steinwurf entfernt, nicht weiter. Hinter dem Giebel. Dann eine andere Stimme. Angestrengt, flüsternd. Nur Bruchstücke. Klara atmete aus. Atmete ein. Setzte alles auf eine Karte.

Im selben Moment, als sie die Taschenlampe einschaltete, wirbelte sie um die Hausecke und ging sofort wieder in die Hocke, ein Knie in den Schnee, gegen das Felsgestein gestemmt. Den Kolben an der Schulter, den Lauf und den Lichtkegel der Taschenlampe direkt auf die Stelle gerichtet, von der die Geräusche gekommen waren. Die Zeit stand still.

Der Lichtschein fing drei Menschen ein. Zwei schwarz gekleidete Männer. Einer saß in der Hocke, der andere stand. Auf dem Boden lag der Amerikaner. Dunkles Blut zeichnete sich auf dem weißen Schnee ab.

Jemand sagte etwas. Alle Geräusche schienen verzögert, in die Länge gezogen, ergaben keinen Sinn. Der stehende Mann hob geblendet vom Licht der Taschenlampe die Hand. Auch er bewegte sich langsam, wie in Zeitlupe. Sie nahm den hockenden Mann neben dem Amerikaner ins Visier. Sein Gesicht. Seine Narbe. Die spärlichen grauen Haare, die unter einer schwarzen Mütze hervorschauten. Im Licht funkelnde Augen.

Es dauerte eine Ewigkeit, bis der Mann mit der Narbe sein kleines Maschinengewehr auf sie richtete. Eine Ewigkeit, bis der andere Mann seine Waffe erhob. Klara drückte ab und wurde vom Rückstoß zurückgeworfen.

Dann setzte die Zeit wieder ein. Der Knall des Gewehres war ohrenbetäubend. Der Mann mit der Narbe flog rückwärts über den schneebedeckten Fels und landete ausgestreckt neben einem einsamen nackten Wacholderstrauch.

Schräg hinter sich hörte Klara ein mechanisches Husten. Dreimal, viermal, fünfmal, gefolgt von einem Klicken. Als sie den Blick wieder auf die Szenerie vor sich richtete, lag der Mann, der gerade noch gestanden hatte, rücklings im Schnee. Hinter sich vernahm Klara Atemzüge. Ein leises Wimmern. Stolpernde Schritte auf dem schneebedeckten Fels. Vorsichtig drehte sie sich in die Richtung des Geräuschs, zum Haus. Ließ die Taschenlampe an der Fassade entlangschweifen, bis sie schließlich ein seltsames Geschöpf einfing. Es war groß und dünn. Hohläugig. Sein Gesicht bedeckten Abschürfungen, Wunden und sich lösende Pflaster. Seine Lippen waren blau vor Kälte. In der Hand hielt der Mann eine dunkelgraue Pistole, an deren Lauf ein langer Zylinder saß. Er ließ die Pistole in den Schnee fallen und stützte sich an der Hauswand ab. Schloss die Augen. Brach im Schnee zusammen. Sein Rücken rutschte an der Hauswand hinunter.

Klara schwenkte den Lauf ihrer Flinte. Wusste nicht, wohin sie ihn richten sollte. «Wer sind Sie?», fragte sie.

Unentschlossen nahm sie den Mann ins Visier. Ihr war nicht

mehr klar, wo oben und unten war, wer Freund oder Feind. Sie lehnte sich vor. Etwas an dem geschundenen Gesicht kam ihr bekannt vor.

Als sie einen Schritt auf ihn zumachte, hob der Mann abwehrend die Hände.

«George», sagte er. «George Lööw.»

Klara blieb stehen, schüttelte den Kopf. Ihre Ohren waren noch taub von den Schüssen. Ungehindert peitschte ihr der Wind Schnee ins Gesicht. George Lööw? Hatte er wirklich George Lööw gesagt?

«Wo zum Teufel kommst du denn her?», fragte sie.

George zuckte nur die Schultern und starrte leer und idiotisch vor sich hin. Klara zögerte. Dann wandte sie sich zu dem Amerikaner um, der noch immer im Schnee lag.

«Alles okay?», rief sie George über die Schulter zu, während sie zu dem Amerikaner hinüberlief.

«Ja, alles okay. Glaube ich jedenfalls.»

Georges Stimme klang völlig ausdruckslos.

Klara beugte sich über den Amerikaner, ließ den Lichtkegel der Taschenlampe über ihn gleiten. Blut, viel zu viel Blut. Seine Augen waren geschlossen, aber seine Lippen bewegten sich kaum sichtbar. Blut rann aus seinem Mundwinkel. Klara legte ihr Ohr an seinen Mund, roch das Blut, den Gestank von Tod, nichts als Tod.

«Ich konnte dich nicht beschützen.»

Die Stimme des Mannes war schwach, so undeutlich.

«Gib ihnen nicht, was sie wollen. Du kannst ihnen nicht vertrauen.»

Klara kämpfte gegen den Horror, das Weinen an.

«Das wird schon wieder in Ordnung kommen.»

Mehr konnte sie nicht sagen. Es war bedeutungslos. Nichts würde wieder in Ordnung kommen.

«Deine Mutter», flüsterte der Amerikaner. «Sie hat dich über alles geliebt.»

Dann nur noch Schweigen. Wind und Schnee. Klara griff nach seiner Hand, die er zur Faust geballt hatte. Sie war kalt, gleich würde sie tot sein. Sein Mund öffnete sich. In seine Augen trat ein leerer, gläserner Ausdruck. Klara öffnete mühsam seine Faust, um seine Hand halten zu können. Etwas fiel ihm aus den Fingern in den Schnee, ins Blut. Sie tastete danach. Das Silber des Amuletts war noch überraschend warm. Mit steifen Fingern öffnete sie den kleinen Verschluss.

23. Dezember 2013
Sankt-Anna-Schärengarten, Schweden

George setzte sich auf dem Vorderdeck des offenen, kleinen Bootes auf und sah sich um. Die Nacht war noch immer stockfinster. Der Sturm hatte sich beruhigt, aber das Boot schaukelte und hüpfte in der Dünung. Er konnte sich nur vage daran erinnern, wie er hierhergelangt war. Eindrücke, ein Traum. Seit er mit dem anderen Boot an den Klippen Schiffbruch erlitten hatte, erinnerte er sich nur noch an vereinzelte, bruchstückhafte Bilder von Schrecken und Kälte. Er registrierte, dass er trockene Kleider trug. Über seinen Schultern und Beinen lagen zwei riesige Decken. Er fror noch immer, aber nicht mehr so grenzenlos wie zuvor.

«Na, du scheinst immerhin zu leben.»

George drehte sich um. Klara saß neben ihm am Deck, an den Steuerstand gelehnt. In der Dunkelheit sah es so aus, als trüge sie noch immer dasselbe gelbe Regenzeug, an das er sich aus einer Zeit erinnerte, von der er den Eindruck hatte, sie läge Tage zurück. George nickte.

«Wo sind wir?»

Er schrie seine Frage, um den Wind und den Bootsmotor zu übertönen. Der Schnee tanzte um sie herum und mischte sich mit den Erinnerungen, die vor seinen Augen aufblitzten. Pistolenmündungen. Kirstens misshandeltes Gesicht. Die Kälte auf den Klippen. Die Pistole, die in seinen Händen zitterte. Der hustende Laut der Schüsse, die er abgefeuert hatte. Er verdrängte den Gedanken an die Konsequenzen seiner Handlungen. Die zusammensackenden Körper. Er schüttelte den Kopf.

«Auf dem Boot meines Großvaters», antwortete Klara. Sie beugte sich näher zu ihm, damit sie nicht zu schreien brauchte. «Du warst ziemlich fertig. Mein Großvater hatte zusätzliche Klamotten dabei, die er dir geliehen hat. Dann bist du hier an Deck eine Weile eingeschlafen. Erinnerst du dich gar nicht?»

Er schüttelte den Kopf. «Was wird jetzt passieren?», fragte er.

Klara zuckte die Schultern. «Ich weiß nicht», sagte sie. «Du hast jedenfalls einiges zu erklären.»

George wandte sich ihr zu, jetzt trafen ihn die unwirklichen Ereignisse der letzten Woche mit ganzer Kraft. Er vergrub sein Gesicht in den Händen.

«Entschuldige», sagte er. «Bitte entschuldige.»

«Entschuldige?», fragte Klara. «Es scheint ganz so, als hättest du mir das Leben gerettet. Uns allen. Wärst du da draußen nicht mit dem Boot aufgetaucht, wären wir alle hingerichtet worden, würde ich meinen.»

George schüttelte den Kopf. Er zog die Decke fester um seinen Körper und sah Klara an. In der Dunkelheit war ihr Gesicht kaum zu erkennen.

«Da ist noch viel mehr als das», erklärte er. «Wenn ich nicht gewesen wäre, dann wärst du nie in diese Sache hineingeraten. Ich habe mit ihnen zusammengearbeitet, mit den Amerikanern. Ich habe die Wanzen in deinem Büro installiert, ich habe ...»

«... die SMS in Paris geschickt?», fiel Klara ihm ins Wort.

George nickte. «Ja, das auch. Aber du ahnst ja nicht, was ich dir angetan habe. Und mir selbst.»

Klara spuckte über die Reling. «Das ist jetzt unwichtig», sagte sie. «Was geschehen ist, ist geschehen. Aber wir müssen immer noch einen Weg finden, wieder aus dieser Sache herauszukommen.»

Eine Silhouette löste sich aus der Dunkelheit des Hecks und kam auf sie zu. Eine zweite junge Frau in viel zu großem, gelbem Ölzeug. George drehte sich um und sah in unmittelbarer Nähe einen älteren Mann im Steuerstand hinter dem Ruder sitzen. Der Mann hob seine Hand zum Gruß. Im Dunkeln wirkte es, als ob er lächelte.

«Du bist also wieder zu Kräften gekommen?», fragte die Frau George.

«Scheint so», brummelte er.

Sie hielt sich mit der einen Hand an der Reling fest und setzte sich vor ihn auf die Planken.

«Ich heiße Gabriella», sagte sie. «Und ich bin mit Klara befreundet und derzeit auch ihre Anwältin. Ehe wir weiterreden, würde ich dir vorschlagen, dass du dich auch von mir vertreten lässt.»

Ein kleines Lächeln bahnte sich seinen Weg durch all die Verwirrung und all den Stress und trat auf Georges Lippen.

«Ihr Anwälte. Alte Geier. Ihr verpasst keine Gelegenheit, eure Dienste zu verkaufen.»

In der Dunkelheit war er sich nicht sicher, aber es sah so aus, als würde Gabriella sein Lächeln erwidern.

«Mein Honorar ist ziemlich erschwinglich. Für euch sogar *pro bono*», sagte sie. «Aber Klara und du, ihr braucht jemanden, der euch vertritt. Und mich als Anwältin kann niemand dazu zwingen, euren Aufenthaltsort preiszugeben und andere Dinge. Unser Plan ist es jetzt, dass Klaras Großvater euch in einen anderen Unterschlupf bringt. Ich habe einen Kontakt bei der Säpo, mit dem ich diese Sache zu klären versuche. Ist das für dich in Ordnung?»

George nickte. «Was bleibt mir schon für eine andere Wahl?», fragte er.

«Gut», erwiderte Gabriella. «Die Formalitäten klären wir später. Ich weiß, dass es spät ist und du Unglaubliches durchgemacht hast, aber ich muss dich trotzdem bitten, alles zu erzählen, was du über die Personen weißt, die Klara gejagt haben. Es ist wahrscheinlich, dass sie, und du vielleicht auch, also ihr beide wegen zahlloser Delikte angeklagt werdet. Sie könnten sogar damit drohen, euch in die USA auszuliefern oder was auch immer. Momentan scheint es so, als wären die Informationen, die ihr habt, eure einzige Chance, aus der Sache herauszukommen.»

George räusperte sich und wandte sich wieder Klara zu. «Was weißt du, Klara?», fragte er. «Was steckt hinter alldem?»

Gabriella legte die Hand auf Klaras Schulter, ehe diese antworten konnte. «Glaube mir, George», sagte sie. «Momentan ist es besser, wenn du nicht alle Details kennst. Aber wenn ich euch in diesem Fall helfen soll, muss ich alles wissen.»

George nickte. Er zog eine Hand unter seiner Decke hervor und wischte sich den geschmolzenen Schnee von den Wangen, ehe er sich Gabriella zuwandte.

«Okay», sagte er laut genug, um den Motor und die See zu übertönen. «Es war folgendermaßen.»

Und dann begann er zu erzählen. Von Reiper. Von Merchant & Taylor und dem Abendessen im Comme chez Soi. Von dem Haus in der Avenue Molière und der Nacht, in der Reiper ihn durch Erpressung zur Zusammenarbeit zwang. Er erzählte von seiner Zeit bei Gottlieb und der Vereinbarung, in deren Besitz Reiper plötzlich war. Von dem Einbruch in Klaras Büro und von Kirsten und Josh. Von dem Privatflugzeug und dem Haus in Arkösund. Vom Gespräch mit der Notrufzentrale. Und wie er fast abgeknallt worden wäre, aber stattdessen Kirsten überwältigt hatte. Er erzählte von dieser ganzen grausamen Nacht, die so fern schien, aber trotzdem noch nicht vorüber war.

Gabriella unterbrach ihn regelmäßig und bat um Details und Wiederholungen, um Namen und um den Zeitpunkt seines Anrufs bei der Notrufzentrale. Wie eine echte, hartnäckige Anwältin.

Als er alle Details genannt hatte, spürte er eine merkwürdige Ruhe. Zum ersten Mal, seit all das begonnen hatte, war er nicht mehr allein. Sie saßen eine Weile schweigend da und lauschten dem Motor und dem Meer. Der Schnee rieselte auf ihre Wangen.

Nach einer Weile räusperte sich George. «Was auf der Insel passiert ist», begann er. «Reiper und Josh und die ganze Bande. Sind sie tot?»

«Wir sind nicht dort geblieben, um das nachzuprüfen», sagte Klara. «Aber ich hoffe es inständig.»

Einige Minuten später drosselte der alte Mann die Geschwindigkeit und beugte sich über den Steuerstand.

«Klara», schrie er. «Wir sind fast da. Seid ihr bereit?»

Klara nickte und wandte sich George zu. «Gabriella steigt hier in ein anderes Boot um», erklärte sie. «Du bleibst bei mir, okay?»

George nickte. «*Sure*», sagte er. «Es ist ja nicht gerade so, als hätte ich andere Pläne. Wohin fahren wir?»

Klara schielte zu Gabriella hinüber, die den Kopf schüttelte.

«Besprecht das, wenn ich weg bin», sagte sie. «Es ist besser, wenn ich nicht weiß, wo ihr euch aufhaltet.»

Der alte Mann steuerte das Boot in den Windschutz einiger dunkler Inseln. Die See war hier merkwürdig ruhig, ein radikaler Unterschied zum früheren Abend. Irgendwo in der Ferne blinkte plötzlich ein einsames kleines, aber starkes Licht. Georges Herz machte einen Satz.

«Da!», zischte er und kam auf die Knie, um darauf zu deuten. Die Decke glitt von seinen Schultern herab, ohne dass er es bemerkte. «Da ist jemand. Ein Lichtschein!»

Klara nahm seine Hand und zog ihn wieder auf die Planken. «Alles in Ordnung», sagte sie. «Das ist nur unser Signal.»

Sie hob eine viereckige und ziemlich ramponierte Morselampe hoch und schickte einige kurze Signale als Antwort. Der alte Mann hatte bereits Kurs auf das blinkende Licht genommen.

Als Klara mit ihrem Morseaustausch fertig war, kroch sie in den Bug und kramte das Tau hervor. Kurz darauf lagen sie Seite an

Seite mit einem alten Arbeitsschiff, das eindeutig schon bessere Tage gesehen hatte. Ein riesiger Mann im Sturmanzug und mit einem kahlen Schädel stand auf dem Vorderdeck.

«Klara!», rief er. «Deibel auch. Wie isses euch ergangen?»

«Alles in Ordnung», antwortete Klara. «Aber momentan ist es wohl besser, wenn wir nicht darüber sprechen. Gabriella kommt zu dir rüber, in Ordnung?»

«Klar», sagte der Riese. «Aber wohin verschlägt's euch jetzt?»

Er sprach einen so ausgeprägten Dialekt, dass George sich anstrengen musste, ihn zu verstehen. Östgötska? Nannte man das so?

«Auch das, Bosse, sollten wir lieber später besprechen. Gabriella muss so schnell und so unauffällig wie möglich nach Stockholm. Kriegst du das hin?»

Der Riese gluckste, beugte sich über die Reling und packte Gabriella an den Hüften. Mit einem schnellen Schwung hatte er sie auf sein eigenes Boot gehoben.

«Unauffällig?», fragte er. «Das is meine Melodie, das weißte doch, Klara. Hallo noch mal, übrigens, Gabriella.»

«Hallo», antwortete diese.

Klara hob eine kleine Computertasche hoch und reichte sie Gabriella.

«Na dann», sagte Gabriella. «Ich melde mich, sobald es geht.»

«Nicht so schnell», sagte der Riese. «Ich hab auch was, was ich euch geben muss. Die is stur wie die Sünde.»

Aus der Ruderhütte kam eine ältere Dame mit langem, fast weißem Haar, das sie zum Pferdeschwanz gebunden hatte. Sie tätschelte Gabriella die Wange.

«Wie geht es dir, Gabriella?», fragte sie.

Gabriella nickte und umarmte die Frau. «Ganz okay», antwortete sie. «Es wird alles gut werden.»

«Das ist schön», erwiderte die Dame. «Sei vorsichtig, kleine Freundin.»

Sie hielt einen Korb in der Hand, den sie Klara überreichte, ehe sie unerwartet leichtfüßig zu ihr ins Boot hinüberkletterte.

«Meine kleine Klaraprinzessin», sagte sie. «Du hast doch wohl nicht geglaubt, ich würde zulassen, dass ihr Weihnachten ohne mich feiert? Ich habe das Wichtigste an Weihnachtsproviant mitgenommen. Nur ein bisschen Heringssalat, Schinken und Würzbrot. Und Opas Weihnachtsschnaps natürlich.»

«Wie gut, dass du den nicht vergessen hast!», sagte der alte Mann.

George sah, wie Klara vorsichtig den Korb auf den Planken abstellte, ehe sie aufstand und der alten Dame um den Hals fiel.

«Oma», schluchzte sie. «Liebste Oma.»

23. Dezember 2013
Norra Rimnö, Schweden

Klara zog die weiche, offenbar neue Wolldecke bis zum Kinn und legte ihren Kopf auf den Schoß ihrer Großmutter. Das weiße Sofa war so gemütlich, und die Wärme des Kaminfeuers brachte ihre Wangen zum Glühen. Die angenehm trockenen Hände ihrer Großmutter streichelten ihr über die Stirn und das Haar.

George war in eines der drei kleinen Schlafzimmer getaumelt und sofort eingeschlafen, nachdem sie das Bootshaus am Ostufer von Norra Rimnö erreicht hatten. Klaras Großmutter hatte eine weitere anschmiegsame Wolldecke um ihn festgestopft und leise die Tür geschlossen.

Das große Bootshaus gehörte eigentlich einer Familie aus Stockholm, die es vor ein paar Jahren gekauft und viel Mühe und offensichtlich eine große Summe Geld darauf verwendet hatte, das Obergeschoss zu einer Wohnung im «New-England-Stil» umzugestalten. Weiß verputzte Wände, marineblaue Kissen und Decken von Lexington. An einer Wand hingen ein paar Ruder über Kreuz. Fehlte nur noch ein Bild der Kennedys. Hätte Klara sich nicht noch immer in einem leichten Schockzustand befunden, hätte sie sich bei diesem Anblick übergeben müssen.

Ein Freund ihres Großvaters hatte die Schlüssel zum Haus bekommen, um in den fünfzig Wochen des Jahres, in denen die Familie nicht im Schärengarten weilte, ein Auge darauf zu haben. Jetzt war es, trotz seiner Einrichtung, ein perfektes Versteck, bis ... Ja, bis was? Klara hatte keine Kraft, einen Gedanken zu fassen. Keine Kraft, darüber nachzudenken, was passiert war und wie es ausgehen würde. Sie wollte einfach nur auf diesem herrlichen Sofa, in dieser herrlichen Wärme liegen und sich von ihrer Großmutter sanft die Stirn streicheln lassen. Wenn das

Leben nichts als diesen Moment bereithielte, wäre sie wunschlos glücklich.

Trotzdem konnte sie nicht einschlafen, sich nicht entspannen, ihre Unruhe und die unzähligen Fragen noch nicht einmal vorübergehend beiseiteschieben. Diese letzte Woche war einfach zu viel gewesen. Alles hatte sich für immer verändert. Alles war zu Lüge und Tod geworden. Unfassbar große Geheimnisse hatten sich aufgetan. Und dann der Amerikaner. Ihr Herz fing erneut an zu rasen. Es war zu viel.

Vorsichtig öffnete sie die Augen und löste sich aus der Umarmung ihrer Großmutter. Die Decke rutschte zu Boden, als sie sich auf dem Sofa aufsetzte.

«Oma?», sagte sie.

Ihre Großmutter sah sie an. Der Raum lag im Dunkeln, aber ihre helle Haut schien im Feuerschein des Kamins wie von innen heraus erleuchtet.

«Ja, Klara?»

«Der Amerikaner. Wie konnte Opa sich so sicher sein, dass er Mama gekannt hat? Weil er das Amulett hatte? Ich meine, das hätte er ja von wer weiß wem bekommen können.»

Klaras Großmutter entgegnete nichts, erhob sich nur lautlos wie eine Katze vom Sofa, ging zu dem Korb mit dem Weihnachtsmahl, den sie mitgebracht hatte, und zog einen alten vergilbten Briefumschlag hervor.

Sie nahm wieder neben Klara Platz und fasste ihre Hand. Legte das Kuvert sachte in ihre andere.

«Klara. Liebe Klara», sagte sie.

Ihre Großmutter atmete tief ein. Diese Augen, dachte Klara bei sich, diese Augen verbergen nichts.

Langsam ließ sie die Hand ihrer Großmutter los und öffnete den Umschlag. Ein einzelnes Farbfoto lag darin. Es war ganz steif und blank, als wäre es gerade erst entwickelt worden oder eingeschweißt gewesen. Klara schluckte.

Das Foto war überbelichtet, badete in Licht, und zeigte einen Mann, der im Schatten eines großen Balkons, einer Terrasse saß. In seinen Armen hielt er einen Säugling, der in eine hellblaue Strickdecke gewickelt war. Er blinzelte gegen die gleißende Sonne und schien eine Hand heben zu wollen, um sein Gesicht zu beschatten. Aber der Fotograf war schneller gewesen als er.

Er hatte dichte, dunkle Haare. Olivfarbene Haut. Eine gekräuselte Oberlippe und hohe, energische Wangenknochen, die ihn einerseits sensibel, andererseits autoritär wirken ließen. Auf dem Tisch vor ihm stand ein halbvoller Aschenbecher, daneben eine rote Zigarettenschachtel mit russischer Aufschrift. Im Hintergrund waren graue und sandfarbene Mietshäuser zu erkennen, die in dem grellen Sonnenlicht beinahe durchsichtig aussahen.

Zweifellos war die Person auf dem Foto eine jüngere Ausgabe des Mannes, dessen Hand Klara auf der Insel gehalten hatte, als er im Sterben lag.

Klara sah zu ihrer Großmutter auf. Ihr fehlten die Worte.

«Dreh das Bild um», sagte die.

Klara zögerte, mit einem Mal unsicher, ob sie wirklich mehr erfahren wollte. Ob ihr Herz noch mehr ertrug.

Schließlich drehte sie das Foto um. Ein Satz, geschrieben in gestochen klarer Handschrift:

«Klara und ihr Vater, Damaskus, 25. Juni 1980.»

24. Dezember 2013
Stockholm, Schweden

Gabriella verließ die U-Bahn am Östermalmstorg. Bosse hatte eine Mitfahrgelegenheit nach Stockholm für sie arrangiert. «Unauffällig», wie er gesagt hatte. Irgendwo schlug eine Kirchenuhr. Adventskerzenständer in den Fenstern, Girlanden und Weihnachtsschmuck. Eine dünne Schneeschicht. Es erschien wie eine andere Welt. Eine Welt, in der alles still war, leise, dezent erleuchtet, und in der Tod und Konflikte keinen Platz hatten.

Bis auf ein einsames Taxi waren die Straßen leer. «Frohe Weihnachten», wünschte ihr der Taxifahrer, als sie auf den Rücksitz sprang.

Um Gottes willen, es war tatsächlich Heiligabend! Gabriella nickte nur und gab ihm die Adresse.

Das Taxi brauchte noch nicht einmal zehn Minuten bis nach Djursholm. Auf der gesamten Strecke kamen ihnen nur sieben Fahrzeuge und ein einzelner Bus entgegen. Vielleicht war dies ja der einzige Zeitpunkt im ganzen Jahr, wo es überall menschenleer war? Um kurz nach sieben Uhr früh an Heiligabend. Gabriella bezahlte und murmelte «Frohe Weihnachten», weil sie den Eindruck hatte, dass der Fahrer sie sonst nicht aussteigen lassen würde. Die Straßen waren nicht geräumt, und der Wagen hinterließ eine einsame Reifenspur im frischgefallenen Schnee, als er sich beinahe lautlos auf dem Strandvägen entfernte.

Hatte Wimans Villa bei ihrem letzten Besuch vor ein paar Tagen protzig gewirkt, erschien sie nun geradezu lächerlich anheimelnd. Eine dicke Schicht flaumigen einladenden Neuschnees bedeckte die gepflegte Hecke, den Rasen und den Weg zum Hauseingang. Als sie vorsichtig das Gartentor öffnete, fiel Schnee auf ihre Hände.

Er war so leicht und rein wie Luft. Die Fassadenbeleuchtung zur Straße war angeschaltet, aber die Fenster mit den symmetrisch aufgehängten Adventssternen lagen im Dunkeln.

Gabriella war ruhig, konzentriert. Sie registrierte ihre Umgebung, war aber vollkommen auf ihre Aufgabe fokussiert. Es gab kein Zurück. Keine Alternative. Jetzt kam es darauf an.

Die Fenster an der Schmalseite des Hauses waren warm erleuchtet. Die Küche und eines der Wohnzimmer, vermutete Gabriella. Der Schnee knirschte unter ihren Füßen, als sie die Treppenstufen hochstieg und an der Tür klingelte. Fast augenblicklich wurde sie weit geöffnet. Ein kleines Mädchen von etwa fünf Jahren mit langen blonden Haaren und einem rosafarbenen Nachthemd stand in der sanft erhellten Diele.

«Wer bist du?», fragte das Mädchen.

«Ich heiße Gabriella», antwortete Gabriella. «Ist dein ... Opa zu Hause?»

«Opa ist noch nicht angezogen.»

Das Mädchen machte keinerlei Anstalten, nach einem Erwachsenen zu rufen oder Gabriella hereinzulassen. «Weißt du, dass heute Heiligabend ist?», fragte es.

«Ja, ich weiß. Aber ich muss wirklich mit deinem Opa sprechen.»

«Ich bin schon seit fünf Uhr wach. Willst du wissen, woher ich das weiß? Ich weiß es, weil eine Uhr in meinem Weihnachtsstrumpf gesteckt hat. Willst du sie sehen?»

Sie streckte ihr Handgelenk vor, an dem tatsächlich eine kleine rote Plastikuhr saß.

«Maria?», rief eine Gabriella bekannte Stimme aus dem Hausinneren. «Hast du an der Tür geklingelt, Maria?»

«Hier ist eine Frau mit roten Haaren», antwortete Maria.

In der Diele hinter dem kleinen Mädchen sah Gabriella einen Mann näher kommen, bei dem es sich um Wiman handeln musste.

Er war nur schwer wiederzuerkennen. Seine Haare waren nicht streng zurückgekämmt, sondern zerzaust und überraschend grau. Statt seiner strengen, feinen Brille aus Edelstahl trug er eine gröbere, rundere aus Schildpatt. Und statt einen seiner üblichen Zegna-Anzüge einen fransigen, dunkelroten Morgenmantel, dessen Brusttasche ein gesticktes W zierte. Unter dem Saum ragten seine nackten weißen Beine hervor.

«Gabriella?», sagte Wiman. Er fuhr sich in dem nicht ganz uneitlen Versuch, seiner morgendlichen Frisur Form zu verleihen, durch die Haare. «Es ist Heiligabend! Du meine Güte, was tun Sie hier?»

Sein Tonfall war ebenso neutral wie üblich. Ebenso autoritär und befehlsgewohnt. Aber sein Blick wich ihrem aus, und seine Hände schienen ein Eigenleben zu führen, als sie abwechselnd die Haare platt drückten und den Knoten fester zogen, der den Morgenmantel zusammenhielt.

«Wir müssen reden. Jetzt.»

Als Wiman die Bibliothek betrat, trug er ein kleines Tablett mit dampfenden Kaffeetassen und Lucia-Gebäck. Über dem Hafen Värtan begann es schwach zu dämmern. Gabriella saß auf einem Sessel vor dem Kaminfeuer, reglos im warmen Feuerschein. Aus einem anderen Teil des Hauses drang gedämpft das Geräusch einer Kindersendung herein.

«Nun, Gabriella», begann Wiman, «wenn ich ganz ehrlich sein soll, würde ich nicht unbedingt sagen, dass man mit einem Privatbesuch am Heiligabend unter Beweis stellt, dass man eine Teilhaberschaft verdient hat.»

Dieselbe Stimme. Dieselbe paternalistische Ironie. Aber das hatte auf Gabriella keine Wirkung. Sie konnte sich nicht mehr daran erinnern, wie es gewesen war, sich gleichzeitig nach seinem

Respekt zu sehnen und ihn zu fürchten. Es war, als wäre die ganze Welt aus ihrem Kontext gerissen, als wäre ein Fluch gebrochen worden. Langsam wandte sie sich ihm zu.

«Warum?», fragte sie. «Besser gesagt, scheißegal, warum. Ich kann es, ehrlich gesagt, nicht fassen, dass Sie das getan haben. Ausgerechnet Sie.»

Gelassen stellte Wiman das Tablett auf dem Tischchen vor dem lodernden Feuer ab. Demselben Tisch, an dem sie erst vor ein paar Tagen gesessen hatten, was ihr nun wie in einer anderen Zeit, einer anderen Welt vorkam.

«Was getan?», fragte Wimans schließlich und nahm Gabriella gegenüber auf demselben Stuhl Platz, auf dem er auch das letzte Mal gesessen hatte. Mit ruhigem Interesse im Blick sah er sie an. «Welchen entsetzlichen Verbrechens habe ich mich denn schuldig gemacht?»

Gabriella beherrschte sich. Dieser Blick. Das war nicht der Blick eines Judas.

«Nur Sie allein wussten, dass Klara nach Schweden zurückkommen würde. Nur Sie und ich. Nur Sie wussten, dass sie zurück nach Sankt Anna wollte.»

Wiman zog die Augenbrauen hoch und gab ihr durch eine Geste zu verstehen, sich von dem Safrangebäck zu nehmen. Er selbst nippte an dem heißen Kaffee.

«Was ist passiert?», fragte er, lehnte sich vor und sah sie an.

Jetzt lag ein anderer Ausdruck in seinen Augen, den Gabriella noch nie zuvor bei ihm gesehen hatte. Ein Ausdruck von Wärme und aufrichtiger Sympathie. Gabriella war sich so sicher gewesen. Es hatte so offensichtlich auf der Hand gelegen, dass Wiman sie an irgendjemanden verkauft hatte. Jetzt spürte sie, wie diese Überzeugung langsam ins Wanken geriet.

«Klara ist gestern Abend nach Hause zurückgekehrt», begann sie ruhig. «Wir sind nach Arkösund gefahren und dann weiter in den Schärengarten hinaus.»

Es war, als wäre ein Damm gebrochen. Als müsste sie es erzählen, die noch so frischen Erlebnisse in Worte fassen. Nüchtern und präzise ließ sie die Ereignisse der letzten vierundzwanzig Stunden Revue passieren.

«Ich wünschte, Sie hätten mich angerufen», sagte Wiman schließlich, als sie endlich verstummte.

Er lehnte sich vor, um Gabriella Kaffee nachzuschenken.

«Hätte das etwas geändert?», fragte sie.

Wiman zuckte die Schultern. «Vermutlich nicht. Ich weiß nicht viel mehr über diese Angelegenheit als Sie. Ich weiß nur, dass die Schluffis von der Säpo nicht annehmen, dass Ihr Bekannter ein Terrorist war. Nachdem Sie hier waren, habe ich ein paar Nachforschungen angestellt. Ich habe mich mit einigen Freunden beim Nachrichtendienst, aber auch mit – wie soll ich es sagen? – mit einflussreicheren Kreisen in Verbindung gesetzt.»

«Wen meinen Sie?»

«Die politische Führung. Die Regierung. Es spielt keine Rolle. Ihre Freundin ist in einen richtig finsteren, undurchsichtigen Sumpf geraten. Sie kann nichts dafür, ganz und gar nicht. Aber es gibt da einige Informationen, in deren Besitz Ihre Freundin offenbar ist und die gewisse Amerikaner gerne zurückhätten, wenn ich die Sache richtig verstanden habe.»

Gabriella nippte an ihrem heißen Kaffee und nickte.

«Also, besitzt Ihre Freundin diese Informationen?», fragte Wiman.

Gabriella atmete tief ein und lehnte sich zurück.

«Das könnte man sagen.»

«Und haben Sie eine Idee, was Sie tun wollen? Diese Sache

berührt schließlich unglaublich mächtige Interessen, das muss ich Ihnen ja nicht erst erzählen.»

«Wir haben einen Plan», sagte Gabriella. «Einen furchtbar dünnen Plan.»

Gabriella erwachte davon, dass die Tür zur Bibliothek geöffnet wurde. Sie richtete sich in dem Sessel auf und fuhr sich instinktiv durch die Haare. Du meine Güte, war sie etwa eingeschlafen? Inmitten dieser ganzen Geschichte? Das Feuer war fast heruntergebrannt. Wie lange hatte sie geschlafen?

Auf der Türschwelle stand Wimans fünfjährige Enkelin Maria, die Gabriella zuvor die Haustür geöffnet hatte. «Wirst du Weihnachten mit uns feiern?», fragte sie. «Das darfst du gern, wenn du willst. Meine Cousinen kommen. Sie haben ein Pferd. Einmal hab ich ein ...»

«Maria.»

Das war Wimans Stimme.

«Ich habe dir doch gesagt, dass du Gabriella schlafen lassen solltest.»

«Aber sie war schon wach!»

Das Mädchen verschränkte schmollend die Arme vor der Brust. Wiman beugte sich zu ihr herunter und flüsterte ihr etwas ins Ohr, woraufhin sie einen Freudenschrei ausstieß und aus dem Zimmer rannte. Diese Privatausgabe von Wiman hatte etwas Sanftes an sich, das vollkommen unvereinbar war mit dem eiskalten Anwalt, den Gabriella sonst kannte. Er kam herein und setzte sich auf den Stuhl neben sie.

«Sie sind eingeschlafen», sagte er. «Nach der Nacht, die hinter Ihnen liegt, schien es mir nur recht und billig, Sie nicht zu wecken. Außerdem werden Sie ausgeschlafen sein müssen.»

«Was meinen Sie damit?»

Als Gabriella von Klaras und ihrem Plan erzählt hatte, hatte Wiman zuerst skeptisch ausgesehen. Dann hatte er angeboten, alles in seiner Macht Stehende zu tun und seine unzähligen Verbindungen spielen zu lassen, um ihnen zu helfen. Das war das Letzte, was Gabriella erwartet hatte: dass Wiman sich so loyal zeigen würde.

«Während Sie geruht haben, habe ich gearbeitet. Habe ein paar Gefallen eingefordert und mich auch ein wenig in die Schuld anderer begeben, wenn ich ehrlich sein soll. Aber wie es scheint, bekommen Sie Ihre Chance. Ein Flugzeug ist auf dem Weg über den Atlantik. Mit einer hochrangigen entscheidungsbefugten Person an Bord. Von der CIA. Sie wird hier eintreffen in ...», Wiman verstummte und sah auf die Uhr, «... sieben Stunden.»

Schließlich legte Klara das Foto beiseite und sah auf. Im Inneren des Bootshauses wich die Dunkelheit dem schleichenden Morgengrauen. Klaras Großmutter hockte vor dem Kamin und legte sorgfältig weitere Holzscheite auf die verglimmende Glut. Die Rinde knisterte, bevor das Holz Feuer fing.

«Er hatte also auch das Foto dabei?», fragte Klara.

Ihre Großmutter richtete sich langsam auf und bürstete sich imaginäre Asche von ihrer abgetragenen Cordhose, bevor sie sich zu Klara umdrehte.

«Nein.»

Sie wirkte niedergeschlagen. Ertappt. Restlos verloren.

«Ich verstehe nicht, wo kommt dann die Aufnahme her?», fragte Klara.

Ihre Großmutter setzte sich ans äußerste Ende des Sofas, auf dem Klara noch immer lümmelte. So weit weg von ihr wie nur möglich. Aufmerksam musterte sie ihre Enkelin. Wie um die kleinste Regung auf ihrem Gesicht zu registrieren.

«Opa und ich haben das Bild die ganzen Jahre über besessen», sagte sie schließlich. «Es hat in diesem Umschlag in meiner Unterwäscheschublade gelegen, seit wir es vom Außenministerium mit dem übrigen Eigentum deiner Mutter ein paar Monate nach ihrem Tod zugeschickt bekamen.»

Klara versuchte, einen klaren Gedanken zu fassen. Vielleicht war die letzte Woche einfach zu viel für sie gewesen. Sie konnte sich keinen Reim auf die Worte ihrer Großmutter machen.

«Willst du damit sagen, dass du dieses Foto schon immer gehabt hast?», fragte sie. «Dass es einfach in der Schublade gelegen hat? Das Foto meines Vaters? Die ganze Zeit?»

Die Großmutter nickte, ohne den Blick von ihr zu wenden. «Ich fürchte, ja.»

«Und du bist nie auf den Gedanken gekommen, es mir zu zeigen? Dachtest du, es würde mich nicht interessieren? Du hast mich doch immer mit den Fotos aus der Abseite dasitzen sehen. Hättest du dir nicht denken können, dass ich es gerne gewusst hätte?»

Sie spürte, wie ihre Worte ins Stocken gerieten. Dass sie nicht mehr konnte. Verrat, Verrat, überall nur Verrat.

«Es tut mir leid», entgegnete ihre Großmutter. «Ich wusste nicht, was richtig war. Du warst noch so klein, so furchtbar einsam. Und wir, Opa und ich, haben dich immer als unser eigenes Kind betrachtet.»

Eine einzelne Träne rann ihre Wange hinunter. Sie machte keinerlei Anstalten, sie wegzuwischen. Klara hob den Kopf. Sie hatte ihre Großmutter noch nie zuvor weinen gesehen.

«Ich wusste nicht, wann der richtige Zeitpunkt gewesen wäre, um dir das Foto zu zeigen. Als du fünf Jahre alt warst? Zehn? Fünfzehn? Zwanzig? Zuerst warst du noch zu klein dafür, und später hatte ich solche Angst, dass es dich verwirren würde, dass du dich hintergangen fühlen würdest, wahrscheinlich. Von ihm. Von uns, weil wir nicht nach ihm gesucht haben.»

«Es war also einfacher zu lügen?»

Klara bereute ihren Tonfall bereits, bevor ihr die Worte ganz über die Lippen gekommen waren. Klaras Großmutter wich ihrem Blick nicht aus. Ihre Augen leuchteten blau im grauen Morgenlicht.

«Ja», sagte sie. «Zu lügen war einfacher. Ich wusste nicht, wohin die Wahrheit führen würde.»

24. Dezember 2013
Stockholm, Schweden

In der Lobby des Radisson Blu Waterfront herrschte eine diskrete Weihnachtsatmosphäre. Ein paar Familien verschiedener Nationalitäten, aber aus derselben globalen Ralph-Lauren-tragenden oberen Mittelschicht, saßen mit ihren Kindern auf den hellen Sofas verteilt. Ein riesiger Weihnachtsbaum mit Kugeln in zurückhaltenden Grautönen verschmolz mit der geschäftsmäßigen, schieferfarbenen Umgebung. Als Hintergrundmusik lief «Baby, It's Cold Outside» in perfekt eingestellter Lautstärke.

Gabriella hatte noch nicht einmal die Hälfte des Weges zum Empfangstresen zurückgelegt, als sie aus dem Augenwinkel sah, wie sich Anton Bronzelius aus einem Sessel erhob und sich ihr näherte. Er war unrasiert, sah im Übrigen aber noch genauso aus wie vor ein paar Tagen.

Er erwiderte Gabriellas Blick und nickte beinahe unmerklich, zuerst nach rechts, dann nach links, um ihr zu verstehen zu geben, dass sie nicht allein waren. Gabriella sah sich vorsichtig im Raum um, und ihr wurde klar, dass ein Teil der oberen Mittelschicht gar keinen Urlaub hier machte, sondern zu Bronzelius' Kollegenkreis gehörte. Sie schluckte hart. Ach du meine Güte, dachte sie, und wir haben so gut wie nichts in der Hand.

«Frohe Weihnachten», wünschte er. Dann beugte er sich vor, umarmte Gabriella und flüsterte ihr gleichzeitig ins Ohr: «Geben Sie mir im Fahrstuhl Ihr Telefon.»

«Frohe Weihnachten», erwiderte Gabriella und entzog sich ihm, damit die Umarmung nicht unnatürlich lang wirkte.

In ihr war alles in Aufruhr. Beinahe blind ließ sie sich von Bronzelius zu den Aufzügen geleiten. Er wollte ihr Telefon, genau wie Wiman es gesagt hatte. Das konnte bedeuten, dass der erste Teil des Plans funktioniert hatte. Oder dass Wiman sie hinters Licht geführt hatte. Sie mochte es sich nicht vorstellen. Außerdem blieb ihr keine Wahl.

Sie bemerkte, dass Bronzelius wieder redete. Jetzt mit einer anderen, klaren, formellen Stimme. Einer Mikrophon-Stimme.

«Wir fahren in den sechsten Stock. Dort werden Sie meinen amerikanischen Kollegen begegnen. Das Stockwerk ist abgesperrt, und Sie werden durchsucht, bevor Sie in die Suite gelassen werden.»

Sie betraten den Aufzug. Sowie sich die Türen geschlossen hatten, bedeutete Bronzelius Gabriella, ihm das Telefon zu geben. Sie tat, worum er sie bat. Alles oder nichts.

Als der Aufzug hielt, murmelte Bronzelius etwas in sein Headset, und die Türen glitten lautlos auf. Der dicke Teppich schluckte ihre Schritte, und der fensterlose Korridor ließ Gabriella die Orientierung verlieren. Sie hatte das Gefühl, eine andere Dimension zu betreten.

Vor einer Tür am Ende des Korridors standen zwei große Männer mit Kurzhaarschnitt und dunklen Anzügen, die so typisch wirkten, lässig und zugleich formell, dass Gabriella auf den ersten Blick erkannte, dass sie Amerikaner waren.

«Geben Sie mir Ihre Handtasche und drehen Sie sich zur Wand», forderte einer der Sicherheitsleute auf Englisch, als Gabriella und Bronzelius näher kamen.

Gabriella schielte zu Bronzelius, der die Schultern zuckte und nickte. Der Mann reichte seinem Kollegen die Tasche und durchsuchte Gabriella sorgfältig.

«Sie können passieren», sagte er und zog sich zurück.

Sein Kollege nahm das MacBook aus der Tasche und gab es ihr.

«Den Rest behalte ich, bis Sie fertig sind», erklärte er, bevor er etwas in sein Headset murmelte und eine weiße Karte durch das Türschloss zog. Mit einem metallischen Piepen öffnete sich das

Schloss, und der Mann drückte die Klinke herunter, um Gabriella einzulassen.

Im großzügig geschnittenen Wohnbereich der Suite saß eine Frau in einem modernen roten Drehsessel. Hinter ihrem Rücken bot sich durch die Panoramafenster ein atemberaubend schöner Ausblick auf das winterliche Stockholm. Gabriella kam es vor, als müsste sie sich nur strecken, um das unter einer Schicht Puderschnee liegende Rathaus berühren zu können.

Die Frau schien um die sechzig zu sein, vielleicht etwas älter. Sie war klein und dünn, trug einen eleganten, marineblauen Blazer, eine passende Hose und ein weißes Top. Ihr Make-up war dezent, schien natürlich und zugleich formell, und ihre gefärbten blonden Haare waren zu einer eleganten Kurzhaarfrisur geschnitten. Sie war offensichtlich eine hochrangige Staatsbeamtin, eine Abteilungsleiterin, die es verstand, vollkommen anonym zu wirken. Eine Frau, mit der man zehn Jahre lang täglich U-Bahn fahren konnte, ohne sie zu bemerken.

Während Gabriella langsam zu der kleinen Sitzgruppe ging, musterte die Frau sie aufmerksam. Ihr Blick aus grauen Augen war forschend und erstaunlich jugendlich. Eine Spur Neugier brach einen Moment unter der Einsamkeit und der Last der Verantwortung durch und ließ sich in ihren Pupillen erahnen. Gabriella hörte das mechanische Klicken der Hoteltür, die hinter ihr geschlossen wurde.

Die Frau erhob sich grazil in einer langsamen fließenden Bewegung. Sie trat ans Fenster und wandte Gabriella den Rücken zu.

«Stockholm ist schön», sagte sie. «Ich kann gar nicht verstehen, dass ich noch nie hier war.»

«Sind Sie Susan?», fragte Gabriella.

Sie trat von einem Fuß auf den anderen. Hielt den Laptop

krampfhaft umklammert. Alles war so schnell gegangen. Dieser Moment kam so plötzlich und war doch so entscheidend.

«Ja», antwortete die Frau. «Ich bin Abteilungsleiterin der Einheit Mittlerer Osten der CIA. Ich bin auch für den Zwischenfall verantwortlich, dem Sie und Ihre Mandantin ausgesetzt wurden. Das tut mir aufrichtig leid. Es ist wirklich unglücklich, dass Sie beide in diese ganze Sache hineingeraten sind.»

Gabriella erwiderte nichts, nahm nur zaghaft auf einem Sofa Platz. Susan drehte sich um und musterte sie erneut.

«Ich nehme an, das ist der Laptop, um den es geht?»

Gabriella lehnte sich vor und griff nach einer der auf dem gläsernen Couchtisch stehenden Flaschen. Plötzlich war ihr Mund entsetzlich trocken. Sie öffnete eine Fanta und nahm einen tiefen Schluck, direkt aus der Flasche.

24. Dezember 2013
Norra Rimnö, Schweden

All dieses Grau. Diese ewige winterliche Morgendämmerung und Abenddämmerung des Schärengartens. Die Wellen schlugen immer noch gegen die Klippen neben dem neuen stabilen Steg des Bootshauses, aber der Sturm hatte nachgelassen, war weiter ostwärts gezogen, hatte Klara allein mit den Trümmern zurückgelassen. Den unangenehmen Konsequenzen. Große Schneeflocken fielen auf sie herab, während sie auf der Bank saß und mit dem Rücken an der erst kürzlich frisch gestrichenen Fassade des Bootshauses lehnte. Nichts war mehr übrig von dem, was sie für die Wahrheit gehalten hatte.

Sie hörte George erst, als er sich neben sie setzte. «Na dann irgendwie – frohe Weihnachten», sagte er.

Klara drehte sich zu ihm hin. Sein Gesicht sah noch immer verheerend aus, geschwollen, übersät von Wunden und geronnenem Blut.

«Frohe Weihnachten», flüsterte sie.

Er reichte ihr eine Wolldecke. Eine neue bunte Klippan-Decke, von denen es im Haus unzählige zu geben schien. Sie nahm sie und legte sie sich um die Schultern.

«Willst du nicht wieder reinkommen?», fragte er. «Deine Großmutter dadrinnen scheint untröstlich zu sein.»

Sie vergrub das Gesicht in der weichen Wolle. «Ich kann nicht mehr», murmelte sie.

«Es ist eine lange Nacht gewesen», sagte er. «Eine lange Woche, eine schrecklich lange Woche. Aber du wirst hier draußen noch erfrieren. Ich weiß nicht, was zwischen dir und deiner Großmutter vorgefallen ist. Und ich weiß nicht, wie viel Zeit uns noch bleibt, aber wäre eine Schinkenstulle jetzt nicht trotzdem lecker?»

«Ich habe keinen Hunger», erwiderte sie.

«*Fair enough*», brummte er und ließ sich neben ihr nieder.

Sie spürte, wie sich Georges Arm behutsam um ihre Schultern legte, wie er mit zunehmender Sicherheit schließlich ihre Schultern umfasste, um sie näher an seinen warmen Körper zu ziehen. Sie ließ sich umarmen. Ließ ihren Kopf an seinen Hals sinken. Wellengeräusche. Schneeflocken. Sie wehrte sich nicht gegen die Tränen, die ihr in die Augen stiegen.

Als Klara sich schließlich von ihm löste, waren sie nahezu völlig von einer dünnen Schicht Schnee bedeckt. Sie schüttelte ihn aus ihren Haaren und stand auf. George folgte ihrem Beispiel. Sie sah, wie er vor Kälte mit den Zähnen klapperte.

«Was passiert denn jetzt?», fragte er.

Klara zuckte die Schultern. «Wer weiß? Gabriella wollte ihre Kontaktperson von der Säpo treffen. Sie wird Bosse anrufen, sobald sie etwas erfahren hat. Er meldet sich dann bei uns.»

Die Tür wurde geöffnet, und Klaras Großvater kam mit zwei dampfenden Tassen heraus. «Klara, mein Mädchen», sagte er. «Komm endlich rein, du holst dir noch eine Lungenentzündung.» Er ging ein paar Schritte auf den Steg hinaus und hielt ihnen die Tassen hin.

Süßer Glühweinduft breitete sich aus. George griff dankbar nach einer Tasse. Klaras Großvater streckte eine Hand aus und streichelte ihre feuchte Wange.

«Wie man's macht, macht man's falsch. Das ist das Einzige, was das Leben einen lehrt.»

Klara nahm die Tasse und schmiegte ihre Wange in seine Hand, spürte ihre Wärme an ihrer feuchten kalten Wange. Sie schüttelte den Kopf. «Es war nicht falsch. Ihr habt nichts falsch gemacht», sagte sie. «Es gibt kein Richtig oder Falsch. Ihr habt immer alles für mich getan.»

Ihr Großvater schloss sie in seine Arme. Er roch schwach nach Glühwein, Kaffee und Schnaps. Neben ihnen begann George zu husten.

«Verflucht, was ist denn da drin?», rief er.

Klaras Großvater drehte sich mit einem kleinen, schelmischen Lächeln auf den Lippen zu ihm um.

«Zur Hälfte Glühwein und zur Hälfte Schärengarten Spezial. Bosse ist nicht der Einzige, der hier draußen Zugang zu erstklassigem Schnaps hat.»

24. Dezember 2013
Stockholm, Schweden

Die Limonade half nicht. Gabriellas Kehle war wie zugeschnürt. Sie räusperte sich. Trank noch einen Schluck.

«Ja, das ist der Computer», sagte sie schließlich.

Sie lehnte sich vor und schob ihn Susan über den Glastisch. Im selben Moment öffnete sich eine Tür, und ein Mann in Gabriellas Alter kam aus dem Inneren der Suite. Er war dunkelhaarig und trug einen zerknitterten dunklen Anzug. Ein weißes Hemd. Aber keinen Schlips. Er machte einen ernsten Eindruck.

«Das ist mein Kollege, er soll überprüfen, ob es sich hierbei um den richtigen Rechner handelt», erläuterte Susan.

Gabriellas Kehle zog sich noch mehr zusammen. «Einverstanden. Aber der Zugang ist verschlüsselt. Wir wissen selbst nicht, was darauf ist.»

Nervös fuhr sie sich durch die Haare. Dachte, dass sie wieder der Situation und ihrer selbst Herr werden musste. Dass sie Verdacht schöpfen würden, wenn sie sich nicht zur Ruhe zwang.

«Vielleicht ist es so. Vermutlich», sagte Susan. «Aber ich fürchte, wir haben noch einiges mit Ihnen und Ihrer Mandantin zu klären. Sie haben Dinge erlebt, denen Sie nicht hätten ausgesetzt sein dürfen. Und auch wenn das nicht Ihr Fehler ist, bleibt es trotzdem ein Problem.»

So, wie Susan das sagte, klang es wie eine Drohung. Ihr Blick war ausdruckslos, ungerührt und eiskalt berechnend. Es war genau so, wie der Amerikaner gesagt hatte. Hatte man nichts, um zu verhandeln, war man rechtlos.

Der Mann in dem zerknitterten Anzug warf Gabriella einen schnellen Seitenblick zu, bevor er den Bildschirm hochklappte und den Laptop startete.

Gabriella schloss die Augen. Es war zu viel. Der Druck war zu groß. Sie hörte es klappern, als die Finger des Mannes über die Tastatur flogen, und lehnte sich auf dem Sofa zurück. Wie hatten sie jemals annehmen können, dass dieser Plan funktionierte?

Als das Geräusch verstummte, öffnete Gabriella vorsichtig die Augen. Einen Spalt nur, als würde sie es nicht wagen, sich dem Resultat zu stellen. Die Stirn des Mannes war gerunzelt. Seine Augen waren zusammengekniffen, und sein Blick hastete verwirrt über den Bildschirm, als könnte er nicht glauben, was er da sah. Er drehte den Bildschirm in Susans Richtung und schaute Gabriella an.

«Soll das ein Scherz sein?», fragte er.

Gabriella setzte sich auf. Sie schielte zu der Tür, durch die sie erst vor kurzem gekommen war. Na los doch!

«Wie ist es möglich, dass Sie nach all dem, was Sie erlebt haben, nicht den Ernst der Lage begreifen?», hörte Gabriella Susan sagen. «Was zum Teufel soll das bedeuten?»

Susan wirkte nicht wie eine Frau, die sich gewöhnlich aufs Fluchen verlegte. Sie drehte den Laptop um, sodass auch Gabriella auf den Bildschirm sehen konnte. Auf weißem Hintergrund stand in dicken roten Lettern: «FUCK YOU FASCIST PIGS!» Wäre sie nicht in einer derart brenzligen Lage gewesen, hätte Gabriella gelacht. Diese Blitzie schien genau so zu sein, wie Klara sie beschrieben hatte. Bevor Gabriella den Mund aufmachen konnte, hörte sie, wie eine Schlüsselkarte durch die Zimmertür gezogen wurde, sich die Tür einen Spaltbreit öffnete und ein Sicherheitsmann seinen Kopf in die Suite steckte.

«Einer der schwedischen Verbindungsleute hat einen Telefonanruf für Ihren Gast», sagte der Mann mit einer Kopfbewegung zu Gabriella.

Sie konnte nicht atmen. Als hätte sie vergessen, wie das ging.

Irgendwie gelang es ihr schließlich, ein paar Worte herauszubringen.

«Wenn Sie eine Erklärung wünschen, sollte ich dieses Gespräch wohl lieber annehmen», zischte sie.

Mehr konnte sie nicht sagen, zeigte nur linkisch zur Tür. Sie hatte gehofft, abgebrühter mit dieser Situation umgehen zu können, aber der Stress, der mangelnde Schlaf und die Gewissheit, wie viel auf dem Spiel stand, zogen sie hinaus auf ein endloses Meer, dem sie hoffnungslos ausgeliefert war. Sie konnte sich nur mit dem Strom treiben, sich von ihm mitreißen lassen.

Susan blickte sie verwirrt an. Ihre glatte, souveräne Fassade schien einen Riss bekommen zu haben. «Ein Telefongespräch? Halten Sie mich zum Besten?», fragte sie.

«Nein, ich halte Sie nicht zum Besten», entgegnete Gabriella. «Wenn Sie Ihre verdammten Informationen haben wollen, müssen Sie mich dieses Gespräch annehmen lassen.»

Kopfschüttelnd wies Susan den Computerexperten an, das Zimmer zu verlassen. Er stand auf und schlenderte durch die Tür, durch die er hereingekommen war.

«Nun gut», sagte sie. «Aber hier in der Suite und mit eingeschaltetem Lautsprecher.»

Gabriella zuckte die Schultern. «Wie Sie wünschen.» Sie ging auf den Sicherheitsmann zu, der ihr Telefon in der Hand hielt.

«Lautsprecher», erinnerte Susan sie.

Sie war ebenfalls aufgestanden. In ihre kalten Augen war ein Anflug von Stress oder Unsicherheit getreten. Es war nicht so gelaufen wie geplant. Dennoch wirkte sie vollkommen unerschüttert. Wahrscheinlich war sie es gewohnt, dass sie manchmal Kursänderungen vornehmen musste.

Gabriella aktivierte den Lautsprecher. «Ja, Gabriella hier», krächzte sie auf Englisch. «Du bist auf dem Lautsprecher.»

Einen Moment war es still in der Leitung. Keiner von ihnen wusste, wer zuerst anfangen sollte.

«Wie ist der Stand?», fragte Gabriella schließlich. «Wie ist es gelaufen? Hast du ...»

«Das ist so was von widerlich», fiel ihr eine dünne, hohl klingende Mädchenstimme ins Wort. «Was auf diesem Rechner ist, ist echt abscheulich. Leichen und Folter und so 'n Zeug. Video- und Fotomaterial. Ich hatte natürlich noch keine Zeit, mir so viel davon anzusehen, aber auf diesem Rechner wimmelt's nur so von Scheußlichkeiten, das ist sicher.»

«Du hast also das Passwort geknackt?», hakte Gabriella nach. Sie fühlte sich wie im Schwebezustand. Es war alles so unwirklich.

«Na klaro», antwortete Blitzie. «Als das richtige Passwort auf deinem Rechner eingetippt wurde, wurde es automatisch an mich geschickt. Ich hab's einfach nur eingegeben. Babykram. Was machen wir jetzt?»

Gabriella sah Susan an, die ihr zu verstehen gab aufzulegen. «Ich melde mich wieder», sagte sie zu Blitzie. «Stell nichts mit den Infos an, ja?»

«Ich bin doch nicht lebensmüde», erwiderte Blitzie und legte auf.

Susan ließ sich schwer in den Sessel zurücksinken, von dem aus sie wortlos das Gespräch mitverfolgt hatte. Gabriella warf einen Seitenblick aus dem Fenster. Mittlerweile war es fast dunkel geworden, und es schneite leicht. Draußen begann ein wundervoller Heiligabend.

«Vielleicht haben Sie sich listig verhalten», sagte Susan. «Vielleicht ist es am besten, wenn alles herauskommt. Die Sache war nicht von uns sanktioniert, das schwöre ich. Es war ein Irrtum. Eine Operation, die aus dem Ruder gelaufen ist.»

Sie wirkte traurig. Resigniert.

«Aber eine Veröffentlichung wird völliges Chaos bedeuten», fuhr sie fort. «In Afghanistan natürlich und in der ganzen arabischen Welt. Wenn diese Aufnahmen tatsächlich so schrecklich sind, wie Ihre Freundin es beschreibt – wie sollen sie uns dann nicht hassen?»

Sie verstummte einen Moment und schien nachzudenken.

«Und es wird auch Ihr Leben auf den Kopf stellen. Ihres, aber vor allem das von Klara Walldéen und Ihrer Freundin am Telefon. Ich weiß, dass es nicht Ihre Schuld ist, dass Ihnen nichts anderes übrig blieb und Sie nur das Spiel mitgespielt haben, zu dem Sie gezwungen wurden. Und vielleicht haben Sie das Beste daraus gemacht, das Sie sich erhoffen konnten. Sie haben sich noch etwas länger über Wasser gehalten. Aber wenn die Aufnahmen publik werden, kann Sie niemand mehr beschützen. Die Kräfte sind zu stark. Auch wenn die Vorkommnisse nicht genehmigt waren, können wir nicht tolerieren, dass diese Art von Material ans Licht der Öffentlichkeit gelangt, ohne dass es auch für Sie Folgen haben wird. Das begreifen Sie doch? Sie werden gesetzlos, sobald es veröffentlicht wird. Sie sind jetzt schon gesetzlos.»

Die Worte des Amerikaners auf der Insel. Wenn ihr nichts mehr in der Hand habt, das ihr zum Tausch anbieten könnt, seid ihr rechtlos. Gib ihnen nicht, was sie wollen.

«Wenn es denn herauskommt», wandte Gabriella ein.

Susan beugte sich im Sessel vor und sah ihr unverwandt in die Augen. «Wie bitte? Was sagten Sie?»

«Ich sagte, dass die Konsequenzen, die Sie umreißen – das Chaos, die Folgen –, davon abhängen, ob das Material publiziert wird, nicht wahr?»

Susan nickte und schaute Gabriella verdutzt an. «Ja, und?»

«Aber wir werden es nicht veröffentlichen. Nicht jetzt. Wir werden die Informationen aufbewahren. Dafür sorgen, dass sie so weit gestreut verteilt sind, dass Sie unter keinen Umständen exklusiv an sie herankommen. Aber sobald wir merken, dass Sie uns verfolgen, drücken wir den Auslöser, und die Informationen gelangen unmittelbar an die Öffentlichkeit. Ich werde mir die Dateien noch nicht einmal ansehen, auch Klara nicht. Wir wollen die Details gar nicht kennen. Und wir wollen nicht verantwortlich für das Chaos sein. Wir wollen überleben. Die Sache hinter uns lassen.»

Es war eine unglaubliche Vorstellung, dass eine Fünfzehnjährige aus Amsterdam der einzige Mensch war, der Aufnahmen gesehen hatte, die weite Teile der Welt in Aufruhr und womöglich noch Schlimmeres versetzen konnten. Gabriella musterte Susan, ihr müdes Gesicht, dachte an ihren Machtanspruch, an die unzähligen Geheimnisse, die sie bewahren musste. Konnte sie sich erlauben, die Kontrolle aus der Hand zu geben?

«Ist Ihre Freundin vertrauenswürdig?», fragte Susan.

Gabriella zuckte die Schultern. «Das hoffe ich.»

Susan nickte. «Ich wüsste nicht, welche Wahl ich hätte. Wir möchten nicht, dass die Informationen an die Öffentlichkeit gelangen, besonders jetzt nicht.»

Sie verstummte, schien zu überlegen.

«Was soll ich sagen?», fuhr sie schließlich fort. «Ich nehme an, wir müssen darauf hoffen, dass auf Ihre Freundin Verlass ist. Ich gehe davon aus, Sie wissen, was passieren würde, falls es nicht so wäre?»

Kurz huschte ein Lächeln über ihr Gesicht.

«Atomares Gleichgewicht», sagte sie. «Die Drohung der gegenseitigen Vernichtung. Hätte nie gedacht, dass ich diesen Begriff einmal auf das Verhältnis zwischen den USA und ein paar jungen schwedischen Juristinnen anwenden würde. Aber es scheint, als hätten sich die Zeiten geändert. Atomares Gleichgewicht.»

Susan erhob sich und reichte Gabriella die Hand. Die ergriff sie zögernd.

«Erzählen Sie mir, wie Sie das bewerkstelligt haben?», fragte Susan. «Diese Zauberei am Ende. Mein Kollege hat die Gehäusenummer des Rechners überprüft, und sie war identisch mit dem Laptop, der uns abhandengekommen ist. Trotzdem handelte es sich nicht um denselben Rechner. Vielleicht bin ich zu alt für so etwas, aber ich begreife nicht, wie das möglich sein konnte.»

«Unsere Freundin hat die Festplatten ausgetauscht», sagte Gabriella. «Sie hat den gleichen Laptop besorgt und das Innere ausgewechselt, sodass die Informationen jetzt auf ihrem Rechner gespeichert sind. Auf diesem hier hat sie wiederum ein kleines Programm installiert, das das Passwort durch einen kleinen Sender abgefangen hat, den sie vorher installiert hat. Es war eine gewöhnliche 3G-Karte, glaube ich. Der Sender hat den Code dann an ihren Rechner verschickt, sobald ihr Kollege ihn eingetippt hatte. Nachdem sie so das Passwort bekommen hatte, musste sie damit nur noch die ursprüngliche Festplatte entsperren. Babykram, wie sie es ausgedrückt hat.»

«Wir leben wirklich in einer neuen Zeit», stellte Susan fest.

«Eine Bedingung haben wir noch», sagte Gabriella. «Der Amerikaner, der gestern zu uns auf die Insel kam. Klara muss alles, was sie wissen will, über ihn erfahren können.»

Auf Susans Gesicht legte sich plötzlich ein wehmütiger, sehr menschlicher Ausdruck. «Es steht immer so viel auf dem Spiel», sagte sie. «So viel, dass wir die Menschen dabei außer Acht lassen, bis sie bedeutungslos geworden sind.»

Sie holte einen Stift aus der Tasche und notierte etwas auf einem Zettel, den sie Gabriella reichte.

«Bitten Sie sie, sich mit mir in Verbindung zu setzen, wenn sie sich wieder dazu in der Lage fühlt. Ich werde ihr alles erzählen. Das ist das Mindeste, was ich für ihn tun kann.»

George stand zögernd vor der Tür seines Vaters im Halbdunkel des Treppenabsatzes in der Rådmansgatan. Im Fahrstuhlspiegel hatte er gesehen, dass er nicht mehr unbedingt so wirkte, als wäre er einem Horrorfilm entsprungen, aber dennoch weit von seinem normalen, geschliffenen Äußeren entfernt war.

Am Telefon hatte der Alte erst gereizt, dann aber unerwartet besorgt geklungen, als George ihn am späten Heiligabend angerufen hatte, um von dem Autounfall zu berichten, der ihn daran hinderte, zum Weihnachtsfest zu kommen. Zu seiner Verwunderung hatte George ihn sogar überzeugen müssen, sich nicht ins erstbeste Flugzeug zu setzen, um ihn in dem Brüsseler Krankenhaus zu besuchen, in das er behauptete, eingeliefert worden zu sein.

In Wirklichkeit hatte er in einer Wohnung in Vasastan gesessen, knappe fünfzehn Minuten Fußweg von der Wohnung seiner Familie entfernt. Dorthin hatte man sie gebracht, erst mit dem Helikopter aus dem Schärengarten nach Stockholm, dann mit einer Polizeieskorte weiter in die Stadt hinein, nachdem Gabriella ihnen versichert hatte, dass es ihr gelungen sei, irgendeinen bizarren Deal auszuhandeln.

Er hatte eingesehen, dass er nie genau herausfinden würde, worum es bei der ganzen Sache eigentlich gegangen war. Darauf hatten Klara und Gabriella Wert gelegt. Irgendetwas mit einem Computer. Filmaufnahmen. Der amerikanischen Regierung. Das war alles, was er sich zusammengereimt hatte. Und um ehrlich zu sein, wollte er es auch gar nicht genau wissen. Irgendein Typ von der Säpo hatte sich sogar für das, was passiert war, entschuldigt. Ein furchtbares Missverständnis. Erzählen Sie niemals etwas darüber, was sie erlebt haben. Was passieren würde, wenn er es

doch täte, wurde offengelassen. Eine vage, unausgesprochene Drohung.

Aber das war nicht von Bedeutung. Es bestand kein Risiko, dass er mit irgendjemandem darüber sprechen würde. Er wollte nur vergessen. Das hatten seine Insomnia und die wenigen Stunden von Albträumen vergifteter Schlaf bisher nicht zugelassen. Ständig hatte er Kirstens zertrümmertes Gesicht vor Augen. Jedes unerwartete Geräusch klang wie ein Schuss.

Er holte tief Luft und drückte auf die Klingel. Schon nach wenigen Sekunden wurde die Tür aufgerissen, und der Alte stand mit weitaufgerissenen Armen vor ihm.

«George!», rief er. «Der verlorene Sohn!»

Er umarmte George so, wie er es, soweit George sich erinnern konnte, noch nie zuvor getan hatte. Zuletzt hielt der Alte ihn von sich weg, um ihn näher in Augenschein zu nehmen.

«Um Himmels willen!», sagte er. «Du siehst einfach schrecklich aus! Komm herein und genehmige dir einen ordentlichen Armagnac. Du darfst doch hoffentlich trinken? Oder haben sie dich mit fiesen Medikamenten vollgepumpt? Egal, du brauchst auf jeden Fall einen Drink. Ellen! Schenk unserem George hier einen ordentlichen Schluck ein! Ich habe noch nie jemanden gesehen, der ihn dringender nötig hätte!»

Der Alte geleitete ihn in das Wohnzimmer, wo die ganze Sippe, wie immer während der Weihnachtstage, in Grüppchen auf den Sofas verteilt saß. Die Elsa-Beskow-Tanne mit den echten Kerzen stand in der Ecke, wo sie immer stand. Der Süßigkeitentisch bog sich, und der offene Kamin brannte mit einer Inbrunst, dass George sich Gedanken machte, ob der Schornstein tatsächlich für eine solche Wärmeentwicklung optimiert war.

Die großen Brüder und Schwager versammelten sich um ihn, um

seine Wunden zu inspizieren, so zu tun, als würden sie ihn in den Magen boxen, ihn damit aufzuziehen, ein hoffnungslos miserabler Autofahrer zu sein, und sich zu erkundigen, was aus dem Audi geworden war. Ellen nötigte ihm einen Teller Truthahn vom Vortag mit sämtlichen Beilagen auf.

Am Ende saß er tief in die Polster des Sofas versunken mit einem Teller Käse und einem Glas Portwein neben sich da. Die Familie war gegangen oder hatte sich in die hinteren Räume der Wohnung zurückgezogen. Er war satt, ihm war angenehm warm, und er fühlte sich dösig – zum ersten Mal seit dieser grässlichen Nacht vor dem Heiligabend. Es war kaum drei Tage her, seit er Kirsten zusammengeschlagen und mit dem Boot auf die Insel geflohen war. Drei Tage, seit er zwei Männer erschossen hatte.

Und dieses Weihnachten. All das Heimelige und Familiäre. Alles, was er früher verabscheut hatte. Plötzlich konnte er sich nicht mehr dagegen wehren. Auf einmal kam es ihm so vor, als würde er in ein warmes Bad sinken, nachdem er furchtbar gefroren hatte. Er lehnte sich zurück und erlaubte es sich, das Gefühl der Ruhe und Geborgenheit zu genießen.

«Schläfst du?»

George riss die Augen auf und sah Ellen in ihrem Morgenrock in der Türöffnung stehen. Das Feuer im Kamin war erloschen, glomm jedoch immer noch schwach und verbreitete einen gedämpften, warmen Schein.

«Jein», antwortete er.

Seine Zunge klebte portweinsüß an seinem trockenen Gaumen. Mühsam richtete er sich auf. Er war tatsächlich eingeschlafen.

«Wir haben ja ausgemacht, mit deinen Geschenken bis morgen zu warten, damit du dich ein kleines bisschen ausruhen kannst», sagte Ellen. «Aber gestern kam ein Päckchen mit dem Kurier. Ich dachte, du willst vielleicht sehen, was es ist.»

Sie hielt ihm ein viereckiges DHL-Päckchen entgegen. Die Neugier sprach aus ihrem Gesicht. George streckte die Hand aus und nahm das Paket. Es war etwas kleiner als ein Schuhkarton und quadratisch. Plötzlich raste sein Herz, und ihm war schwindelig vor Schreck.

«Danke, Ellen», sagte er. «Ich werde es mir später ansehen.»

«Natürlich», erwiderte sie. «Wie du willst.»

Enttäuscht trottete sie aus dem Wohnzimmer.

George legte das Päckchen auf den Sofatisch und starrte es an. Es war gestern gekommen. Nachdem alles vorbei gewesen war. Wilde Phantasien eroberten sein erschöpftes Gehirn. Es war eine Bombe. Sie sollten alle aus dem Weg geräumt werden, damit sie ihr Wissen nicht preisgeben konnten.

Aber das Päckchen war nicht sonderlich schwer. Wenn es eine Bombe war, dann hätte sie keine große Reichweite. Und hatten sie im Übrigen keine besseren Wege, Leute umzubringen, als mit Briefbomben?

Schließlich siegte die Neugier über die Angst. Mit einer entschlossenen Bewegung nahm er das Paket und riss die Plastikhülle ab.

In der Schachtel lag ein Kästchen aus Kirschholz, auf dessen Deckel eine Silberplakette saß. Georges Puls stieg, diesmal nicht vor Angst, sondern vor Erwartung. Auf der Plakette stand *Officine Panerai*. Andächtig öffnete er das Kästchen.

Auf einem tiefblauen Samtpolster lag eine Panerai 360 Luminor. George stockte der Atem. Das kohlschwarze Gehäuse der Uhr. Die zartgelben, leuchtenden Ziffern. Das minimalistische, schlichte Design. Das helle Lederarmband mit den groben Nähten. Er musste blinzeln, um sicherzugehen, dass er sich das nicht einbildete. Was mochte so eine Uhr kosten? Fünfzigtausend Dollar? Mehr? Wenn man sie überhaupt noch kaufen konnte. Sie war in einer limitierten Auflage von nur dreihundert Stück gefertigt worden.

Als George wieder normal atmen konnte, sah er, dass unter der Uhr ein kleines Kuvert im Samt steckte. Er riss es auf und nahm einen zusammengefalteten Brief heraus. Er war kurz, handgeschrieben und auf Englisch:

> George,
> betrachte dies als Zeichen unserer Wertschätzung. All is well that ends well. Wir erwarten, dich spätestens am 3. Januar wieder im Büro zu sehen.

Der Brief war von Appleby unterschrieben worden. George klappte den Deckel des Uhrenkästchens mit einem Knall zu und lehnte sich mit geschlossenen Augen auf dem Sofa zurück. Merchant & Taylor. Appleby. Alles, was er durchgemacht hatte. Alles, was sie ihm zugemutet hatten, ohne dass sie etwas unternommen hatten. Es war ausgeschlossen, dass er in das Büro am Square de Meeûs zurückkehrte. Ausgeschlossen.

Langsam setzte er sich wieder auf. Er beugte sich vor, hob den Deckel des Uhrenkästchens an und spähte hinein. Durch den schmalen Spalt konnte er sehen, dass alles da war. Das Echtheitszertifikat. Ein zusätzliches Armband. Kleine Werkzeuge in einem Tütchen. Vorsichtig öffnete er den Deckel ganz und streckte die Hand aus, um das Glas über dem Zifferglas zu berühren.

Behutsam löste er die Uhr aus dem Samt und hielt sie in den schwachen Schein des verglühenden Feuers. Er drehte und wendete sie. Studierte die Schrauben und die Inschrift auf der Rückseite.

Zuletzt, nur probehalber, legte er sie um sein Handgelenk. Das weiche Leder und der kalte, kohlschwarze Stahl des Gehäuses auf seiner Haut. Das perfekt abgestimmte Gewicht. Sie saß an seinem Arm, als wäre sie für ihn gemacht, nur für ihn.

Er konnte nichts gegen das Grinsen tun, das sich einen Weg zu seinen Lippen bahnte. Die Wärme, die sich in seinem Körper ausbreitete. Den Stolz. Die Erektion. Hatte er sich dieses Leben denn jetzt nicht mehr denn je verdient?

1. April 2014
Washington D.C., USA

Klara lehnte den Kopf gegen die schmutzige Taxischeibe. Aus ihren großen Kopfhörern drang Arvo Pärt, «Spiegel im Spiegel». In der ersten Zeit, nach Weihnachten, hatte sie fast nur auf ihrem Bett bei ihren Großeltern gelegen und sich zwanzig-, dreißig-, vierzigmal am Tag, immer wieder, dieses Stück angehört. Hatte an die Decke gestarrt und das Zimmer nur verlassen, um im Essen herumzustochern oder auf die Toilette zu gehen. Hatte die SIM-Karte aus dem Handy genommen, um nicht mit Gabriella oder ihren flüchtigen Bekannten aus Brüssel sprechen zu müssen. Hatte offiziell einen Burn-out und war krankgeschrieben.

Sie hatte den Überblick darüber verloren, wie viele Tage sie so dagelegen hatte. Vielleicht war es auch eine ganze Woche gewesen. Hatte nur die Musik und die besorgten Gesichter ihrer Großeltern wahrgenommen.

Schließlich hatte sie Gabriella natürlich nicht länger von sich fernhalten können. Eines Tages hatte die Freundin einfach auf ihrer Bettkante gesessen, ein bisschen besorgter als sonst, ein bisschen gealtert. Ohne sich um Klaras Proteste oder ihre blutleere Wut zu scheren, hatte sie Klara dazu bewegt aufzustehen.

Nachdem sie sie dazu gebracht hatte, sich warm anzuziehen, hatte sie Klara die Treppen hinuntergeschubst, durch die Haustür und zum Boot, wo die Großeltern und Bosse schon warteten. Dann hatte sie Klara und sich selbst gezwungen, zur Schmugglerschäre zurückzufahren. Um den Schärengarten wieder für sich zu erobern, wie Klaras Großvater es ausgedrückt hatte. Um die Angst auszulöschen und wieder Herr ihrer Erinnerungen zu werden. Sie waren einen Nachmittag dort geblieben. Nichts auf der Insel erinnerte mehr an die fürchterliche Nacht vor Heiligabend. Kein Blut, keine Körper, keine Einschusslöcher. Nichts. Sankt Anna war nichts als eine schneebedeckte Schäre weit draußen auf dem Meer. Bosse hatte den Gasherd angestellt und Mokka zubereitet. Sie hatten kaum ein Wort gesprochen.

Aber danach war alles etwas leichter gewesen. Vor allem dank Gabriella, die sich der praktischen Dinge angenommen hatte. Sie hatte Verbindung zu Eva-Karin Boman aufgenommen, sich als Klaras juristische Vertretung vorgestellt und in Klaras Namen gekündigt, nachdem sie Eva-Karin ein Jahresgehalt als Abfindung abgerungen hatte. Gabriella war knallhart, viel härter als Klara. Sie war schon am 2. Januar wieder in der Kanzlei gewesen. Als frischgebackene Teilhaberin, die jüngste der Firma. Womöglich die jüngste in ganz Schweden.

Nachdem Klara erst einmal aus dem Bett gekommen war, tat sie ihr Bestes, um auf Trab zu bleiben. Zuerst versuchte sie sich an Kleinigkeiten. Essen kochen mit ihrer Großmutter, ihren Großvater auf Bootstouren begleiten.

Nach einer weiteren Woche schlüpfte sie in ihre Stadtkleidung und fuhr mit Bosse in die Zivilisation. Sie begann mit Söderköping, damit der Zivilisationsschock nicht zu heftig ausfiel. Kaufte sich ein paar Taschenbücher und aß eine Pizza in der Skönbergagatan. Spazierte durch die Winterlandschaft und ließ wieder Normalität einkehren. Eines Abends ging sie allein in Norrköping ins Kino, um sich eine bedeutungslose Komödie anzuschauen, aber danach fühlte sie sich fast wieder lebendig.

Und nachdem ein paar weitere Wochen vergangen waren, besuchte sie für ein Wochenende Gabriella in Stockholm. Ging bei Nordiska Kompaniet und Nitty Gritty shoppen, ging aus, aß in einem neuen Bistro Fleisch und Austern, nahm ein paar Drinks und kuschelte und fummelte anschließend mit einem bärtigen

Drehbuchautor einen Abend lang auf einer Couch im Riche. Lachte, hatte einen Schwips. Stolperte an der gefrorenen Wasserkante mit einem Würstchen vom Kiosk in der Hand entlang. Gewöhnte sich vorsichtig wieder an das ganz normale wunderbare Leben.

Aber als sie zurück in den Schären war, holten die Ereignisse sie wieder ein. Als würde sie sich nicht mit dem Verrat abfinden können. Dem Verrat, den ihr Vater, den Cyril und, vor allem, den sie selbst begangen hatte.

Was sie auch anstellte, sie wurde den Gedanken nicht los, für Mahmouds Tod verantwortlich zu sein. Und für den ihres Vaters.

Aber so konnte sie nicht weitermachen, konnte nicht nur in ihrem alten Kinderzimmer liegen und alles unaufhörlich durchspielen. Nur wenn sie ständig in Bewegung blieb, konnte sie das vermeiden.

Mitte März nahm sie Verbindung zu ihrem alten Professor und Mahmouds Doktorvater Lyset auf und verabredete sich mit ihm zum Mittagessen in Uppsalas Saluhall.

Er hatte sich nicht verändert. Stahlgraue Haare und eine aufrechte Haltung. Ein gut verborgenes mitfühlendes Herz. Filterlose Camel-Zigaretten. Er ahnte natürlich, dass hinter Mahmouds Tod etwas anderes als die Geschichte steckte, die der Öffentlichkeit von den Medien nach dem PR-Schachzug von Bronzelius und seinen Kollegen aufgetischt worden war. Lyset ließ sich nicht einreden, dass Mahmoud durch seine Arbeit Kontakt zu einem Terrornetz aufgenommen hätte, das er für seine Forschung habe unterwandern wollen, und dies der Grund für seinen Heldentod gewesen sei. Trotzdem versuchte Lyset nicht, Klara auszuhorchen, wofür sie ihm dankbar war. Und er war, ohne zu zögern, damit einverstanden, dass sie Mahmouds Doktorarbeit zu Ende schrieb.

Anschließend flog sie nach Brüssel und regelte ihren Umzug. Mietete eine kleine Einzimmerwohnung in Luthagen und bezog Mahmouds altes Arbeitszimmer. Vielleicht war das krank, keine gewöhnliche Trauerarbeit. Aber sie musste es tun.

Und später, als das Eis auf dem Fyrisån vor ihrem Arbeitszimmer geschmolzen war, als ganz Uppsala sich im Taumel der Frühjahrsbälle und Walpurgisnachtfeiern befand, griff Klara nach dem Zettel mit der E-Mail-Adresse der Frau, die sich Susan nannte.

Sie bat den Taxifahrer, an der Metro-Haltestelle der Smithsonian Institution zu halten. Als sie die Hintertür öffnete, schlug ihr frühsommerliche Wärme entgegen. Die Bäume waren grün, die National Mall war bevölkert von Joggern und Leuten, die ihr Mittagessen im Freien einnahmen. Klara war zum ersten Mal in Amerika, wie war es möglich, dass sie die Staaten noch nie besucht hatte? Alles kam ihr so vertraut vor. Sie nahm die Kopfhörer ab, um sich ungehindert auf diese neue Welt einlassen zu können.

Noch nicht einmal zehn Minuten später stand sie vor dem Capitol Hill. Sie warf einen raschen Blick auf das Navi ihres Handys, machte einen Schlenker nach rechts zur Independence Avenue, die um die Kongressgebäude verlief, und bog dann nach links in die First Avenue ein. Inhalierte den Geruch von Sommer, Hot Dogs und Zwiebeln von den Ständen der Straßenverkäufer. Männer und Frauen in Geschäftskleidung eilten auf dem Weg zur nächsten, ach so wichtigen, sinnlosen Besprechung die Straße entlang. Es war verwirrend. Vor weniger als einem halben Jahr hätte sie das sein können. In einer anderen Zeit, in einem anderen Leben.

Und da stand er schließlich vor ihr. Der Supreme Court. Weiß und hochmütig wie ein römischer Tempel.

Klara entdeckte sie sofort. Links auf der Treppe. Einsam, klein und blass. Unscheinbar, eine Person, die niemandem auffiel. Genau so, wie sie sich in ihrer E-Mail beschrieben hatte.

Klara schaute zum Giebel des Gebäudes hoch. «Equal justice under law». Hatte Susan diesen Treffpunkt in ironischer Absicht gewählt?

Klara erklomm die Treppe und ließ sich neben der Frau auf einer Stufe nieder.

«Willkommen in Washington», sagte Susan, ohne sie anzusehen.

Ihr Blick schien auf die Rückseite des Kongressgebäudes geheftet zu sein. Klara entgegnete nichts. Sie hatte das Gefühl, als wüsste sie nicht mehr, wo sie sich befand.

«Der Sommer kommt früh in diesem Jahr», setzte Susan an.

Klara nickte. «Scheint so.»

Susan holte tief Luft. «Also, was möchten Sie wissen?»

Um sie herum waren die Geräusche der Stadt, des Verkehrs, eine Sirene zu hören. Klara beugte sich vor und atmete tief die Frühlingsluft ein. Der Zeitpunkt war gekommen.

«Was war er für ein Mensch?»

Susan schien sie zuerst nicht gehört zu haben. Dann wandte sie sich langsam Klara zu. Ihre Augen waren so grau wie die Klippen im Schärengarten, wie leblose Asche, wie scharfe Rasierklingen.

«Er ist gern geschwommen.»

Mein Dank gilt:

Allen im Verlag, vor allem meiner Verlegerin Helene Atterling, die sofort wusste, was für ein Buch ich im Sinn hatte, und die mir Gelegenheit gegeben hat, es zu verwirklichen. Julia Lövestam, Åsa Selling, Astri von Arbin Ahlander, Håkan Bravinger, Johan Jarnvik. Pelle Hilmersson – jetzt bist du an der Reihe. Und schließlich meiner geliebten Frau Liisa. We did it.

«Hervorragend geschrieben, unglaublich spannend.»
Skånska Dagbladet, SE

«Einfach brillant.» *Litteratursiden, DK*

«Nach Stieg Larsson, Henning Mankell und Jens Lapidus gibt es eine neue große Stimme in der skandinavischen Krimiszene: Joakim Zander.» *Metro, NL*

«Außergewöhnlich spannend.» *Independent, UK*

«Ein exzellentes Debüt.» *Times, UK*

«Das ist kein herkömmlicher Schwedenkrimi, sondern ein ungewöhnlich ambitionierter Roman mit einem besonderen Ton. Mit dem umwerfenden Finale und seinen starken Charakteren verdient er absolut den Ruf, der ihm vorauseilt.» *Daily Mail, UK*

«Mit dem Tempo und der Intensität eines Bourne-Abenteuers. Ein absolut fesselnder Pageturner mit unerwartet viel Herz.»
Kirkus, USA

«Zanders unterhaltsames Debüt ist dichter an Forsyth und Ludlum dran als an Larsson und Mankell. Man versteht sofort, warum es in Europa ein Bestseller ist.» *Publishers Weekly, USA*

Joakim Zander
Der Bruder

Yasmine Ajam arbeitet als Trendscout in New York. Eines Tages erhält sie eine alarmierende Nachricht, die sie sofort nach Schweden zurückkehren lässt: das Verschwinden ihres Bruders. Angeblich ist Fadi gefallen bei einem Bombenangriff in Syrien, wo er für den IS kämpfte …
Klara Walldéen arbeitet inzwischen in London im Bereich Politik und Menschenrechte. Als Klaras Computer gestohlen wird und kurz darauf ihr Kollege vor einen Zug gestoßen wird, meldet sich ihr Spürsinn zurück: Wer könnte ein Interesse an ihrer Arbeit haben? Wer würde dafür töten?
In einem schwülheißen August kreuzen sich in Schweden die Wege der beiden Frauen …
Erneut verknüpft Zander geschickt die Qualitäten des Skandinavien-Krimis mit denen internationaler Politthriller. Das Thema könnte nicht aktueller sein: die Anziehungskraft des IS auf Jugendliche.

464 Seiten

Leseprobe

Joakim Zander

Der Bruder

Thriller

Aus dem Schwedischen von
Ursel Allenstein und Nina Hoyer

Rowohlt Polaris Erscheinungstermin Juli 2016

16. August 2015
London, England

Klara

Betrachtete man London von den erhöhten Bahngleisen aus, die von Gatwick in die City führten, war die Stadt nach wie vor zukunftverheißend. Diamanten und Kobalt glitzerten in der frühen Abenddämmerung am Horizont, stolze, spiralförmige Wolkenkratzer. Doch hinter dieser Fassade schlängelten sich die Straßen und Gassen immer noch und schienen trügerisch die Richtung zu ändern. Kleine, heruntergekommene Wohnungen, Dreck und Smog. Fahle Gesichter im gelben Licht der Busscheinwerfer, auf dem Heimweg mit einer Tüte Chips zum Abendessen. Tagelöhner aus der Ukraine und Griechenland, die aus dem Weg hechteten, um den Limousinen der Chinesen Platz zu machen – es war Dickens' London, von einem Oligarchen neu zusammengestellt.

Klara Walldéen saß am Zugfenster und spürte, wie die Stadt sie wieder erfasste, sie einfing und erneut zu einer der ihren machte, wie sie bis in ihr Innerstes vordrang und ihrem Herzen einen anderen Rhythmus vorgab.

Sie war erleichtert, wieder hier zu sein. Drei Tage bei ihren Großeltern im Schärengarten, aber keine Sekunde länger, mehr hielt sie zurzeit nicht aus. Sie hatte sich anstrengen müssen stillzusitzen, damit gekämpft, nicht vom Stuhl aufzuspringen, wenn ihre Großmutter vorsichtig den Mokka in die guten Tassen eingeschenkt und das frischgebackene Kardamomgebäck auf den Tisch gestellt hatte. Offenbar kam sie nicht mehr mit diesem langsamen Tempo zurecht, ihr Hirn war zu schnell für Aspöja geworden. Daher hatte sie heute Morgen auch die Minuten gezählt, bis sie in aller Herrgottsfrühe mit ihrem Großvater auf die Jagd hatte gehen können. Sie brauchte das, hatte sie festgestellt: diesen Moment der vollkommenen Konzentration, die Erwartungsfreude, den Augenblick des Sichsammelns und schließlich die Explosion.

Doch schon im Boot aufs Meer hinaus, als Albert, Großvaters Spaniel, ungeduldig auf dem Vordeck saß und die Augen im Wind zusammenkniff, spürte sie mit jeder Klippe, die sie passierten, mit jeder kleinen Dünung auf der schönen ruhigen See ihr Unbehagen wachsen. Dort draußen holten sie die Erinnerungen an jenes Weihnachten vor gut anderthalb Jahren wieder ein. An den Sturm, der über die Schmugglerschäre gezogen war, auf der sie und ihre beste Freundin Gabriella in Bosses alter Hütte ausgeharrt hatten – zwei ahnungslose Lockvögel in einem hochpolitischen Geschehen, während ein Killerkommando zu ihnen unterwegs gewesen war.

Erinnerungen an den Amerikaner, der urplötzlich während des Sturms auf den Sankt-Anna-Schären an die Tür geklopft hatte. Der Mann, der ihr Vater war, wie schwer es ihr auch fiel, das zu begreifen.

Doch nicht nur Erinnerungen an jenes Weihnachten, sondern auch an die Zeit davor kamen zurück. An Brüssel. An Mahmoud, der sie mit einer Stimme angerufen hatte, die so fremd geklungen hatte, so anders als in Uppsala. Wie wütend sie auf ihn gewesen war! Auf Moody, ihre erste große Liebe, ihre einzig wahre vielleicht. Moody, der sie verlassen hatte, aber zurückgekommen war, weil er sie gebraucht hatte.

Sie dachte auch an jenen Abend in Paris zurück, als die Stadt im Schnee versunken war. Noch heute roch sie den ausgelaufenen Sekt, der über den Supermarktboden geflossen war, hörte die Gewehrkugeln, die plötzlich um sie herumpfiffen. Mahmouds schweren Arm, an dem sie gezerrt hatte, bevor ihr klargeworden war, dass sie ihn getroffen hatten. Das kleine schwarze Loch auf seiner Stirn. Das Blut, das sich auf dem kalten Boden ausbreitete und mit dem Sekt vermischte. Sie erinnerte sich an den Bruchteil von Sekunden, in dem sie beschlossen hatte zu fliehen, ihn zurückzulassen, um selbst zu überleben.

Innerhalb weniger Tage hatte sie sowohl die Liebe ihres Lebens als auch den ihr bis dahin unbekannten Vater vor ihren Augen, in ihren Armen sterben sehen. Wie konnte man nach solchen Erlebnissen wieder zu sich selbst finden?

Ihr Großvater hatte es ihr angesehen, ihre Stimmung gespürt, und nachdem er mit dem Boot an einer der Klippen festgemacht hatte, zu denen sie an Morgen wie diesen immer gefahren waren, solange Klara denken konnte, hatte er einen Arm um sie gelegt und sie an sich gezogen.

«Wie geht es dir eigentlich wirklich, mein Mädchen?»

Doch genau in diesem Moment ertrug sie es nicht, dass er sich Sorgen um sie machte. Ihre Großeltern hatten sich in den letzten Jahren schon genug um sie gesorgt. Hatten sie in der ersten Zeit nach den Geschehnissen viel zu lange in ihrem alten Kinderzimmer im Bett liegen sehen und danach viel zu viel Fürsorge für sie aufgebracht, als sie Mahmouds Promotion über Kriegsverbrechen übernommen und zu Ende geschrieben hatte. Wie stolz sie auf sie gewesen waren, als das Buch unter Mahmouds und ihrem, Klaras Namen veröffentlicht werden sollte, während sie selbst vor allem Schuldgefühle empfand, weil es im Grunde nicht ihre Arbeit gewesen war. Sie konnte den Gedanken einfach nicht abschütteln, sie Mahmoud gestohlen zu haben, sie aus seinen leblosen Händen gerissen und als ihre eigene Leistung ausgegeben zu haben.

Und es ließ ihr keine Ruhe, dass alle meinten, sie mit Samthandschuhen anfassen zu müssen. Lysander, Mahmouds Doktorvater, der sie davon überzeugt hatte, dass ihr Name ebenfalls im Buch genannt werden sollte, weil sie weitaus mehr Arbeit hineingesteckt hätte als die meisten Koautoren. Das stimmte zwar, ein Jahr lang hatte sie fast zwölf Stunden täglich an der Promotion gesessen, trotzdem blieb das Gefühl, dass es Diebstahl war. Und dass alle sie schonten und sie umsorgten. Als wüssten alle, was sie mitgemacht hatte, aber keinem von ihnen war bewusst, dass Klara die Opfer hätte schützen müssen. Warum waren alle nur so nett zu ihr, warum machten sie es ihr so leicht?

So wie auch Charlotte Anderfeldt, die ihr eine Doktorandenstelle angeboten und sich dafür eingesetzt hatte, dass sie ein Stipendium erhielt, um Mahmouds Promotion in London beenden zu können. Oder Gabriella, die sie dazu gebracht hatte, das Bett wieder zu verlassen und sie davon überzeugt hatte, dass sie, Klara, in der Lage sei, wieder zu arbeiten.

Sie hatte die Unterstützung und Geduld all dieser Menschen gar nicht verdient.

Deshalb löste sie sich jetzt auch aus der Umarmung ihres Großvaters und warf ihm ein nichtssagendes, zittriges Lächeln zu.

«Ach, es geht schon», antwortete sie. «Ich bin nur ein bisschen müde, es ist noch so früh. Also los, auf zu unserer üblichen Stelle!»

Als sie vorausging, spürte sie seinen Blick im Nacken, seine Besorgnis, seine Zweifel und seinen Wunsch, ihr zu helfen. Das machte sie wahnsinnig. Am liebsten hätte sie sich umgedreht und ihn, nein, sie alle angeschrien: *Lasst mich verdammt noch mal in Ruhe! Ich bin weniger als ein Nichts. Ich bin eine Verräterin, eine Mörderin! Ihr kennt mich überhaupt nicht. Lasst mich in Frieden! Habt mich nicht lieb!*

Und selbst als sie beide endlich ihren angestammten Platz erreicht hatten und schweigend in ihrem Versteck im Gebüsch hockten, während das Meer vor ihnen in der frühen Morgensonne schimmerte und glitzerte, kam sie nicht zur Ruhe. Noch nicht einmal hier, bei der Jagd, die sie immer mehr als alles andere geliebt hatte, gelang ihr das.

Doch dann stürmte Albert laut bellend davon, und Sekunden später raschelte es im Schilf, sechs Waldschnepfen flatterten auf und stoben in die Bucht hinaus. Da fiel alles für einen Moment von ihr ab, und sie wurde ganz ruhig. Sie zielte mit der Schrotflinte, justierte sie, bis sie sich sicher war, und drückte ab. Einmal, zweimal. Durch den Rückstoß wurde ihr Kopf klar, sie fühlte sich einen Moment wie schwerelos.

Doch schon beim Senken der Flinte war diese herrliche Leere wieder verflogen.

Albert kam mit den Schnepfen im Maul zurück, einer nach der anderen, und ihr Großvater tätschelte ihr anerkennend die Schulter.

«Du bist wirklich ein Naturtalent, Klara.»

Er nahm Albert die Vögel aus dem Maul, tätschelte ihn ebenfalls und gab ihm einen Leckerbissen, den er in der Tasche seiner Wachsjacke hatte.

«Na, wie wär's jetzt mit einer Tasse Kaffee?», fragte er und drehte sich lächelnd zu Klara um.

«Hast du auch Schnaps dabei?», erwiderte sie und bereute die Frage sogleich.

Mit neu aufkeimender Besorgnis musterte er sie.

Klara legte sich die Büchse über die Schulter und schlug den Weg zum Boot ein.

«Von mir aus können wir auch gleich wieder zurück.»

In Blackfriars stieg sie aus dem Zug und erwischte ein schwarzes Taxi. Sie brachte heute Abend nicht die Kraft auf, sich mit der U-Bahn oder dem Bus herumzuärgern.

«Shoreditch, Navarre Street», sagte sie und genoss den Nachgeschmack des Rotweins und die Vorstellung, sich eine Zigarette anzuzünden, sobald sie ihr Ziel erreicht hätte.

Sie hatte sich ein Glas Wein am Flughafen gegönnt und eine kleine Flasche im Flugzeug, die sie so langsam getrunken hatte, dass sie sich nicht dafür hatte schämen müssen, eine zweite zu bestellen. Immerhin war Sonntag, und sie hatte auf Aspöja den ganzen Samstag und die halbe letzte Nacht an dem Bericht gearbeitet, ohne auch nur einen Tropfen anzurühren. Der morgige Tag würde lang werden, heute Abend hatte sie sich ein Weinchen verdient. Nur ein oder zwei Gläser, schließlich war es noch nicht einmal sieben Uhr.

«Ach, wissen Sie was?», wandte sie sich an den Taxifahrer. «Fahren Sie mich doch zur Library Bar in der Leonard Street.»

Die Bar war noch halb leer, als Klara dort eintraf, und das war ganz in ihrem Sinn, bald würde drangvolle Enge herrschen, denn Sonntage waren für das überwiegend aus Freiberuflern bestehende Publikum Tage wie jeder andere. Pete, der Barkeeper, zwinkerte ihr zu, als er sie entdeckte. Sie stellte sich an den Tresen und wartete, bis er zwei bärtigen Männern in Ringelpullovern und ausgebeulten Shorts, die sicher irgendwelche Jobs in der Kreativbranche hatten, heimisch produziertes IPA-Bier eingeschenkt hatte.

«Wie geht's, Klara?», fragte er, stellte ein Weinglas vor sie hin und angelte mit der anderen Hand nach einer Flasche Rotwein.

«Gut, ich war übers Wochenende in Schweden. Bin gerade erst wiedergekommen.»

Mit einem Kopfnicken deutete sie auf den Trolley und die Laptoptasche neben sich auf dem Boden. Pete goss ihr einen Wein ein und machte eine abwehrende Geste, als sie in ihrer Handtasche nach ihrem Portemonnaie kramte.

«Ich lade dich ein. Cool, dass du direkt vom Flughafen hergefunden hast.»

Er verstummte, in seinen Augen lag jetzt ein anderer Ausdruck.

«Wenn du noch auf ein weiteres Glas bleibst, spendiere ich dir bei mir zu Hause auch noch eines.»

Klara trank einen Schluck und ließ ihren Blick über seine zerzausten blonden Haare, seine himmelblauen Augen und seine Schultern gleiten, die sich deutlich unter seinem dünnen graumelierten T-Shirt abzeichneten. Sie erinnerte sich, wenn auch nur verschwommen, an drei eher unbefriedigende Nächte, in denen sie in betrunkenem Zustand bei ihm zu Hause gelandet war.

Sie schüttelte den Kopf.

«Nicht heute Abend, Pete, aber danke für den Wein.»

Um zehn Uhr war die Bar genauso voll wie Klara. Wie viel hatte sie eigentlich getrunken? Jedenfalls mehr als geplant, und mit jedem Schluck Wein wurde ihr Kopf leichter und leerer. Ja, mit jedem Glas fiel es ihr leichter, zu entspannen und das Vergangene loszulassen, ihre Arbeit, den Druck und den ganzen Mist. Aber heute Abend musste sie es übertrieben haben, denn sie merkte, wie sich in ihrem Kopf alles drehte, und bereute das letzte Glas zutiefst. Wie unprofessionell von ihr!

«Ich glaube, ich muss ...», sagte sie zu dem dunkelhaarigen Fotografen, mit dem sie bis vor drei Minuten hemmungslos geflirtet hatte, «ich glaube, ich muss gehen.»

Er blickte sie mit erstaunter Miene an, als würde sie Scherze machen. Wie hieß er überhaupt – Martin? Nicht, dass es eine Rolle spielte.

«Ich muss nach Hause», wiederholte sie, erleichtert darüber, nicht genuschelt zu haben.

Erst ihr Gepäck und dann an die Luft.

«Ich kann dich heimbringen», bot der Mann an.

Aber Klara schüttelte nur den Kopf und winkte ab.

«Ich wohne gleich um die Ecke. Ich komme schon klar.»

«Bist du auf Facebook?», hauchte er in ihren Nacken, bevor Klara sich zwischen den Gästen hindurch und in den warmen Londoner Abend hinausschlängelte.

Die Luft stand still, es roch nach Abgasen und Frittierfett. In den letzten Wochen war es tropisch heiß gewesen. Klara spürte einen starken Schwindel. Probeweise machte sie ein paar Schritte vorwärts, aber sie konnte ihren Blick nicht fokussieren, und die Gebäude am Rand ihres Gesichtsfeldes schienen zu schwanken.

Langsam schlug sie den Nachhauseweg ein, sie fürchtete sich schon jetzt vor dem morgigen Tag. Vermutlich würde sie sich mit einem Kater herumplagen müssen. Wie dämlich von ihr! Sie bog in eine der schmalen Gassen ein, die zur Great Eastern Street führten, und war erst ein paar Meter weit gekommen, als sie Schritte hinter sich zu hören glaubte. Sie blieb stehen und drehte sich um. Nichts. Bestimmt hatten ihr nur das Geräusch von dem Trolley und die Trunkenheit einen Streich gespielt. Sie ging weiter, schneller jetzt und erleichtert darüber, in ein paar Minuten zu Hause zu sein.

Doch sobald sie sich wieder in Bewegung setzte, hörte sie wieder Schritte. Sie war sich nun ganz sicher. Ohne stehen zu bleiben, warf sie einen Blick über die Schulter zurück. Die Gasse lag im Dunkeln, rechts und links heruntergekommene, mit Graffiti beschmierte Ziegelsteingebäude. Dennoch konnte sie den Umriss eines Mannes ausmachen. Als er bemerkte, dass sie ihn entdeckt hatte, blieb er stehen.

«Martin?», fragte sie.

Doch die Gebäude ringsum schwankten, und es fiel ihr schwer, einen klaren Gedanken zu fassen. Der Mann breitete die Arme aus, gab aber keinen Ton von sich. Da stolperte Klara über ihre eigenen Füße und landete auf allen vieren. Um sich herum hörte sie es rauschen. Der Straßenbelag unter ihr schien sich in ein Meer verwandelt zu haben, die Gebäude in Klippen aus dem Schärengarten. Sie war von Wellen umspült, die sich bewegten, die atmeten und schaukelten, als befände sie sich immer noch auf dem Boot ihres Großvaters.

Abermals versuchte sie, klar zu sehen, doch es gelang ihr nicht, und die Übelkeit nahm immer mehr zu. Der Rotwein und die Nüsse, die sie gegessen hatte, kamen wieder hoch, und sie musste sich auf der Stelle übergeben, bevor sie sich auf die Seite wälzte und die Augen schloss. Wie aus weiter Ferne hörte sie eine Stimme flüstern, spürte Hände, die an ihr zogen und zerrten. Dann wurde alles um sie herum dunkel – warm, schwarz und still.

17. August 2015
Stockholm, Schweden

Yasmine

Als sie vor dem Hotel Story in der Riddargatan ihr Taxi bezahlte, stellte Yasmine fest, dass in Stockholm Morgen war. Jedenfalls sagte ihr das die Anzeige ihres Handys, aber ihr Körper hatte kapituliert, und ihre innere Uhr kannte keine Weltzeit mehr. Dreizehn Stunden Unterschied zwischen Tokio und New York. Weitere sechs bis Stockholm. Sie fühlte sich schwer und doch schwebend, als bestünde sie zu gleichen Teilen aus Blei und aus Helium.

Als sie dem Taxifahrer ihre Kreditkarte gab, hielt sie für einen Moment den Atem an. Sie benutzte sie zum ersten Mal, und weil ihr die Besprechung und die letzten Tage in New York wie ein Traum vorkamen, war sie sich nicht sicher, ob die Karte von Shrewd & Daughter auch wirklich funktionieren würde.

Doch das Lesegerät akzeptierte den Code, und sie taumelte durch den lauen Spätsommermorgen zur vollautomatisierten Rezeption und anschließend hinauf auf ihr Zimmer, das – laut der Hotelhomepage – im «Bohemian Style» gehalten war. Dort sank sie sofort aufs Bett, ohne auch nur die Schuhe auszuziehen.

Als sie wieder wach wurde, fiel das Licht in einem anderen Winkel durch die dünnen Gardinen, und sie streckte sich nach ihrem Handy, um einen Blick auf die Uhr zu werfen. Kurz nach zwölf, sie hatte zwei Stunden geschlafen, die ihr wie eine ganze Nacht vorkamen, und dennoch war ihr Kopf wie mit Watte gefüllt, ihr Körper hingegen rastlos. Es war merkwürdig, wieder hier zu sein, obwohl ihr dieses Hotelzimmer mit seinen unbehandelten rauen Wänden und der minimalistischen Einrichtung nicht wie Schweden vorkam, jedenfalls nicht wie *ihr* Schweden. Sie stand auf, ging zum Fenster und blickte auf die Riddargatan hinab, auf den sauberen, bürgerlichen Modernismus, die Architektur der Jahrhundertwende, und bis zur Birger Jarlsgatan und der U-Bahn-Station am Östermalmstorg. Auch das war nicht ihr Schweden. Aber irgendwo dort draußen musste Fadi sein.

«Ich komme, *habibi*», flüsterte sie. «Verschwinde nicht noch einmal.»

Sie zog die Gardinen wieder zu und ging ins Bad. Der Anblick ihres Gesichts im Spiegel ließ sie zurückschrecken. Ein richtiges Veilchen war es nicht, aber ihr Auge war auf der rechten Seite geschwollen, und ein heller violetter Sonnenuntergang strahlte bis zu ihrer Schläfe hin. Kein Wunder, dass Brett ihr am Flughafen JFK eine billige große Sonnenbrille gekauft hatte. Gleichzeitig war sie froh über das Auge, froh über den dumpfen, pulsierenden Schmerz, froh darüber, was die Schwellung mit ihrem Gesicht machte, mit ihr machte. Sie war konkret und unmissverständlich, eine deutliche, schlichte Mahnung, auf die sie sich berufen konnte, sollten die Gedanken, die Reue und die Zweifel irgendwann doch einsetzen. Sie hielt ihr Handy hoch, fing ihr Gesicht mit dem Sucher der Kamera so nah wie möglich ein und drückte den Auslöser. Nie wieder.

Als sie wieder auf dem Bett saß, öffnete sie noch einmal die Nachricht von ihrer Mutter. Betrachtete das Bild von Fadi, drehte und wendete es. Versuchte die Helligkeit so einzustellen, dass sie durch das verschwommene Dunkel hindurchsehen konnte. Das ist er, dachte sie. Das muss er sein.

Sie tippte das Bild weg, zögerte jedoch, bevor sie auch die Nachricht ihrer Mutter schloss. Wann hatte sie zum letzten Mal mit ihren Eltern gesprochen? Vor vier Jahren war sie weggegangen, doch schon in den Jahren davor hatte sie kaum noch ein Wort mit ihnen gewechselt. Hatte sich ferngehalten, wenn die Eltern zu Hause waren, und die Wohnung erst betreten, wenn sie gewusst hatte, dass nur Fadi da war. Sie erinnerte sich lediglich an ihre müden Gesichter, ihre langen Blicke, ihre harten Worte und Fäuste. Und jetzt? Sie schüttelte den Kopf. Morgen. Erst musste sie jemand anderen treffen.

Langsam scrollte sie durch ihre schwedische Adressliste. So viele Namen, zu denen sie so lange keinen Kontakt mehr gehabt hatte. Menschen, die ihre Welt gewesen waren, mit denen sie aufgewachsen war. Parisa und Q, Malik und Sebbe, Bilal, Red, Soledad, Henna, Danny, Amat. Die Mathenachhilfe und der Hort, der irgendwann geschlossen wurde, Gras rauchen auf dem Spielplatz, der Mast im Wald hinter der Valgatan, an dem sie emporgeklettert waren, bis ihnen schwindelig geworden war und sie die Sterne berühren konnten. Die Besäufnisse am helllichten Tag bei José und Mona, als deren Eltern in Chile und der Onkel im Krankenhaus gewesen waren. Das Abhängen auf dem Platz und die Zigaretten unter der Abzugshaube bei Miriam. Und dann das Studio, aber daran wollte sie nicht denken. Sie holte tief Luft. Es gab keine Alternative mehr, sie musste sich damit konfrontieren. Sie scrollte sich durch die Namen im Telefon, bis sie fand, was sie suchte.

Er meldete sich nach dem ersten Signal, er musste das Telefon in der Hand gehalten haben.

«*Shoo*, hier ist Igge.»

Yasmine unterdrückte den Impuls, einfach wieder aufzulegen. Sie nahm sich zusammen und versuchte, ruhig zu atmen.

«Ignacio», sagte sie. «Ich bin es. Yazz.»

Im Hörer wurde es still.

«Ich weiß», fuhr sie fort. «Es ist ewig her. Ich ...»

«Wo steckst du?», fragte er.

Seine Stimme klang noch genauso, wie Yasmine sie in Erinnerung hatte. Kräftig und so raumgreifend, dass man darin versinken könnte.

«Ich bin wieder zu Hause. In Stockholm. Und du?»

Er lachte.

«Ey, was glaubst du denn? Ich bin da, wo ich immer bin, *bre*. Bin nicht so international wie du.»

«Arbeitest du noch? Dort, wo du immer gearbeitet hast?»

«Wie gesagt, Yazz, alles wie immer. Und du? Warum bist du jetzt in Stockholm?»

Er klang erstaunt, überrumpelt. Kein Wunder.

«Ich bin heute Morgen gekommen.»

Wieder wurde es still. Es war so lange her. Es war so lange still gewesen. Sie wusste, dass es jetzt von ihr abhing.

«Ich würde dich gern sehen, Ignacio», sagte sie.

Er zögerte und seufzte.

«Ignacio?», wiederholte er schließlich. «Nur du nennst mich so. Das weißt du. Okay, wo wollen wir uns treffen?»

«Ich könnte dich ja zum Essen einladen? Das ist das Mindeste, was ich tun kann, oder?»

«Du lädst mich ein? Das wäre das erste Mal. Aber klar. Ich arbeite gerade in der Stadt. Um fünf bei Flippin' Burgers? Vor dem Ansturm. Weißt du, wo das ist?»

«Ich finde schon hin», antwortete sie. «Wir sehen uns da.»

Eine merkwürdige Ruhe und Trägheit lag über Vasastan, der Sommer war lang, und auch wenn die Ferien vorüber waren, schien das Urlaubsgefühl anzuhalten. Ein paar Mittdreißiger, die in kurzen

Ärmeln von ihren Agenturjobs nach Hause schlenderten, und vereinzelte Väter in Elternzeit, die mit der einen Hand den Kinderwagen schoben und in der anderen einen Kaffeebecher hielten. Der Verkehr floss nur zäh dahin.

Kaum dass sie von der Upplandsgatan um die Ecke gebogen war, sah Yasmine Ignacios breiten Rücken an einem Tisch vor dem Flippin' Burgers auf der Observatoriegatan. Selbst von hinten und aus der Ferne betrachtet ließ Ignacio seine Umgebung schrumpfen, als hätten sich die übrigen Proportionen plötzlich verschoben.

Ihn wiederzusehen stimmte sie wehmütig, und sie ging absichtlich langsam, um die Begegnung so lange wie möglich hinauszuzögern. Inzwischen war es vier Jahre her, dass sie ohne ein Wort verschwunden war. Aber erst jetzt, als sie tatsächlich wieder in Stockholm war, begriff sie, wie weit sie weg gewesen war. Wie weit sie vielleicht noch immer entfernt war.

«Ignacio!», rief sie möglichst unbekümmert und glitt neben ihn auf die Bank. *«Qué pasa?»*

Er drehte sich zu ihr um und hätte mit einer hastigen Bewegung fast den ganzen Plastiktisch umgeworfen. Auf seinem rasierten Kopf saß eine blaue Knicks-Kappe, und er hatte sich einen Bart wachsen lassen, dicht und dunkel, eckig gestutzt. Er ließ ihn älter aussehen als seine vierundzwanzig Jahre. Weil er direkt von der Arbeit kam, trug er noch seine blaue Arbeitshose und ein T-Shirt mit dem Namen der Umzugsfirma quer über den Rücken. Eine Welle alter Zuneigung stieg in Yasmine auf.

«Yazz!», rief er und legte seine riesigen Arme um sie. «Es ist ewig her.»

«Vier Jahre», erwiderte sie. «Die Zeit rast.»

Er löste seine Umarmung langsam, umfasste mit seinen riesigen Händen ihre Schultern und musterte sie.

«Verdammt, bist du dünn geworden, Yazz. Isst du denn gar nichts mehr?»

Yasmine zuckte mit den Schultern und lachte. Ignacio schüttelte traurig den Kopf, bevor er sie losließ und ihr vorsichtig die große schwarze Sonnenbrille von der Nase zog. Seine Augen verengten sich, und sein Mund wurde zu einem schmalen Strich, als er den Sonnenuntergang an Yasmines Schläfe sah, doch noch ehe er etwas sagen konnte, nahm sie ihm die Sonnenbrille aus der Hand und setzte sie wieder auf.

«Am besten, wir bestellen schnell was, bevor die ganzen *suedis* hereinstürmen», sagte sie. «Was willst du denn essen?»

Eine Dreiviertelstunde später hatten sie sich durch ihre Hamburger gearbeitet, und Ignacio war schon bei der Hälfte seines zweiten Cookie Dough Milchshake, den er mit zwei Shots Jack Daniel's verfeinert hatte. Yasmin nahm einen Schluck von ihrem Stockholm Pale Ale und lehnte sich zurück.

«Du bist jetzt zu Hause, Zeit, mal wieder was Einheimisches zu trinken», hatte Ignacio ihren Versuch abgewehrt, ein amerikanisches Bier zu ordern. Der Alkohol hatte sie wieder ein wenig aufgebaut und den Jetlag auf ein leises Hintergrundrauschen reduziert. Der Abend war noch warm und der Himmel klar, hell und endlos.

Sie hatten einander immerhin teilweise wieder auf den neusten Stand gebracht, was in den letzten vier Jahren passiert war. Wer noch da war. Wer eine Platte rausgebracht hatte. Wer umgezogen oder gestorben oder im Knast gelandet war. Für einen Moment vergaß Yasmine beinahe alles andere, ihr blaues Auge, David und Shrewd & Daughter. Fadi und das Exil. Es war eine solche Erleichterung, sich einfach zurückzulehnen, ein Bier zu trinken und sich neue Versionen der alten War Stories und Legenden anzuhören.

Für einen Moment fühlte sich ihre Rückkehr so an, als wäre sie wirklich wieder nach Hause gekommen.

Aber sie wusste, dass sie sich nur im Kreis bewegten, dass sie so nicht weitermachen konnten, und am Ende verstummten sie beide und ließen ihren Blick über die fast leere Straße wandern, über Pflastersteine und Jugendstilfassaden. Nach einer Weile wandte sich Ignacio ihr wieder zu und betrachtete sie nun mit einem anderen Blick.

«Ich habe das mit Fadi gehört», sagte er ruhig. «Es tut mir wirklich leid, Yazz.»

Yasmine nickte nur und starrte in ihr Bierglas.

«Ich schwöre, ich wusste nicht, dass es so weit gekommen war», fuhr er fort. «Man hat ihn nie mehr im Zentrum gesehen. Hätte ich das gewusst ...»

«Ich weiß, Ignacio», sagte Yasmine. «Ich weiß.»

Sie legte ihre Hand auf die seine, ohne ihn anzusehen.

«Daran bin allein ich schuld. Niemand sonst. Ich war diejenige, die einfach abgehauen ist.»

Sie nahm ihre Sonnenbrille ab und blickte ihm in die Augen.

«Es war bescheuert», fuhr sie fort. «Einfach auszuticken und ohne jede Erklärung zu verschwinden. Es war so verdammt falsch, Ignacio. Dir und Fadi gegenüber.»

Jetzt wich Ignacio ihrem Blick aus und betrachtete den staubigen Bürgersteig.

«Du warst mir nichts schuldig», erwiderte er und zuckte mit den Schultern. «Zwischen uns war es doch sowieso schon aus, oder?»

«Aber einfach so zu gehen? Ein bisschen mehr wäre ich dir schon schuldig gewesen. In Gedanken habe ich dir so viele Mails geschrieben, aber ich habe sie nie abgeschickt.»

Ignacio blickte wieder auf und lächelte ein wenig unsicher.

«Es ist, wie es ist», sagte er dann. «Und manche Sachen muss man einfach durchziehen, oder?»

Yasmine nickte vorsichtig und trank einen Schluck von ihrem Bier.

«Also, *qué pasa*, Yazz?», fragte er dann vorsichtig. «Was machst du eigentlich hier? Nach vier Jahren? Du bist verschwunden, ohne einen Ton zu sagen, Baby. Und du bist doch wohl nicht zurückgekommen, um mich zu treffen?»

«Er ist nicht tot», antwortete sie leise.

Ignacio fuhr zusammen und lehnte sich über den Tisch.

«Was? Wer ist nicht tot? Fadi?»

Yasmine zog das Handy aus ihrer Tasche und öffnete das Bild, das ihre Mutter geschickt hatte. Sie schob Ignacio das Telefon über den Tisch hin.

«Sieh selbst.»

Er nahm das Handy und fuhr mit den Fingern über das Bild, vergrößerte es und hielt es sich dicht vors Gesicht, um es genau zu studieren. Schließlich legte er es wieder auf den Tisch. Jetzt hatte er einen wehmütigen Zug um die Augen.

«Vielleicht», sagte er. «Yazz ... Mach dir aber nicht zu große Hoffnungen. Er könnte es sein. Aber jetzt mal im Ernst. Das Bild ist schon ziemlich dunkel und verschwommen, oder?»

«Er ist es», entgegnete sie ruhig.

«Du bist also zurückgekommen, weil du versuchen willst, ihn zu finden?»

«Nicht versuchen. Ich werde ihn finden.»

Ignacio wirkte besorgt, nickte jedoch.

«Wo wohnst du denn eigentlich?», fragte er unvermittelt.

«Im Story, am Stureplan.»

Er stieß einen Pfiff aus.

«Fett. Aus dir ist was geworden.»

«Ich habe einen Job», erklärte sie. «Oder besser gesagt, ich arbeite für Werbeagenturen. Spüre Künstler auf, Trends und so 'n Zeug. Du weißt schon, die großen Firmen wollen bei den Kids ankommen.»

Sie machte einen ironischen Hip-Hop-Move.

«Anyway. Im Moment arbeite ich für eine Agentur, die rausfinden will, was in Bergort abgeht.»

Ignacio schüttelte den Kopf und sog an dem Strohhalm seines Milchshakes.

«Wovon redest du? Was wollen die von Fadi?»

«Sie wissen nichts von Fadi», antwortete sie. «Aber da draußen scheint noch was anderes los zu sein. Etwas, das vielleicht mit Fadi zu tun hat.»

Sie zuckte mit den Schultern.

«Ich weiß nicht, was es ist. Es interessiert mich auch nicht, aber immerhin haben sie mir deswegen die Reise bezahlt.»

«Das kapier ich nicht», erwiderte Ignacio. «Eine Agentur in New York will wissen, was in Bergort passiert? Wie kann das sein?»

Yasmine lächelte müde.

«Ein old school hustle», antwortete sie. «Du bist nicht der Einzige, der das Geld von den Bäumen schütteln kann, Bruder.»

Ignacio lehnte sich zurück und lachte.

«Du hast sie also dazu gebracht, dir die Heimreise zu spendieren? Und das Hotel? Shit, Yazz, ich bin stolz auf dich.»

«Ich muss Fadi finden. Aber David ... er hat unser ganzes Geld verprasst. Ich brauchte jemanden, der uns sponsert.»

Sie nahm ihr Handy und öffnete das Foto von der erhängten Katze.

«Hier», sagte sie und schob das Handy wieder über den Tisch. «Ich habe noch drei andere Fotos bekommen, die anscheinend etwas mit Fadi zu tun haben.»

Er nahm das Telefon noch einmal und warf einen schnellen Blick auf den Bildschirm, bevor er ihn sofort abschaltete und das Handy wieder zu Yasmine hinüberschob.

«Keine Ahnung, was das sein soll», sagte er knapp. «Wo hast du das her?»

Sie betrachtete ihn forschend.

«Ignacio, es gibt noch mehr Fotos. Eine Schablone mit einer geballten Faust in einem Stern.»

Sie nahm das Telefon und aktivierte wieder das Display.

«Ich weiß nichts darüber, okay?», sagte er.

Plötzlich klang seine Stimme barsch, fast schon aggressiv, und sie sah hastig zu ihm auf, aber er hatte seinen Blick wieder abgewandt, zur Straße und den Jugendstilfassaden, die sanft und matt im Nachmittagslicht schimmerten.

«Hör doch auf», erwiderte sie. «Du hast dir die Bilder noch nicht mal angeguckt.»

Wieder beugte sie sich über das Telefon, aber er nahm es ihr aus der Hand und legte es auf den Tisch.

«*Wallah*», sagte er. «Ich schwöre. Ich weiß nichts darüber.»

Er sah sie an, und sein Blick war nicht mehr nur warmherzig und ironisch. Seine Augen spiegelten jetzt mehr von Bergort wider, Beton, Aufrichtigkeit und komplizierte Loyalität. Unruhe. Und irgendetwas anderes. Etwas, das er verschwieg.

«Jetzt mal im Ernst, Yazz», sagte er.

Er legte seine große Hand auf die ihre, die darunter vollkommen verschwand, und drückte sie, nicht fest, aber fest genug, um Yasmine an früher zu erinnern. An Bergort und die Kindheit, an die Klaustrophobie und das Gefangensein. An die Hilflosigkeit.

«Es gibt Dinge, die man einfach ignoriert, okay?»

«Es gibt Dinge, die man nicht ignorieren kann», erwiderte sie ruhig. «Aber ich höre, was du sagst.»

Eine Weile nippten sie schweigend an ihren Getränken, bis Ignacio sich nicht mehr zurückhalten konnte.

«Dein Auge? Das war er, oder? Dieser Schwede, mit dem du abgehauen bist. Der Künstler.»

Er spuckte das Wort «Künstler» mit derselben Zufriedenheit aus wie jemand, der endlich einen Essensrest zwischen den Zähnen herausgepult hatte und ihn loswerden konnte.

«Das spielt keine Rolle», sagte sie. «Ich bin jetzt hier.»

Sie holte tief Luft. Irgendwann mussten sie zu diesem Punkt kommen.

«Verdammt noch mal, Yazz ...»

«Vergiss es einfach», fiel sie ihm ins Wort. «Ich musste schließlich verschwinden, oder etwa nicht? Nach dem Einbruch und alldem. Ich habe es für Fadi getan. Jedenfalls hatte ich geglaubt, dass ich es für Fadi täte.»

Ignacio beugte sich vor. Jetzt waren seine Augen wieder sanft, vertrauenerweckend.

«Aber Yazz, *querida*. Glaubst du etwa, die anderen hätten das nicht sowieso kapiert? Meinst du, sie haben gedacht, *du* hättest die Sachen aus dem Studio geschleppt?»

Sie spürte, wie sie von einem kalten Wind erfasst wurde. Sie wusste, dass es ein Vorwand von ihr gewesen war, ein letzter Anstoß, um über die Klippe zu springen. Wind unter den Flügeln.

«Aber manche Sachen muss man einfach durchziehen, oder?», entgegnete sie. «Ich bin jetzt hier. Was soll ich deiner Meinung nach sagen?»

Sie nahm einen Schluck von ihrem Bier. Ignacio zuckte mit den Schultern und warf einen Blick auf sein Handy.

«Ich muss jetzt los», sagte er und stand auf. «Es war schön, dich zu sehen, Yazz.»

Der Schatten seines riesigen Körpers fiel auf Yasmine. Sie stand ebenfalls auf und küsste ihn auf die Wange, aber er fasste sie an den Schultern, schob sie ein Stück weg und sah sie erneut mit ernster Miene an.

«Lauf nicht überall rum und zeig diese Bilder, okay?», mahnte er. «Jetzt im Ernst. Das ist nichts, wo du reingeraten willst.»

«Wo rein? Sag es doch. Das ist alles, was ich habe.»

«Über manche Sachen spricht man einfach nicht. Man sollte sich lieber nicht einmischen. Bergort Style, weißt du?»

«Du erkundigst dich doch nach Fadi, oder? Checkst, ob irgendwer was gehört hat?»

«Klar. Aber mach dir nicht zu viele Hoffnungen. Ganz ehrlich, Yazz, es ist besser, wenn man sich ein bisschen im Hintergrund hält. Wenn er noch lebt, meldet er sich. Glaub mir.»

Pressestimmen zu «Der Bruder»

«Unglaublich spannend und brandaktuell. Eines der Bücher, die man dieses Jahr unbedingt gelesen haben muss.»
(Skånska Dagbladet)

«Ein elegant erzählter internationaler Thriller. Anspruchsvoll und erschreckend glaubwürdig.» (Dagens Nyheter)

«Es ist vor allem Fadis Geschichte, die einen berührt und unter die Haut geht.» (Hallandsposten)

«So gut geschrieben und authentisch. Weit mehr als ein gewöhnlicher Krimi, ein Roman, der lange nachhallt.» (Ölandsbladet)

«Dass dieses Buch für den schwedischen Krimipreis nominiert wurde, versteht sich von selbst. Zander ist zweifellos einer unserer neuen Stars, von ihm wird man die nächsten Jahre sicherlich noch viel hören.» (DAST Magazine)

«Einer der stärksten schwedischen Kriminalromane des Jahres. Ein Thriller, der Spannung, Tempo und aktuelle Themen mit Charakteren kombiniert, die dem Leser ans Herz wachsen.»
(CrimeGarden)

Joakim Zander
bei Polaris und rororo

Die Klara-Walldéen-Reihe:

Der Schwimmer

Der Bruder

Das für dieses Buch verwendete Papier ist FSC®-zertifiziert.